W9-ADY-952

SEVENTEENTH CENTURY FRENCH READINGS

REVISED

EDITED WITH INTRODUCTION, NOTES AND VOCABULARY

BY

ALBERT SCHINZ
Professor of French Literature, University of Pennsylvania

AND

HELEN MAXWELL KING
Formerly of the Department of French Language and Literature, Smith College

NEW YORK
HENRY HOLT AND COMPANY

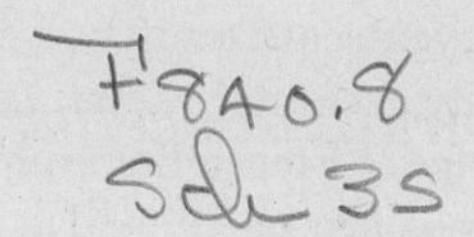

October, 1940

PRINTED IN THE
UNITED STATES OF AMERICA

PREFACE

This book aims at providing, for the study of the French literature of the seventeenth century, a greater variety of texts than are now easily accessible. That century is indisputably the fundamental age of French literature, the one which every student must possess first of all; and as a French student who is to study one period only of English literature will naturally turn to the period in which Shakespeare is the conspicuous figure, so, under similar circumstances an English-speaking student will choose the period which produced Corneille, Racine, Molière, La Fontaine, Bossuet, and Pascal.

For practical reasons one volume was preferable to two volumes. The editors faced two possibilities: either to include all the notable authors of the period and reduce the length of the selections; or to include fewer authors, and allow more under each name. We did not hesitate to choose the second alternative, since few things are as conducive to superficiality and confusion as the scrappy texts of the common type of anthology.

We have omitted Corneille, Racine, and Molière — who, of course, by themselves would easily fill one volume like this — in the first place, because there are on the market in abundance, and at very reasonable cost, good editions of their masterpieces; in the second place because their works less than any others permit of being cut down. On the other hand, we have included all authors of great importance of whom there exist no easily accessible editions and whose individual products are not often read in full even in French institutions of higher learning.

As to the method of selecting our texts, we wish to emphasize strongly that these are not *our* selections. We have kept this precept of Boileau always in mind:

« *Lorsque des écrivains ont été admirés durant un fort grand nombre de siècles et n'ont été méprisés que par des gens d'un goût bizarre, alors . . . il y a de la folie à vouloir douter du mérite de ces écrivains; que si vous ne voyez point la beauté de leurs écrits, il ne faut pas en conclure qu'elles n'y sont point, mais que vous êtes aveugle et que vous n'avez point de goût.* »

Thus, the following texts do not necessarily gratify our own personal tastes, and they may not even be the best; they simply are those sanctioned by a sort of tacit vote cast by the intellectual élite of past generations.

While the chronological order of arranging our material would be the most impersonal, we could not quite make up our minds to adopt it, as it means chaos; accident prevails at every turn. Moreover, to apply that order is not as easy as at first may seem. Shall the determining date be the date of the birth of an author, or that of his death, — or if one chooses the dates of the works, then which work? the first, the last, the best? — which is the best? It seemed better to adopt resolutely an order which would not separate Corneille and Racine, and which would allow us to group Descartes, not with the Hôtel de Rambouillet and Voiture, but rather with Pascal, Bossuet, and Fénelon.

Our order — which of course will not be binding on instructors who wish to use the book — is the following:

An Introductory Chapter, emphasizing the transition from

the sixteenth to the seventeenth century. Here, Malherbe, who succeeded in inspiring respect for stricter rules in poetry, and Honoré D'Urfé, the author of the widely influential novel *L'Astrée*, are the outstanding figures.

Chapters I and II offer various texts in connection with two institutions which played a great part in the development of the literature of the seventeenth century, the *Hôtel de Rambouillet*, and the *Académie Française.*

[A chapter on the THEATER is omitted, as explained above; let us mark its place here.]

Chapter III: *Boileau*, who gave expression to the literary standards of the seventeenth century, some of which standards he found applied by those of his contemporaries who contributed most to the fame of this artistic age, some of which he adopted on his own authority.

Chapter IV is a short one on the *Querelle des Anciens et des Modernes* in which Boileau took a prominent part. The important moment of that " querelle " comes really at the end of this century and beginning of the next; but this first skirmish, in which Boileau and the *Anciens* carried away the honors (while the XVIII century will witness the victory of the *Modernes*) is not quite out of place as a sort of appendix to the chapter on Boileau (For the continuation of the struggle, see *Eighteenth Century French Readings*. Holt and Co., p. 82),

Chapter V: *La Fontaine*, who, while not at all a stranger to his age, gives at the same time absolute evidence that the seventeenth century had retained its sense of the human in the broadest meaning of the word.

We have then grouped the philosophers *Descartes* (Chapter VI), *Pascal*, the author of the *Pensées*, and the representative of Port Royal (Chapter VII) with the theologians and orators of the pulpit, *Bossuet* and *Fénelon* (Chapters VIII and IX).

Under Chapter X we have placed the two chief moralists, *La Bruyère* and *La Rochefoucauld.*

And finally, Chapter XI is devoted to the three great women writers of the seventeenth century, *Mme de La Fayette Mme de Sévigné*, and *Mme de Maintenon.*

*

In this new edition — which is an almost entirely new book — we have taken advantage of criticisms offered by colleagues, and especially of the experience gained in writing our *Eighteenth Century French Readings.*

In the first place, a short " Tableau " of the political and social history of France has been added, giving such facts as are necessary to bear in mind on account of frequent allusions in literary works. Then, our introductory paragraphs to authors, or to special selections have been made more comprehensive, and a number of new ones have been provided. There can be no doubt that such help to students increases many times the usefulness of a book like this. Again, the number of foot-notes is considerably larger, many requests to this effect having come to us from professors using the book.

Finally Dr. Pierre François Giroud, formerly of Girard College, has kindly prepared a vocabulary, which, it is hoped, will put this anthology of classical French literature within reach of a vastly greater number of pupils.

As regards the selections themselves, little needs be said. The arrangement of the volume remains the same, except for the fact that selections from *L'Astrée* have been included, while the space allotted to Descartes and Pascal has been reduced, and more variety introduced into the chapter on Bossuet. Other alterations will hardly be noticed by professors having used the original book.

We realize that we have not exhausted the list of important writers in this period. For instance, we left out the authors generally classified under "genre burlesque" to gain room for others. We thought that Scarron's *Virgile Travesti* was a product of a negative nature, and that his *Roman comique* rather belonged to the realistic novel which will obtain in the 18th Century; as to Cyrano de Bergerac, is he not only a poor second to Molière in the latter's farces? A more notable omission is that we have no representatives of the writers of Mémoires. Retz, we considered, required too much historical knowledge of the time to be made enjoyable. However, we beg to remark that the element of Mémoires is duly represented; e.g. in our extracts from a novel of Mlle de Scudéry, in our Oraison of Bossuet, in our Portraits of La Bruyère; not to speak of Mme de Sévigné or Tallemant des Réaux.

We have endeavored to give generous passages from each author represented; our purpose has been to furnish such a range of material that those who do not wish to read all, can still make their selections from our selections. We have also aimed to give only complete passages, but in some cases we have deemed it necessary to forego our own rule. This by way of explanation:

In Boileau we have omitted many short passages containing allusions to very special circumstances. Our choice was to cut, or to explain in full, which meant constant interruption of thought, — we preferred cutting.

From Mme de La Fayette's *Princesse de Clèves* we have only relatively short extracts. We could not possibly print the whole novel; and we could not possibly omit her name. It was a question of space.

In the case of Pascal we did not follow the general choice

of *Provinciales* 1, 4, or 13. We preferred 5 because it seemed so much easier and more comprehensive for students of a foreign country.

We believe that none of the parts of the philosophy of Descartes which we have embodied in this volume can be understood with less than we offer. But an instructor may summarize those parts he chooses, and read what he chooses; or he may even omit the selections altogether.

It is our pleasant duty to express our sincere thanks to Dr. Pierre-François Giroud for accepting the arduous task of preparing a vocabulary to this edition, and to both Dr. Giroud and Madame E. Dedeck-Héry for reading the proofs and offering very valuable suggestions for improvements in many ways.

A. S. and H. M. K.

TABLE DES MATIÈRES

TABLEAU

CHAPITRE PREMIER

L'HÔTEL DE RAMBOUILLET

CHAPITRE CINQ

LA FONTAINE. (1621–1695)

CHAPITRE SIX

DESCARTES. (1596–1650)

CHAPITRE DIX

LES MORALISTES

CHAPITRE ONZE

TROIS FEMMES ÉCRIVAINS

SEVENTEENTH CENTURY FRENCH READINGS

TABLEAU

PRINCIPAUX ÉVÉNEMENTS HISTORIQUES DU XVII° SIÈCLE

Le XVII° siècle, appelé *le siècle classique* au point de vue littéraire, est souvent appelé au point de vue historique, *le grand siècle*, ou *le siècle de Louis XIV*. Il est marqué par une puissante réaction contre le XVI° siècle. L'esprit d'émancipation de la Renaissance — émancipation de l'esprit de discipline imposé par l'Eglise pendant tout le Moyen-âge — avait favorisé la satisfaction des appétits individuels, surtout chez les grands; les ambitions politiques des princes avaient pu se donner libre cours et profiter beaucoup pour cela des dissensions religieuses amenées par le Protestantisme. Mais déjà la proclamation de l'Édit de Nantes (par Henri IV, en 1598) qui accordait aux Protestants la liberté du culte, avait enlevé les prétextes religieux aux guerres politiques.

Il s'agissait maintenant d'établir sur des bases solides l'unité nationale de la France. Ce fut l'œuvre du XVII° siècle: Par opposition au XVI° qui avait été un siècle d'émancipation, il put être appelé un siècle d'autorité; c'est à dire que le Trône et l'Eglise firent de nouveau autorité en matière de morale, de religion, de politique.

Louis XIII, roi de 1610 à 1643. Il était fils de Henri IV (assassiné par Ravaillac) et de Marie de Médicis. Il n'avait que 9 ans à la mort de son père, et sa mère fut régente. Après Concini et Luynes, Richelieu fut enfin mis au pouvoir; il fut ministre depuis 1624. Son attention se porta surtout sur trois points: (1) Empêcher les Protestants de reprendre assez de pouvoir pour être de nouveau une menace à la tranquillité du royaume; (2) Résister à la noblesse, qui, profitant de privilèges séculaires, rendait souvent impossible la tâche d'un gouvernement conscient de la nécessité de l'ordre et voulant des lois observées par toutes les classes[1];

[1] Le roman d'Alfred de Vigny, *Cinq-Mars* (1826), donne un tableau de l'opposition désespérée de la noblesse au cardinal Richelieu.

(3) Enfin, à l'extérieur, garantir la France contre les intrusions de l'Espagne et de l'Autriche — alors les grandes puissances en Europe — dans ses affaires.

L'ordre ainsi graduellement établi, on vit bientôt une éclosion magnifique des lettres et des arts.

En 1615 Louis XIII avait épousé Anne d'Autriche. En 1642 Richelieu mourut; et en 1643, le roi lui-même.

Louis XIV, roi de 1643 à 1715. Son règne se divise en deux parties: 1643–1661, date de la mort de son ministre Mazarin; 1661–1715, règne personnel.

1643–1661. Ministère de Mazarin: Louis XIV, souvent appelé *Louis le Grand* ou *le Roi Soleil*, n'avait que quatre ans à la mort de son père; sa mère, Anne d'Autriche, fut régente; elle confia le pouvoir à Mazarin. La mort de Louis XIII avait donné de grandes espérances aux ennemis de la France, l'Autriche et l'Espagne; mais le tout jeune Duc d'Enghien (plus tard Prince de Condé) écrasa leurs armées à Rocroy. Cette bataille, 1643, marqua le commencement d'une ère de grande puissance militaire pour la France. La victoire de Rocroy fut suivie d'autres fort importantes, comme Fribourg et Nordlingen, sous la conduite des deux grands chefs Condé et Turenne. La Paix de Westphalie (1648) mit fin à la guerre de Trente ans. Mazarin continua l'œuvre d'unité nationale aux dépens des Protestants et des nobles; contre ces derniers il livra les guerres dites " de la Fronde " (1648–52).

1661–1715. C'est à la mort de Mazarin que Louis XIV, se sentant l'âme d'un chef, aurait prononcé le mot célèbre: « L'État, c'est moi ».

Il avait épousé, en 1660, Marie-Thérèse d'Espagne. Son règne est signalé par trois guerres importantes: *Guerre de Flandre* (Paix d'Aix-la-Chapelle, 1668); *Guerre de Hollande* (Paix de Nimègue, 1678); *Guerre d'Espagne* (Paix d'Utrecht, 1713). Cette dernière guerre, se termina mal pour la France, car au lieu d'assurer à la France, comme l'avait rêvé le roi, la suprématie en Europe par la réunion des couronnes de France et d'Espagne, elle n'aboutit qu'à donner à la

France une grande rivale: L'Angleterre, par l'acquisition de Gibraltar, devenait une formidable puissance navale opposée à la puissance terrestre de la France sur le continent.

Le grand évènement de politique intérieure de la seconde moitié du XVII° siècle fut la *Révocation de l'Édit de Nantes* (1685), c'est à dire la tentative de ramener l'unité religieuse en France en retirant aux Protestants la liberté de culte qui leur avait été garantie en 1598. Le résultat fut le triste exode des Huguenots [1] en Hollande, dans l'Europe centrale, en Angleterre, et jusqu'en Amérique. Les effets s'en firent sentir non seulement par la perte de milliers d'excellents sujets de la couronne (on en a estimé le nombre différemment, jusqu'à près d'un demi-million), mais par l'affaiblissement de l'industrie et du commerce.

* * *

LA LITTÉRATURE AU XVII° SIÈCLE

Si le XVI° siècle avait été signalé par un grand réveil, dans le domaine des lettres et des arts, connu sous le nom de Renaissance, seul, cependant, le lyrisme s'était développé pleinement — avec Ronsard et les poètes de la Pléiade. Grâce au rétablissement de l'ordre par Richelieu, Mazarin et Louis XIV, le théâtre, le roman, l'éloquence de la chaire, la philosophie et d'autres genres littéraires encore, eurent leur tour au XVII° siècle. Mais il faut remarquer que l'esprit de discipline imposé au royaume par les ministres et les princes, — et qui, ramenant la tranquillité dans le

[1] Nom donné aux Protestants. On a voulu le rattacher au nom du roi Hugo, un chef guerrier qui gagna le titre de roi d'Italie (925-947), commanda dans le sud de la France où les Protestants furent nombreux au XVI siècle. Mais il est impossible de voir le rapport de ce chef d'insurgés au Xe siècle avec les adhérents de la Réforme au XVIe. On voit donc plutôt dans ce terme *Huguenots* une corruption de *Eidgenossen*, le nom du parti de la réforme à Genève, ainsi appelé parce que les Calvinistes étaient soutenus par les *Eidgenossen*, c'est à dire « Confédérés » de la Suisse allemande, les Bernois et les Zurichois. *Eidgenossen* prononcé par une bouche française devient *Ignot* ou *Iguenot*, puis *Uguenot* ou *Huguenot*.

pays, permettait cet essor de l'art, — fut peu favorable à une littérature originale. Les écrivains purent produire des chefs-d'œuvre aussi longtemps qu'ils ne s'éloignaient pas des façons de penser approuvées par le Trône et l'Eglise; mais les manifestations d'indépendance dans le domaine des idées étaient redoutées et réprimées; tel fut le cas particulièrement, en religion; on en verra la preuve dans les chapitres où il est question des Protestants, et des sectes comme les Jansénistes et les Quiétistes.

Le XVII° siècle *littéraire* commence en l'an 1610, date de l'accession au trône de Louis XIII, qui vit la création de l'Hôtel de Rambouillet; et cette date marque à-peu-près aussi le moment de la grande influence de Malherbe sur la langue et la poésie. Cependant la période de réorganisation sociale et d'organisation littéraire fut assez longue et les résultats ne s'en font fortement sentir qu'après un quart de siècle. Notons à la date de 1635, la fondation de l'Académie Française, en 1636 la représentation du *Cid* de Corneille, et en 1637, la publication du *Discours de la Méthode* de Descartes, — trois évènements capitaux. La pleine floraison, qui verra éclore les génies de Molière, Racine, La Fontaine, Boileau, Pascal, Bossuet, Fénelon, est même postérieure. D'autre part, si le XVII° siècle littéraire ne commença qu'en 1610, il se prolongea après 1700, et ce fut la mort de Louis XIV, en 1715, qui marqua le commencement d'un âge nouveau.

CHAPITRE D'INTRODUCTION

A. L'ÉCOLE DE MALHERBE ET LES ÉPIGONES DU SEIZIÈME SIÈCLE

I. MALHERBE

1555–1628

François de Malherbe, né à Caen, en Normandie, vint à Paris en 1605; il y fut au service du Duc de Bellegarde, et vécut beaucoup à la cour. Protégé successivement par Henri IV, par la régente Marie de Médicis et par Louis XIII, il fréquenta aussi la société des salons, entre autres celui de Madame de Rambouillet (voir plus bas).

Il est surtout connu dans l'histoire de la littérature comme ayant opposé à la liberté du seizième siècle, dans le domaine de la langue et de la versification, toutes sortes de restrictions, imposant en même temps l'observation de règles rigides qu'il paraît quelquefois avoir inventées lui-même. C'est oralement que son influence doit s'être surtout exercée car ses écrits sont très maigres de données à ce sujet.

Balzac (*Socrate chrétien*, Discours V; voir plus bas.) écrira à propos de ces sévérités de langue:

« Vous vous souvenez du vieux pédagogue de la cour et qu'on appelait autrefois le tyran des mots et des syllabes, et qui s'appelait lui-même, lorsqu'il était en belle humeur, le grammairien à lunettes et en cheveux gris ... J'ai pitié d'un homme qui fait de si grandes différences entre *pas* et *point*, qui traite l'affaire des gérondifs et des participes [1] comme si c'était celle de deux peuples voisins l'un de l'autre, et jaloux de leurs frontières. Ce docteur en langue vulgaire avait accoutumé de dire que depuis tant d'années il travaillait à dégasconner [2] la cour et qu'il ne pouvait pas en venir à bout. La mort l'attrapa sur l'arrondissement d'une période et l'an climaté-

[1] Faut-il dire: *Allant à Paris*, ou *En allant à Paris?*

[2] Débarrasser de la manière de parler en Gascogne. Le roi Henri IV (+ 1610) était de cette province.

rique [1] l'avait surpris délibérant si *erreur* et *doute* étaient masculins ou féminins. Avec quelle attention voulait-il qu'on l'écoutât, quand il dogmatisait de l'usage et vertu des participes ! »

Racan dans son importante *Vie de Malherbe* (1651 ?) donne quelques indications au sujet de la « réforme de la poésie. » Racan parle ici de lui-même à la troisième personne:

« Encore qu'il (Malherbe) reconnût, comme nous avons déjà dit, que Racan avait de la force en ses vers, il disait qu'il était hérétique en poésie pour ne se tenir pas assez étroitement dans ses observations, et voici particulièrement de quoi il le blâmait:

Premièrement, de rimer indifféremment aux terminaisons en *ant* et en *ent*, comme *innocence* et *puissance*, *apparent* et *conquérant*, *grand* et *prend;* et voulait qu'on rimât pour les yeux aussi bien que pour les oreilles.[2] Il le reprenait aussi de rimer le simple et le composé, comme *temps* et *printemps*, *séjour* et *jour*. Il ne voulait pas aussi qu'il rimât les mots qui avaient quelque convenance,[3] comme *montagne* et *campagne*, *défense* et *offense*, *père* et *mère*, *toi* et *moi*. Il ne voulait pas non plus que l'on rimât les mots qui dérivaient les uns des autres, comme *admettre*, *commettre*, *promettre* et autres, qu'il disait qui dérivaient de *mettre*. Il ne voulait point encore qu'on rimât les noms propres les uns contre les autres, comme *Thessalie* et *Italie*, *Castille* et *Bastille*, *Alexandre* et *Lysandre;* et sur la fin il était devenu si rigide en ses rimes qu'il avait même peine à souffrir que l'on rimât les verbes de la terminaison en *er* qui avaient tant soit peu de convenance, comme *abandonner*, *ordonner* et *pardonner* et disait qu'ils venaient tous trois de *donner*. La raison qu'il disait pourquoi [4] il fallait plutôt rimer des mots éloignés que ceux qui avaient de la convenance est que l'on trouvait de plus beaux vers en les rapprochant qu'en rimant ceux qui avaient presque une même signification; et il s'étudiait fort à chercher des rimes rares et stériles, sur la créance qu'il avait, qu'elles lui faisaient produire quelques nouvelles pensées, outre qu'il disait que cela sentait son grand poète de tenter les rimes difficiles qui n'avaient point encore été rimées. Il ne voulait point qu'on rimât sur *malheur* ni *bonheur*, parce qu'il disait que les Parisiens n'en prononçaient que l'*u*, comme s'il y avait *bonhur*,

---

[1] Chaque septième ou neuvième année de la vie, que les Anciens regardaient comme critique; surtout la soixante-troisième ($7 \times 9 = 63$).

[2] Déjà dit par Pierre Fabry, *Grand et vrai art de Rhétorique* (1521).

[3] Rapport verbal.

[4] On écrirait aujourd'hui plutôt: La raison pour laquelle il disait qu'il fallait . . .

malhur, et de le rimer à *honneur* il le trouvait trop proche. Il ne voulait non plus que l'on rimât à *flame*, parce qu'il l'écrivait et le prononçait ainsi avec deux *m: flamme*, et le faisait long en le prononçant; c'est pourquoi il ne le pouvait rimer qu'à l'*épigramme.*[1] Il reprenait aussi Racan quand il rimait *qu'ils ont eu* avec *vertu* et *battu*, parce qu'il disait que l'on prononçait à Paris *ont eu* en trois syllabes, en faisant une de l'*e* et l'autre de l'*u* du mot *eu*.

Outre les réprimandes qu'il faisait à Racan pour ses rimes, il le reprenait encore de beaucoup de choses pour la construction de ses vers, et de quelques façons de parler trop hardies qui seraient trop longues à dire, et qui auraient meilleure grâce dans un art poétique que dans sa vie . . . »

Entre autres il défendait aussi l'hiatus; [2] l'enjambement; [3] il imposait l'élision, c. à. d. il défendait qu'on comptât un *e* muet à la fin d'un mot et devant une voyelle dans le mot suivant: il voulait distinguer entre rimes brèves et longues, p. ex. *parole* (brève) et *rôle* (longue). Il prétendait, « qu'aux stances de dix vers, outre l'arrêt du quatrième vers, on en fît encore un au septième; aussi que les élégies eussent un sens parfait de quatre vers en quatre vers, même de deux en deux s'il se pouvait », etc.

Voir p. 107, les vers où Boileau approuve les réformes de Malherbe.

Consulter: Duc de Broglie, *Malherbe* (Coll. Grands écr. français, 1897); et pour son œuvre, F. Brunot, *La Doctrine de Malherbe d'après son Commentaire sur Desportes*, 1891); *l'Histoire de la Langue Française* du même.

Voici deux exemples de versification de Malherbe; mais, auparavant, rappelons ici les règles qu'il est indispensable d'observer pour lire correctement le vers français classique:

1. On compte dans les vers chaque syllabe individuellement, et non les pieds comme dans la plupart des langues.

2. A la fin du vers, une syllabe avec un e muet ne compte pas. Au milieu du vers, l'e muet compte; c'est-à-dire qu'il est prononcé — semi-muet — devant une syllabe commençant par une consonne (le trist*e* discours = 5 syllabes; augment*e*ront = 4

[1] Aujourd'hui l'*a* d'épigramme est prononcé bref.

[2] Rencontre de deux voyelles, l'une à la fin d'un mot, l'autre au commencement du mot suivant: *Il alla écrire.*

[3] Rejet au vers suivant de mots qui, par le sens, appartiennent au précédent:

Un astrologue un jour se laissa choir
Au fond d'un puits. On lui dit . . .

syllabes). Mais devant un mot commençant par une voyelle, l'e muet est élidé dans la lecture et ne compte pas comme syllabe (ta fill*e* au tombeau descendue = ta fill'au tombeau = 5 syllabes).

3. La liaison doit être observée sous peine de violer la règle de l'hiatus; cette règle défend la rencontre d'un son voyelle à la fin d'un mot avec un son voyelle au commencement du mot suivant (Ta douleur ser*a* *é*ternelle, formerait un hiatus). [Cependant, si la voyelle finale est suivie par un e muet, comme dans vie ou statue, on tolère l'hiatus, car la syllabe étant rendue longue par cet e muet final, la fusion avec la voyelle du mot suivant est moins probable; vi*e* *é*ternelle, statu*e* *a*dmirable, seront admis.]

4. Une césure (latin *caesura*, coupure) est de rigueur après la sixième syllabe d'un vers alexandrin, ou vers de douze syllabes.

1. Consolation à M. du Périer[1] sur la mort de sa fille

(écrite après 1599 et imprimée 1607)

Ta douleur, du Périer, sera donc éternelle,
Et les tristes discours
Que te met en l'esprit l'amitié paternelle
L'augmenteront toujours?

5 Le malheur de ta fille au tombeau descendue
Par un commun trépas,
Est-ce quelque dédale où ta raison perdue
Ne se retrouve pas?

Je sais de quels appas son enfance était pleine,
10 Et n'ai pas entrepris,
Injurieux ami, de soulager ta peine
Avecque[2] son mépris.

Mais elle était du monde, où les plus belles choses
Ont le pire destin;

[1] Avocat au Parlement d'Aix, en Savoie.

[2] Ancienne orthographe de *avec*, facultative aux poètes du XVIIe siècle quand ils avaient besoin de trois syllabes.

Et, rose, elle a vécu ce que vivent les roses,
L'espace d'un matin.

Puis quand ainsi serait, que selon ta prière
Elle aurait obtenu
D'avoir en cheveux blancs terminé sa carrière, 5
Qu'en fût-il advenu ?

Penses-tu que plus vieille en la maison céleste
Elle eût eu plus d'accueil ?
Ou qu'elle eût moins senti la poussière funeste
Et les vers du cercueil ? 10

Non, non, mon du Périer, aussitôt que la Parque
Ote l'âme du corps,
L'âge s'évanouit au delà de la barque, [1]
Et ne suit point les morts . . .

C'est bien, je le confesse, une juste coutume, 15
Que le cœur affligé,
Par le canal des yeux vidant son amertume,
Cherche d'être allégé.

Même quand il advient que la tombe sépare
Ce que nature a joint, 20
Celui qui ne s'émeut a l'âme d'un barbare,
Ou n'en a du tout point.

Mais d'être inconsolable, et dedans sa mémoire
Enfermer un ennui,
N'est-ce pas se haïr pour acquérir la gloire 25
De bien aimer autrui ?

[1] De Caron.

Priam, qui vit ses fils abattus par Achille,
Dénué de support
Et hors de tout espoir du salut de sa ville,
Reçut du réconfort.

5 François,[1] quand la Castille, inégale à ses armes,
Lui vola son Dauphin,
Sembla d'un si grand coup devoir jeter des larmes
Qui n'eussent point de fin.

Il les sécha pourtant, et comme un autre Alcide [2]
10 Contre fortune instruit,
Fit qu'à ses ennemis d'un acte si perfide
La honte fut le fruit. [3]

De moi, déjà deux fois d'une pareille foudre
Je me suis vu perclus,[4]
15 Et deux fois la raison m'a si bien fait résoudre,
Qu'il ne m'en souvient plus . . .

La Mort a des rigueurs à nulle autre pareilles;
On a beau la prier,
La cruelle qu'elle est se bouche les oreilles,
20 Et nous laisse crier.

[1] Le fils aîné de François I° mourut prisonnier en Espagne en 1536. On accusa Charles-Quint de l'avoir fait empoisonner.

[2] Hercule, petit-fils d'Alcée.

[3] François Ier se vengea sur Sébastien de Montecuculli, échanson de Charles-Quint. L'innocence de Montecuculli est aujourd'hui reconnue. Selon la fable, Lycos, tyran de Thèbes, voulut faire mourir la femme et les enfants d'Hercule pendant que celui-ci était descendu aux enfers; mais Hercule revient à temps, entre dans une furieuse colère, et tue Lycos.

[4] Malherbe avait perdu deux enfants; Henri à deux ans en 1587, Jourdaine à huit ans en 1599; et il devait perdre son dernier fils, Marc-Antoine, tué en duel en 1526. Cette fois, Malherbe ne se consola pas et mourut quelques mois après.

Le pauvre en sa cabane, où le chaume le couvre,
Est sujet à ses lois;
Et la garde qui veille aux barrières du Louvre
N'en défend point nos rois.

De murmurer contre elle et perdre patience, 5
Il est mal à propos;
Vouloir ce que Dieu veut est la seule science
Qui nous met en repos.

2. Paraphrase du psaume cent quarante-cinquième [1]

(*Lauda, anima mea,*
Dominum)

N'espérons plus, mon âme, aux promesses du monde;
Sa lumière est un verre [2] et sa faveur une onde 10
Que toujours quelque vent empêche de calmer.
Quittons ces vanités, lassons-nous de les suivre;
C'est Dieu qui nous fait vivre,
C'est Dieu qu'il faut aimer.

En vain, pour satisfaire à nos lâches envies, 15
Nous passons près des rois tout le temps de nos vies
A souffrir des mépris et ployer les genoux.
Ce qu'ils peuvent n'est rien; ils sont comme nous sommes
Véritablement hommes,
Et meurent comme nous. 20

Ont-ils rendu l'esprit, ce n'est plus que poussière
Que cette majesté si pompeuse et si fière
Dont l'éclat orgueilleux étonnait l'univers;

[1] Psaume CXLVI de la Bible anglaise.
[2] Incertaine, comme le verre fragile.

Et dans ces grands tombeaux où leurs âmes hautaines
Font encore les vaines,
Ils sont mangés des vers.

Là se perdent ces noms de maîtres de la terre,
5 D'arbitres de la paix, de foudres de la guerre;
Comme ils n'ont plus de sceptre, ils n'ont plus de flatteurs,
Et tombent avec eux d'une chute commune
Tous ceux que leur fortune
Faisait leurs serviteurs.

II. DEUX RÉVOLTÉS CONTRE MALHERBE

[Qui représentent l'éternel conflit, en poésie, entre ceux qui insistent surtout sur la libre inspiration au risque de quelques négligences de forme (comme encore au XIXe siècle, Lamartine et Musset) et les puristes quant à la forme (comme au XIXe siècle, l'École des Parnassiens, avec Leconte de Lisle, Sully Prudhomme, Hérédia)].

Mathurin Régnier

1573-1613

Il était le neveu du poète Desportes, un fidèle disciple de Ronsard. Né à Chartres, il était dans les ordres, mais mena une vie très mondaine qui fut cause de sa mort prématurée. La plus célèbre de ses satires — le genre où il brilla surtout — après la IXe, est la XIIIe, *Macette ou l'Hypocrisie découverte.*

Extraits de la Satire IX, au poète Rapin [1]

10 Pensent-ils [2] des plus vieux [3] offensant la mémoire,
Par le mépris d'autrui s'acquérir de la gloire ?

[1] L'un des auteurs de la *Satire Ménippée.* La *Satire IX* est dirigée contre Malherbe et son École. Voir note d'introduction à Malherbe, pp. 7-9.
[2] Malherbe et ses disciples.
[3] Les poètes de la génération précédente, La Pléiade.

Et pour quelque vieux mot étrange ou de travers,
Prouver qu'ils ont raison de censurer leurs vers?
Alors [1] qu'une œuvre brille et d'art et de science,
La verve quelquefois s'égaye en la licence . . .
Cependant leur savoir ne s'étend seulement 5
Qu'à regratter un mot douteux au jugement,
Prendre garde qu'un *qui* ne heurte une diphtongue,
Épier si des vers la rime est brève ou longue,
Ou bien si la voyelle à l'autre s'unissant
Ne rend point à l'oreille un vers trop languissant; 10
Et laissent sur le vert [2] le noble de l'ouvrage.
Nul aiguillon divin n'élève leur courage;
Ils rampent bassement,[3] faibles d'inventions,
Et n'osent, peu hardis, tenter les fictions,
Froids à l'imaginer [4]: car s'ils font quelque chose 15
C'est proser de la rime et rimer de la prose,
Que l'art lime et relime, et polit de façon
Qu'elle rend à l'oreille un agréable son;
Et voyant qu'un beau feu leur cervelle n'embrase,
Ils attifent leurs mots, enjolivent leur phrase, 20
Affectent leur discours tout si [5] relevé d'art,
Et peignent leurs défauts de couleurs et de fard.
Aussi je les compare à ces femmes jolies
Qui par les affiquets se rendent embellies,
Qui gentes [6] en habits, et sades en façons, 25
Parmi leur point coupé tendent leurs hameçons;
Dont l'œil rit mollement avec afféterie,

[1] Alors qu'il est vrai peut-être que . . .
[2] Laissent à l'état de vert, c'est à dire non mûri.
[3] Contrairement à Pégase qui s'élève dans les airs.
[4] Verbe employé substantivement, = froids en imagination.
[5] Si entièrement.
[6] Gentes = gentilles. Sades = gracieuses.

Et de qui le parler n'est rien que flatterie;
De rubans piolés [1] s'agencent proprement,
Et toute leur beauté ne gît qu'en l'ornement;
Leur visage reluit de céruse et de peautre [2];
5 Propres en leur coiffure, un poil ne passe l'autre.
Où [3] ces divins esprits, hautains et relevés,
Qui des eaux d'Hélicon [4] ont les sens abreuvés,
De verve et de fureur leur ouvrage étincelle [5];
De leurs vers tout divins la grâce est naturelle,
10 Et sont, comme l'on voit, la parfaite beauté,
Qui, contente de soi, laisse la nouveauté
Que l'art trouve au Palais [6] ou dans le blanc d'Espagne.
Rien que le naturel sa grâce n'accompagne;
Son front lavé d'eau claire éclate d'un beau teint.
15 De roses et de lis la nature l'a peint.
Et, laissant là Mercure [7] et toutes ses malices,
Les nonchalances sont ses plus grands artifices . . .

2. Théophile de Viau

1590–1626

Né à Clairac, près d'Agen, de parents huguenots, il est lui-même tout à fait libre-penseur, et il fut même brûlé en effigie, puis banni. Après une vie très agitée, il mourut à l'âge de 36 ans.

Viau a été critiqué sévèrement par Boileau, le disciple de Malherbe. Tandis que la postérité a généralement ratifié l'opinion de

[1] Bigarrés.
[2] Fards.
[3] Alors que, au contraire, les vrais poètes, « divins esprits. »
[4] Montagne consacrée aux Muses, en Béotie.
[5] De verve et de fureur font étinceler leurs ouvrages.
[6] Palais de Justice à Paris; dans les galeries on vendait des fards.
[7] Dieu de la ruse, et élément qui entre dans la composition de divers fards.

Boileau sur ses contemporains, elle l'a désavouée ici. Voir *Satire IX* de Boileau, p. 125.[1]

1. Élégie[2] à une dame

Imite qui voudra les merveilles d'autrui.
Malherbe a très bien fait, mais il a fait pour lui.
Mille petits voleurs l'écorchent tout en vie[3];
Quant à moi, ces larcins ne me font point d'envie.
J'approuve que chacun écrive à sa façon. 5
J'aime sa renommée et non pas sa leçon.
Ces esprits mendiants, d'une veine infertile,
Prennent à tous propos ou sa rime ou son style;
Et de tant d'ornements qu'on trouve en lui si beaux,
Joignent l'or et la soie à des vilains lambeaux, 10
Pour paraître aujourd'hui d'aussi mauvaise grâce
Que parut autrefois la corneille[4] d'Horace.
Ils travaillent un mois à chercher comme à *fils*
Pourra s'apparier la rime de *Memphis*, . . .
Cet effort tient leur sens dans la confusion; 15
Et n'ont jamais un rai[5] de bonne vision.
J'en connais qui ne font des vers qu'à la moderne,
Qui cherchent à midi Phébus à la lanterne;
Grattent tant le français qu'ils le déchirent tout,
Blâmant tout ce qui n'est facile qu'à leur goût[6]; 20

[1] Th. de Viau est aussi connu par une tragédie *Pirame et Thisbé*, — ou plutôt par deux vers malheureux de cette tragédie:

Ah! voici le poignard qui du sang de son maître
S'est souillé lâchement; il en rougit le traître!

[2] Le mot *élégie* avait un sens plutôt vague à cette époque.

[3] Malherbe ne mourra qu'en 1628.

[4] Allusion à une fable d'Horace qui devint chez La Fontaine, *Le geai paré des plumes du paon*.

[5] Rai = rayon.

[6] C'est-à-dire: ce qui est facile seulement à leur goût ou idée.

Sont un mois à connaître en tâtant la parole,
Lorsque l'accent est rùde, ou que la rime est molle;
Veulent persuader que ce qu'ils font est beau,
Et que leur renommée est franche du tombeau [1],
5 Sans autre fondement, sinon que tout leur âge
S'est laissé consommer en un petit ouvrage;
Que leurs vers dureront, au monde précieux,
Pour ce que, les faisant, ils sont devenus vieux !
. . . Mon âme imaginant n'a point la patience
10 De bien polir les vers, et ranger la science [2];
La règle me déplaît; j'écris confusément;
Jamais un bon esprit ne fait rien qu'aisément:
. . . Je veux faire des vers qui ne soient pas contraints,
Promener mon esprit par de petits desseins;
15 Chercher des lieux secrets où rien ne me déplaise,
Méditer à loisir, rêver tout à mon aise,
Employer toute une heure à me mirer dans l'eau,
Ouïr, comme en songeant, la course d'un ruisseau,
Écrire dans les bois, m'interrompre, me taire;
20 Composer un quatrain, sans songer à le faire.
Après m'être égayé par cette douce erreur,
Je veux qu'un grand dessein [3] échauffe ma fureur [4],
Qu'une œuvre de dix ans me tienne à la contrainte
De quelque beau poème où vous [5] serez dépeinte . . .

2. Le matin

25 L'aurore sur le front du jour
Sème l'azur, l'or et l'ivoire,

[1] = immortelle. [2] science, ici la matière poétique.
[3] = sujet. [4] le *furor poeticus*, ou inspiration, d'Horace.
[5] = la dame à qui est dédié le poème.

Et le soleil, lassé de boire,
Commence son oblique tour . . .

La lune fuit devant nos yeux;
La nuit a retiré ses voiles;
Peu à peu le front des étoiles 5
S'unit à la couleur des cieux.

Déjà la diligente avette [1]
Boit la marjolaine et le thym,
Et revient, riche du butin
Qu'elle a pris sur le mont Hymette [2] . . . 10

La charrue écorche la plaine;
Le bouvier, qui suit les sillons,
Dresse de voix et d'aiguillons
Le couple de bœufs qui l'entraîne.

Alix apprête son fuseau; 15
Sa mère, qui lui fait la tâche,
Presse le chanvre qu'elle attache
A sa quenouille de roseau.

Une confuse violence
Trouble le calme de la nuit, 20
Et la lumière avec le bruit
Dissipe l'ombre et le silence . . .

Le forgeron est au fourneau;
Ois [3] comme le charbon s'allume !
Le fer rouge, dessus l'enclume, 25
Étincelle sous le marteau.

[1] Avette = abeille.
[2] Montagne de la Grèce, renommée pour la douceur de son miel.
[3] Ois = écoute, ouïs.

Cette chandelle semble morte;
Le jour la fait évanouir.
Le soleil vient nous éblouir:
Vois qu'il passe au travers la porte !

5 Il est jour: levons-nous, Philis;
Allons à notre jardinage,
Voir s'il est, comme ton visage,
Semé de roses et de lis.

3. Le gibet

[La mort, sujet si fréquent sous la plume des poètes du Moyen-âge — en particulier de Villon — a survécu au mouvement de la Renaissance qui chantait surtout la joie de vivre.]

La frayeur de la mort ébranle le plus ferme.
10 Il est bien malaisé
Que, dans le désespoir, et proche de son terme,
L'esprit soit apaisé.

L'âme la plus robuste et la mieux préparée
Aux accidents du sort,
15 Voyant auprès de soi sa fin tout assurée,
Elle s'étonne fort.

Le criminel pressé de la mortelle crainte
D'un supplice douteux,
Encore avec espoir endure la contrainte
20 De ses liens honteux.

Mais quand l'arrêt sanglant a résolu sa peine,
Et qu'il voit le bourreau
Dont l'impiteuse main lui détache une chaîne,
Et lui met un cordeau;

Il n'a goutte de sang qui ne soit lors glacée.
    Son âme est dans les fers,
L'image du gibet lui monte à la pensée,
    Et l'effroi des enfers.

L'imagination de cet objet funeste 5
    Lui trouble la raison;
Et, sans qu'il ait du mal, il a pis que la peste,
    Et pis que le poison.

La consolation que le prêcheur apporte
    Ne lui fait point de bien; 10
Car le pauvre se croit une personne morte
    Et n'écoute plus rien.

La nature, de peine et d'horreur abattue,
    Quitte ce malheureux;
Il meurt de mille morts, et le coup qui le tue 15
    Est le moins rigoureux.

III. DEUX DISCIPLES DE MALHERBE

1. Maynard

1582–1646

Né à Toulouse; il fut dans sa jeunesse secrétaire de Marguerite de Valois, femme du roi de Navarre (plus tard Henri IV de France). Il passa presque toute sa vie dans le sud de la France. Il est surtout célèbre par ses *Odes*.

1. A une belle vieille [1]

[1] Le sujet rappelle le sonnet fameux de Ronsard (au XVIe siècle) *A Hélène* commençant ainsi:

Quand vous serez bien vieille, au soir, à la chandelle,
Assise auprès du feu, dévidant et filant,

Chloris, que dans mon cœur j'ai si longtemps servie,
Et que ma passion montre à tout l'univers,
Ne veux-tu pas changer le destin de ma vie,
Et donner de beaux jours à mes derniers hivers ?

5 N'oppose plus ton deuil au bonheur où j'aspire:
Ton visage est-il fait pour demeurer voilé ?
Sors de ta nuit funèbre et permets que j'admire
Les divines clartés des yeux qui m'ont brûlé . . .

Ce n'est pas d'aujourd'hui que je suis ta conquête;
10 Huit lustres ont suivi le jour que tu me pris,
Et j'ai fidèlement aimé ta belle tête
Sous des cheveux châtains et sous des cheveux gris.

C'est de tes jeunes ans que mon ardeur est née,
C'est de leurs premiers traits que je fus abattu;
15 Mais, tant que tu brûlas du flambeau d'Hyménée,
Mon amour se cacha pour plaire à ta vertu.

Je sais de quel respect il faut que je t'honore,
Et mes ressentiments ne l'ont pas violé.
Si quelquefois j'ai dit le soin qui me dévore,
20 C'est à des confidents qui n'ont jamais parlé . . .

L'âme pleine d'amour et de mélancolie,
Et couché sur des fleurs et sous des orangers,
J'ai montré ma blessure aux deux mers d'Italie [1]
Et fait dire ton nom aux échos étrangers . . .

Direz, chantant mes vers, et vous émerveillant:
« Ronsard me célébrait, du temps que j'étais belle ! »

[1] L'auteur est allé en Italie avec l'ambassadeur de France, M. de Noailles.

La beauté qui te suit depuis ton premier âge
Au déclin de tes jours ne veut pas te laisser,
Et le temps, orgueilleux d'avoir fait ton visage,
En conserve l'éclat et craint de l'effacer.

Regarde sans frayeur la fin de toutes choses; 5
Consulte le miroir avec des yeux contents:
On ne voit point tomber ni tes lis ni tes roses,
Et l'hiver de ta vie est ton second printemps.

Pour moi, je cède aux ans, et ma tête chenue
M'apprend qu'il faut quitter les hommes et le jour. 10
Mon sang se refroidit, ma force diminue,
Et je serais sans feu si j'étais sans amour.

C'est dans peu de matins que je croîtrai [1] le nombre
De ceux à qui la Parque a ravi la clarté.
Oh ! qu'on oira [2] souvent les plaintes de mon ombre 15
Accuser ton mépris de m'avoir maltraité !

Que feras-tu, Chloris, pour honorer ma cendre ?
Pourras-tu, sans regret, ouïr parler de moi ?
Et le mort que tu plains te pourra-t-il défendre
De blâmer ta rigueur et de louer ma foi ? 20

Si je voyais la fin de l'âge qui te reste,
Ma raison tomberait sous l'excès de mon deuil;
Je pleurerais sans cesse un malheur si funeste,
Et ferais jour et nuit l'amour à ton cercueil.

[1] Augmenterai.
[2] Oira = entendra, ouïra.

2. Vanité de l'ambition

(extrait de l'*Ode à son fils*)

Toutes les pompeuses maisons
Des princes les plus adorables,
Ne sont que de belles prisons,
Pleines d'illustres misérables !

5 C'est où les plus haut élevés
Dorment avec moins d'assurance,
C'est où les prudents achevés [1]
Sont les jouets de l'espérance.

C'est où l'on est payé de vent;
10 C'est où l'on rebute les sages,
Et c'est où l'on trouve souvent
Plus de masques que de visages . . .

Heureux qui vit obscurément
Dans quelque petit coin de terre,
15 Et qui s'approche rarement
De ceux qui portent le tonnerre !

Puisses-tu connaître le prix
Des paroles que te débite
Un courtisan aux cheveux gris,
20 Que la raison a fait ermite.

2. Racan

1589–1670

Honorat de Bueil, Seigneur de Racan, né en Touraine. Il se battit au siège de La Rochelle (1627–28) du côté catholique. Vint à Paris,

[1] = extrêmes: les trop prudents.

et fréquenta l'Hôtel de Rambouillet (voir chapitre I ci-dessous); plus tard se retira dans ses terres.

Son œuvre de beaucoup la plus importante est *Arténice ou Les Bergeries* (1618) dont le titre déjà indique le caractère pastoral. Il a fait dans ce long poème ce que fit, avec beaucoup plus de succès encore, en prose, Honoré d'Urfé. Voir plus bas les citations de *L'Astrée* (1607 et ss.). Il était très estimé de ses contemporains. Le grand Boileau dira de lui:

Racan pouvait chanter au défaut d'un Homère. (Satire IX.)

Il a laissé de précieux *Mémoires sur M. de Malherbe*, son maître. On pourra consulter à son sujet: Racan. *Les Bergeries, et autres Poésies Lyriques*, avec une introduction et des notes par Pierre Camo; Garnier. 1929.

1. Plaintes d'un vieux berger

(extraits des *Bergeries*)

Ne saurais-je trouver un favorable port
Où me mettre à l'abri des tempêtes du sort ?
Faut-il que ma vieillesse, en tristesse féconde,
Sans espoir de repos, erre par tout le monde ?
Heureux qui vit en paix du lait de ses brebis, 5
Et qui de leur toison voit filer ses habits;
Qui plaint de ses vieux ans les peines langoureuses
Où sa jeunesse a plaint les flammes amoureuses;
Qui demeure chez lui comme en son élément,
Sans connaître Paris que de nom seulement, 10
Et qui, bornant le monde aux bords de son domaine,
Ne croit point d'autre mer [1] que la Marne ou la Seine !
En cet heureux état, les plus beaux de mes jours
Dessus les rives d'Oise ont commencé leur cours.
Soit que je prisse en main le soc ou la faucille, 15
Le labeur de mes bras nourrissait ma famille;
Et lorsque le soleil en achevant son tour

[1] Ne croit pas (à l'existence) d'autres mers.

Finissait mon travail en finissant le jour,
Je trouvais mon foyer couronné de ma race;
A peine bien souvent y pouvais-je avoir place:
L'un gisait au maillot, l'autre dans le berceau;
5 Ma femme, en les baisant, dévidait son fuseau.
Le temps s'y ménageait comme chose sacrée:
Jamais l'oisiveté n'avait chez moi d'entrée.
Aussi les dieux alors bénissaient ma maison;
Toutes sortes de biens me venaient à foison.
10 Mais, hélas ! ce bonheur fut de peu de durée:
Aussitôt que ma femme eut sa vie expirée,
Tous mes petits enfants la suivirent de près,
Et moi je restai seul, accablé de regrets,
De même qu'un vieux tronc, relique de l'orage,
15 Qui se voit dépouillé de branches et d'ombrage.

2. Stances à Tircis

(*Sur la Retraite*)

Tircis, il faut penser à faire la retraite:
La course de nos jours est plus qu'à demi faite;
L'âge insensiblement nous conduit à la mort.
Nous avons assez vu sur la mer de ce monde
20 Errer au gré des flots notre nef vagabonde:
Il est temps de jouir des délices du port.

Le bien de la fortune est un bien périssable;
Quand on bâtit sur elle, on bâtit sur le sable;
Plus on est élevé, plus on court de dangers;
25 Les grands pins sont en butte aux coups de la tempête,
Et la rage des vents brise plutôt le faîte
Des maisons de nos rois que des toits des bergers.

Oh ! bienheureux celui qui peut de sa mémoire
Effacer pour jamais ce vain espoir de gloire
Dont l'inutile soin traverse nos plaisirs,
Et qui, loin retiré de la foule importune,
Vivant dans sa maison, content de sa fortune, 5
A, selon son pouvoir, mesuré ses désirs !

Il laboure le champ que labourait son père;
Il ne s'informe pas de ce qu'on délibère
Dans ces graves conseils d'affaires accablés;
Il voit sans intérêt la mer grosse d'orages, 10
Et n'observe des vents les sinistres présages
Que pour le soin qu'il a du salut de ses blés.

Roi de ses passions, il a ce qu'il désire;
Son fertile domaine est son petit empire;
Sa cabane est son Louvre et son Fontainebleau; 15
Ses champs et ses jardins sont autant de provinces,
Et, sans porter envie à la pompe des princes,
Se contente chez lui de les voir en tableau.

S'il ne possède point ces maisons magnifiques,
Ces tours, ces chapiteaux, ces superbes portiques 20
Où la magnificence étale ses attraits,
Il jouit des beautés qu'ont les saisons nouvelles,
Il voit de la verdure et des fleurs naturelles
Qu'en ces riches lambris l'on ne voit qu'en portraits.

Agréables déserts, séjour de l'innocence, 25
Où, loin des vanités, de la magnificence,
Commence mon repos et finit mon tourment,
Vallons, fleuves, rochers, plaisante solitude,
Si vous fûtes témoins de mon inquiétude,
Soyez-le désormais de mon contentement. 30

B. L'ASTRÉE

L'auteur du grand roman *L'Astrée*, Honoré d'Urfé (1567–1625) descend d'une très noble maison du Forez (région de France au sud-ouest de Lyon). Il passa son enfance au manoir féodal de La Bastie, (abondamment décrit dans *L'Astrée*) et sa jeunesse au collège de Tournon. Dès 1589 il prit une part ardente aux guerres civiles, du côté de La Ligue (catholique) et contre Henri de Navarre (Protestant); il ne voulait pas un roi Huguenot. Même après l'abjuration de ce dernier, en 1593, il refusa de le reconnaître, prit les armes contre lui, et fut deux fois battu; il se retira alors (1596) dans un petit domaine acheté par lui près de Virieu-le-Grand, en Savoie. C'est là qu'il écrivit le roman auquel il pensait depuis 1585, mais dont le premier volume ne parut qu'en 1607. En ce moment il était complètement réconcilié avec Henri IV auquel il reconnaissait le mérite d'avoir rendu la paix à la France. Il lui dédia même son deuxième volume (« C'est un enfant que la paix a fait naître, et il est à Votre Majesté à qui toute l'Europe doit son repos et sa tranquillité »). Le troisième volume parut en 1619; puis les deux derniers, en partie étrangers à Honoré d'Urfé, en 1627.

L'ouvrage est donné comme une ‹ Tragi-comédie pastorale ›, dont les cinq tomes devaient correspondre aux cinq actes, et les douze livres de chaque tome aux scènes des actes. Il n'y a pas moins de 45 intrigues amoureuses, qui sont développées au cours d'environ cinq mille pages, et qui aboutissent à 22 mariages.

La scène est placée dans le pays du Forez, arrosé par la rivière Lignon (affluent de la Loire), et qui garde pour l'auteur le souvenir de son amour pour Diane de Chateaumorand — sa belle-sœur, qu'il épousera dans la suite. Le roman commence par avoir un accent personnel pour devenir tout à fait impersonnel ensuite.

L'époque est environ le V° siècle après Jésus-Christ, époque de querelles intestines constantes entre des souverains rivaux de la Gaule, comme Mérovée, Childéric, Gondebaut. Le Forez est une région privilégiée, à l'abri des agitations politiques. On y révère Astrée, fille de Jupiter et de Thémis, déesse de la Justice, qui habitait la terre pendant l'Age d'or, mais les crimes de l'Age de fer l'ayant remplie d'horreur, elle s'était enfuie au ciel.[1] Le pays est gouverné par la Nymphe Galatée. Il y a trois classes d'habitants; Les Chevaliers et les Nymphes, correspondant à la noblesse; les Druides et les Ves-

[1] Astrée sera le nom de l'héroïne principale du roman. Avant d'Urfé, Ronsard déjà avait choisi ce nom pour désigner une femme aimée à laquelle il dédiait une collection de sonnets.

tales, correspondant au clergé; et les Bergers et Bergères, représentant le peuple; ce sont cependant des bergers et des bergères dans le sens littéraire du terme: « Que si l'on te reproche — dit l'auteur s'adressant en imagination à la bergère Astrée, au début du roman — que tu ne parles pas le langage des villageois, et que toi ni ta troupe ne sentez guère les brebis ni les chèvres, réponds, ma bergère, que pour peu qu'ils aient de connaissance de toi, ils sauront que tu n'es pas, ni celles aussi qui te suivent, de ces bergères nécessiteuses qui pour gagner leur vie conduisent leurs troupeaux aux pâturages, mais que vous n'avez toutes pris cette condition que pour vivre plus doucement et sans contrainte. »[1]

L'action du roman est d'une durée de cinq à six mois.

Le roman est avant tout un traité de galanterie. Le titre d'ailleurs en est: *L'Astrée où par plusieurs histoires et sous personnes de bergers et d'autres, sont déduits les divers effets de l'honnête amitié.* Beaucoup avaient remarqué que par suite des longues guerres du XVIe siècle les mœurs et le langage étaient devenus rudes et grossiers, même à la cour et chez les nobles. Honoré d'Urfé voulut réagir, et il évoqua les temps où la haute courtoisie était à la mode, surtout en amour: « On dit maintenant qu'aimer comme toi [Céladon, un des héros du roman] c'est aimer à la vieille mode gauloise, ou comme faisaient les chevaliers de la Table Ronde, ou le Beau Ténébreux,[2] qu'il n'y a plus d'‹ arc des loyaux amants ›, ni de ‹ chambre défendue ›, pour recevoir quelque fruit de cette inutile loyauté »: Bref, on semblait penser que faire loyalement et patiemment l'amour était passé de mode, et qu'il fallait que l'amour fût tout de suite satisfait: c'est contre ce matérialisme que voulut réagir Honoré d'Urfé.

L'épisode principal est celui de Céladon et d'Astrée, amants séparés temporairement par la destinée et surtout par les intrigues d'un jaloux rival (Sémire); Céladon, de désespoir se jette dans le Lignon; il ne se noie pas, mais Astrée le croit mort; après des péripéties sans nombre ils se retrouvent et tous les malentendus sont éclaircis devant la ‹ Fontaine de Vérité ›. A côté de Céladon et d'Astrée, qui sont les grands amoureux sentimentaux, il y en a toute une galerie

---

[1] Les *Pastorales* furent à la mode dès le XVIe siècle, un produit de la Renaissance. Ronsard avait composé des *Bergeries*, et Vauquelin de la Fresnaie des *Idylles et Foresteries*. Les célèbres *Bergeries* de Racan (voir plus haut) sont de 1618.

[2] Nom donné dans le fameux roman médiéval d'aventures, *Amadis des Gaules*, à cet Amadis quand il se consume d'amour pour Oriane. L'accès de ‹ l'arc des loyaux amants et de la chambre défendue » n'était accordé qu'aux parfaits amants.

d'autres des sortes les plus diverses; il y a surtout le couple des amoureux philosophes, Silvandre et Diane, (Silvandre ne cesse pas de raisonner la passion); et celui d'Hylas et de Stella qui forment le couple de l'amour frivole (Hylas le cynique, l'inconstant, sera puni car il finira par s'attacher à une coquette qui lui fera connaître les angoisses de la jalousie).[1]

Le credo des personnages de l'Astrée, c'est que: « L'amour est véritablement le plus grand et le plus saint des dieux. » Le code d'Amour « que sous peine d'encourir sa disgrâce, tout amant doit observer », est formulé dans Douze Tables, en vers.[2]

« Savez-vous bien ce que c'est d'aimer ? dit un des héros de ces récits; c'est mourir en soi pour revivre en autrui, c'est ne se point aimer que d'autant qu'on est agréable à la chose aimée, et bref, c'est une volonté de se transformer, s'il se peut, entièrement en elle. » La principale loi d'Amour: « C'est que l'amant obéisse aux commandements de la personne aimée »; avec cette seule exception que: « Si elle commandait de n'être point aimée, elle ne devrait pas être obéie. »

Et voici comment Céladon exprime les ravissements incomparables des joies de l'amour spirituel:

« Quand un amant se représente la beauté de celle qu'il aime, mais encore cela est trop, quand il se remet seulement une de ses actions en mémoire, mais c'est trop encore, quand il se ressouvient du lieu où il l'a vue, voire [vraiment] quand il pense qu'elle se ressouviendra de l'avoir vu en quelque autre endroit, pensez-vous qu'il voulût changer son contentement contre tous ceux de l'univers ? . . . Or, puisque les contentements de la pensée sont tels, quels jugerez-vous ceux de l'effet, quand il y peut arriver ? Comment jouir de la vue de ce que l'on aime, l'ouïr parler, lui baiser la main, ouïr de sa bouche cette parole: *Je vous aime!* Est-il possible que la faiblesse d'un cœur puisse supporter tant de contentement, est-il possible que, le pouvant, un esprit les conçoive sans ravissement, et ravi qu'il ne s'y fonde et se sente dissoudre de trop de plaisir et de félicité ? » [3]

---

[1] La philosophie qu'il pratiquait s'exprimait ainsi: « Tout ainsi que mon amour prend naissance par les yeux, de même meurt-il aussitôt que par la vue je ne puis plus le nourrir, suivant cette maxime très véritable, [que] qui est loin des yeux l'est aussi du cœur. »

[2] Un écho des « Douze vertus qu'un noble homme et de noble courage doit avoir en son cœur et en sa mémoire, et en user » (*L'Art de la Chevalerie*, de Végèce, fin du XIIIe siècle).

[3] M. Strowski, dans son étude sur François de Sales, contemporain d'Honoré d'Urfé, rapproche l'amour idéal de *L'Astrée*, de l'amour divin chez François de Sales.

Consulter: La bibliographie est abondante. Citons seulement: G. Reynier, *Le Roman sentimental avant l'Astrée* (Colin, 1908); B. Germa, *L'Astrée d'H. d'Urfé; sa composition, son influence* (Picard, 1904); ou Le chanoine O. C. Reure, *La vie et les œuvres d'H. d'Urfé;* enfin, surtout approprié pour de jeunes étudiants: Maurice Magendie, *L'Astrée d'Honoré d'Urfé* (Malfère, 1929), et, du même, *L'Astrée, Analyse et extraits* (Perrin, 1927). Aussi: Racan, *Les Bergeries et autres poésies lyriques.* Préface et notes par P. Camo (Garnier 1929).

Lettre de Céladon à Astrée

Sur une fausse dénonciation Astrée a cru Céladon infidèle à son amour. Elle l'a chassé de sa présence; et il se console en confiant sa douleur au papier, il enferme ces billets dans des « balottes de cire » et les confie à la rivière Lignon, espérant que le courant portera ce message dans la contrée où vit sa bien-aimée; — ce qui arrive en effet et cansera une grande désolation à Astrée qui s'est aussitôt reconnue dans cette bergère « la plus belle du monde ».

Va-t-en, papier plus heureux que celui qui t'envoie, revoir les bords tant aimés où ma Bergère demeure; et si, accompagné des pleurs dont je vais grossissant cette rivière, il t'arrive de baiser le sable où ses pas sont imprimés, arrêtes-y ton cours et demeure bien fortuné où mon malheur m'empêche d'être; que si tu parviens en ses mains qui m'ont ravi le cœur, et qu'elle te demande ce que je fais, dis-lui, ô fidèle papier, que nuit et jour je me change en pleurs pour laver son infidélité; et si, touchée du repentir, elle te mouille de quelques larmes, dis-lui que pour détendre l'arc elle ne guérit pas la plaie qu'elle a faite à sa foi et à mon amitié, et que mes ennuis seront témoins et devant les hommes et devant les dieux, que comme elle est la plus belle et la plus infidèle du monde, je suis aussi le plus fidèle et le plus affectionné qui vive, avec assurance toutefois de n'avoir jamais contentement que la mort.

(*Livre I.*)

Casuistique amoureuse

Tircis a aimé la bergère Cléon; celle-ci étant morte, il veut rester fidèle à son souvenir. Mais une autre bergère, Laonice, aime Tircis. La question est de savoir si Tircis a le droit ou non de demeurer fidèle à Cléon et rejeter l'amour de Laonice. On a entendu les avocats des deux opinions contraires, et voici la sentence de Silvandre:

Après avoir quelque temps considéré en soi-même les raisons des uns et des autres, Silvandre prononça une telle sentence:

Des causes débattues devant nous, le point principal est
5 de savoir si Amour peut mourir par la mort de la chose aimée; sur quoi nous disons qu'un Amour périssable n'est pas vrai Amour; car il doit suivre le sujet qui lui a donné naissance. C'est pourquoi ceux qui ont aimé le corps seulement doivent enclore tous les Amours du corps dans le
10 même tombeau où il s'enserre; mais ceux qui outre cela ont aimé l'esprit, doivent avec leur Amour voler après cet esprit aimé jusqu'au plus haut du ciel, sans que les distances puissent les séparer. Donc toutes ces choses bien considérées, nous ordonnons que Tircis aime toujours sa
15 Cléon, et que des deux amours qui peuvent être en nous, l'une suive le corps de Cléon au tombeau, et l'autre l'esprit dans les cieux. Et ainsi, il soit dorénavant défendu aux recherches de Laonice de tourmenter devantage le repos de Cléon; car telle est la volonté du Dieu qui parle en moi.

(*Livre I.*)

La prédestination en amour

Céladon et Sylvie cherchent à comprendre pourquoi on aime une personne plutôt qu'une autre.

20 ... Mais outre toutes ces raisons, il me semble que celle de Silvandre encore est très bonne; quand on lui demande

pourquoi il n'est point amoureux, il répond qu'il n'a pas encore trouvé son aimant, et que quand il le trouvera, il sait bien qu'infailliblement il faudra qu'il aime comme les autres. — Et, répondit Sylvie, qu'entend-il par cet aimant ? — Je ne sais, répondit le berger Céladon, si je le vous saurai 5 bien déduire, car il a fort étudié, et, entre nous, nous le tenons pour un homme très entendu. Il dit que quand le grand Dieu forma toutes nos âmes, il les toucha chacune avec une pièce d'aimant, et qu'après il mit toutes ces pièces dans un lieu à part, et que de même celles des 10 femmes, après les avoir touchées, il les serra en un autre magazin séparé; que depuis, quand il envoie les âmes dans les corps, il mène celles des femmes où sont les pierres d'aimant qui ont touché celle des hommes, et celles des hommes à celles des femmes, et leur en fait prendre une à 15 chacune. S'il y a des âmes larronesses, elles en prennent plusieurs pièces qu'elles cachent. Il advient de là qu'aussitôt que l'âme est dans le corps et qu'elle rencontre celle qui a son aimant, il lui est impossible qu'elle ne l'aime pas, et d'ici procèdent tous les effets de l'amour; car quant 20 à celles qui sont aimées de plusieurs, c'est qu'elles ont été larronesses, et ont pris plusieurs pièces. Quant à celle qui aime quelqu'un qui ne l'aime point, c'est que celui-là a son aimant et non pas elle le sien. On lui fit plusieurs oppositions quand il disait ces choses, mais il répondit fort bien à 25 toutes; entre autres je lui dis: mais que veut dire que quelquefois un berger aimera plusieurs bergères ? C'est dit-il, que la pièce d'aimant qui le toucha étant entre les autres, lorsque Dieu les mêla, se cassa, et était en diverses pièces, toutes celles qui en ont attirent cette âme; 30 mais aussi prenez garde que ces personnes qui sont éprises de diverses amours n'aiment pas beaucoup. C'est d'autant que[1] ces petites pièces séparées n'ont pas tant de force qu'étant unies. De plus, il disait que d'ici venait que nous voyons bien souvent des personnes en aimer d'autres, qui à nos yeux n'ont rien d'aimable, que d'ici procédaient aussi ces étranges amours qui faisaient qu'un Gaulois nourri entre toutes les plus belles dames, viendra à aimer une barbare étrangère. — Il y eut Diane qui lui demanda ce qu'il disait de ce Timon Athénien, qui n'aima jamais personne, et que jamais personne n'aima. L'aimant, dit-il, de celui-là, ou était encore dans le magazin du grand Dieu, quand il vint au monde, ou bien celui qui l'avait pris mourut au berceau, ou avant que ce Timon fût né, ou en âge de connaissance. De sorte que depuis, quand nous voyons quelqu'un qui n'est point aimé, nous disons que son aimant a été oublié. — Et que disait-il, dit Sylvie, sur ce que personne n'avait aimé Timon ? Que quelquefois, répondit Céladon, le grand Dieu comptait les pierres qui lui restaient, et trouvant le nombre failli à cause de celles que quelques âmes larronesses avaient prises de plus, comme je vous ai dit, afin de remettre les pièces en leur nombre égal, les âmes qui alors se rencontraient pour entrer au corps, n'en emportaient point; que de là venait que nous voyons aujourd'hui des bergères assez accomplies, qui sont défavorisées, que personne ne les aime. — Mais le gracieux Corilas lui fit une demande selon ce qui le touchait pour lors. Que veut dire qu'ayant aimé longuement une personne, on vient à la quitter et à en aimer une autre ? Silvandre répondit à cela que la pièce d'aimant de celui qui venait à se changer, avait été rompue, et que celle qu'il avait aimée la première en devait avoir une pièce moins grande que celle pour laquelle il la laissait; et que tout

[1] parce que.

ainsi que nous voyons un fer entre deux calamites [1], se laisser tirer à celle qui a plus de force, de même l'âme se laisse emporter à la plus forte partie de son aimant. Vraiment, dit Sylvie, ce berger doit être gentil d'avoir de si belles conceptions. 5

(*Livre I.*)

Honoré d'Urfé avait eu des précurseurs; citons surtout *Le Courtisan*, de Balthazar Castiglione (en italien, 1528; en français, 1537), et *La Parfaite Amie*, d'Héroët (1542), qui aimaient à parler de « l'amour platonique ». Il eut un plus grand nombre encore d'imitateurs, particulièrement les auteurs des romans dits « précieux », dont les plus connus sont: Gomberville (*Polexandre*, 1629–1637, 8 vol.), La Calprenède (*Cassandre*, 1642–1645, 10 vol.; *Cléopâtre*, 1647–1658, 12 vol.; *Faramond*, inachevé), et surtout Madeleine de Scudéry (*Artamène ou le Grand Cyrus*, 1649–53, 10 vol.; *Clélie, Histoire romaine*, 1654–61, 10 vol.[2]) Une réaction contre certaines affectations des romans écrits dans l'esprit de *L'Astrée* se manifesta, dont le principal interprète fut Charles Sorel, dans une parodie, *Le Berger extravagant* (1627).

* * * * *

Si l'action exercée par *L'Astrée* sur les livres fut considérable, celle exercée sur les mœurs de la société fut plus grande encore. Madame de Rambouillet, dans son fameux salon, essaya de transporter l'esprit du roman dans la vie réelle.

---

[1] Nom donné autrefois à la pierre d'aimant. (*Furetière*).

[2] On trouvera des extraits de ces deux derniers romans dans le chapitre suivant.

CHAPITRE PREMIER

L'HÔTEL DE RAMBOUILLET

I. LES PRÉCIEUSES

En 1610 commence le XVII° siècle proprement dit. C'est l'année de la mort de Henri IV et de l'ascension au trône de Louis XIII; et c'est l'année où l'Hôtel de Rambouillet ouvre ses portes.

Au seuil du siècle se placent deux institutions célèbres qui contribueront, chacune à sa manière, à former l'esprit du « grand siècle » et le goût, et qui surtout prépareront la langue des écrivains; *L'Hôtel de Rambouillet* et *l'Académie Française.*

Madame de Rambouillet (1588–1665). Catherine de Vivonne naquit à Rome, où son père était ambassadeur; elle épousa (à douze ans) Charles d'Angennes, marquis de Rambouillet. Quand elle vint à Paris, elle fut choquée du manque d'élégance dans les manières et le langage de la cour, et elle décida de recevoir dans son propre salon (à l'Hôtel de Rambouillet qu'elle avait fait reconstruire, sur des plans dessinés par elle). Les réceptions avaient lieu dans une grande salle tapissée de bleu, la « chambre bleue » (en ce temps la couleur à la mode était le rouge brique). Madame de Rambouillet présidait sous le nom d'Arthénice (anagramme de Catherine et qui avait été inventé par Malherbe); elle sera remplacée plus tard par sa fille, Julie d'Angennes, — celle à laquelle sera dédiée la fameuse « Guirlande de Julie » (voir plus bas).[1]

On était reçu à l'Hôtel de Rambouillet, non en vertu de titres de noblesse comme à la cour, mais en raison de qualités de l'esprit. L'essentiel était de bannir la vulgarité; les habitués étaient les « précieux » et « précieuses »; et même ils employaient entre eux des noms spéciaux: Si Mme de Rambouillet était *Arthénice*, Julie d'Angennes était *Philomède*, Mme de Sévigné était *Sophronie* ou *Clarinte*, Françoise d'Aubigné (la future Mme de Maintenon) était *Lyrianne*, la

---

[1] Mme de Rambouillet avait plusieurs autres enfants; voir plus bas, page 47, l. 14); le troisième, M. de Pisani, mourut à la bataille de Nordlingen, 1645.

Duchesse de Longueville était *Mandane;* Voiture, un des plus importants « précieux » était *Valère*, le Duc de Montausier, « soupirant » de Mlle de Rambouillet, était *Ménalide*, Chapelain, le protégé de Richelieu, *Callicrate*, etc.

On cultivait surtout l'art de la conversation, on s'exerçait à discuter avec esprit les sujets les plus divers (' si les romans doivent être préférés à l'histoire ou l'histoire aux romans,' ' si Corneille doit être préféré au poète Benserade ou le contraire,' ' si l'on profane le verbe aimer, en disant qu'on « aime » le melon,' ' s'il vaut mieux avoir le goût au-dessus ou au-dessous de l'esprit,' etc.); on lisait des vers, surtout des madrigaux, — le plus souvent petits poèmes d'amour adressés à quelque dame de la société (voir plus bas); on proposait des énigmes; on faisait des jeux: un des jeux préférés était de faire des « portraits » idéalisés, et beaucoup de ces portraits nous sont restés, ayant été insérés dans des romans de l'époque (voir plus bas); enfin les absents envoyaient des lettres écrites avec recherche, des « épitres » qu'on lisait devant l'assemblée (voir plus bas).

L'hôtel de Rambouillet fleurit jusque vers 1645, quand Mlle de Rambouillet, Julie d'Angennes, épousa le Duc de Montausier et partit pour la Saintonge (où le Duc avait été nommé gouverneur). Voiture, souvent appelé ' le roi de l'Hôtel de Rambouillet ' mourut en 1648; le marquis de Rambouillet en 1652; la marquise dura jusqu'en 1665, mais en se retirant peu à peu du monde. Alors les Précieux avaient pris de plus en plus le chemin de la Rue de Beauce, où Madeleine de Scudéry, en style précieux « Sapho », et déjà une ' idole du salon Rambouillet ' avait ses « samedis ». Elle était, avec son frère Georges de Scudéry, l'auteur des deux plus célèbres romans « précieux », *Artamène ou le Grand Cyrus* (1649–53, 10 vol.) et *Clélie, Histoire romaine* (1654–61, 10 vol.), où l'on retrouve beaucoup des portraits mentionnés plus haut. C'étaient donc des romans à clefs; le héros du premier était le Grand Condé, et l'héroïne était la sœur même de celui-ci, la Duchesse de Longueville. Du second roman on connaît surtout le chapitre célèbre « La Carte du Pays de Tendre » (voir plus bas). C'est à la grande vogue de ces romans qu'on doit, dit-on, l'idée première des cabinets de lecture.[1]

D'autres salons importants de l'époque sont ceux de Mme d'Albret, de Richelieu, de Mme de Sablé, de la Grande Mademoiselle, la cousine de Louis XIV, au Luxembourg, et celui de Mme de Sablé, où sont nées les *Maximes* de La Rochefoucauld (voir plus bas).

Plusieurs réunions de ces salons ont été marquées par des épisodes

[1] Georges de Scudéry mourut en 1667; Mlle de Scudéry vécut 94 ans, elle mourut en 1701.

qui en ont conservé la mémoire: celle, par exemple, où chacun se mit à offrir ses suggestions pour la 'Carte du Pays de Tendre,' chez Mlle de Scudéry; celles où se rencontrèrent les *Uranistes* et les *Jobelins*, chez Mme de Rambouillet, (voir plus bas, page 85); et celle appelée la *Journée des Madrigaux:* La réunion avait lieu ce jour-là chez Mme Arragonais; elle avait reçu un cachet de cristal de quelque galant [de Conrart, le premier Académicien]; elle avait demandé à Pélisson de lui faire des vers en réponse; il avait pris son temps; mais, ce soir-là, elle le somma de s'exécuter; puis elle s'adressa aux assistants: tous se mirent alors à produire des madrigaux: 'Jamais il n'en fut tant fait, ni si promptement... Ce n'était que défis, que réponses, que répliques, qu'attaques, que ripostes. La plume passait de mains en mains, et la main ne pouvait suffire à l'esprit' dit Conrart qui donne les pièces à l'appui (Petit de Julleville, *Hist. de la Litt. Fr.* Tome IV, p. 126).

Consulter: On trouvera des détails sur ces salons dans *Les grands salons littéraires, XVII° et XVIII° siècles, Conférences du Musée Carnavalet*, (1927), dans V. Cousin, *Société française au XVII° siècle* (1858), et dans deux livres d'Émile Magne, *Madame de la Suze et la Société Précieuse* (1908), et *Voiture et l'Hôtel de Rambouillet* (Grand Prix de l'Académie Française; 2° éd. 1929), qui doivent beaucoup à un contemporain des Précieux, Somaize, *Grand Dictionnaire des Précieuses* (1661); on trouve dans ce livre « Dix Maximes des Précieuses »; en voici quelques-unes:

MAXIME I

Comme la liberté, surtout des pensées, des paroles et des inventions [de l'imagination], est la chose du monde la plus respectée parmi elles, aussi leur gouvernement n'est-il pas monarchique, et c'est une maxime établie dès le commencement de leur empire de ne recevoir point d'autre gouvernement que le libre.

IV

Le quatrième point est de donner plus à l'imagination à l'égard des plaisirs qu'à la vérité, et cela par ce principe de morale que l'imagination ne peut pécher réellement.

V

C'est encore un point de morale bien approuvé entre elles de ne dire leurs sentiments que devant ceux qu'elles estiment, et de ne dire jamais les défauts d'une personne sans y joindre quelque louange, et cela pour adoucir l'aigreur de la critique.

VIII

Elles sont encore fortement persuadées qu'une pensée ne vaut rien lorsqu'elle est entendue de tout le monde, et c'est une de leurs maximes de dire qu'il faut nécessairement qu'une précieuse parle autrement que le peuple, afin que ses pensées ne soient entendues que de ceux qui ont des clartés au-dessus du vulgaire; et c'est à ce dessein qu'elles font tous leurs efforts pour détruire le vieux langage, et qu'elles en ont fait un, non seulement qui est nouveau, mais encore qui leur est particulier.

1. Portrait de la marquise de Rambouillet

(d'après Mlle de Scudéry, dans *Artamène ou le Grand Cyrus,* 1649–1653)

Imaginez-vous la beauté même, si vous voulez concevoir celle de cette admirable personne. Je ne vous dis point que vous vous figuriez celle que nos peintres donnent à Vénus, pour comprendre la sienne, car elle ne serait pas assez modeste; ni celle de Pallas, parce qu'elle serait trop 5
fière; ni celle de Junon, qui ne serait pas assez charmante; ni celle de Diane, qui serait un peu trop sauvage; mais je vous dirai que, pour représenter Cléomire,[1] il faudrait prendre de toutes les figures qu'on donne à ces déesses ce qu'elles ont de beau, et l'on en ferait peut-être une passable 10
peinture. Cléomire est grande et bien faite: tous les traits de son visage sont admirables; la délicatesse de son teint ne se peut exprimer; la majesté de toute sa personne est digne d'admiration, et il sort je ne sais quel éclat de ses yeux qui imprime le respect dans l'âme de tous ceux qui 15
la regardent; et pour moi, je vous avoue que je n'ai jamais pu approcher Cléomire, sans sentir dans mon cœur je ne sais quelle crainte respectueuse, qui m'a obligé de songer

[1] Mme de Rambouillet. Le surnom d'Arthénice reste beaucoup plus connu que celui de Cléomire.

plus à moi, étant auprès d'elle, qu'en nul autre lieu du monde où j'aie jamais été. Au reste, les yeux de Cléomire sont si admirablement beaux, qu'on ne les a jamais pu bien représenter: ce sont pourtant des yeux qui, en don-
5 nant de l'admiration, n'ont pas produit ce que les autres beaux yeux ont accoutumé de produire dans le cœur de ceux qui les voient; car enfin, en donnant de l'amour, ils ont toujours donné en même temps de la crainte et du respect, et, par un privilège particulier, ils ont purifié tous
10 les cœurs qu'ils ont embrasés. Il y a même parmi leur éclat et parmi leur douceur une modestie si grande, qu'elle se communique à ceux qui la voient, et je suis fortement persuadé qu'il n'y a point d'homme au monde qui eût l'audace d'avoir une pensée criminelle en la présence de
15 Cléomire. Sa physionomie est la plus belle et la plus noble que je vis jamais, et il paraît une tranquillité sur son visage qui fait voir clairement quelle est celle de son âme. On voit même que toutes ses passions sont soumises à sa raison et ne font point de guerre intestine dans son cœur;
20 en effet, je ne pense point que l'incarnat qu'on voit sur ses joues ait jamais passé ses limites et se soit épanché sur tout son visage, si ce n'a été par la chaleur de l'été ou par la pudeur, mais jamais par la colère ni par aucun dérèglement de l'âme: ainsi Cléomire, étant toujours également
25 tranquille, est toujours également belle. Enfin, si on voulait donner un corps à la Chasteté pour la faire adorer par toute la terre, je voudrais représenter Cléomire; si on en voulait donner un à la Gloire pour la faire aimer par tout le monde, je voudrais encore faire sa peinture, et, si
30 l'on en donnait un à la Vertu, je voudrais aussi la représenter.

Au reste, l'esprit et l'âme de cette merveilleuse personne surpassent de beaucoup sa beauté: le premier n'a point de bornes dans son étendue, et l'autre n'a point d'égale en générosité, en constance, en bonté, en justice et en pureté. L'esprit de Cléomire n'est pas un de ces esprits qui n'ont de lumière que celle que la nature leur 5 donne, car elle l'a cultivé soigneusement; et je pense pouvoir dire qu'il n'est point de belles connaissances qu'elle n'ait acquises. Elle sait diverses langues, et n'ignore presque rien de ce qui mérite d'être su; mais elle le sait sans faire semblant de le savoir, et on dirait, à 10 l'entendre parler, tant elle est modeste, qu'elle ne parle de toutes choses admirablement, comme elle fait, que par le simple sens commun et par le seul usage du monde. Cependant elle se connaît à tout: les sciences les plus élevées ne passent pas sa connaissance; les arts les plus 15 difficiles sont connus d'elle parfaitement... Au reste, jamais personne n'a eu une connaissance si délicate qu'elle pour les beaux ouvrages de prose ni pour les vers; elle en juge pourtant avec une modération merveilleuse, ne quittant jamais la bienséance de son sexe, quoiqu'elle soit 20 beaucoup au-dessus... Il n'y a personne en toute la cour, qui ait quelque esprit et quelque vertu, qui n'aille chez elle. Rien n'est trouvé beau, si elle ne l'a approuvé: il ne vient pas même un étranger qui ne veuille voir Cléomire et lui rendre hommage; et il n'est pas jusqu'aux excellents 25 artisans qui ne veuillent que leurs ouvrages aient la gloire d'avoir son approbation. Tout ce qu'il y a de gens qui écrivent en Phénicie[1] ont chanté ses louanges; et elle possède si merveilleusement l'estime de tout le monde, qu'il ne s'est jamais trouvé personne qui l'ait pu voir, sans 30 dire d'elle mille choses avantageuses, sans être également

[1] Scène du roman du *Grand Cyrus;* il s'agit réellement de la France.

charmé de sa beauté, de son esprit, de sa douceur et de sa générosité . . .

2. La marquise de Rambouillet

(d'après Tallemant-des-Réaux, *Les Historiettes*, 1657 [1])

Mme de Rambouillet [2] est fille, comme j'ai déjà dit, de feu M. le marquis de Pisani, et d'une Savelli, veuve d'un
5 Ursins. Sa mère était une habile femme; elle eut soin de l'entretenir dans la langue italienne, afin qu'elle sût également cette langue et la française. On fit toujours cas de cette dame-là à la cour, et Henri IV l'envoya, avec Mme de Guise, surintendante de la maison de la Reine,
10 recevoir la Reine-mère à Marseille [3]. Elle maria sa fille avant douze ans avec M. le vidame du Mans. Mme de Rambouillet dit qu'elle regarda d'abord son mari, qui avait alors une fois autant d'âge qu'elle, comme un homme fait, et qu'elle se regarda comme une enfant, et que cela lui
15 est toujours demeuré dans l'esprit, et l'a portée à le respecter davantage. Hors les procès [4] jamais il n'y a eu un homme plus complaisant pour sa femme. Elle m'a avoué qu'il a toujours été amoureux d'elle, et ne croyait

[1] Les *Historiettes*, de Tallemant-des-Réaux (1619–1692) sont considérées comme un des documents les plus intéressants pour connaître la société du XVIIe siècle. Leur importance égale presque celle des *Lettres* de Madame de Sévigné (voir chap. XI, ii) et celle des *Mémoires* de Saint-Simon (voir *Eighteenth Century French Readings*, Holt and Co., chapter II). Leur ton est celui de la légèreté, parfois du cynisme.

[2] Italienne par sa mère.

[3] Marie de Médicis, qui épousa en 1600 Henri IV; réception à Marseille, le 3 novembre.

[4] Le marquis de Rambouillet n'avait pas le sens des affaires et eut de nombreux procès.

pas qu'on pût avoir plus d'esprit qu'elle en avait. A la vérité, il n'avait pas grand'peine à lui être complaisant, car elle n'a jamais rien voulu que de raisonnable. Cependant elle jure que si on l'eût laissée jusqu'à vingt ans, et qu'on ne l'eût point obligée après à se marier, elle fût demeurée fille. Je la croirais bien capable de cette résolution, quand je considère que dès vingt ans elle ne voulut plus aller aux assemblées du Louvre; chose assez étrange pour une belle et jeune personne et qui est de qualité. Elle disait qu'elle n'y trouvait rien de plaisant que de voir comme on se pressait pour y entrer, et que quelquefois il lui est arrivé de se retirer en une chambre pour se divertir du méchant ordre qu'il y a pour ces choses-là en France. Ce n'est pas qu'elle n'aimât le divertissement, mais c'était en particulier. A l'entrée [1] qu'on devait faire à la Reine-mère, quand Henri IV la fit couronner, Mme de Rambouillet était une des belles qui devaient être de la cérémonie.

Elle a toujours aimé les belles choses, et elle allait apprendre le latin, seulement pour lire Virgile, quand une maladie l'en empêcha. Depuis, elle n'y a pas songé, et s'est contentée de l'espagnol. C'est une personne habile en toutes choses. Elle fut elle-même l'architecte de l'hôtel de Rambouillet, qui était la maison de son père. Mal satisfaite de tous les dessins qu'on lui faisait (car alors on ne savait que faire une salle à un côté, une chambre à l'autre, et un escalier au milieu: d'ailleurs la place était fort irrégulière et d'une assez petite étendue), un soir, après y avoir bien rêvé, elle se mit à crier: « Vite, du papier; j'ai trouvé le moyen de faire ce que je voulais. » Sur

[1] Cette entrée solennelle à Paris devait avoir lieu en 1610, après la cérémonie officielle de couronnement à Saint-Denis (dix ans après le mariage), mais fut empêchée par l'assassinat de Henri IV.

l'heure elle en fit le dessin, car naturellement elle sait dessiner; et dès qu'elle a vu une maison, elle en tire le plan fort aisément. De là vient qu'elle faisait tant la guerre à Voiture de ce qu'il ne retenait jamais rien des 5 beaux bâtiments qu'il voyait; et c'est ce qui a donné lieu à cette ingénieuse badinerie qu'il lui écrivit sur le Valentin.[1] On suivit le dessin de Mme de Rambouillet de point en point. C'est d'elle qu'on a appris à mettre les escaliers à côté, pour avoir une grande suite de chambres, à exhausser 10 les planchers,[2] et à faire des portes et des fenêtres hautes et larges et vis-à-vis les unes des autres; et cela est si vrai, que la Reine-mère, quand elle fit bâtir Luxembourg, ordonna aux architectes d'aller voir l'hôtel de Rambouillet, et ce soin ne leur fut pas inutile. C'est la première qui 15 s'est avisée de faire peindre une chambre d'autre couleur que de rouge ou de tanné; et c'est ce qui a donné à sa grande chambre le nom de la *chambre bleue*.

L'hôtel de Rambouillet était, pour ainsi dire, le théâtre de tous les divertissements, et c'était le rendez-vous de ce 20 qu'il y avait de plus galant à la cour, et de plus poli parmi les beaux-esprits du siècle . . . Jamais il n'y a eu une meilleure amie. M. d'Andilly,[3] qui faisait le professeur en amitié, lui dit un jour qu'il la voulait instruire amplement en cette belle science; il lui faisait des leçons prolixes; elle, 25 pour trancher tout d'un coup, lui dit: « Bien loin de ne pas faire toutes choses au monde pour mes amis, si je savais qu'il y eût un fort honnête homme aux Indes, sans le connaître autrement, je tâcherais de faire pour lui tout

[1] Voir la lettre de Voiture contenant cette « ingénieuse badinerie » à la p. 82 de ce livre.

[2] Planchers = plafonds. Au XVIIe siècle l'usage n'avait pas encore restreint le mot de plancher, au sens de *floor*.

[3] Frère du grand Arnauld, de Port-Royal (voir chapitre VII).

ce qui serait à son avantage. — Quoi ! s'écria M. d'Andilly, vous en savez jusque là ! Je n'ai plus rien à vous montrer. »

Madame de Rambouillet est encore présentement d'humeur à se divertir de tout. Un de ses plus grands 5 plaisirs était de surprendre les gens. Une fois elle fit une galanterie à M. de Lizieux [1] à laquelle il ne s'attendait pas. Il l'alla voir à Rambouillet.[2] Il y a au pied du château une fort grande prairie, au milieu de laquelle, par une bizarrerie de la nature, se trouve comme un cercle de grosses 10 roches, entre lesquelles s'élèvent de grands arbres qui font un ombrage très-agréable. C'est le lieu où Rabelais [3] se divertissait, à ce qu'on dit dans le pays; car le cardinal du Bellay, à qui il était, et messieurs de Rambouillet, comme proches parents, allaient fort souvent passer le temps à 15 cette maison; et encore aujourd'hui on appelle une certaine roche creuse et enfumée *la Marmite de Rabelais*. La marquise proposa donc à M. de Lizieux d'aller se promener dans la prairie. Quand il fut assez près de ces roches pour entrevoir à travers les feuilles des arbres, il 20 aperçut en divers endroits je ne sais quoi de brillant. Étant plus proche, il lui sembla qu'il discernait des femmes, et qu'elles étaient vêtues en nymphes. La marquise, au

[1] Prédicateur célèbre qui a prononcé l'Oraison funèbre de Henri IV (1610).

[2] Le domaine de Rambouillet — à distinguer du Salon de Rambouillet qui était à Paris — est situé à la limite sud de la Forêt de Rambouillet, à 40 milles environ au Sud-ouest de Paris. C'était un ancien château royal; c'est aujourd'hui la résidence d'été du Président de la République Française (voir G. Lenôtre, *Le Château de Rambouillet; six siècles d'histoire*, Paris, C. Lévy, 1930).

[3] François Rabelais (1483 ?–1553) le célèbre auteur du roman de Gargantua et Pantagruel, fut quelque temps au service du Cardinal Du Bellay (1492–1560).

commencement, ne faisait pas semblant de rien voir de ce qu'il voyait. Enfin, étant parvenus jusqu'aux roches, ils trouvèrent Mlle de Rambouillet et toutes les demoiselles de la maison, vêtues effectivement en nymphes, qui, 5 assises sur ces roches, faisaient le plus agréable spectacle du monde. Le bonhomme en fut si charmé, que depuis il ne voyait jamais la marquise sans lui parler des roches de Rambouillet . . .

Elle attrapa plaisamment le comte de Guiche, aujourd'- 10 hui le maréchal de Gramont.[1] Il était encore fort jeune quand il commença à aller à l'hôtel de Rambouillet. Un soir, comme il prenait congé de madame la marquise, M. de Chaudebonne, le plus intime des amis de Mme de Rambouillet, qui était fort familier avec lui, lui dit: « Comte, 15 ne t'en va point, soupe céans.—Jésus ! vous moquez-vous ? » s'écria la marquise; « le voulez-vous faire mourir de faim ? » — « Elle se moque elle-même, » reprit Chaudebonne, « demeure, je t'en prie. » Enfin il demeura. Mlle Paulet,[2] car tout cela était concerté, arriva en ce moment avec 20 Mlle de Rambouillet; on sert, et la table n'était couverte que de choses que le comte n'aimait pas. En causant, on lui avait fait dire, à diverses fois, toutes ses aversions. Il y avait entre autres choses un grand potage au lait et un gros coq d'Inde. Mlle Paulet y joua admirablement son 25 personnage. « Monsieur le comte, » disait-elle, « il n'y eut

[1] Il s'est distingué dans les campagnes d'Allemagne et d'Italie, entre autres, à Nordlingue. Voir pour son rôle au fameux passage du Rhin, en 1672, une lettre de Mme de Sévigné, citée au chapitre XI de ce livre.

[2] Angélique Paulet, une favorite de l'hôtel de Rambouillet; l'Élise du *Grand Cyrus* de Mlle de Scudéry (1592–1651). On trouvera plus bas (page 80) une lettre que lui adressa le célèbre Voiture. Elle était la fille de Charles Paulet, secrétaire de la Chambre du roi.

jamais un si bon potage au lait; vous en plaît-il sur votre assiette ? — Mon Dieu ! le bon coq d'Inde ! il est aussi tendre qu'une gelinotte. — Vous ne mangez point du blanc que je vous ai servi; il vous faut donner du rissolé, de ces petits endroits de dessus le dos. » Elle se tuait de lui en donner, et lui de la remercier. Il était déferré; il ne savait que penser d'un si pauvre souper. Il émiait du pain entre ses doigts. Enfin, après que tout le monde s'en fut bien diverti, Mme de Rambouillet dit au maître-d'hôtel: « Apportez donc quelque autre chose, M. le comte ne trouve rien là à son goût. » Alors on servit un souper magnifique, mais ce ne fut pas sans rire.

On lui fit encore une malice à Rambouillet. Un soir qu'il avait mangé force champignons, on gagna son valet de chambre qui donna tous les pourpoints des habits que son maître avait apportés. On les étrécit promptement. Le matin, Chaudebonne le va voir comme il s'habillait; mais quand il voulut mettre son pourpoint, il le trouva trop étroit de quatre grands doigts. « Ce pourpoint-là est bien étroit, » dit-il à son valet de chambre; « donnez-moi celui de l'habit que je mis hier. » Il ne le trouve pas plus large que l'autre. « Essayons-les tous, » dit-il. Mais tous lui étaient également étroits. « Qu'est ceci ? » ajouta-t-il, « suis-je enflé ? serait-ce d'avoir trop mangé de champignons ? » — « Cela pourrait bien être, » dit Chaudebonne, « vous en mangeâtes hier au soir à crever. » Tous ceux qui le virent lui en dirent autant, et voyez ce que c'est que l'imagination. Il avait, comme vous pouvez penser, le teint tout aussi bon que la veille; cependant il y découvrait, ce lui semblait, je ne sais quoi de livide. La messe sonne, c'était un dimanche: il fut contraint d'y aller en robe de chambre. La messe dite, il commence à s'inquiéter de

cette prétendue enflure, et il disait en riant du bout des dents: « Ce serait pourtant une belle fin que de mourir à vingt et un ans pour avoir mangé des champignons ! » Comme on vit que cela allait trop avant, Chaudebonne dit
5 qu'en attendant qu'on pût avoir du contre-poison, il était d'avis qu'on fît une recette dont il se souvenait. Il se mit aussitôt à l'écrire, et la donna au comte. Il y avait: *Recipe de bons ciseaux, et décous ton pourpoint.* Or, quelque temps après, comme si c'eût été pour venger le comte,
10 Mme de Rambouillet et M. de Chaudebonne mangèrent effectivement de mauvais champignons, et on ne sait ce qui en fût arrivé, si Mme de Rambouillet n'eût trouvé de la thériaque dans un cabinet, où elle chercha à tous hasards.

Mme de Rambouillet a eu six enfants: Mme de Mon-
15 tausier est l'aînée de tous; Mme d'Hyères est la seconde; M. de Pisani était après. Il y avait un garçon bien fait qui mourut de la peste à huit ans. Sa gouvernante alla voir un pestiféré, et au sortir de là fut assez sotte pour baiser cet enfant; elle et lui en moururent. Mme de Ram-
20 bouillet, Mme de Montausier et Mlle Paulet l'assistèrent jusques au dernier soupir. Mme de Saint-Étienne est après, puis Mme de Pisani. Toutes sont religieuses, hors la première et la dernière des filles, qui est Mlle de Rambouillet.

3. Julie d'Angennes

(d'après Fléchier, *Oraison funèbre de Mme de Montausier*, 1671)

Julie-Lucienne d'Angennes de Rambouillet (1607–1671). Cette fille aînée de Mme de Rambouillet avait été Gouvernante des enfants de France. On a dit plus haut qu'elle avait joué un grand rôle aux réunions du salon de sa mère. C'est à elle que le duc de Montausier avait adressé, trois ans avant son mariage (1645), le recueil de vers connu sous le nom de *Guirlande de Julie*. Voir p. 62.

Quand la nature ne lui aurait pas donné tous ces avantages, elle aurait pu les recevoir de l'éducation; et, pour être illustre, il suffisait d'avoir été élevée par madame la marquise de Rambouillet. Ce nom capable d'imprimer du respect dans tous les esprits où il reste encore quelque 5 délicatesse; ce nom qui renferme je ne sais quel mélange de la grandeur romaine et de la civilité française; ce nom, dis-je, n'est-il pas un éloge abrégé, et de celle qui l'a porté, et de celles qui en sont descendues? C'était d'elle que l'admirable Julie tenait cette grandeur d'âme, cette bonté 10 singulière, cette prudence consommée, cette piété sincère, cet esprit sublime et cette parfaite connaissance des choses qui rendirent sa vie si éclatante.

Vous dirai-je qu'elle pénétrait dès son enfance les défauts les plus cachés des ouvrages d'esprit, et qu'elle 15 en discernait les traits les plus délicats? Que personne ne savait mieux estimer les choses louables, ni mieux louer ce qu'elle estimait? Qu'on gardait ses lettres comme le vrai modèle des pensées raisonnables et de la pureté de notre langage? Souvenez-vous de ces cabinets [1] que l'on 20 regarde encore avec tant de vénération, où l'esprit se purifiait, où la vertu était révérée sous le nom de l'incomparable Arthénice, où se rendaient tant de personnes de qualité et de mérite qui composaient une cour choisie, nombreuse sans confusion, modeste sans contrainte, 25 savante sans orgueil, polie sans affectation. Ce fut là que, tout enfant qu'elle était, elle se fit admirer de ceux qui étaient eux-mêmes l'ornement et l'admiration de leur siècle.

Il est assez ordinaire aux personnes à qui le ciel a donné 30

[1] Au XVIIe siècle = salons, ou petites chambres pour conversations intimes donnant sur le grand salon central.

de l'esprit et de la vivacité d'abuser des grâces qu'elles ont reçues. Elles se piquent de briller dans les conversations, de réduire tout à leur sens et d'exercer un empire tyrannique sur les opinions. L'affectation, la hauteur, la
5 présomption corrompent leurs plus beaux sentiments; et l'esprit, qui les retiendrait dans les bornes de la modestie, s'il était solide, les porte ou à des singularités bizarres, ou à une vanité ridicule, ou à des indiscrétions dangereuses. A-t-on jamais remarqué la moindre apparence de ces
10 défauts en celle dont nous faisons aujourd'hui l'éloge ? Y eut-il jamais un esprit plus doux, plus facile, plus accommodant ? Se fit-elle jamais craindre dans les compagnies ? Etait-elle éloignée de la cour, on eût dit qu'elle était née pour les provinces. Sortait-elle des provinces,
15 on voyait bien qu'elle était faite pour la cour. Elle se servait toujours de ses lumières pour connaître la vérité des choses et pour entretenir la charité, et croyait que c'était n'avoir point d'esprit que ne point l'employer ou à s'instruire de ses devoirs ou à vivre en paix avec le pro-
20 chain.

4. Mlle de Scudéry peinte par elle-même

(d'après Mlle de Scudéry dans *Artamène ou le Grand Cyrus*, 1649–1653)

Elle[1] est donc fille d'un homme de qualité appelé Scamandrogine qui était d'un sang si noble qu'il n'y avait

[1] Mlle de Scudéry (1607–1701) qui figure dans le roman du *Grand Cyrus* sous le nom de Sapho. Elle est aussi connue en littérature sous les noms de Philoclée, Polymathie, Daphné, etc. On verra ce qu'il y a de vrai dans les faits relatés ici de la vie de Sapho, de sa famille et particulièrement de son frère, et ce qu'il y a de surajouté, dans le livre amusant de Ch. Clerc, *Un Matamore des Lettres, La Vie tragi-comique de Georges de Scudéry* (Ed. Spes, 1929).

point de famille où l'on pût voir une plus longue suite d'aïeux, ni une généalogie plus illustre ni moins douteuse. De plus, Sapho a encore eu l'avantage que son père et sa mère avaient tous deux beaucoup d'esprit et beaucoup de vertu; mais elle eut le malheur de les perdre de si bonne 5 heure qu'elle ne put recevoir d'eux que les premières inclinations au bien, car elle n'avait que six ans lorsqu'ils moururent. Il est vrai qu'ils la laissèrent sous la conduite d'une parente qu'elle avait, appelée Cynégire, qui avait toutes les qualités nécessaires pour bien élever une 10 jeune personne, et ils la laissèrent avec un bien beaucoup au-dessous de son mérite, mais pourtant assez considérable pour n'avoir non seulement besoin de personne, mais pour pouvoir même paraître avec assez d'éclat dans le monde. Sapho a pourtant un frère Charasce[1] qui 15 était alors extrêmement riche; car Scamandrogine en mourant avait partagé son bien fort inégalement et en avait beaucoup plus laissé à son fils qu'à sa fille, quoique à la vérité il ne le méritât pas, et qu'elle fût digne de porter une couronne. En effet je ne pense pas que 20 toute la Grèce ait jamais eu une personne qu'on puisse comparer à Sapho: je ne m'arrêterai pourtant point à vous dire quelle fut son enfance, car elle fut si peu enfant qu'à douze ans on commença de parler d'elle comme d'une personne dont la beauté, l'esprit et le jugement 25 étaient déjà formés et donnaient de l'admiration à tout le monde; mais je vous dirai seulement qu'on n'a jamais remarqué en qui que ce soit des inclinations plus nobles, ni une facilité plus grande à apprendre tout ce qu'elle a voulu savoir.

30

[1] Georges de Scudéry, sous le nom duquel Mlle de Scudéry publia ses romans.

Cependant, quoique Sapho ait été charmante dès le berceau, je ne veux vous faire la peinture de sa personne et de son esprit qu'en l'état où elle est présentement, afin que vous la connaissiez mieux. Je vous dirai donc qu'encore
5 que vous m'entendiez parler de Sapho comme de la plus merveilleuse et de la plus charmante personne de toute la Grèce, il ne faut pourtant pas vous imaginer que sa beauté soit une de ces grandes beautés en qui l'envie même ne saurait trouver aucun défaut, mais il faut néanmoins que
10 vous compreniez qu'encore que la sienne ne soit pas de celles que je dis, elle est pourtant capable d'inspirer de plus grandes passions que les plus grandes beautés de la terre. Mais enfin, madame, pour vous dépeindre l'admirable Sapho, il faut que je vous dise qu'encore qu'elle se
15 dise petite, lorsqu'elle veut médire d'elle-même, elle est pourtant de taille médiocre, mais si noble et si bien faite qu'on ne peut y rien désirer. Pour le teint, elle ne l'a pas de la dernière blancheur; il a toutefois un si bel éclat qu'on peut dire qu'elle l'a beau. Mais ce que Sapho a de souve-
20 rainement agréable, c'est qu'elle a les yeux si beaux, si vifs, si amoureux et si pleins d'esprit, qu'on ne peut ni en soutenir l'éclat ni en détacher ses regards. En effet, ils brillent d'un feu si pénétrant et ils ont pourtant une douceur si passionnée que la vivacité et la langueur ne
25 sont pas des choses incompatibles dans les beaux yeux de Sapho. Ce qui fait leur plus grand éclat, c'est que jamais il n'y a eu une opposition plus grande que celle du blanc et du noir de ses yeux. Cependant cette grande opposition n'y cause nulle rudesse, et il y a un certain esprit amoureux
30 qui les adoucit d'une si charmante manière que je ne crois pas qu'il y ait jamais eu une personne dont les regards aient été plus redoutables. De plus, elle a des choses qui

ne se trouvent pas toujours ensemble, car elle a la physionomie fine et modeste, et elle ne laisse pas aussi d'avoir je ne sais quoi de grand et de relevé dans la mine. Sapho a, de plus, le visage ovale, la bouche petite et incarnate, et les mains si admirables que ce sont en effet des mains à 5 prendre des cœurs, ou, si on la veut considérer comme cette savante fille qui est si chèrement aimée des Muses, ce sont des mains dignes de cueillir les plus belles fleurs du Parnasse.

Mais, Madame, ce n'est pas encore par ce que je viens 10 de vous dire que Sapho est la plus aimable; car les charmes de son esprit surpassent de beaucoup ceux de sa beauté. En effet, elle l'a d'une si vaste étendue, qu'on peut dire que ce qu'elle ne comprend pas, ne peut être compris de personne: et elle a une telle disposition à apprendre facile- 15 ment tout ce qu'elle veut savoir que, sans que l'on ait presque jamais ouï dire que Sapho ait rien appris, elle sait pourtant toutes choses.[1] Premièrement, elle est née avec une inclination à faire des vers, qu'elle a si heureusement cultivée qu'elle en fait mieux que qui que ce soit, et elle a 20 même inventé des mesures particulières pour en faire qu'Hésiode et Homère ne connaissaient pas, et qui ont une telle approbation que cette sorte de vers portent le nom de celle qui les a inventés, et sont appelés saphiques.[2] Elle écrit aussi tout à fait bien en prose, et il y a un carac- 25 tère si amoureux dans tous les ouvrages de cette admirable fille, qu'elle émeut et qu'elle attendrit le cœur de tous ceux

[1] Molière, *Les Précieuses ridicules* (1659), Scène IX fait évidemment allusion à ce passage lorsqu'il fait dire à Mascarille: « Les gens de qualité savent tout sans avoir jamais rien appris. »

[2] Il y avait en effet une mesure rythmique appelée saphique, et qui avait été inventée par Sapho, la célèbre poètesse grecque (VIe siècle av. J. C.).

qui lisent ce qu'elle écrit. En effet, je lui ai vu faire un jour une chanson improvisée qui était mille fois plus touchante que la plus plaintive élégie ne saurait être, et il y a un certain tour amoureux à tout ce qui part de son
5 esprit que nulle autre qu'elle ne saurait avoir. Elle exprime même si délicatement les sentiments les plus difficiles à exprimer, et elle sait si bien faire l'anatomie d'un cœur amoureux, s'il est permis de parler ainsi, qu'elle en sait décrire exactement toutes les jalousies, toutes les inquié-
10 tudes, toutes les impatiences, toutes les joies, tous les dégoûts, tous les murmures, tous les désespoirs, toutes les espérances, toutes les révoltes, et tous ces sentiments tumultueux qui ne sont jamais bien connus que de ceux qui les sentent ou qui les ont sentis. Au reste, Sapho ne
15 connaît pas seulement tout ce qui dépend de l'amour, car elle ne connaît pas moins bien tout ce qui appartient à la générosité et elle sait enfin si parfaitement écrire et parler de toutes choses, qu'il n'est rien qui ne tombe sous sa connaissance. Il ne faut pourtant pas s'imaginer que ce soit
20 une science infuse, car Sapho a vu tout ce qui est digne de l'être, et elle s'est donné la peine de s'instruire de tout ce qui est digne de curiosité. Elle sait de plus jouer de la lyre et chanter; elle danse aussi de fort bonne grâce, et elle a même voulu savoir faire tous les ouvrages où les femmes
25 qui n'ont pas l'esprit aussi élevé qu'elle, s'occupent quelquefois pour se divertir. Mais ce qu'il y a d'admirable, c'est que cette personne, qui sait tant de choses différentes, les sait sans faire la savante, sans en avoir aucun orgueil, et sans mépriser celles qui ne les savent pas. En effet, sa
30 conversation est si naturelle, si aisée et si galante qu'on ne lui entend jamais dire en une conversation générale que des choses qu'on peut croire qu'une personne de grand

esprit pourrait dire sans avoir appris tout ce qu'elle sait. Ce n'est pas que les gens qui savent les choses ne connaissent bien que la nature toute seule ne pourrait lui avoir ouvert l'esprit au point qu'elle l'a, mais c'est qu'elle songe tellement à demeurer dans la bienséance de son sexe, qu'elle ne parle presque jamais que de ce que les dames doivent parler, et il faut être de ses amis très particuliers pour qu'elle avoue seulement qu'elle ait appris quelque chose. Il ne faut pourtant pas s'imaginer que Sapho affecte une ignorance grossière en sa conversation; au contraire, elle sait si bien l'art de la rendre telle qu'elle veut, qu'on ne sort jamais de chez elle sans y avoir ouï dire mille belles et agréables choses; mais c'est qu'elle a une adresse dans l'esprit qui la rend maîtresse de celui des autres. Ainsi, on peut assurer qu'elle fait presque dire tout ce qu'elle veut aux gens qui sont avec elle, quoiqu'ils pensent ne dire que ce qui leur plaît. Elle a un esprit d'accommodement admirable, et elle parle si également bien des choses sérieuses et des choses galantes et enjouées, qu'on ne peut comprendre qu'une même personne puisse avoir des talents si opposés. Mais ce qu'il y a encore de plus digne de louanges en Sapho, c'est qu'il n'y a pas au monde une meilleure personne qu'elle, ni plus généreuse, ni moins intéressée, ni plus officieuse. De plus, elle est fidèle dans ses amitiés, et elle a l'âme si tendre et le cœur si passionné, qu'on peut sans doute mettre la suprême félicité à être aimé de Sapho, car elle a un esprit si ingénieux à trouver de nouveaux moyens d'obliger ceux qu'elle estime et de leur faire connaître son affection que, bien qu'il ne semble pas qu'elle fasse des choses fort extraordinaires, elle ne laisse pas toutefois de persuader à ceux qu'elle aime qu'elle les aime chèrement. Ce qu'elle

a encore d'admirable, c'est qu'elle est incapable d'envie, et qu'elle rend justice au mérite avec tant de générosité qu'elle prend plus de plaisir à louer les autres qu'à être louée. Outre tout ce que je viens de dire, elle a encore
5 une complaisance qui, sans avoir rien de lâche, est infiniment commode et infiniment agréable; et si elle refuse quelquefois quelque chose à ses amis, elle le fait avec tant de civilité et tant de douceur qu'elle les oblige même en les refusant. Jugez après cela de ce qu'elle peut faire
10 lorsqu'elle leur accorde son amitié et sa confiance. Voilà quelle est cette merveilleuse Sapho . . .

Mais enfin, Madame, cette merveilleuse fille, étant telle que je viens de vous la dépeindre, fit un bruit si grand à Mitylène, malgré toute sa modestie et tout le soin qu'elle
15 apportait à cacher ce qu'elle savait, que la renommée porta bientôt son nom par toute la Grèce, et l'y porta si glorieusement qu'on peut assurer que jusqu'alors nulle personne de son sexe n'avait eu une si grande réputation.

5. La carte de Tendre

[D'après Mlle de Scudéry, *Clélie, Histoire romaine*, (Ire partie). L'auteur reconnaît loyalement sa dette envers Honoré d'Urfé dans des pages comme celles-ci (voir Magendie, *L'Astrée*, Coll. Grands événements litt. 1929, p. 146).]

« Vous vous souvenez sans doute bien, Madame,
20 qu'Herminius [1] avait prié Clélie [2] de lui enseigner par où l'on pouvait aller de Nouvelle Amitié à Tendre; de sorte qu'il faut commencer par cette première ville, qui est au

[1] Pellisson (1624–1693), un des historiographes de Louis XIV, et auteur de l'*Histoire de l'Académie française*.

[2] L'héroïne du roman; sous ce nom, Mlle de Scudéry prétendait peindre Mlle de Longueville, fille de la célèbre duchesse de Longueville, elle-même l'héroïne du *Grand Cyrus*.

bas de cette carte, pour aller aux autres; car afin que vous compreniez mieux le dessin de Clélie, vous verrez qu'elle

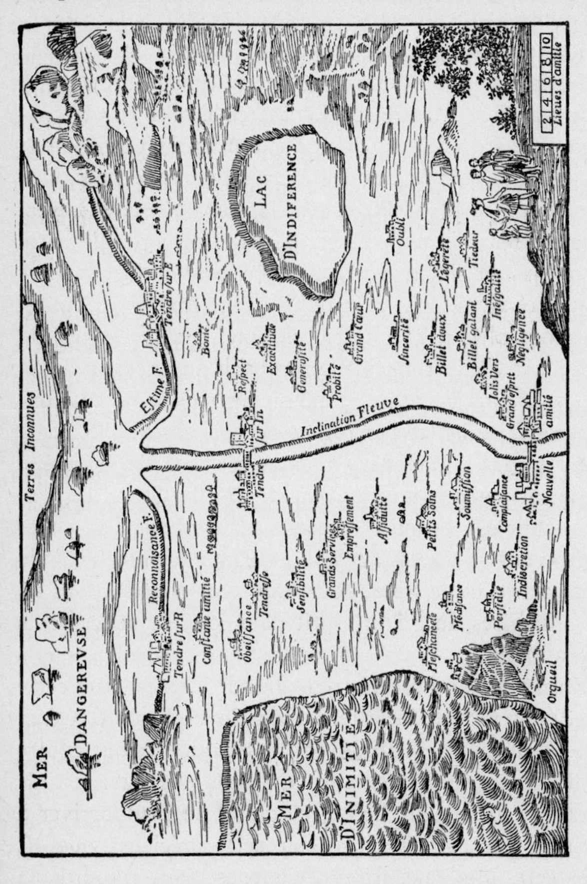

LA CARTE DE TENDRE

a imaginé qu'on peut avoir de la tendresse par trois causes différentes: ou par une grande estime, ou par reconnais-

sance, ou par inclination; et c'est ce qui l'a obligée d'établir ces trois villes de Tendre sur trois rivières qui portent ces trois noms, et de faire aussi trois routes différentes pour y aller. Si bien que comme on dit Cumes sur la mer d'Ionie
5 et Cumes sur la mer Tyrrhène, elle fait qu'on dit Tendre sur Inclination, Tendre sur Estime et Tendre sur Reconnaissance. Cependant, comme elle a présupposé que la tendresse qui naît par inclination n'a besoin de rien autre chose pour être ce qu'elle est, Clélie, comme vous le voyez,
10 Madame, n'a mis nul village, le long des bords de cette rivière, qui va si vite qu'on n'a que faire de logement le long de ses rives, pour aller de Nouvelle Amitié à Tendre. Mais pour aller à Tendre sur Estime, il n'en est pas de même; car Clélie a ingénieusement mis autant de villages
15 qu'il y a de petites et de grandes choses qui peuvent contribuer à faire naître par estime cette tendresse dont elle entend parler. En effet, vous voyez que de Nouvelle Amitié on passe à un lieu qu'elle appelle Grand Esprit, parce que c'est ce qui commence ordinairement l'estime;
20 ensuite vous voyez ces agréables villages de Jolis Vers, de Billet galant, et de Billet doux, qui sont les opérations les plus ordinaires du grand esprit dans les commencements d'une amitié.

« Ensuite pour faire un plus grand progrès dans cette
25 route, vous voyez Sincérité, Grand Cœur, Probité, Générosité, Respect, Exactitude, et Bonté, qui est tout contre Tendre, pour faire connaître qu'il ne peut y avoir de véritable estime sans bonté, et qu'on ne peut arriver à Tendre de ce côté-là sans avoir cette précieuse qualité.
30 Après cela, Madame, il faut, s'il vous plaît, retourner à Nouvelle Amitié pour voir par quelle route on va de là à Tendre sur Reconnaissance. Voyez donc, je vous en prie,

comment il faut aller d'abord de Nouvelle Amitié à Complaisance, ensuite à ce petit village qui se nomme Soumission, et qui en touche un autre fort agréable, qui s'appelle Petits Soins. Voyez, dis-je, que de là il faut passer par Assiduité, pour faire entendre que ce n'est pas 5
assez d'avoir pendant quelques jours tous ces petits soins obligeants qui donnent tant de reconnaissance, si on ne les a assidûment. Ensuite vous voyez qu'il faut passer à un autre village qui s'appelle Empressement, et ne faire pas comme certaines gens tranquilles, qui ne se hâtent pas 10
d'un moment, quelque prière qu'on leur fasse, et qui sont incapables d'avoir cet empressement qui oblige quelquefois si fort. Après cela vous voyez qu'il faut passer à Grands Services, et que pour marquer qu'il y a peu de gens qui en rendent de tels, ce village est plus petit que 15
les autres. Ensuite, il faut passer à Sensibilité, pour faire connaître qu'il faut sentir jusques aux plus petites douleurs de ceux qu'on aime; après, il faut pour arriver à Tendre passer par Tendresse, car l'amitié attire l'amitié. Ensuite, il faut aller à Obéissance, n'y ayant presque rien 20
qui engage plus le cœur de ceux à qui on obéit que de le faire aveuglément, et pour arriver enfin où l'on veut aller, il faut passer à Constante Amitié, qui est sans doute le chemin le plus sûr pour arriver à Tendre sur Reconnaissance. 25

« Mais, Madame, comme il n'y a point de chemins où l'on ne se puisse égarer, Clélie a fait, comme vous le pouvez voir, que si ceux qui sont à Nouvelle Amitié prenaient un peu plus à droite, ou un peu plus à gauche, ils s'égareraient aussi; car, si au partir de Grand Esprit on allait à Négli- 30
gence, que vous voyez tout contre sur cette carte, qu'ensuite, continuant cet égarement, on allât à Inégalité, de

là à Tiédeur, à Légèreté et à Oubli, au lieu de se trouver à Tendre sur Estime, on se trouverait au Lac d'Indifférence, que vous voyez marqué sur cette carte, et qui, par ses eaux tranquilles, représente sans doute fort juste la chose
5 dont il porte le nom en cet endroit. De l'autre côté, si au partir de Nouvelle Amitié on prenait un peu trop à gauche, et qu'on allât à Indiscrétion, à Perfidie, à Orgueil, à Médisance ou à Méchanceté, au lieu de se trouver à Tendre sur Reconnaissance, on se trouverait à la Mer d'Inimitié, où
10 tous les vaisseaux font naufrage, et qui, par l'agitation de ses vagues, convient sans doute fort juste avec cette impétueuse passion que Clélie veut représenter.

« Ainsi elle fait voir par ces routes différentes qu'il faut avoir mille bonnes qualités pour l'obliger à avoir une
15 amitié tendre, et que ceux qui en ont de mauvaises ne peuvent avoir part qu'à sa haine ou à son indifférence. Aussi cette sage fille voulant faire connaître sur cette carte qu'elle n'avait jamais eu d'amour, et qu'elle n'aurait jamais dans le cœur que de la tendresse, fait que la Rivière
20 d'Inclination se jette dans une mer qu'elle appelle la Mer Dangereuse, parce qu'il est assez dangereux à une femme d'aller un peu au delà des dernières bornes de l'amitié; et elle fait ensuite qu'au delà de cette mer, c'est ce que nous appelons Terres inconnues, parce qu'en effet nous ne savons
25 point ce qu'il y a, et que nous ne croyons pas que personne ait été plus loin qu'Hercule [1]; de sorte que, de cette façon,

[1] Les *Colonnes d'Hercule* — les deux immenses rochers qui dominent au nord et au sud le Détroit de Gibraltar — marquaient, selon les Anciens, la limite extrême des voyages d'Hercule quand il accomplit ses fameux douze travaux (Une tradition veut qu'Hercule ait été le chef d'une expédition des Phéniciens vers l'ouest.). Dans le sens figuré, les Colonnes d'Hercule désignent une limite extrême, au-delà de laquelle on ne conçoit plus rien.

elle a trouvé lieu de faire une agréable morale d'amitié par un simple jeu de son esprit, et de faire entendre d'une manière assez particulière qu'elle n'a point eu d'amour et qu'elle n'en peut avoir.

« Aussi trouvâmes-nous cette carte si galante, que nous la sûmes devant que de nous séparer. Clélie priait pourtant instamment celui pour qui elle l'avait faite, de ne la montrer qu'à cinq ou six personnes qu'elle aimait assez pour la leur faire voir; car, comme ce n'était qu'un simple enjouement de son esprit, elle ne voulait pas que de sottes gens, qui ne sauraient pas le commencement de la chose, et qui ne seraient pas capables d'entendre cette nouvelle galanterie, allassent en parler selon leur caprice ou la grossièreté de leur esprit. Elle ne put pourtant être obéie, parce qu'il y eut une certaine constellation qui fit que quoiqu'on ne voulût montrer cette carte qu'à peu de personnes, elle fit pourtant un si grand bruit par le monde, qu'on ne parlait que de la carte de Tendre. Tout ce qu'il y avait de gens d'esprit à Capoue écrivirent quelque chose à la louange de cette carte, soit en vers, soit en prose, car elle servit de sujet à un poème fort ingénieux, à d'autres vers fort galants, à de fort belles lettres, à de fort agréables billets et à des conversations si divertissantes que Clélie soutenait qu'elles valaient mille fois mieux que sa carte, et l'on ne voyait alors personne à qui l'on ne demandât s'il voulait aller à Tendre. En effet, cela fournit durant quelque temps un si agréable sujet de s'entretenir, qu'il n'y eut jamais rien de plus divertissant. »

6. La Guirlande de Julie

1641

Il avait existé auparavant, en Italie, de ces « guirlandes » (*ghirlande*), mais aucune n'a jamais atteint la célébrité de celle composée pour Julie d'Angennes, la fille aînée de Madame de Rambouillet, par le Ménalide des Précieuses.

« La belle Julie eut beau dire qu'elle ne voulait pas se marier, l'amoureux et obstiné Montausier persévéra dans sa poursuite, et fit le siège de la dame selon toutes les règles, avec une ardeur à la fois habile et passionnée; d'une part, intéressant tout le monde à son amour, gagnant successivement toutes les amies de la noble marquise, faisant parler en sa faveur, d'abord Richelieu, puis Mazarin, plus tard la Reine elle-même; d'autre part, agissant sur le cœur de Julie par tous les beaux esprits de sa cour, se faisant bel esprit lui-même, composant des vers pour elle, en faisant composer par tous les poètes de sa connaissance, lui prodiguant les adorations publiques et privées et lui adressant enfin cette fameuse *Guirlande de Julie*, « la plus illustre galanterie, dit Tallemant,[1] qui ait jamais été faite ». La plupart de ces madrigaux sont de Montausier lui-même, les autres, des poètes de l'hôtel de Rambouillet. » (V. COUSIN, *La société française au xviie siècle*, Paris, 1858, p. 37–8.)

ZÉPHIRE A JULIE

[*La Guirlande de Julie* — qui avait 29 fleurs et 62 madrigaux (il y avait souvent plusieurs madrigaux de différentes personnes pour la même fleur) — fut offerte sous la forme d'un superbe manuscrit sur papier vélin, exécuté par le fameux calligraphe Jarry, et décoré en couleur par les meilleurs artistes du temps. Le 7° feuillet porte une miniature représentant Zéphire entouré d'un nuage et tenant dans sa main droite une rose et dans sa main gauche la « guirlande » dont il souffle légèrement les fleurs sur la terre. Ce premier madrigal (8° feuillet) interprète ce dessin. Il est du Duc de Montausier, qui en a fait seize en tout.] [2]

[1] Voir plus haut, page 42, *note* 1.

[2] See *La Guirlande de Julie*, publiée avec notices et variantes, par Octave Uzanne, et orné d'un portrait inédit de Julie d'Angennes (Paris, Librairie des Bibliophiles, 1875.)

Madrigal

Recevez, ô Nymphe [1] adorable,
Dont les cœurs reçoivent les lois,
Cette Couronne plus durable
Que celles que l'on met sur la tête des Rois.
Les fleurs dont ma main la compose 5
Font honte à ces fleurs d'or qu'on voit au firmament;
L'eau dont Permesse [2] les arrose
Leur donne une fraîcheur qui dure incessamment;
Et tous les jours ma belle Flore,[3]
Qui me chérit et que j'adore, 10
Me reproche avecque [4] courroux
Que mes soupirs jamais pour elle
N'ont fait naître de fleur si belle
Que j'en ai fait naître pour vous.

(MONTAUSIER)

LA COURONNE IMPÉRIALE

Bien que de la Rose et du Lis [5] 15
Deux rois d'éternelle mémoire [6]
Fassent voir leurs fronts embellis,

[1] Toujours le style mythologique de *L'Astrée.*

[2] Le Permesse arrose le Mont Hélicon, en Grèce (Béotie), qui est consacré aux Muses.

[3] Chez les Romains, déesse des jardins et des fleurs, et aimée de Zéphire.

[4] Au XVII° siècle, *avec* ou *avecque.*

[5] *Rose,* emblème de la famille royale anglaise des Tudor [rose *rouge,* tandis que la rose *blanche* est celui de la famille des York: guerre des deux Roses (1455-1485)] *Lis,* emblème de la royauté en France.

[6] Charles Ier (Stuart, maison Tudor) 1625-1649, époux d'Henriette de France. — Louis XIII.

Ces fleurs sont moindres que ta gloire;
Il faut un plus riche ornement
Pour récompenser dignement
Une vertu plus que royale;
5 Et, si l'on se veut acquitter,
On ne peut moins te présenter
Qu'une couronne impériale.[1]

(MALLEVILLE)

LE NARCISSE [2]

Je consacre, Julie, un narcisse à ta gloire;
Lui-même des beautés te cède la victoire.
10 Étant jadis touché d'un amour sans pareil,
Pour voir dedans l'eau son image,
Il baissait toujours son visage
Qu'il estimait plus beau que celui du soleil.
Ce n'est plus ce dessein qui tient sa tête basse;
15 C'est qu'en te regardant, il a honte de voir
Que les dieux ont eu le pouvoir
De faire une beauté qui la sienne surpasse.

(MONTAUSIER)

L'AMARANTE

Je suis la fleur d'amour qu'Amarante on appelle
Et qui viens de Julie adorer les beaux yeux.

[1] Un empire est formé de la réunion de royaumes ou états suzerains (Empire romain, de Charlemagne, de Charles Quint, empire russe des Czars, ou Césars).

[2] Narcisse, fils du fleuve Céphise, qui s'éprit de sa propre image réfléchie dans l'eau d'une fontaine; il se précipita dans cette fontaine et fut métamorphosé en la fleur du même nom.

Roses, retirez-vous, j'ai le nom d'immortelle !
Il n'appartient qu'à moi de couronner les dieux.

(Gombauld)

LA VIOLETTE

Franche d'ambition, je me cache sous l'herbe,
Modeste en ma couleur, modeste en mon séjour;
Mais, si sur votre front je puis me voir un jour, 5
La plus humble des fleurs sera la plus superbe.

(Desmarets)

L'HÉLIOTROPE OU TOURNESOL

A ce coup les Destins ont exaucé mes vœux;
Leur bonté me permet de parer les cheveux
De l'incomparable Julie;
Pour elle, Apollon,[1] je t'oublie; 10
Je n'adore plus que ses yeux.
C'est avecque leurs traits qu'Amour me fait la guerre;
Je quitte le soleil des cieux
Pour suivre celui de la terre.

(Montausier)

LE SOUCI [2]

Ne pouvant vous donner ni sceptre ni couronne, 15
Ni ce qui peut flatter les cœurs ambitieux,
Recevez ce souci, qu'aujourd'hui je vous donne,
Pour ceux que tous les jours me donnent vos beaux yeux.

(Habert)

[1] Apollon, le dieu des arts, est aussi le dieu du soleil.
[2] Souci, nom de fleur (Marigold).

Sylvie et Lygdamon

[Fragment de Dialogue dans le style précieux, tiré de la pièce *Lygdamon et Lidias*, par Georges de Scudéry (1630).]

Lygdamon

A ce coup je vous prends dedans [1] la rêverie.

Sylvie

Le seul émail des fleurs me servait d'entretien;
Je rêvais comme ceux qui ne pensent à rien.

Lygdamon

Votre teint que j'adore a de plus belles roses,
5 Et votre esprit n'agit que sur de grandes choses.

Sylvie

Il est vrai, j'admirais la hauteur de ces bois.

Lygdamon

Admirez mon amour, plus grande mille fois.

Sylvie

Que le bruit de cette onde a d'agréables charmes !

Lygdamon

Pouvez-vous voir de l'eau sans penser à mes larmes ?

Sylvie

10 Je cherche dans ces prés la fraîcheur des zéphirs.

Lygdamon

Vous devez ce plaisir au vent de mes soupirs.

[1] *Dedans*, pour *dans*, licence poétique.

Sylvie

Que d'herbes, que de fleurs vont bigarrant ces plaines !

Lygdamon

Leur nombre est plus petit que celui de mes peines.

Sylvie

Ce petit papillon ne m'abandonne pas.

Lygdamon

Mon cœur, de la façon, accompagne vos pas.

(Georges de Scudéry)

Madrigal

[A Madame de Rambouillet (?)]

Tout cède à sa belle présence, 5
Et, de peur que rien ne l'offense,
Le soleil éteint son flambeau;
Il va se retirer sous l'onde:
Il laisse à cet astre plus beau
La charge d'éclairer le monde. 10

(Cotin)

Chanson pour une toute jeune demoiselle

Eh quoi ! dans un âge si tendre,
On ne peut déjà vous entendre
Ni voir vos beaux yeux sans mourir !
Ah ! soyez, jeune Iris,[1] ou plus grande ou moins belle;
Apprenez, petite cruelle, 15
Apprenez à blesser quand vous saurez guérir.

(Boisrobert)

[1] La messagère des dieux.

II. QUELQUES HÔTES DE L'HÔTEL DE RAMBOUILLET

Le poète **Malherbe** (1555–1628) qui avait inventé l'anagramme d'*Arthênice* pour Catherine de Rambouillet (voir plus haut).

L'abbé **Cotin** (1604–1682), très adulé, qui est resté un des types de ‹ l'abbé de salon › — et que Molière a ridiculisé dans les *Femmes Savantes* sous le nom de Trissotin, et Boileau dans son *Art poétique*. (Voir un madrigal de sa façon, p. 67.)

Les deux auteurs suivants doivent le meilleur de leur renommée à leurs rapports avec l'Hôtel de Rambouillet.

Jean-Louis Guez de Balzac (1597–1682) auquel Honoré de Balzac, le romancier de deux siècles plus tard ne paraît pas apparenté. Né à Angoulème, il voyagea, vint à Paris, fut très en faveur auprès de Richelieu qui le désignera pour devenir un des premiers membres de l'Académie Française[1]. Mais il commit plusieurs maladresses qui le brouillèrent avec le grand cardinal, et il se retira dans son château de l'Angoumois d'où il écrivit plusieurs de ses lettres célèbres. Il fit pour la prose française ce que Malherbe avait fait pour les vers, et on l'appela le « restaurateur de la langue française ». Il a laissé, outre les *Lettres*, des essais philosophiques, comme *Le Prince*, *Le Socrate chrétien*.

(Déjà à la fin du XVII° siècle, la renommée de Balzac pâlissait. Voir un jugement sévère porté sur lui par le grand critique Boileau, ci-dessous, Chap. IV, page 150–1.)

BALZAC

1. Lettre à Corneille sur Cinna, 17 janvier 1643

Rappelons qu'il s'agit du troisième « chef d'œuvre » de Corneille, c'est à dire celui qui suivit *Le Cid* et *Horace*. *Le Cid* avait été, on s'en souvient, très discuté malgré son succès énorme, car l'auteur

[1] Il accepta, mais il exprima quelques regrets de voir nommés avec lui des hommes sans naissance: « Ils peuvent être de l'Académie, mais en qualité de bedeaux et de frères lais. Il faut qu'ils fassent partie de votre académie comme les huissiers font partie du parlement » (*Lettre à Chapelain*). Balzac fonda à l'Académie le « Prix d'éloquence » qui fut attribué pour la première fois à Mlle de Scudéry.

n'avait pas observé toutes les règles imposées à la tragédie classique. *Horace* encore avait été trouvé fautif par certains car on y remarquait un manque d'unité d'action (deux « actions », le combat des frères Horace et des frères Curiace, et le meurtre de Camille, sœur d'un des Horace, au lieu d'une seule). Cette fois, la pièce était franche de défauts. Même du point de vue moral, il n'y avait rien à reprocher; on ne pouvait pas, comme pour *Le Cid* y voir une apologie du duel et de l'idée de la vengeance, puisque, comme le sous-titre lui-même l'indique (*Cinna*, ou *la Clémence d'Auguste*) la pièce repose sur l'idée du pardon des offenses. D'autre part, toute la « grandeur » de la vertu et de l'honneur romains sera maintenue; et le mot de Balzac au sujet de l'héroïne Emilie, « une adorable furie » est souvent cité à propos de *Cinna*. Corneille, dans son Avant-Propos à sa tragédie, avait modestement exprimé la crainte que son style n'égalât point la grandeur des Romains.

Monsieur, j'ai senti un notable soulagement depuis l'arrivée de votre paquet, et je crie miracle dès le commencement de ma lettre. Votre Cinna guérit les malades, il fait que les paralytiques battent des mains, il rend la parole à un muet, ce serait trop peu de dire à un enrhumé. 5
En effet, j'avais perdu la parole avec la voix; et, puisque je les recouvre l'une et l'autre par votre moyen, il est bien juste que je les emploie toutes deux à votre gloire, et à dire sans cesse: « La belle chose ! » Vous avez peur néanmoins d'être de ceux qui sont accablés par la majesté 10 des sujets qu'ils traitent, et ne pensez pas avoir apporté assez de force pour soutenir la grandeur romaine. Quoique cette modestie me plaise, elle ne me persuade pas, et je m'y oppose pour l'intérêt de la vérité. Vous êtes trop subtil examinateur d'une composition universellement 15 approuvée, et s'il était vrai qu'en quelqu'une de ses parties vous eussiez senti quelque faiblesse, ce serait un secret entre vos muses et vous; car je vous assure que personne ne l'a reconnue. La faiblesse serait de notre expression, et non pas de votre pensée: elle viendrait du défaut des 20

instruments, et non pas de la faute de l'ouvrier; il faudrait en accuser l'incapacité de notre langue.

Vous nous faites voir Rome tout ce qu'elle peut être à Paris, et ne l'avez point brisée en la remuant.

5 Ce n'est point une Rome de Cassiodore[1], et aussi déchirée qu'elle était au siècle de Théodoric: c'est une Rome de Tite-Live, et aussi pompeuse qu'elle était au temps des premiers Césars.

Vous avez même trouvé ce qu'elle avait perdu dans les 10 ruines de la république, cette noble et magnifique fierté; et il se voit bien quelques passables traducteurs de ses paroles et de ses locutions, mais vous êtes le vrai et le fidèle interprète de son esprit et de son courage. Je dis plus, Monsieur, vous êtes souvent son pédagogue et l'aver-15 tissez de la bienséance quand elle ne s'en souvient pas. Vous êtes le réformateur du vieux temps, s'il a besoin d'embellissement ou d'appui. Aux endroits où Rome est de brique, vous la rebâtissez de marbre; quand vous trouvez du vide, vous le remplissez d'un chef-d'œuvre, et je 20 prends garde que ce que vous prêtez à l'histoire est toujours meilleur que ce que vous empruntez d'elle.

La femme d'Horace et la fiancée de Cinna[2], qui sont vos deux véritables enfantements et les deux pures créatures de votre esprit, ne font-elles pas aussi les principaux 25 ornements de votre poème? Et qu'est-ce que la saine antiquité a produit de vigoureux et de ferme dans le sexe faible, qui soit comparable à ces nouvelles héroïnes que

[1] Cassiodore (468–562) homme d'État et historien de la Rome dégénérée, sous le règne de Théodoric (454–526).

[2] Sabine, femme d'Horace, n'est pas aussi fanatique, d'ailleurs, qu'Émilie, celle que Balzac va appeler "adorable furie";—"créations" dans le sens plutôt poétique du mot, car toutes les deux sont au moins suggérées dans les sources historiques dont s'est servi Corneille.

vous avez mises au monde, à ces Romaines de votre façon ? Je ne m'ennuie point, depuis quinze jours, de considérer celle que j'ai reçue la dernière. Je l'ai fait admirer à tous les habiles de notre province; nos orateurs et nos poètes en disent merveilles. 5

Mais un docteur de mes voisins, qui se met d'ordinaire sur le haut style, en parle certes d'une étrange sorte; et il n'y a point de mal que vous sachiez jusques où vous avez porté son esprit. Il se contentait le premier jour de dire que votre Émilie était la rivale de Caton et de Brutus 10 dans la passion de la liberté. A cette heure, il va bien plus loin. Tantôt il la nomme la possédée du démon de la république, et quelquefois la belle, la raisonnable, la sainte et l'adorable furie. Voilà d'étranges paroles sur le sujet de votre — Romaine; mais elles ne sont pas sans 15 fondement. Elle inspire en effet toute la conjuration et donne chaleur au parti par le feu qu'elle jette dans l'âme du chef. Elle entreprend, en se vengeant, de venger toute la terre; elle veut sacrifier à son père une victime qui serait trop grande pour Jupiter même. C'est à mon 20 gré une personne si excellente, que je pense dire peu à son avantage, de dire que vous êtes beaucoup plus heureux en votre race, que Pompée n'a été en la sienne, et que votre fille Émilie vaut sans comparaison davantage que Cinna, son petit-fils. Si celui-ci même a plus de vertu 25 que n'a cru Sénèque,[1] c'est pour être tombé entre vos mains, et à cause que vous avez pris soin de lui. Il vous est obligé de son mérite, comme à Auguste de sa dignité. L'empereur le fit consul, et vous l'avez fait honnête homme; mais vous l'avez pu faire par les lois d'un art qui 30 orne la vérité, qui permet de favoriser en imitant, qui

[1] Sénèque, *De Clementia*, cap. IX.

quelquefois se propose le semblable et quelquefois le meilleur. Je ne veux pas commencer une dissertation, je veux finir ma lettre, et conclure par les protestations ordinaires, mais très sincères et très véritables, que je suis, etc.

2. Passage du Socrate Chrétien, 1652

(extrait du *Discours III*)

5 Rien ne paraît ici de l'homme, rien qui porte sa marque et qui soit de sa façon. Je ne vois rien qui ne me semble plus que naturel dans la naissance et dans le progrès de cette doctrine: les ignorants l'ont persuadée aux philosophes; de pauvres pêcheurs ont été érigés en docteurs
10 des rois et des nations, en professeurs de la science du ciel. Ils ont pris dans leurs filets les orateurs et les poètes, les jurisconsultes et les mathématiciens.

Cette république naissante s'est multipliée par la chasteté et par la mort, bien que ce soient deux choses stériles
15 et contraires au dessein de multiplier. Ce peuple choisi s'est accru par les pertes et par les défaites: il a combattu, il a vaincu étant désarmé. Le monde, en apparence, avait ruiné l'Église; mais elle a accablé le monde sous ses ruines. La force des tyrans s'est rendue au courage des con-
20 damnés. La patience de nos pères a lassé toutes les mains, toutes les machines, toutes les inventions de la cruauté.

Chose étrange et digne d'une longue considération ! reprochons-la plus d'une fois à la lâcheté de notre foi et à la tiédeur de notre zèle: en ce temps-là, il y avait de la
25 presse à se faire déchirer, à se faire brûler pour Jésus-Christ. L'extrême douleur et la dernière infamie attiraient les hommes au christianisme: c'étaient les appas et les promesses de cette nouvelle secte. Ceux qui la sui-

vaient et qui avaient faveur à la cour, avaient peur d'être oubliés dans la commune persécution: ils s'allaient accuser eux-mêmes s'ils manquaient de délateurs. Le lieu où les feux étaient allumés et les bêtes déchaînées s'appelait, en la langue de la primitive Église, la place où l'on donne les couronnes . . .

Le sang des martyrs a été fertile, et la persécution a peuplé le monde de chrétiens. Les premiers persécuteurs, voulant éteindre la lumière qui naissait et étouffer l'Église au berceau, ont été contraints d'avouer leur faiblesse après avoir épuisé leurs forces. Les autres qui l'attaquèrent depuis ne réussirent pas mieux en leur entreprise. Et, bien qu'il y ait encore des inscriptions qu'ils nous ont laissées, *pour avoir purgé la terre de la nation des chrétiens et pour avoir aboli le nom chrétien en toutes les parties de l'empire*, l'expérience nous a fait voir qu'ils ont triomphé à faux, et leurs marbres ont été menteurs. Ces superbes inscriptions sont aujourd'hui des monuments de leur vanité, et non pas de leur victoire. L'ouvrage de Dieu n'a pu être défait par la main des hommes. Et disons hardiment à la gloire de notre Jésus-Christ et à la honte de leur Dioclétien [1]: « Les tyrans passent, mais la vérité demeure. »

3. La retraite de Balzac dans l'Angoumois

(lettre à M. de la Mothe-Aigron, avocat au siège présidial d'Angoumois, 4 sept. 1632)

Monsieur, il fit hier un de ces beaux jours sans soleil que vous dites qui ressemblent à cette belle aveugle [2] dont

[1] Empereur romain de 284 à 305; il persécuta les chrétiens, qui appelèrent la fin de son règne « l'ère des martyrs. »

[2] La princesse d'Eboli; elle était borgne et non aveugle. Philippe II, roi d'Espagne (1527–1598).

Philippe second était amoureux. En vérité je n'eus jamais tant de plaisir à m'entretenir moi-même; et, quoique je me promenasse dans une campagne toute nue et qui ne saurait servir à l'usage des hommes que pour être le champ 5 d'une bataille, néanmoins l'ombre que le ciel faisait de tous côtés m'empêchait de désirer celle des grottes et des forêts. La paix était générale depuis la plus haute région de l'air jusque sur la face de la terre; l'eau de la rivière [1] paraissait aussi plate que celle d'un lac; et si, en pleine 10 mer, un tel calme surprenait pour toujours les vaisseaux, ils ne pourraient jamais ni se sauver ni se perdre ... Nous sommes ici en un petit rond tout couronné de montagnes où il reste encore quelques grains de cet or dont les premiers siècles ont été faits [2] ... Notre peuple ne se con- 15 serve dans son innocence ni par la crainte des lois ni par l'étude de la sagesse; pour bien faire, il suit simplement la bonté de sa nature, et tire plus d'avantage de l'ignorance du vice que nous n'en avons de la connaissance de la vertu. De sorte qu'en ce royaume de demi-lieue on ne sait tromper 20 que les oiseaux et les bêtes, et le style du Palais [3] est une langue aussi inconnue que celle de l'Amérique ou de quelque autre nouveau monde qui s'est sauvé de l'avarice de Ferdinand et de l'ambition d'Isabelle. Les choses qui nuisent à la santé des hommes ou qui offensent leurs yeux 25 en sont généralement bannies. Il ne s'y vit jamais de lézards ni de couleuvres; et, de toutes les sortes de reptiles, nous ne connaissons que les melons et les fraises. Je ne veux pas vous faire le portrait d'une maison dont le dessin n'a pas été conduit selon les règles de l'architecture, et la 30 matière n'est pas si précieuse que le marbre et le porphyre.

[1] La rivière Charente, dans l'Angoumois.
[2] Allusion à l'âge d'or. [3] Le Palais de Justice.

Je vous dirai seulement qu'à la porte il y a un bois où, en plein midi, il n'entre de jour que ce qu'il en faut pour n'être pas nuit et pour empêcher que toutes les couleurs ne soient noires. Tellement que, de l'obscurité et de la lumière, il se fait un troisième temps qui peut être sup- 5 porté des yeux des malades et cacher les défauts des femmes qui sont fardées. Les arbres y sont verts jusqu'à la racine, tant de leurs propres feuilles que de celles du lierre qui les embrasse, et, pour le fruit qui leur manque, leurs branches sont chargées de tourtes et de faisans en toutes 10 les saisons de l'année . . .

Je descends quelquefois dans cette vallée, qui est la plus secrète partie de mon désert, et qui jusques ici n'avait été connue de personne. C'est un pays à souhaiter et à peindre, que j'ai choisi pour vaquer à mes plus chères occu- 15 pations et passer les plus douces heures de ma vie. L'eau et les arbres ne le laissent jamais manquer de frais et de vert. Les cygnes, qui couvraient autrefois toute la rivière, se sont retirés en ce lieu de sûreté, et vivent dans un canal qui fait rêver les plus grands parleurs aussitôt 20 qu'ils s'en approchent, et au bord duquel je suis toujours heureux, soit que je sois joyeux, soit que je sois triste. Pour peu que je m'y arrête, il me semble que je retourne en ma première innocence. Mes désirs, mes craintes et mes espérances cessent tout d'un coup. Tous les mou- 25 vements de mon âme se relâchent, et je n'ai point de passions, ou, si j'en ai, je les gouverne comme des bêtes apprivoisées . . .

VOITURE

Vincent Voiture (1598–1648). Né à Amiens. Quoique de naissance très humble, il n'en fut pas moins très fêté par les « Précieuses »

— on l'appelle parfois « le roi de l'Hôtel de Rambouillet ».[1] Il avait fait très vite son chemin en arrivant à Paris, avait des emplois rémunérateurs et une riche pension (Malheureusement il avait la passion du jeu.). Il était comme Balzac, célèbre pour ses lettres; mais il avait un esprit tout à fait différent; avant tout léger, sémillant et badin, Voiture ne songeait guère comme Balzac à la postérité quand il écrivait ses lettres à ses amis de l'Hôtel de Rambouillet, mais seulement au succès immédiat. Ses vers, aussi assez abondants, sont dans le même ton.

(Il convient de rappeler ici le livre déjà mentionné *Voiture et l'Hôtel de Rambouillet* par Émile Magne.)

1. Lettre au duc d'Enghien, vainqueur à la bataille de Rocroy,[2] le 18 mai 1643

Monseigneur, à cette heure que je suis loin de Votre Altesse et qu'elle ne peut plus me faire de charge, je suis résolu à vous dire tout ce que je pense d'Elle depuis longtemps. A dire le vrai, Monseigneur, vous seriez injuste si 5 vous pensiez faire les choses que vous faites sans qu'il en fût autrement question ni que l'on prît la liberté de vous en parler. Si vous saviez de quelle sorte tout le monde est déchaîné dans Paris à discourir de vous, je suis assuré que vous en auriez honte et que vous seriez étonné de voir 10 avec combien peu de respect et peu de crainte de vous déplaire tout le peuple s'entretient de ce que vous avez fait.

[1] Lui-même se sentait très humilié de sa naissance; son père était marchand de vin, et comme il détestait qu'on lui en parlât, quelqu'un avait fait à son propos cette plaisanterie qu'on répétait dans les salons: « Le vin qui fait revenir le cœur à l'homme, le fait perdre à Voiture ».

[2] Le duc d'Enghien avait 22 ans lorsqu'il vainquit les Espagnols à Rocroy, ville des Ardennes. A la mort de son père il hérita le titre de Prince de Condé. La postérité l'a nommé le Grand Condé. Voir la célèbre description de cette bataille dans l'Oraison funèbre de Bossuet, chap. VIII de ce livre. La Flandre avait passé à la maison d'Autriche lors du démembrement des États de la maison de Bourgogne, sous Louis XI, et, avait été rattachée à la couronne d'Espagne par Charles V d'Espagne (petit-fils de Maximilien, empereur d'Autriche).

A dire la vérité, ç'a été trop de hardiesse et de violence à vous d'avoir, à l'âge où vous êtes, choqué de vieux capitaines que vous deviez respecter, quand ce n'eût été que pour leur expérience; fait tuer le pauvre comte de Fontaine,[1] qui était, à ce qu'on dit, un des meilleurs hommes des Flandres, et à qui le prince d'Orange n'avait jamais osé toucher; pris seize pièces de canon qui appartenaient à un prince,[2] oncle du roi, frère de la reine, et avec qui vous n'aviez jamais eu de différend; enfin mis en désordre les meilleures troupes des Espagnols, qui vous avaient laissé passer avec tant de bonté. Je ne sais pas ce qu'en dit le Père Musnier,[3] mais tout cela est contre les bonnes mœurs, et il y a là, ce me semble, grande matière de confession. J'avais bien ouï dire que vous étiez opiniâtre comme un diable et qu'il ne faisait pas bon vous rien disputer. Mais j'avoue que je n'eusse pas cru que vous vous fussiez emporté à ce point-là: si vous continuez, vous vous rendrez insupportable à toute l'Europe, et ni l'Empereur [4] ni le roi d'Espagne ne pourront durer avec vous.

Cependant, Monseigneur, laissant la conscience à part et politiquement parlant, je me réjouis avec Votre Altesse de ce que j'entends dire qu'Elle a gagné la plus belle victoire et de la plus grande importance que nous ayons vue de notre siècle, et de ce que, sans être *Important*,[5] Elle sait

[1] Général de l'armée espagnole (1560–1643).

[2] Philippe IV, roi d'Espagne (1621–1665), frère d'Anne d'Autriche, reine-mère de France, et alors régente pour Louis XIV qui n'avait que cinq ans. Philippe était donc oncle de Louis XIV, dont il devint plus tard le beau-père quand celui-ci épousa Marie-Thérèse, en 1660.

[3] Le père confesseur du duc d'Enghien.

[4] Ferdinand III, empereur d'Allemagne de 1637–1657. Roi d'Espagne, voir note 2, ci-dessus.

[5] Allusion à la cabale, dite des « Importants », qui prétendait gouverner l'État durant les premiers mois de la régence d'Anne d'Autriche.

faire des actions qui le soient si fort. La France, que vous venez de mettre à couvert de tous les orages qu'elle craignait, s'étonne qu'à l'entrée de votre vie, vous ayez fait une action dont César eût voulu couronner toutes les 5 siennes, et qui redonne aux rois vos ancêtres autant de lustre que vous en avez reçu d'eux.

Cette nouvelle a ici étonné tout le monde, et mis de la joie ou de la pâleur sur tous les visages de la cour. Pour les dames, elles sont ravies d'apprendre que celui qu'elles 10 ont vu dans le bal défaire tous les autres hommes [1] opère de plus glorieuses défaites dans les armées, et que la plus belle tête de France soit aussi la meilleure et la plus ferme . . . Tous ceux qui étaient révoltés contre vous, et qui disaient que vous ne faisiez que vous moquer,[2] avouent, que vous 15 ne vous êtes pas moqué cette fois; et, voyant le plus grand nombre d'ennemis que vous avez défaits, il n'y a plus personne qui n'appréhende d'être des vôtres. Trouvez bon, ô César ! que je vous parle avec cette liberté. Recevez les louanges qui vous sont dues, et souffrez que l'on rende à 20 César ce qui appartient à César, Je suis, etc.

2. Lettre de la berne, à Mlle de Bourbon [3] (1630 ?)

Mademoiselle, je fus berné [4] vendredi après dîner pour ce que je ne vous avais pas fait rire dans le temps que l'on

[1] En 1662, à l'occasion du carnaval, au grand carrousel donné par le Roi, à Versailles, le Prince de Condé, vainqueur de Rocroy, était encore un des chefs de quadrille.

[2] Le jeune duc d'Enghien avait l'humeur très railleuse.

[3] Fille de Henri, prince de Condé, et de Marguerite de Montmorency. Elle devint la duchesse de Longueville.

[4] Berner = *to toss in a blanket*, pour une brimade. Etym. *berne*, une couverture grossière dont on se servait pour cette opération. Sur les circonstances de cette brimade — qui ne fut pas exécutée au sens propre, cela va sans dire — Voir E. Magne, *Voiture et les Origines de l'Hôtel de Rambouillet* (1911; p. 134–5).

m'avait donné pour cela; et Mme de Rambouillet en donna l'arrêt à la requête de Mlle sa fille et de Mlle Paulet [1] ... J'eus beau crier et me défendre: la couverture fut apportée, et quatre des plus forts hommes du monde furent choisis pour cela. Ce que je puis vous dire, Mademoiselle, c'est que jamais personne ne fut si haut que moi, et que je ne croyais pas que la fortune me dût jamais tant élever. A tous coups, ils me perdaient de vue et m'envoyaient plus haut que les aigles ne peuvent monter. Je vis les montagnes abaissées au-dessous de moi; je vis les vents et les nuées cheminer dessous mes pieds; je découvris des pays que je n'avais jamais vus et des noms que je n'avais point imaginés. Il n'y a rien de plus divertissant que de voir tant de choses à la fois et de découvrir d'une seule vue la moitié de la terre.

Mais je vous assure, Mademoiselle, qu'on ne voit tout cela qu'avec inquiétude lorsque l'on est en l'air et que l'on est assuré d'aller retomber. Une des choses qui m'effrayait autant était que, lorsque j'étais bien haut et que je regardais en bas, la couverture me paraissait si petite qu'il me semblait impossible que je retombasse dedans; et je vous avoue que cela me donnait quelque émotion ...

Le dernier coup qu'ils me jetèrent en l'air, je me trouvai dans une troupe de grues, lesquelles d'abord furent étonnées de me voir si haut. Mais, quand elles m'eurent approché, elles me prirent pour un des Pygmées [2] avec lesquels vous savez bien, Mademoiselle, qu'elles ont guerre

[1] Mlle Paulet. Voir note à la Lettre **3** ci-dessous.

[2] Allusion à la fable mythologique des Pygmées, ou nains d'Éthiopie ou des Indes, d'environ un pied ou « pygme » de hauteur: des monstres mythologiques montés sur des chèvres ou des béliers qui s'armaient et allaient combattre les grues qui venaient toutes les années de Scythie pour les attaquer.

de tout temps, et crurent que je les étais venu épier jusque dans la moyenne région de l'air. Aussitôt elles vinrent fondre sur moi à grands coups de bec; et d'une telle violence, que je crus être percé de cent coups de poignard; et
5 une d'elles qui m'avait pris par la jambe me poursuivit si opiniâtrément qu'elle ne me laissa point que je ne fusse dans la couverture . . .

3. Lettre à Mademoiselle Paulet, sur "les lions, ses ancêtres."

On dansait aussi et on chantait à l'hôtel de Rambouillet; et en ces matières, la reine du salon était « cette fameuse Mademoiselle Paulet [voir plus haut, page 46] qui dansait à merveille, chantait à faire mourir de jalousie des rossignols, et qui fut aimée par des ducs, des cardinaux, des rois, et même des porteurs d'eau et des charbonniers, mais qui restait si farouchement inaccessible qu'on l'appelait la Lionne » (Strowski, *Hist. de la Nation fr.* Tome XIII, p. 124–5). On l'appelait aussi quelquefois la Rousse, à cause de son abondante et fauve chevelure. Voiture la poursuivait de ses déclarations, et il lui écrivit lors d'un voyage au Maroc, une de ses plus célèbres lettres. [Voir pour des détails sur Mlle Paulet, E. Magne, *Voiture et l'Hôtel de Rambouillet*, 1929; Index.]

Mademoiselle, ce Lion ayant été contraint, pour quelques raisons d'État, de sortir de Lybie [1] avec toute sa famille,
10 et quelques-uns de ses amis, j'ai cru qu'il n'y avait point de lieu au monde où il se pût retirer si dignement qu'auprès de vous, et que son malheur lui sera heureux en quelque sorte s'il lui donne occasion de connaître une si rare personne. Il vient en droite ligne d'un Lion illustre, qui commandait
15 il y a trois cents ans sur la Montagne du Caucase, et de l'un des petits-fils duquel on tient qu'était descendu votre bisaïeul, celui qui le premier des Lions d'Afrique passa en Europe. L'honneur qu'il a de vous appartenir me fait es-

[1] *Afrique.*

pérer que vous le recevrez avec plus de douceur et de pitié que vous n'avez coutume d'en avoir; et je crois que vous ne trouverez pas indigne de vous d'être le refuge des Lions affligés. Cela augmentera votre réputation dans toute la Barbarie,[1] où vous êtes déjà estimée plus que tout ce qui 5
est au delà de la mer, et où il ne se passe jour que je n'entende louer quelqu'une de vos actions. Si vous leur voulez apprendre l'invention de se cacher sous une forme humaine, vous leur ferez une faveur signalée; car par ce moyen ils pourraient faire beaucoup plus de mal, et plus impunément. 10
Mais si c'est un secret que vous vouliez réserver pour vous seule, vous leur ferez toujours assez de bien de leur donner place auprès de vous, et de les assister de vos conseils. Je vous assure, Mademoiselle, qu'ils sont estimés les plus cruels et les plus sauvages de tout le pays, et j'espère que 15
vous en aurez toute sorte de contentement. Il y a avec eux quelques Lionceaux, qui, pour leur jeunesse n'ont encore pu étrangler que des enfants et des moutons; mais je crois qu'avec le temps ils seront gens de bien, et qu'ils pourront atteindre à la vertu de leurs pères. Au moins sais-je bien 20
qu'ils ne verront rien auprès de vous qui leur puisse radoucir ou rabaisser le cœur, et qu'ils y seront aussi bien nourris que s'ils étaient dans leur plus sombre forêt d'Afrique. Sur cette espérance, et l'assurance que j'ai que vous ne sauriez manquer à tout ce qui est de la générosité, je 25
vous remercie déjà du bon accueil que vous leur ferez, et vous assure que je suis, Mademoiselle, votre très humble et très obéissant serviteur,

Léonard, Gouverneur des Lions du Roi de Maroc.

[1] *Barbarie* ou *États barbaresques*, nom donné longtemps aux régions de l'Afrique du nord, Maroc, Algérie, Tunisie, etc.

4. Lettre sur le Valentin, à la marquise de Rambouillet, 1638

Madame, j'ai vu pour l'amour de vous le Valentin[1] avec plus d'attention que je n'ai jamais fait aucune chose, et puisque vous désirez que je vous en fasse la description, je le ferai le plus succinctement qu'il me sera possible. Mais vous considérerez, s'il vous plaît, que quand je me serai acquitté de cette commission et de l'autre que vous m'avez donnée à Rome, j'aurai fait pour vous les deux choses du monde qui me sont les plus difficiles, de parler de bâtiment et de parler d'affaires. Le Valentin, Madame, puisque Valentin il y a, est une maison qui est à un quart de lieue de Turin, située dans une prairie et sur le bord du Pô. En arrivant, on trouve d'abord: je veux mourir, si je sais ce qu'on trouve d'abord. Je crois que c'est un perron. Non, non, c'est un portique. Je me trompe, c'est un perron. Par ma foi, je ne sais si c'est un portique ou un perron. Il n'y a pas une heure que je savais tout cela admirablement, et ma mémoire m'a manqué. A mon retour, je m'en informerai mieux et je ne manquerai pas de vous en faire le rapport plus ponctuellement. Je suis votre, etc.

5. Lettre sur la mort de Voiture, à Mlle de Rambouillet, 1639

Mademoiselle, personne n'est encore mort de votre absence, hormis moi, et je ne crains point de vous le dire

[1] Valentin est une maison de plaisance de Mme de Savoie, sœur de Louis XIII. Tallemant-des-Réaux dit dans ses *Historiettes:* « Mme de Rambouillet faisait toujours la guerre à Voiture qu'il ne remarquait rien; elle lui donna la charge de faire la description du Valentin, aimant extrêmement l'architecture. »

ainsi crûment, pour ce que je crois que vous ne vous en soucierez guère. Néanmoins, si vous en voulez parler franchement, à cette heure que cela ne tire plus à conséquence, j'étais un assez joli garçon; et hors que je disputais quelquefois volontiers et que j'étais aussi opiniâtre que vous, je n'avais pas de grands défauts. Vous saurez donc, Mademoiselle, que, depuis mercredi dernier, qui fut le jour de votre partement,[1] je ne mange plus, je ne parle plus, et je ne bois plus; et enfin, il n'y manque rien, sinon, que je ne suis pas enterré. Je ne l'ai pas voulu être sitôt, pour ce, premièrement, que j'ai eu toujours aversion à cela; et puis je suis bien aise que le bruit de ma mort ne coure pas sitôt, et je fais la meilleure mine que je puis afin que l'on ne s'en doute pas. Car si on s'avise que cela m'est arrivé justement sur le point que vous êtes partie, l'on ne s'empêchera jamais de nous mettre ensemble dans les couplets de *L'Année est bonne*[2] qui courent maintenant partout. En vérité, si j'étais encore dans le monde, une des choses

[1] Mot inusité aujourd'hui = *départ.* Mlle de Rambouillet s'absentait assez souvent de Paris; cet été là, surtout en Normandie.

[2] Voici le commencement de cette poésie qui est de Voiture lui-même (1639):

L'Année est bonne

Les demoiselles de ce temps
Ont depuis peu beaucoup d'amants;
On dit qu'il n'en manque à personne,
L'année est bonne.

Nous avons vu les ans passés
Que les galants étaient glacés;
Mais maintenant tout en foisonne,
L'année est bonne.

Le temps n'est pas bien loin encor
Qu'ils se vendaient au poids de l'or,
Et pour le présent on les donne,
L'année est bonne.

qui m'y feraient autant de dépit, serait le peu de discrétion qu'ont certaines gens à faire courir toutes sortes de choses. Les vivants ne font rien, à mon avis, de plus impertinent que cela, et il n'est pas jusqu'à nous 5 autres morts, à qui cela ne déplaise. Je vous supplie, au reste, Mademoiselle, de ne point rire en lisant ceci: car, sans mentir, c'est fort mal fait de se moquer des trépassés, et si vous étiez en ma place, vous ne seriez pas bien aise qu'on en usât de la sorte. Je vous conjure donc de me 10 plaindre, et puisque vous ne pouvez plus faire autre chose pour moi, d'avoir soin de mon âme, car je vous assure qu'elle souffre extrêmement. Lorsqu'elle se sépara de moi, elle s'en alla sur le grand chemin de Chartres, et de là droit à la Mothe: et même à l'heure que vous lisez ceci, 15 je vous donne avis qu'elle est auprès de vous, et elle ira cette nuit en votre chambre faire cinq ou six grands cris, si cela ne vous tourne point à importunité. Je crois que vous y aurez du plaisir: car elle fait un bruit de diable, et se tourmente, et fait une tempête si étrange qu'il vous 20 semblera que le logis sera prêt à se renverser. J'avais dessein de vous envoyer le corps par le messager, aussi bien que celui de la maréchale de Fervaque [1]; mais il est en un si pitoyable état qu'il eût été en pièces avant que d'être auprès de vous; et puis j'ai eu peur que par le chaud 25 il ne se gâtât . . .

Le soleil de nous rapproché
Rend le monde plus échauffé.
L'amour règne, le sang bouillonne,
  L'année est bonne.

[1] Elle s'était éprise du duc de Chevreuse après la mort de son mari et avait en mourant institué le duc son héritier. Celui-ci avait eu l'extrême mauvais goût de faire transporter la dépouille mortelle par le coche public pour éviter les frais d'une voiture particulière.

6. Poésies

I. SONNET A URANIE[1]

Il faut finir mes jours en l'amour d'Uranie:
L'absence ni le temps ne m'en sauraient guérir,
Et je ne vois plus rien qui me pût secourir,
Ni qui sût rappeler ma liberté bannie.

Dès longtemps je connais sa rigueur infinie; 5
Mais pensant aux beautés, pour qui je dois périr,
Je bénis mon martyre, et content de mourir,
Je n'ose murmurer contre sa tyrannie.

[1] C'est le sonnet, inspiré par une belle inconnue, qui suscita la grande querelle des Uranistes et des Jobelins après la publication du sonnet sous le nom de *Job*, par Benserade en 1638, dans les *Paraphrases sur les IX leçons de Job.* La querelle éclata immédiatement après la mort de Voiture en 1648. L'Hôtel de Rambouillet en général se prononça pour Voiture. Voici le sonnet de Benserade:

Job, de mille tourments atteint,
Vous rendra sa douleur connue,
Et raisonnablement il craint
Que vous n'en soyez pas émue.

Vous verrez ma misère nue;
Il s'est lui-même ici dépeint.
Accoutumez-vous à la vue
D'un homme qui souffre et se plaint.

Bien qu'il eût d'extrêmes souffrances,
On voit aller des patiences
Plus loin que la sienne n'alla.

Il souffrit des maux incroyables;
Il s'en plaignit, il en parla;
J'en connais de plus misérables.

[Vers 1620]

Quelquefois ma raison par de faibles discours
M'incite à la révolte et me promet secours;
Mais lorsqu'à mon besoin je me veux servir d'elle,

Après beaucoup de peine et d'efforts impuissants,
5 Elle dit qu'Uranie est seule aimable et belle,
Et m'y rengage plus que ne font tous mes sens.

2. CHANSON A SYLVIE

J'avais de l'amour pour vous,
Charmante Sylvie,
Mais vos injustes courroux
10 Ont refroidi mon envie.
Je sais aimer constamment
Mais si l'on n'aime également,
Ma foi, je m'ennuie.

Votre bouche et vos beaux yeux,
15 Les rois de ma vie,
Et votre ris gracieux,
Avaient mon âme asservie;
Vous m'aviez gagné le cœur,
Mais quand on a trop de rigueur,
20 Ma foi, je m'ennuie.

J'approuve un feu bien heureux
Qui deux âmes lie,
Et tient deux cœurs amoureux
Sans peine et mélancolie.
25 J'aime les douces amours,
Mais pour soupirer tous les jours,
Ma foi, je m'ennuie.

L'amour sur un autre amour
Volontiers s'appuie,
J'aime sans aucun détour;
Mais si je vois qu'on me fuie
Et qu'on se plaise à m'ouïr 5
Pleurer, tourmenter et gémir,
Ma foi, je m'ennuie.

J'approuve un cœur enflammé
Qui se glorifie
D'aimer sans qu'il soit aimé, 10
Et son plaisir sacrifie.
Je le fais bien quelquefois,
Mais quand cela passe trois mois,
Ma foi, je m'ennuie.

Vous exercez sur mon cœur 15
Trop de tyrannie;
Je ne vis plus qu'en langueur,
C'est une peine infinie
Que de vivre en vous aimant,
Et pour vous parler franchement, 20
Ma foi, je m'ennuie.

Si vous pensez honorer
Une âme transie,
Qui meurt pour vous adorer,
Pour moi, je vous remercie. 25
Je ne veux point tant d'honneur.
Gardez-l(e) à quelque grand seigneur,
Ma foi, je m'ennuie.

Faire des vers en bateau [1]
Ce serait folie;
Car par la fraîcheur de l'eau
Je sens ma tête assaillie;
5 Vous n'aurez donc que ceci,
Il fait mauvais écrire ici;
Ma foi, je m'ennuie.

3. RONDEAU

Ma foi, c'est fait de moi: car Isabeau
M'a conjuré de lui faire un rondeau, [2]
10 Cela me met en une peine extrême.
Quoi ! treize vers, huit en eau, cinq en ème !
Je lui ferais aussi tôt un bateau.

En voilà cinq pourtant en un monceau,
Faisons en huit, en invoquant Brodeau,[3]
15 Et puis mettons par quelque stratagème:
Ma foi, c'est fait.

[1] Jeu de mot sur l'expression populaire: *monter un bateau à quelqu'un* = fatiguer quelqu'un par une plaisanterie indéfiniment répétée; ou *mener quelqu'un en bateau* = duper.

[2] Voiture se vante d'avoir fait revivre le genre du rondeau. Dans une lettre datée de 1638 il écrit: « Je ne sais si vous savez ce que c'est que des rondeaux; j'en ai fait, depuis peu, trois ou quatre, qui ont mis les beaux esprits en fantaisie d'en faire. C'est un genre d'écrire qui est propre à la raillerie. » Il y a plusieurs formes de rondeaux; celui-ci est sur le modèle de Clément Marot (XVIme siècle); *aabba*|| *aab* + *refrain*||*aabba* + *refrain*.

Ce rondeau est une imitation d'un sonnet de Lope de Vega:

Un soneto me manda hazer Violante, etc.

(Cf. CRANE, *La société française au xvii siècle*, 1907, p. 292)

[3] Un avocat célèbre de Paris.

Si je pouvais encor de mon cerveau
Tirer cinq vers, l'ouvrage serait beau.
Mais cependant je suis dedans l'onzième,
Et si je crois que je fais le douzième,
En voilà treize ajustés au niveau: 5
Ma foi, c'est fait !

4. LA CHANSON DE LANTURLU,[1] 1630

Le roi, notre sire,
Pour bonnes raisons,
Que l'on n'ose dire,
Et que nous taisons, 10
Nous a fait défense
De plus chanter lanturlu,
Lanturlu, lanturlu,
lanturlu, lanturlu.

La reine, sa mère,[2] 15
Reviendra bientôt,
Et Monsieur, son frère,[3]
Ne dira plus mot.
Tout sera paisible,
Pourvu qu'on ne chante plus 20
Lanturlu, lanturlu,
lanturlu, lanturlu.

[1] Le mot « lanturlu » n'a pas de sens; il avait servi à plusieurs reprises de refrain à des chansons dirigées par le peuple de Paris contre des personnages de haut rang, et le roi, Louis XIII, avait fait un édit spécial défendant de chanter *Lanturlu* (1629). Ce fut l'occasion de cette spirituelle chanson de Voiture.

[2] Marie de Médicis, exilée à cause de ses intrigues de cour.

[3] Gaston, duc d'Orléans, en révolte ouverte contre Richelieu.

De la Grand' Bretagne,
Les ambassadeurs,
Ceux du roi d'Espagne
Et des électeurs,[1]
5 Se sont venus plaindre
D'avoir partout entendu
Lanturlu, lanturlu,
lanturlu, lanturlu.

Ils ont fait leur plainte
10 Fort éloquemment,
Et parlé sans crainte
Du gouvernement;
Pour les satisfaire,
Le roi leur a répondu:
15 Lanturlu, lanturlu,
lanturlu, lanturlu.

Dessus cette affaire,
Le nonce parla,
Et notre Saint-Père
20 Entendant cela,
Au milieu de Rome
S'écria comme un perdu:
Lanturlu, lanturlu,
lanturlu, lanturlu.

25 Pour bannir de France
Ces troubles nouveaux,
Avec grand'prudence
Le garde des sceaux [2]

[1] Princes ou évêques qui étaient appelés à élire l'empereur d'Allemagne; p. ex., le roi de Bavière était 'électeur.'
[2] Chancelier.

A scellé ces lettres,
Dont voici le contenu:
Lanturlu, lanturlu,
lanturlu, lanturlu.

5. MADRIGAUX

Jamais l'œil du soleil
Ne vit rien de pareil, 5
Ni si plein de délice,
Rien si digne d'amour
Si ce ne fut le jour
Que naquit Arthénice.[1] 10

*

Quand les dieux eurent fait
Le chef-d'œuvre parfait
Que Julie [2] on appelle,
Minerve qui la vit
En pleura de dépit, 15
Et se trouva moins belle.

[1] Mme de Rambouillet. [2] Mlle de Rambouillet.

CHAPITRE DEUX

L'ACADÉMIE FRANÇAISE

I. L'ACADÉMIE FRANÇAISE

1635

La seconde institution qui prépare la voie aux grands écrivains du siècle est l'Académie Française.

Il existait, depuis 1629, une société d'hommes de lettres qui se réunissaient chez l'un d'entre eux, Valentin Conrart. Richelieu craignit que ce petit cercle d'hommes éminents ne devînt le centre d'idées trop libres et peut-être défavorables au gouvernement qui avait grand besoin de solidarité dans la nation. Ne voulant pas paraître agir en tyran, il offrit aux amis de Conrart d'organiser leur société sous la protection du Roi: refuser, c'était risquer la défense de se réunir; accepter, c'était s'engager à ne pas agiter de questions et ne pas émettre d'opinions de nature à embarrasser un gouvernement qui « protégeait » la société. On accepta donc la proposition du grand ministre qui devint le ‹ Protecteur de l'Académie › —. La première réunion du « corps officiel » eut lieu le 30 mars 1634; les lettres patentes du Roi sont datées de 1635; le Parlement, cependant, n'enregistra ces lettres qu'à la date du 10 juillet 1637. L'Académie n'eut pas de réelle demeure jusqu'en 1672, quand le Roi Louis XIV la logea avec magnificence au Louvre; elle y demeura jusqu'à la suppression temporaire en 1793. C'est en 1805 qu'elle fut installée au Palais Mazarin, appelé aujourd'hui Palais de l'Institut.

Statuts et règlements de l'Académie française

(extraits)

Les statuts adoptés par l'Académie Française sont intéressants; ils révèlent bien que la société allait être entièrement soumise aux volontés du gouvernement. Aujourd'hui encore elle est demeurée un corps qui représente la tradition nationale plutôt qu'une société cherchant à innover en matière politique, religieuse et littéraire.

Premièrement. — Personne ne sera reçu dans l'Académie qui ne soit agréable à Mgr le Protecteur,[1] et qui ne soit de bonnes mœurs, de bonne réputation, de bon esprit, et propre aux fonctions académiques.

2. — L'Académie aura un sceau, duquel seront scellés en cire bleue tous les actes qui s'expédieront par son ordre dans lequel la figure de mgr. le cardinal duc de Richelieu sera gravée avec ces mots à l'entour: ARMAND, CARDINAL DUC DE RICHELIEU, PROTECTEUR DE L'ACADÉMIE FRANÇOISE, établie l'an mil six cent XXXV, et un contre-sceau, où sera représentée une couronne de laurier, avec ce mot: A L'IMMORTALITÉ; desquels sceaux l'empreinte ne pourra jamais être changée pour quelle occasion que ce soit.

3. — Il y aura trois Officiers: Un Directeur, un Chancelier et un Secrétaire, dont les deux premiers seront élus de deux mois en deux mois, et l'autre ne changera point.[2]

11. — En toutes les autres affaires,[3] l'on opinera tout haut et de rang, sans interruption ni jalousie, sans reprendre avec chaleur ou mépris les avis de personne, sans rien dire que le nécessaire et sans répéter ce qui aura été dit.

13. — Si un des Académiciens fait quelque acte indigne d'un homme d'honneur, il sera interdit ou destitué, selon l'importance de sa faute.

21. — Il n'y sera mis en délibération aucune matière concernant la religion; et néanmoins, pour ce qu'il est impossible qu'il ne se rencontre dans les ouvrages qui seront examinés quelque proposition qui regarde ce su-

[1] Le cardinal Richelieu.

[2] On l'appelle pour cela « Secrétaire perpétuel. »

[3] Sauf élection, réception et destitution, où on vote par ballot.

jet, comme le plus noble exercice de l'éloquence et le plus utile entretien de l'esprit, il ne sera rien prononcé sur les maximes de cette qualité, l'Académie soumettant toujours aux lois de l'Église, en ce qui touchera les choses saintes, les avis et les approbations qu'elle donnera pour les termes et la forme des ouvrages seulement.

22. — Les matières politiques ou morales ne seront traitées dans l'Académie que conformément à l'autorité du Prince, à l'état du gouvernement et aux lois du royaume.

24. — La principale fonction de l'Académie sera de travailler avec tout le soin et toute la diligence possible à donner des règles certaines à notre langue, et à la rendre pure, éloquente et capable de traiter les arts et les sciences.

25. — Les meilleurs auteurs de la langue française seront distribués aux Académiciens pour observer tant les dictions que les phrases qui peuvent servir de règles générales et en faire rapport à la Compagnie qui jugera de leur travail et s'en servira aux occasions.

26. — Il sera composé un Dictionnaire, une Grammaire, une Rhétorique et une Poétique sur les observations de l'Académie.

27. — Chaque jour d'assemblée ordinaire, un des Académiciens, selon l'ordre du tableau, fera un discours en prose, dont le récit par cœur ou la lecture à son choix durera un quart d'heure ou une demi-heure au plus, sur tel sujet qu'il voudra prendre, et on ne commencera qu'à trois heures. Le reste du temps sera employé à examiner les ouvrages par ceux qui se présenteront, ou à travailler aux pièces générales dont il est fait mention en l'article précédent.

34. — Les remarques des fautes d'un ouvrage se feront

avec modestie et civilité, et la correction en sera soufferte de la même sorte.

43. — Les règles générales qui seront faites par l'Académie touchant le langage seront suivies par tous ceux de la Compagnie qui écriront tant en prose qu'en vers. 5

44. — Ils suivront aussi les règles qui seront faites pour l'orthographe.

45. — L'Académie ne jugera que des ouvrages de ceux dont elle est composée; et, si elle se trouve obligée par quelque considération d'en examiner d'autres, elle donnera seulement ses avis sans en faire aucune censure et sans en donner aussi d'approbation. 10

46. — S'il arrive que l'on fasse quelques écrits contre l'Académie, aucun des Académiciens n'entreprendra d'y répondre ou de rien publier pour sa défense sans en avoir charge expresse de la Compagnie assemblée au nombre de vingt pour le moins. 15

. . . .

Signé: LE CARDINAL DE RICHELIEU

Et scellé de ses armes

Les statuts 23 à 26 sont naturellement les plus importants.

Le Dictionnaire de l'Académie parut après presque soixante ans de travaux, en 1694 (la dernière, huitième, édition est de 1932–35).[1]

La Grammaire n'a pas été écrite; mais en 1705 l'Académie adopta celle écrite par un de ses membres, Régnier-Desmarais. (En 1928 L'Académie accepta une proposition d'un de ses membres de rédiger

---

[1] La langue changeant, le dictionnaire doit se renouveler; aussi, dès qu'une édition est imprimée, l'Académie se met à préparer la suivante; les huit éditions existantes s'échelonnent en moyenne de cinquante en cinquante ans. Ce travail jamais terminé a donné lieu à mille plaisanteries qu'on peut ramener à ces deux vers de Suard, un écrivain du XVIIIe siècle:

On fait, défait, refait ce fameux dictionnaire,
Qui, toujours très bien fait, reste toujours à faire.

une grammaire pour notre langue moderne. Ce travail fut achevé en 1932.)

La *Rhétorique* (art de la prose) ne fut jamais écrite; non plus que la *Poétique,* mais on peut considérer l'*Art poétique* de Boileau (voir chap. III) comme exprimant les sentiments de l'Académie sur ce sujet.

Le 45° statut n'est plus observé. L'Académie a reçu de nombreux dons qui lui permettent de récompenser par des prix les ouvrages littéraires qui lui en paraissent dignes. Le premier de ces prix a été offert par Guez de Balzac; c'était un ‹ Prix d'éloquence. ›

Consulter: La première *Histoire de L'Académie* a été écrite par un des premiers membres, Pellisson (1653). On lira avec plus de fruit G. Boissier, *L'Académie française sous l'Ancien Régime* (Hachette, 1909); ou F. Masson, *L'Académie Française,* 1629–1793 (Ollendorf, 1912); enfin P. Gautier, *Académie Française,* (Coll. Pallas, Garnier, 1928, 2 vol.). La grande autorité est naturellement le grand ouvrage de F. Brunot, *Histoire de la Langue Française* (A. Colin), les volumes couvrant le XVII° siècle et les siècles suivants.

L'Académie Française fut emportée dans la tempête de la Révolution avec les autres institutions de l'ancien régime: « elle fut supprimée le 8 août 1793 par un décret de la Convention. *L'Institut* créé le 25 octobre 1795 renfermait une « Troisième classe », dite « de Littérature et Beaux-Arts » dont deux sections sur huit, celles de « Grammaire et Poésie » rappelaient l'ancienne Académie. Celle-ci fut rétablie le 23 janvier 1803, sous le nom de « Classe de Langue et Littérature Françaises ». Le nom même d'Académie Française ne reparut qu'après la Restauration, par ordonnance royale du 21 mars 1816 ». (Petit de Julleville, *Orig. et Hist. de la Langue fr.* p. 231).

L'Institut de France se compose de cinq Académies, qui sont: *L'Académie Française,* (40 membres); *L'Académie des Sciences* (65 membres); *L'Académie des Inscriptions et Belles Lettres* (40 membres); *L'Académie des Sciences morales et politiques* (40 membres); *l'Académie des Beaux Arts* (40 membres). Ces différents corps élisent eux-mêmes les successeurs aux décédés. Les membres de l'Académie Française seuls ont le titre d'« Académicien »; ceux des autres académies ont celui de « Membre de l'Institut ».

II. VAUGELAS

(1585–1650)

Vaugelas, né en Savoie, vint à Paris jeune, y réussit, devint Chambellan du Duc d'Orléans, le frère du Roi. Nommé membre de l'Académie dès sa fondation, il fut appelé en 1639 à s'occuper spécialement du *Dictionnaire*, et c'est lui qui mit en train le travail. Il mourut en 1650 laissant beaucoup de documents pour l'achèvement. Il a laissé en outre un ouvrage fort important, *Remarques sur la Langue Française* (1647) où on trouve la fameuse définition de ‹ l'usage ›, critère d'adoption des mots dans le *Dictionnaire*.

Remarques sur la langue française, 1647

(extrait de la *Préface*)

Ce ne sont pas ici des lois que je fais pour notre langue de mon autorité privée; je serais bien téméraire, pour ne pas dire insensé; car à quel titre et de quel front prétendre un pouvoir qui n'appartient qu'à l'*Usage*, que chacun reconnaît pour le maître et le souverain des langues vivantes ? 5
Il faut pourtant que je m'en justifie d'abord, de peur que ceux qui condamnent les personnes sans les ouïr ne m'en accusent, comme ils ont fait cette illustre et célèbre compagnie [1] qui est aujourd'hui l'un des ornements de Paris et de l'éloquence française. Mon dessein n'est pas de 10
réformer notre langue, ni d'abolir des mots, ni d'en faire, mais seulement de montrer le bon usage de ceux qui sont faits, et, s'il est douteux ou inconnu, de l'éclaircir ou de le faire connaître. Et tant s'en faut que j'entreprenne de me constituer juge des différends de la langue, que je ne 15
prétends passer que pour un simple témoin, qui dépose ce qu'il a vu et ouï, ou pour un homme qui aurait fait un recueil d'arrêts qu'il donnerait au public. C'est pourquoi ce petit ouvrage a pris le nom de *Remarques*, et ne s'est pas chargé du titre fastueux de *Décisions* ou de *Lois* ou 20
de quelque autre semblable; car, encore que ce soient en effet les lois d'un souverain qui est l'Usage, si [2] est-ce que

[1] L'Académie française. [2] Si = ainsi.

outre l'aversion que j'ai à ces titres ambitieux, j'ai dû éloigner de moi tout soupçon de vouloir établir ce que je ne fais que rapporter.

Pour le mieux faire entendre, il est nécessaire d'expliquer 5 ce que c'est que cet usage dont on parle tant et que tout le monde appelle le roi ou le tyran, l'arbitre ou le maître des langues. Car, si ce n'est autre chose, comme quelques-uns se l'imaginent, que la façon ordinaire de parler d'une nation dans le siège de son empire, ceux qui y sont nés et 10 élevés n'auront qu'à parler le langage de leurs nourrices et de leurs domestiques pour bien parler la langue de leur pays; et les provinciaux et les étrangers, pour la bien savoir, n'auront aussi qu'à les imiter. Mais cette opinion choque tellement l'expérience générale qu'elle se réfute 15 d'elle-même; et je n'ai jamais pu comprendre comme un des plus célèbres auteurs de notre temps[1] a été infecté de cette erreur.

Il y a sans doute deux sortes d'usages, un bon et un mauvais. Le mauvais se forme du plus grand nombre de 20 personnes, qui presque en toutes choses n'est pas le meilleur; et le bon, au contraire, est composé non pas de la pluralité, mais de l'élite des voix, et c'est véritablement celui que l'on nomme le maître des langues, celui qu'il faut suivre pour bien parler et pour bien écrire en toutes 25 sortes de styles . . .

Voici donc comme on définit le bon usage: C'est la façon de parler de la plus saine partie de la cour, conformément à la façon d'écrire de la plus saine partie des auteurs du temps.

30 Quand je dis la cour, j'y comprends les femmes comme

[1] Allusion à la célèbre remarque de Malherbe qui prétendait apprendre la langue chez les crocheteurs du Pont au foin.

les hommes, et plusieurs personnes de la ville où le prince réside, qui, par la communication qu'elles ont avec les gens de la cour, participent à sa politesse. Il est certain que la cour est comme un magasin d'où notre langue tire quantité de beaux termes pour exprimer nos pensées, et 5 que l'éloquence de la chaire ni du barreau n'aurait pas les grâces qu'elle demande si elle ne les empruntait presque toutes de la cour. Je dis *presque* parce que nous avons encore un grand nombre d'autres phrases qui ne viennent pas de la cour, mais qui sont prises de tous les meilleurs 10 auteurs grecs et latins, dont les dépouilles font une partie des richesses de notre langue, et peut-être ce qu'elle a de plus magnifique et de plus pompeux.

Toutefois, quelque avantage que nous donnions à la cour, elle n'est pas suffisante toute seule pour servir de règle; il 15 faut que la cour et les bons auteurs y concourent, et ce n'est que de cette conformité qui se trouve entre les deux que l'usage s'établit . . . Le consentement des bons auteurs est comme le sceau, ou une vérification qui autorise le langage de la cour et qui marque le bon usage . . . 20

L'usage est celui auquel il se faut entièrement soumettre en notre langue; mais pourtant il n'en exclut pas la raison ni le raisonnement, quoiqu'ils n'aient nulle autorité. Ce qui se voit clairement en ce que ce même usage fait aussi beaucoup de choses contre la raison, qui non 25 seulement ne laissent pas d'être aussi bonnes que celles où la raison se rencontre, que même bien souvent elles sont plus élégantes et meilleures que celles qui sont dans la raison et dans la règle ordinaire, jusque-là qu'elles font une partie de l'ornement de la beauté du langage. En 30 un mot, l'usage fait beaucoup de choses par raison, beaucoup sans raison, et beaucoup contre raison.

L'incident Furetière. — Antoine Furetière (1620–1688) était un membre de l'Académie. Voyant la lenteur des progrès du dictionnaire, il en publia un à lui seul. L'Académie avait un ‹ privilège › qui lui réservait le droit d'un tel ouvrage; mais Furetière réussit à se faire accorder un ‹ privilège › spécial; mais l'Académie, sous prétexte qu'il s'appropriait ses travaux, le lui fit retirer; il y eut procès; Furetière fut expulsé de l'Académie (22 juin 1685); il s'en vengea en publiant ses *Factums*, où il satirisait les Académiciens. Son dictionnaire qui parut en 1689 — après sa mort — est en quelques points, sinon supérieur à la première édition du *Dictionnaire* de l'Académie, en tous cas plus pratique. Par exemple Furetière accepta tout de suite l'ordre alphabétique strict, tandis que l'Académie groupait les mots par familles; ainsi pour le mot *absoudre*, il fallait chercher sous *soudre;* pour *abstraire*, sous *traire;* on voit la difficulté, surtout avec des mots ayant autant de composés que *poser* (*apposer*, *disposer*, *exposer*, *imposer*, *indisposer*, etc., ou *position*, *repos*, etc.). En outre, Furetière avait inclus dans son *Dictionnaire* toutes les classes de mots, ceux de « toutes les sciences et des arts », tandis que l'Académie avait accepté seulement les mots employés par des auteurs faisant de la littérature — et la littérature bannissait alors les sujets, et donc les termes roturiers. L'Académie, du reste, dès la seconde édition de son ouvrage, c'est-à-dire environ un demi-siècle plus tard, adopta l'ordre alphabétique aussi; elle ne devait se décider, cependant, que beaucoup plus tard à ouvrir ses portes aux mots d'usage commun (On jugera de ce que cette exclusion signifie si on sait que l'édition du Dictionnaire de 1878 n'a encore qu'environ 32 000 mots, tandis que le Dictionnaire anglais de Murray, en 1917 avait 364 000 mots.).

On trouvera un résumé de cette querelle dans le volume *Poésies diverses of Antoine Furetière*, by Isabelle Bronk (Baltimore, Furst, 1908, pp. 18–27).

CHAPITRE TROIS

BOILEAU

1636–1711

Nicolas Boileau-Despréaux — appelé le plus souvent simplement Boileau — est le onzième enfant d'un greffier au Parlement de Paris. Dans cette ville il fit ses études. Sauf que ses maîtres reconnurent tôt ses aptitudes pour la poésie, on n'attendait pas beaucoup du jeune homme. Il étudia la théologie, puis le droit — sans enthousiasme; enfin, à la mort de son père (1653), il put se consacrer aux lettres. Une satire écrite à 24 ans et qui fut admirée par Furetière commença sa célébrité; il fut reçu à l'Hôtel de Rambouillet. Il se lia avec les meilleurs écrivains de son temps; surtout Molière, Racine et La Fontaine; il les rencontrait souvent dans des cabarets; mais il avait quelque fortune et il les recevait volontiers chez lui, d'abord à la rue du Vieux Colombier, et puis dans sa maison d'Auteuil où il habita de 1685 à 1705.[1] Il entra à l'Académie à 47 ans, sur la demande expresse du roi. Boileau, comme la plupart des écrivains du XVIIe siècle paya son tribut d'admiration au roi (voir plus bas, p. 115). Il fut nommé, en même temps que Racine, *Historiographe du Roi.* On cite plusieurs traits de bonté de Boileau, entre autres vis-à-vis du vieux Corneille et de l'avocat Patru; mais il se fit bien des ennemis (Boursault, Cotin, Desmarets, etc.) à cause de la sévérité de ses critiques. Ses victimes firent mille démarches pour empêcher la publication de *L'Art poétique* (la plus célèbre des œuvres de Boileau), et attaquèrent l'ouvrage une fois publié.

Ses principaux écrits sont: 12 *Satires* et 12 *Epîtres* (ce sont des essais en vers sur divers sujets, littéraires ou moraux); et une quantité de petites pièces rimées: *épigrammes*, *sonnets*, *odes*, etc. *L'Art poétique* et les *Réflexions sur Longin* (voir plus bas) sont des œuvres

[1] On a discuté ces amitiés célèbres. Voir J. Demeure, *Mercure de France*, 1 juillet, 1928, « Racine et son ennemi Boileau », et la contrepartie dans Albalat, *L'Art poétique de Boileau*, Coll. « Grands Evénements littéraires », Paris, Malfère, 1929 (p. 72–5).

de plus longue haleine. Il laisse aussi un Poème héroï-comique, *Le Lutrin* (1673–83).

Consulter: G. Lanson, *Boileau*, (Coll. Grands écrivains français, Hachette, 1892); Albalat, *L'Art poétique* (Coll. Grands événements litt. Malfère, 1929).

1. L'art poétique.

(en quatre chants, environ 1100 vers, écrits 1669–1674)

Rappelons que les grands « arts poétiques » dans des civilisations antérieures avaient été: chez les Grecs, *La Poétique* d'Aristote (du fragment qui nous est resté et qui traite surtout de la tragédie et de la comédie, Boileau s'est souvenu dans son Chant III); chez les Latins, *L'Art poétique* d'Horace (*L'Epître aux Frères Pisons*); Boileau, dans son poème, formulera peut-on dire le code littéraire de l'âge classique en France et même en Europe; Pope et Dryden marcheront sur ses pas. Il avait eu pour précurseurs en France entre autres Sibilet ou Sébillet (1548) et surtout Du Bellay, dont la *Défense et Illustration de la Langue Française* (1549), fut le manifeste des poètes de la Renaissance.

Boileau, avec son *Art poétique*, sera le bouc émissaire quand, deux siècles plus tard, les Romantiques attaqueront les Classiques. On lui opposera alors *Le Génie du Christianisme* de Chateaubriand (1802) et la *Préface de Cromwell* de Victor Hugo (1827).

Trois sujets sont traités, revenant tantôt l'un tantôt l'autre, sans plan très arrêté, sous la plume de l'écrivain: la théorie de la versification, ou conseils relatifs à la forme; des règles et conseils relatifs au sujet à choisir, à la manière de le traiter, en un mot quant au fonds; enfin (surtout au Chant II) l'histoire de la poésie en France et de ses différents genres. Le Chant III est consacré à la Tragédie, à l'Epopée et à la Comédie.

[L'étudiant relira ici la note en caractères gras insérée à la page 9–10, sur la manière de lire les vers français classiques.]

CHANT I

C'est en vain qu'au Parnasse, un téméraire auteur
Pense de l'art des vers atteindre la hauteur:
S'il ne sent point du Ciel l'influence secrète,
Si son astre en naissant ne l'a formé poète,

Dans son génie étroit il est toujours captif;
Pour lui Phébus est sourd, et Pégase est rétif.
 O vous donc, qui brûlant d'une ardeur périlleuse,
Courez du bel esprit la carrière épineuse,
N'allez pas sur des vers sans fruit vous consumer, 5
Ni prendre pour génie un amour de rimer;
Craignez d'un vain plaisir les trompeuses amorces,
Et consultez longtemps votre esprit et vos forces.
 La nature, fertile en esprits excellents,
Sait entre les auteurs partager les talents: 10
L'un, peut tracer en vers une amoureuse flamme;
L'autre, d'un trait plaisant aiguiser l'épigramme;
Malherbe, d'un héros peut vanter les exploits;
Racan, chanter Philis, les bergers et les bois.[1]
Mais, souvent, un esprit qui se flatte et qui s'aime, 15
Méconnaît son génie, et s'ignore soi-même:
... Quelque sujet qu'on traite, ou plaisant, ou sublime,
Que toujours le bon sens s'accorde avec la rime:
L'un l'autre vainement ils semblent se haïr,
La rime est une esclave, et ne doit qu'obéir. 20
Lorsqu'à la bien chercher d'abord on s'évertue,
L'esprit à la trouver aisément s'habitue;
Au joug de la raison sans peine elle fléchit;
Et, loin de la gêner, la sert et l'enrichit.
Mais, lorsqu'on la néglige, elle devient rebelle; 25
Et pour la rattraper le sens court après elle.
Aimez donc la raison. Que toujours vos écrits
Empruntent d'elle seule et leur lustre et leur prix.
 La plupart, emportés d'une fougue insensée,
Toujours loin du droit sens vont chercher leur pensée: 30
Ils croiraient s'abaisser, dans leurs vers monstrueux,

[1] Voir chapitre Introduction, 24 ss.

S'ils pensaient ce qu'un autre a pu penser comme eux.
Évitons ces excès. Laissons à l'Italie
De tous ces faux brillants l'éclatante folie.[1]
Tout doit tendre au bon sens: mais, pour y parvenir,
5 Le chemin est glissant et pénible à tenir;
Pour peu qu'on s'en écarte, aussitôt on se noie;
La raison, pour marcher, n'a souvent qu'une voie.
Un auteur, quelquefois trop plein de son objet,
Jamais sans l'épuiser n'abandonne un sujet:
10 S'il rencontre un palais, il m'en dépeint la face;
Il me promène après de terrasse en terrasse;
Ici, s'offre un perron; là, règne un corridor;
Là, ce balcon s'enferme en un balustre d'or;
Il compte des plafonds les ronds et les ovales;
15 « Ce ne sont que festons, ce ne sont qu'astragales. »[2]
Je saute vingt feuillets pour en trouver la fin,
Et je me sauve à peine au travers du jardin.
Fuyez de ces auteurs l'abondance stérile,
Et ne vous chargez point d'un détail inutile:
20 Tout ce qu'on dit de trop est fade et rebutant;
L'esprit rassasié le rejette à l'instant.
Qui ne sait se borner ne sut jamais écrire.

[1] Attaque contre l'affectation d'italianisme à la mode depuis le XVIe siècle et favorisée par l'arrivée des Médicis en France, dans la littérature et dans les salons. Mme de Rambouillet était née à Rome. En Italie, cette tendance, issue du mouvement de la Renaissance, était appelée *Marinisme*, en Espagne *Gongorisme*, en Angleterre, *Euphuïsme;* — en France c'était la *Préciosité.*

[2] Il s'agit du *Palais magique* dont la longue description remplit une partie du Chant III de l'*Alaric* de Scudéry. Le vers de Scudéry était:

Ce ne sont que festons, ce ne sont que couronnes.

Boileau a remplacé « couronnes » par « astragales » pour les besoins de la rime.

Souvent, la peur d'un mal nous conduit dans un pire:
Un vers était trop faible, et vous le rendez dur;
J'évite d'être long, et je deviens obscur;
L'un n'est point trop fardé, mais sa Muse est trop nue;
L'autre a peur de ramper, il se perd dans la nue. 5
Voulez-vous du public mériter les amours ?
Sans cesse en écrivant variez vos discours:
Un style trop égal et toujours uniforme
En vain brille à nos yeux, il faut qu'il nous endorme.
On lit peu ces auteurs, nés pour nous ennuyer, 10
Qui, toujours, sur un ton, semblent psalmodier.
Heureux, qui dans ses vers, sait d'une voix légère
Passer du grave au doux, du plaisant au sévère !
Son livre, aimé du ciel, et chéri des lecteurs,
Est souvent chez Barbin [1] entouré d'acheteurs. 15
Quoi que vous écriviez, évitez la bassesse:
Le style le moins noble a pourtant sa noblesse.
Au mépris du bon sens, le Burlesque [2] effronté
Trompa les yeux d'abord, plut par sa nouveauté:
On ne vit plus en vers que pointes triviales; 20
Le Parnasse parla le langage des halles [3];
La licence à rimer alors n'eut plus de frein,
Apollon travesti devint un Tabarin [4] . . .
Que ce style, jamais, ne souille votre ouvrage:
Imitons de Marot l'élégant badinage [5] . . . 25

[1] Il avait une boutique de libraire dans le Palais de Justice.

[2] Le principal représentant du genre burlesque était Scarron (1610–1660), l'auteur du *Virgile travesti* (1648).

[3] Place publique où se tient le marché et où règne le langage du bas peuple.

[4] Bouffon populaire, qui s'exhibait en public, sur le Pont Neuf, et qui avait acquis une certaine notoriété au commencement du XVIIe siècle.

[5] Clément Marot (1495–1544), poète spirituel et mondain de la cour de Marguerite de Valois.

N'offrez rien au lecteur que ce qui peut lui plaire.
Ayez pour la cadence une oreille sévère:
Que toujours, dans vos vers, le sens, coupant les mots,
Suspende l'hémistiche, en marque le repos.[1]
5 Gardez qu'une voyelle, à courir trop hâtée,
Ne soit d'une voyelle en son chemin heurtée.[2]
Il est un heureux choix de mots harmonieux.
Fuyez des mauvais sons le concours odieux:
Le vers le mieux rempli, la plus noble pensée
10 Ne peut plaire à l'esprit, quand l'oreille est blessée.
Durant les premiers ans du Parnasse françois,
Le caprice tout seul faisait toutes les lois,
La rime, au bout des mots assemblés sans mesure,
Tenait lieu d'ornements, de nombre, et de césure.
15 Villon [3] sut le premier, dans ces siècles grossiers,
Débrouiller l'art confus de nos vieux romanciers.[4]
Marot, bientôt après, fit fleurir les ballades,
Tourna des triolets, rima des mascarades,
A des refrains réglés asservit les rondeaux,
20 Et montra pour rimer des chemins tout nouveaux.
Ronsard,[5] qui le suivit, par une autre méthode
Réglant tout, brouilla tout, fit un art à sa mode;
Et toutefois longtemps eut un heureux destin.

[1] Règle de la *césure* (voir page 9–10; lettres grasses, No. 4).

[2] Règle de l'*hiatus* (voir page 9–10; lettres grasses, No. 3).

[3] François Villon (1431–1470 ?) le premier grand poète lyrique de la France, auteur du *Grand* et du *Petit Testament.*

[4] Le mot « roman » avait encore souvent à cette époque le sens d'histoire romanesque et chevaleresque qui était écrite en vers.

[5] Boileau connaissait fort mal cette poésie du XVIe siècle; il attribue beaucoup trop à Marot, et la postérité a désavoué le jugement sévère qui va suivre sur Ronsard (1524–1585). Ronsard était le principal poète de la Pléiade, brillant groupe d'écrivains de la Renaissance, et que Malherbe avait discrédité.

Mais sa Muse, en français parlant grec et latin,[1]
Vit, dans l'âge suivant par un retour grotesque,
Tomber de ses grands mots le faste pédantesque.
Ce poète orgueilleux, trébuché de si haut,
Rendit plus retenus Desportes et Bertaut.[2] 5
Enfin Malherbe [3] vint, et, le premier en France,
Fit sentir dans les vers une juste cadence;
D'un mot mis en sa place enseigna le pouvoir;
Et réduisit la Muse aux règles du devoir.
Par ce sage écrivain la langue réparée 10
N'offrit plus rien de rude à l'oreille épurée;
Les stances avec grâce apprirent à tomber;
Et le vers sur le vers n'osa plus enjamber.
Tout reconnut ses lois; et ce guide fidèle
Aux auteurs de ce temps sert encor de modèle. 15
Marchez donc sur ses pas; aimez sa pureté;
Et de son tour heureux imitez la clarté.
Si le sens de vos vers tarde à se faire entendre,
Mon esprit aussitôt commence à se détendre,
Et, de vos vains discours prompt à se détacher, 20
Ne suit point un auteur qu'il faut toujours chercher.
Il est certains esprits, dont les sombres pensées
Sont d'un nuage épais toujours embarrassées:

[1] Boileau avait mal interprêté les vers de Ronsard:
. . . . *La muse françoise*
Ne peut dire ces mots comme fait la Grégeoise (Grecque):
Ocymore, dyspotme, oligocronien . . .
Le mot « peut » a deux significations possibles: que la langue française *ne possède pas* ces mots, ou qu'elle *ne doit pas les posséder*. C'est le second sens que veut donner Ronsard, car il combat les imitateurs aveugles des Anciens.

[2] Desportes (1546–1606) et Bertaut (1570–1611), deux des meilleurs poètes de transition du XVIe au XVIIe siècle.

[3] C'est ici le passage connu auquel nous avons renvoyé, p. 9.

Le jour de la raison ne le saurait percer.
Avant donc que d'écrire, apprenez à penser:
Selon que notre idée est plus ou moins obscure,
L'expression la suit, ou moins nette, ou plus pure;
5 Ce que l'on conçoit bien s'énonce clairement,
Et les mots pour le dire arrivent aisément.
Surtout qu'en vos écrits la langue révérée
Dans vos plus grands excès vous soit toujours sacrée.
En vain vous me frappez d'un son mélodieux,
10 Si le terme est impropre, ou le tour vicieux.
Mon esprit n'admet point un pompeux barbarisme,
Ni d'un vers ampoulé l'orgueilleux solécisme.[1]
Sans la langue, en un mot, l'auteur le plus divin,
Est toujours, quoi qu'il fasse, un méchant écrivain.
15 Travaillez à loisir, quelque ordre qui vous presse,
Et ne vous piquez point d'une folle vitesse:
Un style si rapide, et qui court en rimant,
Marque moins trop d'esprit, que peu de jugement.[2]
J'aime mieux un ruisseau, qui sur la molle arène,
20 Dans un pré plein de fleurs lentement se promène,
Qu'un torrent débordé, qui, d'un cours orageux,
Roule, plein de gravier, sur un terrain fangeux.
Hâtez-vous lentement[3]; et, sans perdre courage,
Vingt fois sur le métier remettez votre ouvrage;[4]
25 Polissez-le sans cesse et le repolissez;
Ajoutez quelquefois, et souvent effacez.

[1] Faute contre la syntaxe (*C'est eux*, pour *ce sont eux; il fallait qu'il vienne*, pour *il fallait qu'il vînt.*)

[2] Ces vers répondent à ceux de Régnier et de Théophile de Viau qui avaient attaqué Malherbe (voir plus haut, pages 14–16, et pages 17–18).

[3] Le *Festina lente* des Latins.

[4] Le *Saepe stylum vertas* d'Horace (Sat. I, 10, 72).

C'est peu, qu'en un ouvrage où les fautes fourmillent,
Des traits d'esprit, semés de temps en temps, pétillent.
Il faut que chaque chose y soit mise en son lieu;
Que le début, la fin, répondent au milieu;
Que d'un art délicat les pièces assorties 5
N'y forment qu'un seul tout de diverses parties;
Que jamais du sujet le discours s'écartant
N'aille chercher trop loin quelque mot éclatant.
Craignez-vous pour vos vers la censure publique?
Soyez-vous à vous-même un sévère critique. 10
L'ignorance, toujours, est prête à s'admirer.
Faites-vous des amis prompts à vous censurer:
Qu'ils soient de vos écrits les confidents sincères,
Et de tous vos défauts les zélés adversaires.
Dépouillez, devant eux, l'arrogance d'auteur. 15
Mais, sachez de l'ami discerner le flatteur:
Tel vous semble applaudir, qui vous raille et vous joue.
Aimez qu'on vous conseille, et non pas qu'on vous loue.
Un flatteur, aussitôt, cherche à se récrier:
Chaque vers qu'il entend le fait extasier; 20
Tout est charmant, divin; aucun mot ne le blesse;
Il trépigne de joie, il pleure de tendresse;
Il vous comble partout d'éloges fastueux; . . .
La vérité n'a point cet air impétueux.
Un sage ami, toujours rigoureux, inflexible, 25
Sur vos fautes jamais ne vous laisse paisible;
Il ne pardonne point les endroits négligés;
Il renvoie en leur lieu les vers mal arrangés;
Il réprime des mots l'ambitieuse emphase;
Ici, le sens le choque, et plus loin, c'est la phrase; 30
Votre construction semble un peu s'obscurcir;
Ce terme est équivoque, il le faut éclaircir . . .

C'est ainsi que vous parle un ami véritable.
Mais souvent, sur ses vers, un auteur intraitable,
A les protéger tous se croit intéréssé,
Et d'abord prend en main le droit de l'offensé.
5 « De ce vers, direz-vous, l'expression est basse.
— Ah ! monsieur, pour ce vers je vous demande grâce,
Répondra-t-il d'abord. — Ce mot me semble froid,
Je le retrancherais. — C'est le plus bel endroit !
— Ce tour ne me plaît pas. — Tout le monde l'admire. »
10 Ainsi, toujours constant à ne se point dédire,
Qu'un mot dans son ouvrage ait paru vous blesser,
C'est un titre chez lui pour ne point l'effacer.
Cependant, à l'entendre, il chérit la critique,
Vous avez sur ses vers un pouvoir despotique . . .
15 Mais tout ce beau discours dont il vient vous flatter
N'est rien qu'un piège adroit pour vous les réciter.
Aussitôt il vous quitte; et, content de sa Muse,
S'en va chercher ailleurs quelque fat qu'il abuse;
Car souvent il en trouve . . . Ainsi qu'en sots auteurs,
20 Notre siècle est fertile en sots admirateurs;
Et, sans ceux que fournit la ville et la province,
Il en est chez le duc, il en est chez le prince;
L'ouvrage le plus plat a, chez les courtisans,
De tout temps rencontré de zélés partisans;
25 Et, pour finir enfin par un trait de satire,
Un sot trouve toujours un plus sot qui l'admire.

CHANT III

[Chacun connaît la fameuse *Règle des Trois unités* au théâtre, que le siècle classique voulait imposer et que le Romantisme récusera. La règle n'a du reste triomphé que graduellement, et les trois unités ont été discutées séparément. Voir sur ce lent travail H. C. Lancaster

« The Introduction of the Unities in the French Drama of the Seventeenth Century » (Modern Language Notes April 1929; pp. 207–217); et le grand ouvrage du même auteur, « A History of Seventeenth Century French Drama ». (Baltimore, 1929).

Le passage de Boileau sur les trois unités se trouve au Chant III de *L'Art Poëtique:* en voici les principaux vers (39–46). Boileau connaissait certainement le passage où Cervantès, dans son *Don Quichote* (I, ii, 48) touche à ce même problème. Les dramaturges espagnols ont inspiré maintes pièces de théâtre aux écrivains français du XVIIe siècle (Mairet, Rotrou, Corneille, Molière, etc.) et ils composaient leurs pièces d'une façon assez négligée.]

. . . Que le lieu de la scène y soit fixe et marqué:
Un rimeur, sans péril, delà les Pyrénées,
Sur la scène en un jour rassemble des années.
Là, souvent, le héros d'un spectacle grossier,
Enfant au premier acte, est barbon au dernier.
Mais nous, que la raison à ses règles engage,
Nous voulons qu'avec art l'action se ménage;
Qu'en un lieu, qu'en un jour, un seul fait accompli
Tienne jusqu'à la fin le théâtre rempli . . .

[Dans le même Chant, Boileau développe, à propos de la *Poësie épique*, sa théorie de la supériorité poétique du paganisme sur le christianisme — théorie qui prévaudra jusqu'à l'époque romantique. Chateaubriand la réfutera dans son *Génie du Christianisme* (1802).

Ici encore, Boileau n'a pas tant donné une théorie nouvelle que formulé l'opinion de son siècle sur un sujet discuté. La question de l'opportunité d'introduire des éléments chrétiens en littérature (tout à fait reconnue au Moyen-âge, mais contestée depuis le XVIo siècle) avait été soulevée de nouveau, entre autres, par Desmarets de Saint-Sorlin (1596–1676), l'auteur d'un roman *Ariane;* converti en 1645, il écrivit une épopée chrétienne, *Clovis;* en 1669, un poème sur *Marie-Madeleine;* et en 1676, une *Esther.*

Il faut ajouter que l'argumentation de Boileau sur le manque de poésie du christianisme à cause du caractère sombre de ses thèmes, a été vigoureusement défendue, même à l'époque du Romantisme, surtout en Italie, par Leopardi, Foscolo, Monti, etc. (Cf. P. van Tieghem, *Le mouvement romantique*, 2o ed. 1923, IIIo P. Ch. ii; pp. 111–120).]

. . . D'un air plus grand encore la *Poésie épique*,[1]
Dans le vaste récit d'une longue action,
Se soutient par la fable et vit de fiction.[2]
Là, pour nous enchanter, tout est mis en usage;
5 Tout prend un corps, une âme, un esprit, un visage.
Chaque vertu devient une divinité:
Minerve est la prudence, et Vénus la beauté;
Ce n'est plus la vapeur qui produit le tonnerre,
C'est Jupiter, armé pour effrayer la terre;
10 Un orage terrible aux yeux des matelots,
C'est Neptune en courroux, qui gourmande les flots;
Écho n'est plus un son qui dans l'air retentisse,
C'est une nymphe en pleurs qui se plaint de Narcisse.
Ainsi, dans cet amas de nobles fictions,
15 Le poète s'égaye en mille inventions,
Orne, élève, embellit, agrandit toutes choses,
Et trouve sous sa main des fleurs toujours écloses.
Qu'Énée et ses vaisseaux, par le vent écartés,
Soient aux bords africains d'un orage emportés,
20 Ce n'est qu'une aventure ordinaire et commune,
Qu'un coup peu surprenant des traits de la fortune;
Mais que Junon, constante en son aversion,
Poursuive sur les flots les restes d'Ilion;
Qu'Éole, en sa faveur, les chassant d'Italie,
25 Ouvre aux vents mutinés les prisons d'Éolie;
Que Neptune en courroux, s'élevant sur la mer,
D'un mot calme les flots, mette la paix dans l'air,
Délivre les vaisseaux, des Syrtes les arrache;
C'est là ce qui surprend, frappe, saisit, attache.

[1] « Plus grand encore » = que la tragédie classique dont il vient parler.

[2] Fable = récit. Fiction = imagination.

Sans tous ces ornements le vers tombe en langueur;
La poésie est morte ou rampe sans vigueur;
Le poète n'est plus qu'un orateur timide,
Qu'un froid historien d'une fable insipide.[1]
C'est donc bien vainement, que nos auteurs déçus, 5
Bannissant de leurs vers ces ornements reçus,
Pensent faire agir Dieu, ses saints, et ses prophètes,
Comme ces dieux éclos du cerveau des poètes;
Mettent à chaque pas le lecteur en enfer,
N'offrent rien qu'Astaroth, Belzébuth [2], Lucifer... 10
De la foi d'un chrétien les mystères terribles
D'ornements égayés ne sont point susceptibles:
L'Évangile à l'esprit n'offre de tous côtés
Que pénitence à faire, et tourments mérités;
Et de vos fictions le mélange coupable 15
Même à ses vérités donne l'air de la fable.
Et, quel objet, enfin, à présenter aux yeux,
Que le diable toujours hurlant contre les cieux,
Qui de votre héros veut rabaisser la gloire,
Et souvent avec Dieu balance la victoire! 20
« Le Tasse,[3] dira-t-on, l'a fait avec succès. »
Je ne veux point, ici, lui faire son procès;
Mais, quoi que notre siècle à sa gloire publie,
Il n'eût point de son livre illustré l'Italie,
Si son sage héros, toujours en oraison, 25
N'eût fait que mettre enfin Satan à la raison;
Et si Renaud, Argant, Tancrède, et sa maîtresse,
N'eussent de son sujet égayé la tristesse.

[1] Tout ce qui précéde consiste naturellement en allusions à Homère ou Virgile.

[2] *Astaroth*, déesse du ciel chez les Sémites. *Belzèbuth*, maître des mauvais esprits dans l'Ancien Testament.

[3] 1544–1595, l'auteur de la *Jérusalem délivrée.*

Ce n'est pas que j'approuve en un sujet chrétien,
Un auteur follement idolâtre et païen.
Mais, dans une profane et riante peinture,
De n'oser de la fable employer la figure;
5 De chasser les Tritons de l'empire des eaux;
D'ôter à Pan sa flûte, aux Parques leurs ciseaux;
D'empêcher que Caron, dans la fatale barque,
Ainsi que le berger ne passe le monarque;
C'est d'un scrupule vain s'alarmer sottement,
10 Et vouloir aux lecteurs plaire sans agrément.
Bientôt ils défendront de peindre la Prudence;
De donner à Thémis ni bandeau ni balance;
De figurer aux yeux la Guerre au front d'airain;
Ou le Temps qui s'enfuit une horloge à la main;
15 Et partout, des discours, comme une idolâtrie,
Dans leur faux zèle iront chasser l'allégorie.
Laissons-les s'applaudir de leur pieuse erreur.
Mais, pour nous, bannissons une vaine terreur,
Et, fabuleux chrétiens, n'allons point, dans nos songes,
20 Du Dieu de vérité faire un Dieu de mensonges.[1]

La fable offre à l'esprit mille agréments divers:
Là tous les noms heureux semblent nés pour les vers,
Ulysse, Agamemnon, Oreste, Idoménée,
Hélène, Ménélas, Pâris, Hector, Énée . . . [2]

[1] C'est-à-dire faire un Dieu qui serait mêlé aux fictions des images poétiques ou mythologiques. Un philosophe moderne, Paulhan, a écrit un livre fort remarquable intitulé *Le Mensonge de l'Art*.

[2] Fénelon, archevêque de Cambrai, offre le plus parfait exemple d'un écrivain très chrétien, mais partageant entièrement l'opinion de Boileau et de tous les admirateurs des « Anciens ». Son livre le plus célèbre, *Les Aventures de Télémaque* (voir plus bas, chapitre IX) n'est qu'un long enseignement chrétien en style païen; les héros même sont empruntés à l'antiquité (Ulysse, Télémaque, Mentor, etc.). La sagesse divine est mise dans la bouche de Minerve, la déesse *païenne* de la sagesse.

O le plaisant projet d'un poète ignorant,
Qui de tant de héros va choisir Childebrant ![1]
D'un seul nom quelquefois le son dur, ou bizarre,
Rend un poème entier, ou burlesque, ou barbare.
Voulez-vous longtemps plaire et jamais ne lasser ? 5
Faites choix d'un héros propre à m'intéresser,
En valeur éclatant, en vertus magnifique;
Qu'en lui, jusqu'aux défauts, tout se montre héroïque,
Que ses faits surprenants soient dignes d'être ouïs;
Qu'il soit tel que César, Alexandre, ou Louis . . . 10

ÉPITRE IV

2. Le passage du Rhin, 1672

Au roi

[C'est l'épître célèbre décrivant le passage du Rhin. C'est une excellente illustration du style « mythologique » que Boileau préconisait. C'est aussi un bon exemple de cette poésie du XVIIe siècle destinée à chanter les louanges du grand Roi.[2]

Le passage du Rhin fut l'événement initial de la guerre de Hollande (1672–1678). Louis XIV était là en personne, et pour l'honorer, les poètes en amplifièrent l'importance. Napoléon l'appela « une opération militaire de quatrième ordre. » Louis XIV — qui était du reste accompagné de Condé et de Turenne, les vrais chefs de l'armée — avait avec lui 15,000 hommes; l'ennemi n'en avait que 1000; et le fleuve est guéable en cet endroit.]

. . . .

[1] Guerrier franc du VIIIe siècle, dont les chroniqueurs font un frère de Charlemagne, et dont un obscur contemporain de Boileau, le poète Carel de Sainte-Garde, a fait le héros de son poème épique: *Les Sarrasins chassés de France.*

[2] Pendant soixante années on proposa à l'Académie française pour les concours be poésie et d'éloquence, *l'Éloge du Roi.* (Voir un autre exemple, p. 136, de ce livre, l'Ode de Perrault. *Le siècle de Louis le Grand.*)

Au pied du mont Adule,[1] entre mille roseaux,
Le Rhin, tranquille, et fier du progrès de ses eaux,
Appuyé d'une main sur son urne penchante,
Dormait au bruit flatteur de son onde naissante,
5 Lorsqu'un cri, tout à coup suivi de mille cris,
Vient d'un calme si doux retirer ses esprits.
Il se trouble; il regarde; et partout sur ses rives
Il voit fuir à grands pas ses Naïades craintives,
Qui toutes, accourant vers leur humide Roi,
10 Par un récit affreux redoublent son effroi:
Il apprend qu'un héros,[2] conduit par la Victoire,
A de ses bords fameux flétri l'antique gloire;
Que Rhinberg et Wesel,[3] terrassés en deux jours,
D'un joug déjà prochain menacent tout son cours.
15 « Nous l'avons vu, dit l'une, affronter la tempête
De cent foudres [4] d'airain tournés contre sa tête;
Il marche vers Tholus [5]; et tes flots en courroux
Au prix de sa fureur sont tranquilles et doux.
Il a de Jupiter la taille et le visage;
20 Et, depuis ce Romain,[6] dont l'insolent passage
Sur un pont, en deux jours, trompa tous tes efforts,
Jamais rien de si grand n'a paru sur tes bords. »
Le Rhin tremble et frémit à ces tristes nouvelles;
Le feu sort à travers ses humides prunelles:
25 « C'est donc trop peu, dit-il, que l'Escaut [7] en deux mois

[1] Saint-Gothard, où le Rhin prend sa source. [2] Louis XIV.

[3] Villes où Louis a effectué le passage du Rhin.

[4] Boileau s'est vanté d'avoir le premier chanté dans la langue noble de la poésie, la poudre et les canons.

[5] Boileau a fait ici, du nom commun hollandais Toll Huys (anglais Toll-house), maison de péage, un nom d'endroit.

[6] Jules César passa le Rhin en 55 av. J.-C.

[7] Affluent du Rhin dans la Flandre française, province annexée à la couronne de France, après la Guerre de Dévolution contre l'Es-

Ait appris à couler sous de nouvelles lois;
Et de mille remparts mon onde environnée
De ces fleuves sans nom suivra la destinée !
Ah ! périssent mes eaux ! ou par d'illustres coups
Montrons qui doit céder, des mortels ou de nous ! » 5
A ces mots, essuyant sa barbe limoneuse,
Il prend d'un vieux guerrier la figure poudreuse;
Son front cicatrisé rend son air furieux;
Et l'ardeur du combat étincelle en ses yeux.
En ce moment il part; et, couvert d'une nue, 10
Du fameux fort de Skink prend la route connue.
Là, contemplant son cours, il voit de toutes parts
Ses pâles défenseurs par la frayeur épars;
Il voit cent bataillons, qui, loin de se défendre,
Attendent sur des murs l'ennemi pour se rendre. 15
Confus, il les aborde; et, renforçant sa voix:
« Grands arbitres,[1] dit-il, des querelles des rois,
Est-ce ainsi que votre âme, aux périls aguerrie,
Soutient sur ces remparts l'honneur et la patrie [2] ?
Votre ennemi superbe, en cet instant fameux, 20
Du Rhin, près de Tholus, fend les flots écumeux:
Du moins, en vous montrant sur la rive opposée,

---

pagne. Par hérédité, Marie-Thérèse, fille par un premier mariage de Philippe IV d'Espagne (mort 1665), et reine de France, avait droit à la Flandre — qui lui fut « dévolue » par le Traité d'Aix-la-Chapelle (1668).

[1] Les Hollandais s'étaient adjugé ce rôle « d'arbitres des querelles du roi »; ils avaient commémoré leur intervention dans la guerre de Louis XIV contre l'Espagne par une médaille frappée après le Traité d'Aix-la-Chapelle (1668), et portant ces mots en latin: « Les rois ayant été soutenus, défendus et rapprochés. » C'était pour la punir de cette intervention que Louis leur avait déclaré la guerre quatre ans plus tard. Boileau rappelle ironiquement cet incident.

[2] Il y avait sur les drapeaux des Hollandais: *Pro Honore et Patria.*

N'oseriez-vous saisir une victoire aisée ?
Allez, vils combattants, inutiles soldats,
Laissez là ces mousquets, trop pesants pour vos bras,
Et, la faux à la main, parmi vos marécages,
5 Allez couper vos joncs et presser vos laitages;
Ou, gardant les seuls bords qui vous peuvent couvrir,
Avec moi, de ce pas, venez vaincre ou mourir. »
Ce discours d'un guerrier que la colère enflamme
Ressuscite l'honneur déjà mort en leur âme;
10 Et, leurs cœurs s'allumant d'un reste de chaleur,
La honte fait en eux l'effet de la valeur.
Ils marchent droit au fleuve, où Louis en personne,
Déjà prêt à passer, instruit, dispose, ordonne.
Par son ordre Gramont,[1] le premier, dans les flots
15 S'avance, soutenu des regards du héros:
Son coursier, écumant sous son maître intrépide,
Nage, tout orgueilleux de la main qui le guide.
Revel [2] le suit de près: sous ce chef redouté
Marche des cuirassiers l'escadron indompté.
20 Mais déjà, devant eux, une chaleur guerrière
Emporte loin du bord le bouillant Lesdiguière,
Vivonne, Nantouillet, et Coislin, et Salart [2];
Chacun d'eux au péril veut la première part.
Vendôme,[3] que soutient l'orgueil de sa naissance,
25 Au même instant dans l'onde, impatient, s'élance.
La Salle, Beringhen, Nogent, d'Ambre, Cavois,[2]
Fendent les flots tremblant sous un si noble poids.

[1] Voir plus bas la lettre de Mme de Sévigné du 3 juillet 1672.

[2] Officiers de Louis XIV. C'est le duc de Vivonne qui avait présenté Boileau à Louis XIV.

[3] Le Chevalier de Vendôme, descendant de Henri IV. Il n'avait alors que dix-sept ans.

Louis,[1] les animant du feu de son courage,
Se plaint de sa grandeur qui l'attache au rivage.
Par ses soins cependant, trente légers vaisseaux
D'un tranchant aviron déjà coupent les eaux;
Cent guerriers s'y jetant signalent leur audace; 5
Le Rhin les voit d'un œil qui porte la menace;
Il s'avance en courroux. Le plomb vole à l'instant,
Et pleut de toutes parts sur l'escadron flottant;
Du salpêtre[2] en fureur l'air s'échauffe et s'allume,
Et des coups redoublés tout le rivage fume; 10
Déjà, du plomb mortel plus d'un brave est atteint;
Sous les fougueux coursiers l'onde écume et se plaint.
De tant de coups affreux la tempête orageuse
Tient un temps sur les eaux la fortune douteuse;
Mais Louis d'un regard sait bientôt la fixer; 15
Le destin à ses yeux n'oserait balancer.
Bientôt, avec Gramont, courent Mars et Bellone:
Le Rhin à leur aspect d'épouvante frissonne,
Quand, pour nouvelle alarme à ses esprits glacés,
Un bruit s'épand qu'Enghien et Condé sont passés: 20
Condé, dont le seul nom fait tomber les murailles,
Force les escadrons, et gagne les batailles !
Enghien, de son hymen le seul et digne fruit,
Par lui dès son enfance à la victoire instruit !
L'ennemi renversé fuit et gagne la plaine; 25
Le dieu lui-même cède au torrent qui l'entraîne;
Et seul désespéré, pleurant ses vains efforts,
Abandonne à Louis la victoire et ses bords . . .

[1] Le roi passa en bateau. Il avait fait amener un grand nombre de bateaux en vue de ce passage du Rnin.

[2] Pour *poudre à canon*, qui est un mélange de *salpêtre*, de charbon et de soufre.

3. A son esprit, 1668

SATIRE IX

[Boileau avait attaqué très franchement et très courageusement beaucoup de mauvais poètes, et ceux-ci — souvent des hommes influents — donnèrent cours à leur colère et lancèrent des accusations irritées contre lui. Boileau leur fait cette ingénieuse réponse, où ayant l'air de s'accuser lui-même, il le fait de telle façon que la plaisanterie retombe toujours sur ses ennemis.

La *Satire* est présentée sous forme d'un discours de Boileau à son Esprit auquel il reproche de l'avoir par ses traits de satire exposé à beaucoup de désagréments. Il reconnaît modestement que lui-même n'est pas un poète original, mais prétend qu'on peut détester de mauvais vers sans en faire soi-même de bons; et que la satire a son utilité.]

C'est à vous, mon Esprit, à qui je veux parler:
Vous avez des défauts que je ne puis celer;
Assez et trop longtemps ma lâche complaisance
De vos jeux criminels a nourri l'insolence;
5 Mais, puisque vous poussez ma patience à bout,
Une fois en ma vie il faut vous dire tout.
On croirait, à vous voir, dans vos libres caprices,
Discourir en Caton des vertus et des vices,
Décider du mérite et du prix des auteurs,
10 Et faire impunément la leçon aux docteurs,[1]
Qu'étant seul à couvert des traits de la satire,
Vous avez tout pouvoir de parler et d'écrire;
Mais, moi, qui dans le fond sais bien ce que j'en crois,
Qui compte tous les jours vos défauts par mes doigts,
15 Je ris, quand je vous vois, si faible et si stérile,
Prendre sur vous le soin de réformer la ville,
Dans vos discours chagrins plus aigre, et plus mordant

[1] La *Satire VIII* (1667) est dédiée à M. Morel, docteur de Sorbonne.

Qu'une femme en furie, ou Gautier [1] en plaidant.
Mais, répondez un peu: Quelle verve indiscrète
Sans l'aveu des neuf Sœurs vous a rendu poète ?
Sentiez-vous, dites-moi, ces violents transports
Qui d'un esprit divin font mouvoir les ressorts ? 5
Qui vous a pu souffler une si folle audace ?
Phébus a-t-il pour vous aplani le Parnasse ?
Et ne savez-vous pas que, sur ce mont sacré,
Qui ne vole au sommet tombe au plus bas degré,
Et qu'à moins d'être au rang d'Horace ou de Voiture,[2] 10
On rampe dans la fange avec l'abbé de Pure [3] ?
Que si tous mes efforts ne peuvent réprimer
Cet ascendant malin qui vous force à rimer,
Sans perdre en vains discours tout le fruit de vos veilles,
Osez chanter du Roi les augustes merveilles: 15
Là, mettant à profit vos caprices divers,
Vous verriez tous les ans fructifier vos vers,
Et, par l'espoir du gain votre Muse animée
Vendrait au poids de l'or une once de fumée.
Mais en vain, direz-vous, je pense vous tenter 20
Par l'éclat d'un fardeau trop pesant à porter:
Tout chantre ne peut pas, sur le ton d'un Orphée,
Entonner en grands vers la Discorde étouffée;
Peindre Bellone en feu tonnant de toutes parts,
Et le Belge effrayé fuyant sur ses remparts.[4] 25

[1] Avocat célèbre alors à Paris, qui excellait à diffamer la partie adverse; on l'appelait « Gautier la gueule » à cause de sa forte voix.

[2] Boileau, croyait-il vraiment à la grandeur de Voiture, ou est-ce encore une critique de l'Hôtel de Rambouillet qui donnait tant d'importance aux frivolités de celui-ci ?

[3] Auteur d'un roman *La précieuse ou le mystère de la ruelle* (1656); avait écrit contre Boileau (1634–1680).

[4] Guerre contre l'Espagne (1667-1668), campagne de Flandres.

Sur un ton si hardi, sans être téméraire,
Racan [1] pourrait chanter au défaut d'un Homère;
Mais, pour Cotin [2] et moi, qui rimons au hasard,
Que l'amour de blâmer fit poètes par art,
5 Quoiqu'un tas de grimauds vante notre éloquence,
Le plus sûr est pour nous de garder le silence.
Un poème insipide et sottement flatteur
Déshonore à la fois le héros et l'auteur;
Enfin, de tels projets passent notre faiblesse.
10 Ainsi parle un esprit languissant de mollesse,
Qui, sous l'humble dehors d'un respect affecté,
Cache le noir venin de la malignité.
Mais, dussiez-vous en l'air voir vos ailes fondues,
Ne valait-il pas mieux vous perdre dans les nues
15 Que d'aller sans raison, d'un style peu chrétien,
Faire insulte en rimant à qui ne vous dit rien,
Et, du bruit dangereux d'un livre téméraire,
A vos propres périls, enrichir le libraire [3] ?
Vous vous flattez, peut-être, en votre vanité,
20 D'aller, comme un Horace, à l'immortalité;
Et déja, vous croyez, dans vos rimes obscures,
Aux Saumaises [4] futurs préparer des tortures.
Mais, combien d'écrivains, d'abord si bien reçus,
Sont de ce fol espoir honteusement déçus !

[1] Disciple de Malherbe, partant admiré de Boileau.

[2] L'abbé Cotin, habitué de l'Hôtel de Rambouillet; le Trissotin des *Femmes savantes* de Molière; auteur de *Des préaux ou la satire des satires* dirigée contre Boileau (1666). Voir un madrigal de Cotin, p. 67.

[3] A cette époque les écrivains laissaient aux libraires les profits de leurs œuvres; du reste ils étaient presque tous pensionnaires du roi ou des grands de la cour.

[4] Célèbre commentateur (1588–1658). Ne pas confondre avec Somaize, auteur du *Dictionnaire des précieuses*.

Combien, pour quelques mois, ont vu fleurir leur livre,
Dont les vers en paquet se vendent à la livre [1] . . .
Mais, je veux que le sort, par un heureux caprice,
Fasse de vos écrits prospérer la malice,
Et qu'enfin, votre livre aille, au gré de vos vœux, 5
Faire siffler Cotin chez nos derniers neveux:
Que vous sert-il qu'un jour l'avenir vous estime,
Si vos vers aujourd'hui vous tiennent lieu de crime,
Et ne produisent rien, pour fruit de leurs bons mots,
Que l'effroi du public et la haine des sots ? 10
Quel démon vous irrite, et vous porte à médire ?
Un livre vous déplaît: qui vous force à le lire ?
Laissez mourir un fat dans son obscurité.
Un auteur ne peut-il pourrir en sûreté ?
Le *Jonas* inconnu sèche dans la poussière; 15
Le *David* imprimé n'a point vu la lumière;
Le *Moïse* [2] commence à moisir par les bords;
Quel mal cela fait-il ? Ceux qui sont morts sont morts !
Le tombeau contre vous ne peut-il les défendre ?
Et, qu'ont fait tant d'auteurs pour remuer leur cendre ? 20
Que vous ont fait Perrin, Bardin, Pradon, Haynaut,
Colletet, Pelletier, Titreville, Quinault,[3]

[1] En France encore aujourd'hui les boutiquiers enveloppent leurs marchandises dans des sacs de papier faits de vieux livres ou journaux.

[2] *Jonas, ou Ninive pénitente*, poème biblique, par Coras (1663) *David*, poème de Las Fargues (1660). *Moïse sauvé*, poème de Saint-Amant (1653).

[3] L'abbé Perrin, traducteur de l'*Énéide*, premier directeur de l'Opéra qu'il avait fondé en 1669. Bardin, auteur de *Pensées morales sur l'Ecclésiaste*. Pradon, rival de Racine (voir *Épître VII* de Boileau). Haynaut, ami de Molière, auteur de quelques sonnets. Colletet, fils d'un des cinq collaborateurs au service de Richelieu. Pelletier, rimeur souvent attaqué par Boileau. Titreville, « Poète décrié » (note de Boileau): c'est tout ce qu'on sait de lui. Quinault, auteur de dix-sept tragédies, attaquées violemment par notre critique.

Dont les noms, en cent lieux, placés comme en leurs niches,
Vont de vos vers malins remplir les hémistiches ?
Ce qu'ils font vous ennuie . . . O le plaisant détour !
Ils ont bien ennuyé le Roi, toute la cour,
5 Sans que le moindre édit ait, pour punir leur crime,
Retranché les auteurs ou supprimé la rime . . .
Mais, vous, qui raffinez sur les écrits des autres,
De quel œil pensez-vous qu'on regarde les vôtres ?
Il n'est rien en ce temps à couvert de vos coups,
10 Mais savez-vous aussi comme on parle de vous ?
« Gardez-vous, dira l'un, de cet esprit critique:
On ne sait bien souvent quelle mouche le pique.
Mais c'est un jeune fou [1] qui se croit tout permis,
Et qui, pour un bon mot, va perdre vingt amis.
15 Il ne pardonne pas aux vers de *la Pucelle*,[2]
Et croit régler le monde au gré de sa cervelle . . .
Mais, lui, qui fait ici le régent du Parnasse,
N'est qu'un gueux revêtu des dépouilles d'Horace ! »

. . . .

[Boileau maintenant va faire parler tout à fait l'Esprit lui-même: Quel est mon crime ? demande celui-ci. Oui, si j'avais « joué d'adresse, » et si j'avais « avec respect enfoncé le poignard, » j'aurais eu moins de furieux contre moi; j'aurais « médit avec art »; mais à la médisance, je préfère la franchise. Et je ne réclame que mon droit, qui est le droit de chacun. En effet:]

20 . . . de blâmer des vers ou durs, ou languissants,
De choquer un auteur qui choque le bon sens,
De railler d'un plaisant qui ne sait pas nous plaire,
C'est ce que tout lecteur eut toujours droit de faire.

Le style de Quinault était très sentimental et c'est ce qui explique la comparaison ironique que Boileau suggère au vers 228 avec Virgile. P. 129, l. 2.

[1] Boileau avait alors trente et un ans.

[2] *La pucelle, ou France délivrée*, poème épique de Chapelain; 12 premiers chants, 1656. Voir note 2, p. 126.

Tous les jours, à la cour, un sot de qualité
Peut juger de travers avec impunité,
A Malherbe, à Racan, préférer Théophile,[1]
Et le clinquant du Tasse [2] à tout l'or de Virgile.
Un clerc, pour quinze sous, sans craindre le holà, 5
Peut aller au parterre attaquer *Attila*,[3]
Et, si le roi des Huns ne lui charme l'oreille,
Traiter de Visigoth [4] tous les vers de Corneille.
Il n'est valet d'auteur, ni copiste à Paris,
Qui, la balance en main, ne pèse les écrits. 10
Dès que l'impression fait éclore un poète,
Il est esclave né de quiconque l'achète;
Il se soumet lui-même aux caprices d'autrui,
Et ses écrits tout seuls doivent parler pour lui;
Un auteur, à genoux, dans une humble préface, 15
Au lecteur qu'il ennuie a beau demander grâce;
Il ne gagnera rien sur ce juge irrité,
Qui lui fait son procès de pleine autorité.
Et je serai le seul qui ne pourrai rien dire !...
On sera ridicule, et je n'oserai rire ! 20
Et qu'ont produit mes vers de si pernicieux,
Pour armer contre moi tant d'auteurs furieux ?
Loin de les décrier, je les ai fait paraître;
Et souvent, sans ces vers qui les ont fait connaître,
Leur talent dans l'oubli demeurerait caché. 25

[1] Théophile de Viau, un des poètes qui se sont révoltés contre Malherbe. Voir plus haut, Chap. I, § ii.

[2] Boileau était choqué de l'emploi du merveilleux chrétien dans la *Jérusalem délivrée*. Voir p. 113, vers 21 ss.

[3] Tragédie de Corneille (1667), l'année même de cette satire.

[4] Goths (Ostrogoths — de l'Est, Visigoths — de l'Ouest), peuples de l'Europe centrale qui avaient envahi l'Empire Romain, et dont les noms étaient synonymes de barbares.

Et qui saurait sans moi que Cotin a prêché ?
La satire ne sert qu'à rendre un fat illustre;
C'est une ombre au tableau, qui lui donne du lustre;
En les blâmant enfin j'ai dit ce que j'en crois,
5 Et tel qui m'en reprend en pense autant que moi.
« Il a tort, dira l'un; pourquoi faut-il qu'il nomme ?
Attaquer Chapelain ! ah ! c'est un si bon homme !
Balzac [1] en fait l'éloge en cent endroits divers.
Il est vrai, s'il m'eût cru, qu'il n'eût point fait de vers.
10 Il se tue à rimer: que n'écrit-il en prose ? »
Voilà ce que l'on dit. Et que dis-je autre chose ?
En blâmant ses écrits, ai-je, d'un style affreux,
Distillé sur sa vie un venin dangereux ?
Ma Muse, en l'attaquant, charitable et discrète,
15 Sait de l'homme d'honneur distinguer le poète.
Qu'on vante en lui la foi, l'honneur, la probité;
Qu'on prise sa candeur et sa civilité;
Qu'il soit doux, complaisant, officieux, sincère;
On le veut, j'y souscris, et suis prêt de me taire.
20 Mais, que pour un modèle on montre ses écrits;
Qu'il soit le mieux renté de tous les beaux esprits; [2]
Comme roi des auteurs, qu'on l'élève à l'empire;
Ma bile alors s'échauffe, et je brûle d'écrire,
Et, s'il ne m'est permis de le dire au papier,
25 J'irai creuser la terre, et, comme ce barbier,
Faire dire aux roseaux par un nouvel organe:

[1] Un grand nombre des lettres de Balzac sont adressées à Chapelain.

[2] Chapelain, prétendait-on, avait environ 8000 livres de pension provenant de diverses sources. Il avait été chargé par son ami Colbert au nom de Richelieu, d'établir la liste des pensions royales aux écrivains. Il s'inscrivit en tête avec cette mention; « Le plus grand poète français qui ait jamais été et du plus solide jugement. »

« Midas, le roi Midas a des oreilles d'âne. »
Quel tort lui fais-je enfin ? Ai-je par un écrit
Pétrifié sa veine et glacé son esprit ?
Quand un livre au Palais [1] se vend et se débite,
Que chacun par ses yeux juge de son mérite, 5
Que Bilaine [2] l'étale au deuxième pilier,
Le dégoût d'un censeur peut-il le décrier ?
En vain, contre le *Cid* [3] un ministre se ligue;
Tout Paris pour Chimène a les yeux de Rodrigue:
L'Académie en corps a beau le censurer, 10
Le public révolté s'obstine à l'admirer.
Mais, lorsque Chapelain met une œuvre en lumière,
Chaque lecteur d'abord lui devient un Linière; [4]
En vain, il a reçu l'encens de mille auteurs,
Son livre en paraissant dément tous ses flatteurs... 15
La Satire, dit-on, est un métier funeste,
Qui plaît à quelques gens, et choque tout le reste;...
Quittez ces vains plaisirs dont l'appât vous abuse,
A de plus doux emplois occupez votre Muse;
Et laissez à Feuillet [5] réformer l'univers. 20

[1] Le Palais de Justice; sous les galeries, des libraires avaient leurs boutiques.

[2] Un libraire du Palais.

[3] Les 4 vers suivants rappellent la Querelle du *Cid* (1636). Richelieu, le ministre, avait demandé à l'Académie de donner son verdict dans cette longue querelle soulevée par les rivaux de Corneille; on reprochait à celui-ci, à la fois d'avoir manqué d'observer les règles du genre (par exemple celle des trois unités) et d'avoir fait de Chimène, l'héroïne, une « fille dénaturée » car elle consent à épouser celui qui a tué son père en duel. Richelieu aurait cherché à inspirer un jugement défavorable. Chapelain rédigea les *Sentiments de l'Académie* (1638).

[4] C'est lui qui a dit au sujet de *La pucelle* le mot connu:

Depuis vingt ans on parle d'elle,
Dans dix mois on n'en dira rien.

[5] Prédicateur très sévère.

— Et sur quoi donc faut-il que s'exercent mes vers ?
Irai-je dans une ode, en phrases de Malherbe,
« Troubler dans ses roseaux le Danube superbe;
Délivrer de Sion le peuple gémissant;
5 Faire trembler Memphis, ou pâlir le Croissant » ? . . .
Viendrai-je en une églogue, entouré de troupeaux,
Au milieu de Paris enfler mes chalumeaux,
Et, dans mon cabinet assis au pied des hêtres,
Faire dire aux échos des sottises champêtres ?
10 Faudra-t-il de sens froid, et sans être amoureux,
Pour quelque Iris en l'air faire le langoureux,
Lui prodiguer les noms de Soleil et d'Aurore,
Et, toujours bien mangeant, mourir par métaphore ?
Je laisse aux doucereux ce langage affété,
15 Où s'endort un esprit de mollesse hébété.
La Satire, en leçons, en nouveautés fertile,
Sait seule assaisonner le plaisant et l'utile,
Et, d'un vers qu'elle épure aux rayons du bon sens,
Détromper les esprits des erreurs de leur temps.
20 Elle seule, bravant l'orgueil et l'injustice,
Va jusque sous le dais faire pâlir le vice;
Et souvent sans rien craindre, à l'aide d'un bon mot,
Va venger la raison des attentats d'un sot . . .
C'est elle, qui m'ouvrant le chemin qu'il faut suivre,
25 M'inspira dès quinze ans la haine d'un sot livre;
Et sur ce Mont fameux,[1] où j'osai la chercher,
Fortifia mes pas et m'apprit à marcher.
C'est pour elle, en un mot, que j'ai fait vœu d'écrire.
Toutefois, s'il le faut, je veux bien m'en dédire,
30 Et, pour calmer enfin tous ces flots d'ennemis,
Réparer en mes vers les maux qu'il ont commis.

[1] L'Hélicon, la montagne des Muses, en Grèce.

Puisque vous le voulez, je vais changer de style.
Je le déclare donc: Quinault est un Virgile;
Pradon comme un soleil en nos ans a paru;
Pelletier écrit mieux qu'Ablancourt, ni Patru [1].
Cotin, à ses sermons traînant toute la terre, 5
Fend des flots d'auditeurs pour aller à sa chaire;
Saufal [2] est le phénix des esprits relevés;
Perrin ... « Bon, mon esprit ! courage ! poursuivez !
Mais, ne voyez-vous pas que leur troupe en furie
Va prendre encor ces vers pour une raillerie ? 10
Et Dieu sait, aussitôt, que d'auteurs en courroux,
Que de rimeurs blessés, s'en vont fondre sur vous !
Vous les verrez bientôt, féconds en impostures,
Amasser contre vous des volumes d'injures,
Traiter en vos écrits chaque vers d'attentat, 15
Et d'un mot innocent faire un crime d'État. [3]
Vous aurez beau vanter le Roi dans vos ouvrages,
Et de ce nom sacré sanctifier vos pages,
Qui méprise Cotin n'estime point son Roi,
Et n'a, selon Cotin, ni Dieu, ni foi, ni loi ... » 20

4. De l'utilité des ennemis, 1677

ÉPITRE VII

A M. Racine

[Racine avait des ennemis à la cour. Le duc de Nevers et la duchesse de Bouillon essayèrent de faire échouer sa *Phèdre*. Ils de-

---

[1] Ablancourt, traducteur d'auteurs grecs et latins. On appelait ses traductions « Les belles infidèles. » Patru, avocat éloquent, ami de Boileau.

[2] Avocat, et l'auteur des *Antiquités de la ville de Paris*.

[3] Note de Boileau: « Cotin dans un de ses écrits m'accusait d'être criminel de lèse-majesté divine et humaine. »

mandèrent à Pradon, auteur dramatique, d'écrire une pièce sur le même sujet de la passion de Phèdre pour Hippolyte; puis ils louèrent les places des deux théâtres, laissant vide la salle où on représentait la pièce de Racine, et remplissant celle où on représentait la pièce de Pradon d'un public chargé d'applaudir. — Dès que la tragédie de Racine fut représentée dans les circonstances normales, elle l'emporta facilement sur celle de son rival. Racine n'en fut pas moins profondément affecté. On a longtemps pensé que cet épisode de la *cabale de Phèdre* avait été la cause déterminante de la retraite de Racine du théâtre.]

Que tu sais bien, Racine, à l'aide d'un acteur,
Émouvoir, étonner, ravir un spectateur !
Jamais Iphigénie en Aulide [1] immolée
N'a coûté tant de pleurs à la Grèce assemblée,
5 Que, dans l'heureux spectacle à nos yeux étalé,
En a fait sous son nom verser la Champmeslé.[2]
Ne crois pas toutefois, par tes savants ouvrages,
Entraînant tous les cœurs, gagner tous les suffrages !
Sitôt que d'Apollon un génie inspiré,
10 Trouve loin du vulgaire un chemin ignoré,
En cent lieux contre lui les cabales s'amassent;
Ses rivaux obscurcis autour de lui croassent;
Et son trop de lumière, importunant les yeux,
De ses propres amis lui fait des envieux.
15 La mort seule ici-bas, en terminant sa vie,
Peut calmer sur son nom l'injustice et l'envie;
Faire au poids du bon sens peser tous ses écrits;
Et donner à ses vers leur légitime prix.
Avant qu'un peu de terre, obtenu par prière,
20 Pour jamais sous la tombe eût enfermé Molière,[3]

[1] La tragédie de Racine est de 1674. Rotrou en avait fait une en 1640. Celle d'Euripide était du ve siècle av. J.-C.

[2] La célèbre actrice créa plusieurs rôles de Racine (1644–1698).

[3] L'autorité avait (1673) refusé la permission d'inhumer Molière en terre sacrée, les comédiens étant considérés comme excommuniés. Louis XIV avait dû intervenir auprès de l'archevêque de Paris.

Mille de ces beaux traits, aujourd'hui si vantés,
Furent des sots esprits à nos yeux rebutés.
L'ignorance et l'erreur, à ses naissantes pièces,
En habits de marquis, en robes de comtesses,
Venaient pour diffamer son chef-d'œuvre nouveau, 5
Et secouaient la tête à l'endroit le plus beau.
Le commandeur voulait la scène plus exacte; [1]
Le vicomte, indigné, sortait au second acte;
L'un, défenseur zélé des bigots mis en jeu,
Pour prix de ses bons mots le condamnait au feu; 10
L'autre, fougueux marquis, lui déclarant la guerre,
Voulait venger la cour immolée au parterre,
Mais, sitôt que d'un trait de ses fatales mains
La Parque l'eut rayé du nombre des humains,
On reconnut le prix de sa Muse éclipsée. 15
L'aimable Comédie, avec lui terrassée,
En vain d'un coup si rude espéra revenir,
Et sur ses brodequins [2] ne put plus se tenir.
Tel fut chez nous le sort du théâtre comique.
  Toi donc, qui t'élevant sur la scène tragique, 20
Suis les pas de Sophocle, et, seul de tant d'esprits,
De Corneille vieilli sais consoler Paris,[3]
Cesse de t'étonner, si l'envie animée,
Attachant à ton nom sa rouille envenimée,
La calomnie en main, quelquefois te poursuit. 25
En cela, comme en tout, le Ciel qui nous conduit,

[1] Ces vers, 24 et ss., font allusion aux protestations suscitées à propos des comédies de Molière, surtout des *Précieuses ridicules* (1659), de *L'école des femmes* (1664) de *Tartuffe* (1665–1669), de *Don Juan* (1665), du *Misanthrope* (1666).

[2] Nom des chaussures portées par les acteurs de la comédie antique: chausser le brodequin = jouer la comédie.

[3] Corneille (1606–1684). Sa dernière tragédie, *Suréna* (1674).

Racine, fait briller sa profonde sagesse.
Le mérite en repos s'endort dans la paresse;
Mais, par les envieux un génie excité,
Au comble de son art est mille fois monté;
5 Plus on veut l'affaiblir, plus il croît et s'élance;
Au *Cid* persécuté *Cinna*[1] doit sa naissance;
Et, peut-être, ta plume, aux censeurs de Pyrrhus
Doit les plus nobles traits dont tu peignis Burrhus.[2]
Moi-même, dont la gloire ici moins répandue
10 Des pâles envieux ne blesse point la vue,
Mais qu'une humeur trop libre, un esprit peu soumis,
De bonne heure a pourvu d'utiles ennemis,
Je dois plus à leur haine, il faut que je l'avoue,
Qu'au faible et vain talent dont la France me loue.
15 Leur venin, qui sur moi brûle de s'épancher,[3]
Tous les jours, en marchant, m'empêche de broncher;
Je songe, à chaque trait que ma plume hasarde,
Que d'un œil dangereux leur troupe me regarde;
Je sais sur leur avis corriger mes erreurs,
20 Et je mets à profit leurs malignes fureurs . . .
Imite mon exemple; et, lorsqu'une cabale,
Un flot de vains auteurs, follement te ravale,
Profite de leur haine et de leur mauvais sens.
Ris du bruit passager de leurs cris impuissants:
25 Que peut contre tes vers une ignorance vaine?
Le Parnasse français, ennobli par ta veine,
Contre tous ces complots saura te maintenir,
Et soulever pour toi l'équitable avenir.

[1] *Le Cid* (1636); *Cinna* (1640). Voir page 127, note 3.

[2] Pyrrhus, personnage d'*Andromaque* (1667). Boileau lui avait reproché d'être trop galant, « un héros à la Scudéry. » Burrhus, personnage de *Britannicus* (1669).

[3] Voir *Satire IX* de Boileau, *A son esprit*.

Et qui, voyant un jour la douleur vertueuse
De Phèdre, malgré soi perfide, incestueuse,
D'un si noble travail justement étonné,
Ne bénira d'abord le siècle fortuné
Qui, rendu plus fameux par tes illustres veilles, 5
Vit naître sous ta main ces pompeuses merveilles ?
Cependant, laisse ici gronder quelques censeurs
Qu'aigrissent de tes vers les charmantes douceurs.
Et qu'importe à nos vers que Perrin [1] les admire,
Que l'auteur du *Jonas* [2] s'empresse pour les lire; 10
Qu'ils charment de Senlis le poète idiot,[3]
Ou le sec traducteur du français d'Amyot [4];
Pourvu qu'avec éclat leurs rimes débitées
Soient du peuple, des grands, des provinces goûtées;
Pourvu qu'ils puissent plaire au plus puissant des rois; 15
Qu'à Chantilly [5] Condé les souffre quelquefois,
Qu'Enghien en soit touché; que Colbert et Vivonne,[6]
Que La Rochefoucauld, Marsillac, et Pomponne,[7]
Et mille autres qu'ici je ne puis faire entrer,
A leurs traits délicats se laissent pénétrer ?
Et, plût au ciel encor, pour couronner l'ouvrage,

[1] Voir note 3, p. 123.
[2] L'auteur en est Coras. Voir une autre attaque contre ce poète, *Satire IX;* p. 123, l. 15.
[3] Le « poète idiot » était Linière; voir note 4, p. 127.
[4] L'Abbé Tallemant, frère de Tallemant-des-Réaux, avait *traduit* Amyot, premier traducteur français de Plutarque.
[5] Le grand Condé et son fils, le duc d'Enghien, avaient leur château à Chantilly.
[6] Colbert, ministre des Finances de Louis XIV. Vivonne, voir ci-dessus *Passage du Rhin*, note 2, p. 118.
[7] La Rochefoucauld, auteur des *Maximes*, voir chap. X. Marsillac, fils de La Rochefoucauld. Marquis de Pomponne, ministre de Louis XIV.

Que Montausier [1] voulût leur donner son suffrage !
C'est à de tels lecteurs que j'offre mes écrits;
Mais, pour un tas grossier de frivoles esprits,
Admirateurs zélés de toute œuvre insipide,
5 Que, non loin de la place où Brioché [2] préside,
Sans chercher dans les vers ni cadence ni son,
Il s'en aille admirer le savoir de Pradon !

[1] Duc de Montausier, époux de Julie d'Angennes et gouverneur du Dauphin.

[2] Célèbre joueur de marionnettes, logé près de la salle Rue Guénégaud, où les comédiens du Palais-Royal s'étaient réfugiés après la mort de Molière. C'est là que Pradon fit jouer sa *Phèdre*, tandis que celle de Racine se joua à l'Hôtel de Bourgogne.

CHAPITRE QUATRE

QUERELLE DES ANCIENS ET DES MODERNES

[La Renaissance avait renié la littérature française antérieure au XVIe siècle, et professé une admiration enthousiaste pour les auteurs grecs et latins. Le XVIIe siècle hérita de ce culte pour les « Anciens ». Cependant peu à peu, conscient de la valeur des écrivains du temps, on protesta contre cette tendance classique. Après bien des escarmouches la guerre éclata. Le signal fut donné le 26 janvier 1687 à une séance de l'Académie française. Charles Perrault (1628–1703) l'auteur des *Contes de fées*, y lut un poème *Le siècle de Louis le Grand* (632 vers) où il dit nettement que les auteurs « modernes » sont comparables et même supérieurs aux « anciens ». Tout Paris prit feu. Perrault écrivit alors un ouvrage en prose où il expose longuement sa thèse: *Parallèles des Anciens et des Modernes* (1688–1696) — parallèles qui sont toujours en faveur des modernes.

Boileau à son tour reprit la plume (1693) pour affirmer une fois encore ses vieilles croyances littéraires. Il écrivit (1693) ses *Réflexions critiques sur quelques passages du rhéteur Longin* — dont il avait été déjà le traducteur (1674) — et dont la septième nous intéresse beaucoup. Il reprocha surtout à Perrault sa prétention de juger des beautés poétiques d'Homère et de Platon alors que Perrault ne savait pas le grec.

Consulter: — H. Rigault, *L'Histoire de la Querelle des Anciens et des Modernes* (Hachette, 1856, 2° éd. 1857); H. Gillot, *La Querelle des Anciens et des Modernes, de la Défense et Illustration . . . aux Parallèles des Anciens et des Modernes* (Champion, 1914) H. Gillot étend son examen aussi aux autres pays d'Europe; et il a une abondante bibliographie. André Hallays, *Les Perrault* (Perrin 1926). Il y avait quatre frères Perrault, tous hommes de mérite.]

I. CHARLES PERRAULT

1628–1703

1. Le siècle de Louis-le-Grand,[1] 26 janvier 1687

La belle antiquité fut toujours vénérable,
Mais je ne crus jamais qu'elle fût adorable.
Je vois les anciens sans plier les genoux;
Ils sont grands, il est vrai, mais hommes comme nous;
5 Et l'on peut comparer, sans crainte d'être injuste,
Le siècle de Louis au beau siècle d'Auguste.
En quel temps sut-on mieux le dur métier de Mars ?
Quand d'un plus vif assaut força-t-on des remparts ?
Et quand vit-on monter au sommet de la gloire
10 D'un plus rapide cours le char de la victoire ?
Si nous voulions ôter le voile spécieux
Que la prévention nous met devant les yeux,
Et, lassés d'applaudir à mille erreurs grossières,
Nous servir quelquefois de nos propres lumières,
15 Nous verrions clairement que sans témérité
On peut n'adorer pas toute l'antiquité,
Et, qu'enfin, dans nos jours, sans trop de confiance,
On lui peut disputer le prix de la science.

Platon, qui fut divin du temps de nos aïeux,
20 Commence à devenir quelquefois ennuyeux . . .
Chacun sait le décri du fameux Aristote [2],

[1] Le titre de « Louis le Grand » avait été conféré au roi par la ville de Paris, en 1680. Perrault oppose le « siècle de Louis le Grand » au « siècle de Periclés » chez les Grecs, et au « siècle d'Auguste » chez les Romains.

[2] Le philosophe encensé par les théologiens et philosophes du Moyen-âge, et détrôné à l'époque de la Renaissance et (définitivement) par Descartes (voir plus bas, chapitre VI).

En physique moins sûr qu'en histoire Hérodote.[1]
Ses écrits qui charmaient les plus intelligents,
Sont à peine reçus de nos moindres régents . . .

Père de tous les arts, à qui du dieu des vers
Les mystères profonds ont été découverts, 5
Vaste et puissant génie, inimitable Homère,
D'un respect infini ma muse te révère.
Non, ce n'est pas à tort que tes inventions
En tout temps ont charmé toutes les nations . . .
Cependant [2], si le ciel favorable à la France, 10
Au siècle où nous vivons eût remis ta naissance,
Cent défauts qu'on impute au siècle où tu naquis
Ne profaneraient pas tes ouvrages exquis.
Tes superbes guerriers, prodiges de vaillance,
Prêts de s'entrepercer du long fer de leur lance 15
N'auraient pas si longtemps tenu le bras levé;
Et lorsque le combat devrait être achevé,
Ennuyé les lecteurs d'une longue préface,
Sur les faits éclatants des héros de leur race . . .
Ménandre,[3] j'en conviens, eut un rare génie 20
Et, pour plaire au théâtre, une adresse infinie.
Virgile, j'y consens, mérite des autels;
Ovide est digne encor des honneurs immortels.
Mais ces rares auteurs qu'aujourd'hui l'on adore,
Étaient-ils adorés quand ils vivaient encore ? . . . 25
Les Régniers, les Maynards, les Gombaulds,[4] les Malherbes,

[1] L'historien grec (Ve siècle av. J.-C.), souvent appelé le « Père de l'histoire, » et dont la crédulité était légendaire.

[2] L'attaque des vers suivants sera développée dans les *Parallèles des Anciens et des Modernes*. Voir plus bas, IVe *Dialogue*, § ii; p. 144 s.

[3] Poète comique grec (IVe siècle av. J.-C.) Ses œuvres du reste, sont perdues.

[4] Gombault (1580–1666) . . . Godeau (1605–1672), tous deux

Les Godeaux, les Racans dont les écrits superbes,
En sortant de leur veine et dès qu'ils furent nés,
D'un laurier immortel se virent couronnés !
Combien seront chéris par les races futures
5 Les galants Sarrasins [1] et les tendres Voitures,
Les Molières naïfs, les Rotrous, les Tristans [2]
Et cent autres encor, délices de leur temps !
Mais quel sera le sort du célèbre Corneille,
Du théâtre français l'honneur et la merveille
10 Qui sut si bien mêler aux grands événements
L'héroïque beauté des nobles sentiments ! . . .
Tout art n'est composé que de secrets divers
Qu'aux hommes curieux l'usage a découverts,
Et cet utile amas des choses qu'on invente [3]
15 Sans cesse, chaque jour, ou s'épure ou s'augmente.
Ainsi les humbles toits de nos premiers aïeux
Couverts négligemment de joncs et de glayeux [4]
N'eurent rien de pareil en leur architecture
A nos riches palais d'éternelle structure.

20 Ainsi le jeune chêne en son âge naissant
Ne peut se comparer au chêne vieillissant,
Qui, jetant sur la terre un spacieux ombrage,
Avoisine le ciel de son vaste branchage.

. . . .

membres du groupe d'amis qui se réunissaient chez Conrart, et devinrent des membres fondateurs de l'Académie; et tous deux habitués de l'Hôtel de Rambouillet. Le premier, auteur du drame pastoral, *Amarante* (voir aussi l'*Amarante* de la *Guirlande de Julie*); le second, évêque de Vannes, auteur de *Saint-Paul*, poème religieux.

[1] Sarrasin (1603–1664), habitué du salon de Mlle de Scudéry, considéré comme un rival de Voiture pour la grâce de son style.

[2] Tristan (1601–1665) auteur de tragédies (*Mariane*, *Mort de Sénèque*, *Mort de Crispe*, etc.) et d'un roman, *Page disgrâcié*.

[3] Allusion aux « inventions » mythologiques. Voir plus haut, *Art poétique*, Chant III.

[4] Glayeux = glaïeuls.

2. Parallèles des Anciens et des Modernes, 1688–1696

Extrait de la PRÉFACE

Rien n'est plus naturel ni plus vraisemblable que d'avoir beaucoup de vénération pour toutes les choses qui, ayant un vrai mérite en elles-mêmes, y joignent encore celui d'être anciennes. C'est ce sentiment si juste et si universel qui redouble l'amour et le respect que nous avons pour 5 nos ancêtres et c'est par là que les lois et les coutumes se rendent encore plus authentiques et plus inviolables. Mais, comme ç'a toujours été le destin des meilleures choses de devenir mauvaises par leurs excès et de le devenir à proportion de leur excellence, souvent cette véné- 10 ration si louable dans ses commencements s'est changée dans la suite en une superstition criminelle et a passé même quelquefois jusqu'à l'idolâtrie. Des Princes extraordinaires par leurs vertus firent le bonheur de leurs peuples et remplirent la terre du bruit de leurs grandes 15 actions: ils furent bénis pendant leur vie et leur mémoire fut révérée de la postérité. Mais, dans la suite des temps, on oublia qu'ils étaient hommes et l'on leur offrit de l'encens et des sacrifices. La même chose est arrivée aux hommes qui ont excellé les premiers dans les arts et dans 20 les sciences. Le respect qu'on eut pour leur mémoire s'augmenta tellement qu'on ne voulut plus rien voir en eux qui se ressentît de la faiblesse humaine, et l'on en consacra tout, jusqu'à leurs défauts. Ce fut assez qu'une chose eût été faite ou dite par ces grands hommes pour 25 être incomparable, et c'est même encore aujourd'hui une espèce de religion parmi quelques savants de préférer la moindre production des anciens aux plus beaux ouvrages de tous les modernes.

J'avoue que j'ai été blessé d'une telle injustice. Il m'a paru tant d'aveuglement dans cette prévention et tant d'ingratitude à ne pas vouloir ouvrir les yeux sur les beautés de nos siècles, à qui le ciel a départi mille lumières 5 qu'il a refusées à toute l'antiquité, que je n'ai pu m'empêcher d'être ému d'une véritable indignation. Ç'a été cette indignation qui a produit le petit poème du *Siècle de Louis-le-Grand* qui fut lu à l'Académie Française . . .

. . . Ce n'est pas à l'occasion des auteurs[1] qui ont écrit 10 contre moi que j'ai travaillé à ces dialogues, ce n'a été que pour désabuser ceux qui ont cru que mon poème n'était qu'un jeu d'esprit, qu'il ne contenait point mes véritables sentiments et que je m'étais diverti à soutenir un paradoxe . . .

Extrait du PREMIER DIALOGUE: *De la prévention en faveur des Anciens.*

15 Michel-Ange, architecte, peintre et sculpteur, mais surtout sculpteur excellent, ne pouvait digérer la préférence continuelle que les prétendus connaisseurs de son temps donnaient aux ouvrages des anciens sculpteurs sur tous ceux des modernes, et d'ailleurs indigné de ce que quel- 20 ques-uns d'entre eux avaient osé lui dire en face que la moindre des figures antiques était cent fois plus belle que tout ce qu'il avait fait et ferait jamais en sa vie, imagina un moyen sûr de les confondre. Il fit secrètement une figure de marbre où il épuisa tout son art et tout son génie. 25 Après l'avoir conduite à sa dernière perfection, il lui cassa un bras, qu'il cacha, et, donnant au reste de la figure par le

[1] Il en a réfuté plusieurs dans les pages de sa Préface qui précèdent.

moyen de certaines teintes rousses qu'il savait faire, la couleur vénérable des sculptures antiques, il alla lui-même la nuit l'enfouir dans un endroit où l'on devait bientôt jeter les fondements d'un édifice. Le temps venu, et les ouvriers ayant trouvé cette figure en fouillant la terre, il 5 se fit un concours de curieux pour admirer cette merveille incomparable. « Voilà la plus belle chose qui se soit jamais vue, » criait-on de tous côtés. « Elle est de Phidias, » disaient les uns. « Elle est de Polyclète, » disaient les autres. « Qu'on est éloigné, disaient-ils tous, de rien 10 faire qui en approche ! Mais quel dommage qu'il lui manque un bras ! car enfin, nous n'avons personne qui puisse restaurer dignement cette figure. » Michel-Ange, qui était accouru comme les autres, eut le plaisir d'entendre les folles exagérations des curieux, et, plus content 15 mille fois de leurs insultes qu'il ne l'aurait été de leurs louanges, dit qu'il avait chez lui un bras de marbre qui peut-être pourrait servir en la place de celui qui manquait. On se mit à rire de cette proposition. Mais on fut bien surpris lorsque, Michel-Ange ayant apporté ce bras 20 et l'ayant présenté à l'épaule de la figure, il s'y joignit parfaitement et fit voir le sculpteur qu'ils estimaient si inférieur aux anciens était le Phidias et le Polyclète de ce chef-d'œuvre.

Extrait du TROISIÈME DIALOGUE: *De l'astronomie, de la géographie, de la navigation, de la physique, de la chimie, des mécaniques et de toutes les autres connaissances, où il est incontestable que nous l'emportons sur les anciens.*

Pourquoi voulez-vous que l'éloquence et la poésie 25 n'aient pas eu besoin d'autant de siècles pour se perfectionner que la physique et l'astronomie ? Le cœur de l'homme, qu'il faut connaître pour le persuader et pour lui plaire, est-il plus aisé à pénétrer que les secrets de la nature, et n'a-t-il pas de tout temps été regardé comme le plus creux de tous les abîmes, où l'on découvre tous les 5 jours quelque chose de nouveau, et dont il n'y a que Dieu seul qui puisse sonder toute la profondeur ? Comme les anciens connaissaient en gros aussi bien que nous les sept planètes et les étoiles les plus remarquables, mais non pas les satellites des planètes et ce grand nombre de 10 petits astres que nous avons découverts, de même ils connaissaient en gros aussi bien que nous les passions de l'âme, mais non pas une infinité de petites affections et de petites circonstances qui les accompagnent, et qui en sont comme les satellites. Ce n'a été que dans ces der-15 niers temps que l'on a fait et dans l'astronomie et dans la morale, ainsi qu'en mille autres choses, ces belles et curieuses découvertes. En un mot, comme l'anatomie a trouvé dans le cœur des conduits, des valvules, des fibres, des mouvements et des symptômes qui ont échappé à la 20 connaissance des anciens, la morale y a aussi trouvé des inclinations, des aversions, des désirs et des dégoûts que les mêmes anciens n'ont jamais connus. Je pourrais vous faire voir ce que j'avance en examinant toutes les passions l'une après l'autre, et vous convaincre qu'il y a mille sen-25 timents délicats sur chacune d'elles dans les ouvrages de nos auteurs, dans leurs traités de morale, dans leurs tragédies, dans leurs romans, dans leurs pièces d'éloquence, qui ne se rencontrent point chez les anciens.[1]

[1] Un autre défenseur de la cause des Modernes ne sera pas d'accord sur ce point avec Perrault. Voir *Eighteenth Century French Readings* (Holt & Co.), Chapitre *Les Précurseurs*, *Fontenelle* (p. 82–4): *Digression sur les Anciens et les Modernes.*

Extraits du QUATRIÈME DIALOGUE

I. *Le Merveilleux Chrétien est légitime. Il n'y a « aucune indécence » à décrire en poésie « l'entremise des anges et des démons » dans la vie.*

La poésie est un jeu d'esprit quand on s'en sert pour se jouer comme dans les épigrammes et dans les madrigaux. Mais, dans des odes sérieuses et dans des poèmes sur des matières importantes, la poésie n'est pas plus un jeu d'esprit que la grande éloquence dans des harangues, dans 5 des panégyriques et dans des sermons. On ne peut pas dire que les poésies de David ou de Salomon soient un pur jeu d'esprit, et vous ne voudriez pas, M. le Président,[1] l'avoir dit de l'*Iliade* ni de l'*Énéide*. Il est donc vrai qu'il y a des ouvrages de poésie très sérieux et où 10 par conséquent l'entremise des anges et des démons n'a aucune indécence.

Comme nous sommes très persuadés que ces esprits se mêlent par l'ordre de Dieu dans les actions des hommes, soit pour les tenter, soit pour les secourir, et par des rai- 15 sons qui nous sont la plupart inconnues, le poète ne peut-il pas nous les rendre visibles et leur donner des corps suivant les privilèges de la poésie ? C'est par ce principe qu'Homère a introduit toutes les divinités païennes et qu'on voit Minerve accompagner presque toujours Ulysse. 20 Ce qui a tant plu lorsqu'il était faux, doit-il ne plaire plus lorsque la vérité s'y rencontre ? C'est-à-dire a-t-on dû être charmé de voir Minerve aux côtés d'Ulysse, pour le préserver des traits de ses ennemis, pour le conseiller dans

[1] L'ouvrage est écrit sous forme de conversations; il y a trois personnages: le Président, champion des Anciens, l'Abbé et le Chevalier, tous deux champions des Modernes.

ses aventures, quoiqu'effectivement il n'y ait jamais eu de Minerve auprès d'Ulysse, et doit-on n'avoir que du dégoût quand des anges secourent un héros combattant pour la foi, lorsque la même foi nous assure que les anges
5 combattirent avec lui ?

II. *La poésie d'Homère.*[1]

L'Abbé. — Ensuite vient le récit du meurtre des amants de Pénélope, qui est fort ennuyeux, parcequ'on y voit traîner une exécution qui n'a aucune vraisemblance. Quatre personnes, Ulysse, son fils, son porcher et son bou-
10 vier, tuent cent huit gentilshommes, sans user de surprise, et sans agir avec promptitude. Ulysse, après avoir tué d'un coup de flèche Antinoüs le plus apparent de la troupe, au lieu de continuer à tirer sur les autres, leur fait un grand discours plein de reproches, auquel Eurymachus
15 répond par un autre discours fort ample; Ulysse le tue d'une seconde flèche, et en fait autant à Amphinomous; il restait encore cent cinq amants qui ne font rien, et qui donnent le loisir à Télémaque d'aller quérir des armes dans une chambre haute, après en avoir demandé la permis-
20 sion à son père. Il en apporta huit lances, quatre casques et quatre boucliers. Ulysse met un de ces casques, après avoir posé son arc auprès de la porte, contre la muraille qui était bien luisante, sans que pas un de ces cent cinq

[1] Tout le monde connaît les événements rapportés dans l'Odyssée, d'Homère: comment Ulysse fils de Laerte après avoir été poursuivi longtemps par la fureur de Neptune, le dieu des mers, rentra dans son royaume de l'Ile d'Ithaque; et comment, avec son fils Télémaque, son bouvier Mélanthius et son porcher Eumée, il châtia les nombreux étrangers qui, sous prétexte de faire la cour à Pénélope, son épouse, convoitaient réellement le royaume, affectant de penser qu'Ulysse avait trouvé la mort dans ses errements.

amants qui restaient, lui portât un seul coup. Cependant Mélanthius, le chévrier d'Ulysse, et qui le trahissait, était monté dans la même chambre aux armes d'où il apporta douze boucliers, douze lances et douze casques, pour armer douze de ces amants. (Il est impossible qu'un seul homme puisse apporter toutes ces armes.) Pendant que ces douze amants nouvellement armés, présentent la pointe de leurs lances à Ulysse et à Télémaque, ces deux héros et leur porcher font ensemble un fort long dialogue. Il faut, dit Ulysse à son fils, que ce soit quelqu'une des servantes de la maison qui soit cause de tout ceci. Mon père, reprend Télémaque, c'est ma faute; j'ai laissé la porte de la chambre ouverte; et je crois que quelqu'un plus avisé que moi, s'en est aperçu. Mais je te prie, divin Eumée, va fermer cette porte, et prends garde si ce n'est point quelqu'une des servantes, ou Mélanthius, fils de Dolius, qui soit cause de tout ceci. Là-dessus Eumée dit à Ulysse: Divin fils de Laërte, prudent Ulysse, c'est assurément le méchant homme que nous soupçonnons, qui a fait ce coup là. Dites-moi donc distinctement si je le tuerai, en cas que je sois le plus fort, ou si je vous l'amènerai ici, afin que vous le punissiez de ces méchancetés. Allez, répond Ulysse, liez-lui les pieds et les mains, et l'attachez à une haute colonne, avec une chaîne qui se plie aisément. Pendant tout ce temps-là pas un des amants ne se remua sans qu'on voie aucune raison de leur étonnante tranquillité. Voilà encore une espèce de merveilleux dont les modernes n'ont plus l'adresse de se servir.

Le Président. — Est-ce-là tout?

L'Abbé. — Non assurément; mais je crois qu'en voilà assez pour connaître la manière dont Homère a orné ses ouvrages de belles aventures, de beaux sentiments, et de belles pensées. Venons au style et à la versification de ce grand poète . . .

III. *Que « nous » avons un avantage visible dans les arts dont les secrets se peuvent calculer et mesurer.*

Quand nous avons parlé de la peinture, je suis demeuré d'accord que le saint Michel et la sainte famille de Raphaël que nous vîmes hier dans le grand appartement du roi sont deux tableaux préférables à ceux de M. Le Brun [1]; mais j'ai soutenu et soutiendrai toujours que M. Le Brun a su plus parfaitement que Raphaël l'art de la peinture dans toute son étendue parce qu'on a découvert avec le temps une infinité de secrets dans cet art que Raphaël n'a point connus. J'ai dit la même chose touchant la sculpture, et j'ai fait voir que nos bons sculpteurs étaient mieux instruits que les Phidias et les Polyclète, quoique quelques-unes des figures qui nous restent de ces grands maîtres soient plus estimables que celles de nos meilleurs sculpteurs. Il y a deux choses dans tout artisan qui contribuent à la beauté de son ouvrage: la connaissance des règles de son art et la force de son génie. De là il peut arriver et souvent il arrive que l'ouvrage de celui qui est le moins savant, mais qui a le plus de génie, est meilleur que l'ouvrage de celui qui sait mieux les règles de son art et dont le génie a moins de force.

Suivant ce principe, Virgile a pu faire un poème épique plus excellent que tous les autres parce qu'il a eu plus de génie que tous les poètes qui l'ont suivi, et il peut en même temps avoir moins su toutes les règles du poème épique, ce qui me suffit, mon problème consistant uniquement en

[1] Connu surtout par la série de tableaux représentant les batailles d'Alexandre (1619–1690).

cette proposition que tous les arts ont été portés dans notre siècle à un plus haut degré de perfection que celui où ils étaient parmi les anciens, parce que le temps a découvert plusieurs secrets dans tous les arts, qui, joints à ceux que les anciens nous ont laissés, les ont rendus plus 5 accomplis, l'art n'étant autre chose, suivant Aristote même, qu'un amas de préceptes pour bien faire l'ouvrage qu'il a pour objet.

Or, quand j'ai fait voir qu'Homère et Virgile ont fait une infinité de fautes où les modernes ne tombent plus, je 10 crois avoir prouvé qu'ils n'avaient pas toutes les règles que nous avons, puisque l'effet naturel des règles est d'empêcher qu'on ne fasse des fautes. De sorte que, s'il plaisait au ciel de faire naître un homme qui eût un génie de la force de celui de Virgile, il est sûr qu'il ferait un plus 15 beau poème que l'*Énéide*, parce qu'il aurait, suivant ma supposition, autant de génie que Virgile, et qu'il aurait en même temps un plus grand amas de préceptes pour se conduire. Cet homme pouvait naître en ce siècle de même qu'en celui d'Auguste, puisque la nature est tou- 20 jours la même et qu'elle ne s'est point affaiblie par la suite des temps.

II. BOILEAU

1636–1711

Extrait de la Septième des RÉFLEXIONS CRITIQUES (1693) *sur* QUELQUES PASSAGES DE LONGIN

Rhéteur grec. (210–273 après J.-C.)

[On relèvera l'attitude différente de Boileau à l'égard de ses grands contemporains, par exemple Corneille, lorsqu'il discute la querelle des Anciens et des Modernes, comparée avec celle qu'il avait adoptée ailleurs, ainsi dans la *Satire IX*, page 127, *En vain contre le Cid un ministre se ligue*... Il n'y a pas contradiction, mais une nuance bien nette, inspirée par les besoins de la cause à défendre.]

RÉFLEXION VII

« Il faut songer au jugement que toute la postérité fera de nos écrits. » (LONGIN, *Traité du sublime*, XII.)

Il n'y a en effet que l'approbation de la postérité qui puisse établir le vrai mérite des ouvrages. Quelque éclat qu'ait fait un écrivain durant sa vie, quelques éloges qu'il ait reçus, on ne peut pas pour cela infailliblement con-
5 clure que ses ouvrages soient excellents. De faux brillants, la nouveauté du style, un tour d'esprit qui était à la mode, peuvent les avoir fait valoir; et il arrivera peut-être que dans le siècle suivant on ouvrira les yeux, et que l'on méprisera ce que l'on a admiré. Nous en avons un
10 bel exemple dans Ronsard et dans ses imitateurs comme du Bellay, du Bartas, Desportes,[1] qui dans le siècle précédent ont été l'admiration de tout le monde, et qui aujourd'hui ne trouvent pas même de lecteurs.

La même chose était arrivée, chez les Romains, à
15 Nævius, à Livius, et à Ennius,[2] qui, du temps d'Horace, comme nous l'apprenons de ce poète, trouvaient encore beaucoup de gens qui les admiraient, mais qui à la fin furent entièrement décriés. Et il ne faut point s'imaginer que la chute de ces auteurs, tant les Français que
20 les Latins, soit venue de ce que les langues de leur pays ont changé. Elle n'est venue que de ce qu'ils n'avaient point attrapé dans ces langues le point de solidité et de perfection qui est nécessaire pour faire durer, et pour

[1] Poètes et disciples de la Pléiade.

[2] Poètes romains du IIIe siècle av. J.-C. Horace est du I^e siècle.

faire à jamais priser des ouvrages. En effet la langue latine, par exemple, qu'ont écrite Cicéron et Virgile, était déjà fort changée du temps de Quintilien,[1] et encore plus du temps d'Aulu-Gelle.[2] Cependant Cicéron et Virgile y étaient encore plus estimés que de leur temps même, parce qu'ils avaient comme fixé la langue par leurs écrits, ayant atteint le point de perfection que j'ai dit.

. . . .

Mais lorsque des écrivains ont été admirés durant un fort grand nombre de siècles, et n'ont été méprisés que par quelques gens de goût bizarre, car il se trouve toujours des goûts dépravés. alors non seulement il y a de la témérité, mais il y a de la folie à vouloir douter du mérite de ces écrivains. Que si vous ne voyez point les beautés de leurs écrits, il ne faut pas conclure qu'elles n'y sont point, mais que vous êtes aveugle, et que vous n'avez point de goût. Le gros des hommes, à la longue, ne se trompe point sur les ouvrages d'esprit. Il n'est plus question, à l'heure qu'il est, de savoir si Homère, Platon, Cicéron, Virgile, sont des hommes merveilleux; c'est une chose sans contestation, puisque vingt siècles en sont convenus; il s'agit de savoir en quoi consiste ce merveilleux qui les a fait admirer de tant de siècles; et il faut trouver moyen de le voir, ou renoncer aux belles-lettres, auxquelles vous devez croire que vous n'avez ni goût ni génie, puisque vous ne sentez point ce qu'ont senti tous les hommes.

Quand je dis cela, néanmoins, je suppose que vous sachiez la langue de ces auteurs; car si vous ne la savez point, et si vous ne vous l'êtes point familiarisée, je ne

[1] Rhéteur latin, Ie siècle.

[2] Grammairien et critique latin, IIe siècle.

vous blâmerai pas de n'en point voir les beautés: je vous blâmerai seulement d'en parler. Et c'est en quoi on ne saurait trop condamner M. Perrault, qui, ne sachant point la langue d'Homère, vient hardiment lui faire son
5 procès sur les bassesses de ses traducteurs, et dire au genre humain, qui a admiré les ouvrages de ce grand poète durant tant de siècles: Vous avez admiré des sottises. C'est à peu près la même chose qu'un aveugle-né qui s'en irait crier par toutes les rues: Messieurs, je sais
10 que le soleil que vous voyez vous paraît fort beau; mais moi, qui ne l'ai jamais vu, je vous déclare qu'il est fort laid.

Mais pour revenir à ce que je disais, puisque c'est la postérité seule qui met le véritable prix aux ouvrages, il
15 ne faut pas, quelque admirable que vous paraisse un écrivain moderne, le mettre aisément en parallèle avec ces écrivains admirés durant un si grand nombre de siècles, puisqu'il n'est pas même sûr que ses ouvrages passent avec gloire au siècle suivant. En effet, sans aller cher-
20 cher des exemples éloignés, combien n'avons-nous point vu d'auteurs admirés dans notre siècle dont la gloire est déchue en très peu d'années! Dans quelle estime n'ont point été, il y a trente ans, les ouvrages de Balzac! On ne parlait pas de lui simplement comme du plus éloquent
25 homme de son siècle, mais comme du seul éloquent. Il a effectivement des qualités merveilleuses. On peut dire que jamais personne n'a mieux su sa langue que lui, et n'a mieux entendu la propriété des mots et la juste mesure des périodes: c'est une louange que tout le monde lui
30 donne encore. Mais on s'est aperçu tout d'un coup que l'art où il s'est employé toute sa vie était l'art qu'il savait le moins, je veux dire l'art de faire une lettre: car, bien

que les siennes soient toutes pleines d'esprit et de choses admirablement dites, on y remarque partout les deux vices les plus opposés au genre épistolaire, c'est à savoir l'affectation et l'enflure; et on ne peut plus lui pardonner ce soin vicieux qu'il a de dire toutes choses autrement que 5 ne le disent les autres hommes. De sorte que tous les jours on rétorque contre lui ce même vers que Maynard a fait autrefois à sa louange:

> Il n'est point de mortel qui parle comme lui.

Il y a pourtant encore des gens qui le lisent; mais il n'y a plus personne qui ose imiter son style, ceux qui l'ont 10 fait s'étant rendus la risée de tout le monde.

Mais, pour chercher un exemple encore plus illustre que celui de Balzac, Corneille est celui de tous nos poètes qui a fait le plus d'éclat en notre temps; et on ne croyait pas qu'il pût jamais y avoir en France un poète digne de 15 lui être égalé. Il n'y en a point en effet qui ait eu plus d'élévation de génie, ni qui ait plus composé. Tout son mérite pourtant, à l'heure qu'il est, ayant été mis par le temps comme dans un creuset, se réduit à huit ou neuf pièces de théâtre qu'on admire, et qui sont, s'il faut ainsi 20 parler, comme le midi de sa poésie, dont l'orient et l'occident n'ont rien valu. Encore, dans ce petit nombre de bonnes pièces, outre les fautes de langue qui y sont assez fréquentes, on commence à s'apercevoir de beaucoup d'endroits de déclamation qu'on n'y voyait point autre- 25 fois. Ainsi, non seulement on ne trouve point mauvais qu'on lui compare aujourd'hui M. Racine, mais il se trouve même quantité de gens qui le lui préfèrent. La postérité jugera qui vaut le mieux des deux; car je suis persuadé que les écrits de l'un et de l'autre passeront aux 30

siècles suivants. Mais jusque-là ni l'un ni l'autre ne doit être mis en parallèle avec Euripide et avec Sophocle, puisque leurs ouvrages n'ont point encore le sceau qu'ont les ouvrages d'Euripide et de Sophocle, je veux dire
5 l'approbation de plusieurs siècles.

Au reste, il ne faut pas s'imaginer que, dans ce nombre d'écrivains approuvés de tous les siècles, je veuille ici comprendre ces auteurs à la vérité anciens, mais qui ne se sont acquis qu'une médiocre estime, comme Lyco-
10 phron, Nonnus, Silius Italicus,[1] l'auteur des tragédies attribuées à Sénèque, et plusieurs autres, à qui on peut non seulement comparer, mais à qui on peut, à mon avis, justement préférer beaucoup d'écrivains modernes. Je n'admets dans ce haut rang que ce petit nombre d'écri-
15 vains merveilleux dont le nom seul fait l'éloge, comme Homère, Platon, Cicéron, Virgile, etc. Et je ne règle point l'estime que je fais d'eux par le temps qu'il y a que leurs ouvrages durent, mais par le temps qu'il y a qu'on les admire. C'est de quoi il est bon d'avertir beaucoup
20 de gens qui pourraient mal à propos croire ce que veut insinuer notre censeur, qu'on ne loue les anciens que parce qu'ils sont anciens, et qu'on ne blâme les modernes que parce qu'ils sont modernes; ce qui n'est point du tout véritable, y ayant beaucoup d'anciens qu'on n'admire
25 point, et beaucoup de modernes que tout le monde loue. L'antiquité d'un écrivain n'est pas un titre certain de son mérite; mais l'antique et constante admiration qu'on a toujours eue pour ses ouvrages est une preuve sûre et infaillible qu'on doit les admirer.

[1] Lycophron, poète grec du IIIe siècle av. J.-C.; Nonnus, du Ve siècle après J.-C. Silius Italicus, poète latin du Ie siècle (On dirait aujourd'hui auteur de certaines « tragédies attribuées à Sénèque ».).

[Avec Boileau à leur tête, les partisans des « Anciens » paraissent triompher au XVIIe siècle. On verra plus loin comment le moraliste La Bruyère soutient avec décision la même cause: Chapitre X, ii, sons le titre : « Des Ouvrages de l'esprit ». Cette victoire, cependant, ne dura pas. La « querelle » continua au XVIIIe siècle, et les « Modernes » déjà l'emportèrent alors (voir *Eighteenth Century French Readings*, Holt and Co., pages, 77–84). Le coup de grâce fut donné par les Romantiques, et surtout dans le manifeste de cette école, *La Préface de Cromwell*, par Victor Hugo (1827).]

CHAPITRE CINQ

LA FONTAINE

1621–1695

Jean de La Fontaine a élevé en France le genre de la fable à un niveau qui n'a jamais été dépassé. Il n'avait eu qu'un seul précurseur important, Marie de France, au **XII° siècle.**

Il est né dans la charmante vallée de la Marne, à Château-Thierry, en Champagne. Fils d'un « maître des eaux et forêts », sa jeunesse ne faisait pas prévoir ce qu'il serait un jour. A 19 ans il était encore très embarrassé de ce qu'il allait faire, et pensa devenir prêtre; puis il étudia le droit. Mais après ces études il retourna à Château-Thierry. Paresseux de nature, il ne désirait aucune activité. Son père lui céda alors sa charge pour l'occuper, et cela lui donna au moins le prétexte d'errer dans les bois qu'il aimait beaucoup. En même temps on l'avait marié; mais il ne sut vaincre sa nonchalance ni comme forestier, ni comme époux, ni comme père — il avait un fils dont il se désintéressa parfaitement. A 22 ans il se découvrit le goût pour la poésie en entendant lire une *Ode* de Malherbe. Il se passionna pour Malherbe, puis pour Voiture, puis pour Villon, Marot et Rabelais (il disait: « Beau comme Rabelais »); enfin il lut les Anciens (devenant un des champions les plus enthousiastes de ceux-ci dans la *Querelle des Anciens et des Modernes*); cependant il goûtait beaucoup les Italiens de la Renaissance, Aristote, Machiavel, surtout Boccace auquel il emprunta des contes.

La Fontaine fut protégé par le surintendant des Finances du roi, Fouquet, qui lui alloua une pension; lorsque celui-ci tomba en disgrâce, La Fontaine fut un des rares hommes qui ne l'abandonnèrent pas dans l'adversité; il écrivit à cette occasion sa belle *Elégie aux Nymphes de Vaux* (Vaux était la somptueuse résidence de Fouquet où les fêtes cessèrent lorsque le maître fut emmené en captivité.). Ce poème rendit le public moins sévère pour Fouquet, mais valut à l'auteur le déplaisir du roi — qui plus tard s'opposa pendant quelques temps à son entrée à l'Académie. Après Fouquet, d'autres protecteurs s'occupèrent de La Fontaine (Condé, Turenne); et surtout de grandes dames: c'est ainsi qu'il fut recueilli pendant 20 ans chez Madame de la Sablière, et quand celle-ci mourut Madame d'Hervart la remplaça auprès du poète. Il n'avait pas beaucoup d'égards pour ses bienfaitrices; ceux qui le connaissaient bien, cependant, étaient disposés à penser que ce n'était pas de la méchanceté et de l'ingratitude, mais de la simplicité. Dans les salons on le nommait ‹ le bonhomme La Fontaine ›. « Vous seriez bien bête, mon cher La Fontaine, lui disait Mme de la Sablière, si vous n'aviez pas tant d'esprit. »[1]

Au cours d'une maladie, il se sentit repris dans sa conscience pour les fautes de sa vie; et quand il fut guéri, il changea de conduite, et même s'employa à mettre en vers français des hymnes d'église. Il mourut, à 73 ans, dans ces sentiments chrétiens.

Voici l'épitaphe célèbre qu'il avait composée pour lui-même aux jours d'avant sa conversion:

Jean s'en alla comme il était venu,
Mangeant son fonds avec le revenu,
Croyant trésor chose peu nécessaire.
Quant à son temps, bien le sut dispenser:
Deux parts en fit dont il soulait[2] passer
L'une à dormir, et l'autre à ne rien faire.

La Fontaine a composé des *Contes* (quatre livres, 1665–75), imitation en vers des contes populaires du moyen-âge — fabliaux — ou des conteurs italiens, Boccace et autres; quelques pièces de théâtre, comme *La coupe enchantée* (1688); le roman *Les amours de Psyché et de Cupidon* (1669), d'après le poète latin Apulée; et surtout *Les Fables*: Livres I–VI, dédiés au Dauphin (1668); Livres VII–XI, dédiés à Madame de Montespan (1678–9); Livre XII, dédié au Duc de Bourgogne, fils du Dauphin (1694).

LES FABLES

La Fontaine met en tête de son recueil une *Vie d'Esope, le Phrygien*, que l'on considére généralement comme le père de l'« apologue » ou de la fable dans le monde occidental. « L'apologue des Anciens était composé de deux parties, dont on peut appeler l'une le corps, l'autre l'âme; Le corps est la fable (récit), l'âme est la moralité ». Chez ces Anciens la moralité était le but, tandis que le récit était seulement un moyen. La Fontaine va, au contraire, donner tous ses soins

[1] C'est Molière qui, à ce propos, s'écriait un jour: « Ne nous moquons pas du ‹ bonhomme ›, il vivra peut-être plus que nous ».

[2] *Soulait*, du latin *solere*, avoir coutume.

à la fable elle-même; il veut faire ce que l'on appellerait aujourd'hui de l'art pour l'art: « J'ai considéré que je ne ferais rien si je ne rendais nouvelles ces fables par quelques traits qui en relevassent le goût. C'est ce qu'on demande aujourd'hui: on veut de la nouveauté et de la gaîté. Je n'appelle pas gaîté ce qui excite le rire, mais un certain ton agréable qu'on peut donner à toutes sortes de sujets, même les plus sérieux » (*Préface*).

La Fontaine est souvent appelé un moraliste. Le mot n'est pas exact, en ce sens que La Fontaine ne se proposait pas de moraliser; il voulait avant tout observer, — et si une leçon de vertu ressortait de ses récits, cela lui importait peu.[1] Il a dit lui-même qu'il avait voulu faire « une ample comédie à cent actes divers ».

L'art de La Fontaine consiste à ramener les actions et les pensées des hommes aux données les plus élémentaires, découvrir les causes dernières et seules déterminantes de leurs manières d'agir dans la vie. C'est pourquoi il choisit ses personnages dans les classes des hommes encore à l'état simple et naturel (bûcheron, paysan, savetier, laitière, meunier); ou bien, mieux encore, il met en scène des animaux suggérant des hommes, mais qui n'ont que les gestes pour nous faire deviner ce qui inspire leurs mouvements et pas de paroles pour nous tromper sur la vérité; La Fontaine a appliqué d'avance le fameux mot du grand diplomate Talleyrand: « La parole a été donnée à l'homme pour *dissimuler* sa pensée ». On verra aussi comment La Fontaine savait ramener aux éléments les plus simples, les discussions sur les grands problèmes qui agitent les hommes; la guerre de Troie lui rappelle une occurence de tous les jours: une poule entre deux coqs qui se disputent ses faveurs dans une bassecour; la querelle entre ceux qui croient à l'existence d'une Providence et ceux qui récusent cette croyance, lui suggère sa fable *Le Gland et la Citrouille* (voir plus bas).

La Fontaine a admirablement manié le vers libre et l'a mis à la mode (vers de différentes longueurs dans un même morceau, ou même dans une strophe).

Madame de Sévigné a dit ce mot charmant des *Fables* de La Fontaine: « C'est un panier de cerises; on veut choisir les plus belles, et le panier reste vide ».

Consulter: Il y a une littérature considérable sur La Fontaine. Voici les meilleurs livres à la portée de l'ètudiant: G. Lafenestre

---

[1] Jean-Jacques Rousseau a fait bien comprendre cela dans un passage célèbre de son livre sur l'éducation, *Emile* (Livre II), où sont attaqués, non La Fontaine et ses fables, mais ceux qui y cherchent des récits propres à être lus par les enfants.

La Fontaine, (Coll. ‹Grands écrivains fr.› Hachette, 1895); E. Faguet, *La Fontaine*, (Coll. ‹ Classiques populaires ›); R. Bray, *Fables de La Fontaine*, (Coll. Grands événements litt. Malfère, 1929); et le livre très célèbre par Hippolyte Taine, *La Fontaine et ses fables*, (1853).

1. La cigale et la fourmi

I. 1

La cigale, ayant chanté
Tout l'été,
Se trouva fort dépourvue
Quand la bise fut venue:
Pas un seul petit morceau 5
De mouche ou de vermisseau.
Elle alla crier famine
Chez la fourmi sa voisine,
La priant de lui prêter
Quelque grain pour subsister 10
Jusqu'à la saison nouvelle.
« Je vous paierai, lui dit-elle,
Avant l'août, foi d'animal,
Intérêt et principal. »
La fourmi n'est pas prêteuse; 15
C'est là son moindre défaut.
« Que faisiez-vous au temps chaud ?
Dit-elle à cette emprunteuse.
— Nuit et jour à tout venant
Je chantais, ne vous déplaise. 20
— Vous chantiez ? j'en suis fort aise:
Eh bien ! dansez maintenant. »

On a parfois critiqué les connaissances de La Fontaine en histoire naturelle; ainsi le grand savant J.-H. Fabre, dans ses *Souvenirs entomologiques*, 5ème série, Chap. XIII; ‹ La Fable de La Cigale et la

Fourmi »; (Paris, Delagrave, 1897). On pourra consulter plus commodément deux articles de Rémy de Gourmont, « La vie et la morale dans les fables de La Fontaine » (*Mercure de France*, 15 oct. et 1 nov. 1905). Par exemple, cet auteur nous montre quelques erreurs de la fable de *La Cigale et la fourmi:* (1) La cigale ne chante pas; si elle fait un bruit elle bat plutôt du tambour; et la cigale femelle ne fait aucun bruit; (2) La cigale n'aurait jamais demandé « quelque grain pour subsister » car elle n'a pas de bouche pour manger, elle n'a qu'un suçoir pour boire le suc des arbres; (3) la cigale n'a pu aller demander de la nourriture pour subsister « jusqu'à la saison nouvelle », car elle ne vit qu'une saison et meurt avant l'hiver; des provisions sont donc inutiles. Quant à la fourmi: (1) elle ne pouvait prêter « quelque grain », car elle ne se nourrit pas de grain elle-même; et (2) elle n'en pourrait prêter de sa provision, car elle dort pendant tout l'hiver, et par conséquent ne fait pas de provisions.[1] Quant à l'idée de l'avarice des fourmis, La Fontaine l'a probablement empruntée à un récit fantaisiste fait par le naturaliste latin Pline: « Chez les Indiens septentrionaux, qu'on appelle Dardes, certaines fourmis tirent l'or des mines; elles ont la couleur du chat (sauvage) et la grandeur du loup d'Egypte. Ce métal, qu'elles ont extrait pendant l'hiver, les Indiens le leur dérobent pendant les ardeurs de l'été; les fourmis sont alors retirées dans des souterrains à cause de la chaleur. Toutefois, averties par l'odorat, elles sortent, volent après les ravisseurs et souvent les mettent en pièces, sans que la légèreté de leurs chameaux puissent les sauver. Telles sont et la vitesse et la férocité qui se joignent en elles à la passion de l'or ». — Et cependant la fable de La Fontaine demeure un chef d'œuvre !

2. Le corbeau et le renard

I. 2

Maître corbeau, sur un arbre perché,
Tenait en son bec un fromage.
Maître renard, par l'odeur alléché,
Lui tint à peu près ce langage:
5 « Hé ! bonjour, monsieur du Corbeau:

[1] Ces deux numéros cependant, sont controuvés pour certaines espèces de fourmis. Voir Maeterlinck, *Vie des fourmis* Paris 1930. p. 187–190.

Que vous êtes joli ! que vous me semblez beau !
Sans mentir, si votre ramage
Se rapporte à votre plumage,
Vous êtes le phénix des hôtes de ces bois. »
A ces mots le corbeau ne se sent pas de joie; 5
Et pour montrer sa belle voix,
Il ouvre un large bec, laisse tomber sa proie.
Le renard s'en saisit, et dit: « Mon bon monsieur,
Apprenez que tout flatteur
Vit aux dépens de celui qui l'écoute. 10
Cette leçon vaut bien un fromage, sans doute. »
Le corbeau, honteux et confus,
Jura, mais un peu tard, qu'on ne l'y prendrait plus.

Cette fable a servi d'exemple à Jean-Jacques Rousseau (1712–1778) qui a attaqué fortement dans son livre célèbre *Emile ou de l'éducation* (1762) l'idée de faire lire les fables de La Fontaine par des enfants; ceux-ci, dit-il, ne peuvent apprécier la valeur de ces fables, et même en tirent des leçons tout à fait regrettables: « On fait apprendre les fables de La Fontaine à tous les enfants, et il n'y en a pas un seul qui les entende. Quand ils les entendraient, ce serait encore pis; car la morale en est tellement mêlée et disproportionnée à leur âge, qu'elle les porterait plus au vice qu'à la vertu. » Prenez la fable précédente: « Quelle horrible leçon pour l'enfance ! Le plus odieux de tous les monstres serait un enfant avare et dur, qui saurait ce qu'on lui demande et ce qu'on lui refuse. La fourmi fait plus encore, elle lui apprend à railler dans ses refus. » Et dans *Le corbeau et le renard*, quel enfant, tout en se moquant du corbeau se défendra d'admirer le renard et ne se disposera pas à l'imiter et à pratiquer la ruse ? « Je demande si c'est à des enfants qu'il faut apprendre qu'il y a des hommes qui flattent et mentent pour leur profit . . . On leur apprend moins à ne pas laisser tomber le fromage de leur bec qu'à le faire tomber du bec d'un autre ». Le langage même de La Fontaine est tout à fait inaccessible aux enfants. Rousseau écrit:

« *Maitre corbeau sur un arbre perché,*

« Maître ! que signifie ce mot en lui-même ? que signifie-t-il devant « un nom propre ? quel sens a-t-il dans cette occasion ?

« Qu'est-ce qu'un corbeau ?

« Qu'est-ce qu'un *arbre perché?* L'on ne dit pas *sur un arbre per-*
« *ché*, l'on dit *perché sur un arbre*. Par conséquent, il faut parler
« des inversions de la poésie: il faut dire ce que c'est que prose et
« vers.

« *Tenait en son bec un fromage.*

« Quel fromage ? était-ce un fromage de Suisse, de Brie ou de Hol-
« lande ? Si l'enfant n'a point vu de corbeaux, que gagnerez-vous à
« lui en parler ? s'il en a vu, comment concevra-t-il qu'ils tiennent
« un fromage à leur bec ? . . . » etc., etc.

3. Le loup et le chien

I. 5

Un loup n'avait que les os et la peau,
Tant les chiens faisaient bonne garde:
Ce loup rencontre un dogue aussi puissant que beau,
Gras, poli, qui s'était fourvoyé par mégarde.
5 L'attaquer, le mettre en quartiers,
Sire loup l'eût fait volontiers;
Mais il fallait livrer bataille;
Et le mâtin était de taille
A se défendre hardiment.
10 Le loup donc l'aborde humblement,
Entre en propos, et lui fait compliment
Sur son embonpoint, qu'il admire.
« Il ne tiendra qu'à vous, beau sire,
D'être aussi gras que moi, lui repartit le chien.
15 Quittez les bois, vous ferez bien:
Vos pareils y sont misérables,
Cancres, hères, et pauvres diables,
Dont la condition est de mourir de faim.
Car, quoi ! rien d'assuré ! point de franche lippée;
20 Tout à la pointe de l'épée !
Suivez-moi, vous aurez un bien meilleur destin. »
Le loup reprit: « Que me faudra-t-il faire ?

— Presque rien, dit le chien: donner la chasse aux gens
Portant bâtons, et mendiants;
Flatter ceux du logis, à son maître complaire,
Moyennant quoi votre salaire
Sera force reliefs de toutes les façons,
Os de poulets, os de pigeons;
Sans parler de mainte caresse. »
Le loup déjà se forge une félicité
Qui le fait pleurer de tendresse.
Chemin faisant, il vit le col du chien pelé. 10
« Qu'est-ce là ? lui dit-il. — Rien. — Quoi ! rien ! — Peu de chose.
— Mais encor ? — Le collier dont je suis attaché
De ce que vous voyez est peut-être la cause.
— Attaché ! dit le loup: vous ne courez donc pas 15
Où vous voulez ? — Pas toujours; mais qu'importe ?
— Il importe si bien, que de tous vos repas
Je ne veux en aucune sorte,
Et ne voudrais pas même à ce prix un trésor. »
Cela dit, maître loup s'enfuit, et court encor. 20

4. Le rat de la ville et le rat des champs

I. 9

Autrefois le rat de ville
Invita le rat des champs,
D'une façon fort civile,
A des reliefs d'ortolans.

Sur un tapis de Turquie 25
Le couvert se trouva mis.
Je laisse à penser la vie
Que firent ces deux amis.

Le régal fut fort honnête;
Rien ne manquait au festin;
Mais quelqu'un troubla la fête
Pendant qu'ils étaient en train.

5 A la porte de la salle
Ils entendirent du bruit;
Le rat de ville détale;
Son camarade le suit.

Le bruit cesse, on se retire:
10 Rats en campagne aussitôt;
Et le citadin de dire:
« Achevons tout notre rôt.

— C'est assez, dit le rustique;
Demain vous viendrez chez moi.
15 Ce n'est pas que je me pique
De tous vos festins de roi;

Mais rien ne vient m'interrompre;
Je mange tout à loisir.
Adieu donc: fi du plaisir
20 Que la crainte peut corrompre ! »

5. Le loup et l'agneau

I. 10

La raison du plus fort est toujours la meilleure:
Nous l'allons montrer tout à l'heure.

Un agneau se désaltérait
Dans le courant d'une onde pure.
25 Un loup survient à jeun, qui cherchait aventure,
Et que la faim en ces lieux attirait.

« Qui te rend si hardi de troubler mon breuvage ? »
Dit cet animal plein de rage:
« Tu seras châtié de ta témérité.
— Sire, répond l'agneau, que Votre Majesté
Ne se mette pas en colère; 5
Mais plutôt qu'elle considère
Que je me vais désaltérant
Dans le courant,
Plus de vingt pas au-dessous d'elle;
Et que par conséquent, en aucune façon, 10
Je ne puis troubler sa boisson.
— Tu la troubles, reprit cette bête cruelle,
Et je sais que de moi tu médis l'an passé.
— Comment l'aurais-je fait si je n'étais pas né ?
Reprit l'agneau; je tette encor ma mère. 15
— Si ce n'est toi, c'est donc ton frère.
— Je n'en ai point. — C'est donc quelqu'un des tiens;
Car vous ne m'épargnez guère,
Vous, vos bergers, et vos chiens.
On me l'a dit: il faut que je me venge. » 20
Là-dessus, au fond des forêts
Le loup l'emporte, et puis le mange,
Sans autre forme de procès.

6. La mort et le bûcheron

I. 16

Un pauvre bûcheron, tout couvert de ramée,
Sous le faix du fagot aussi bien que des ans 25
Gémissant et courbé, marchait à pas pesants,
Et tâchait de gagner sa chaumine enfumée.
Enfin, n'en pouvant plus d'effort et de douleur,

Il met bas son fagot, il songe à son malheur.
Quel plaisir a-t-il eu depuis qu'il est au monde ?
En est-il un plus pauvre en la machine ronde ?
Point de pain quelquefois, et jamais de repos:
5 Sa femme, ses enfants, les soldats,[1] les impôts,
Le créancier, et la corvée,[2]
Lui font d'un malheureux la peinture achevée.
Il appelle la Mort. Elle vient sans tarder,
Lui demande ce qu'il faut faire.
10 « C'est, dit-il, afin de m'aider
A recharger ce bois; tu ne tarderas [3] guère. »
Le trépas vient tout guérir;
Mais ne bougeons d'où nous sommes:
Plutôt souffrir que mourir,
15 C'est la devise des hommes.

7. Le renard et la cigogne

I. 18

Compère le renard se mit un jour en frais,
Et retint à dîner commère la cigogne.
Le régal fut petit et sans beaucoup d'apprêts:
Le galant, pour toute besogne,
20 Avait un brouet clair; il vivait chichement.
Ce brouet fut par lui servi sur une assiette:
La cigogne au long bec n'en put attraper miette;
Et le drôle eut lapé le tout en un moment.
Pour se venger de cette tromperie,

[1] Les soldats étaient logés chez les particuliers à cette époque, les casernes n'existant pas.
[2] Travail gratuit qui était dû par le paysan à son seigneur.
[3] Tu ne seras pas mise en retard.

A quelque temps de là, la cigogne le prie.[1]
« Volontiers, lui dit-il; car avec mes amis
Je ne fais point cérémonie. »
A l'heure dite, il courut au logis
De la cigogne son hôtesse; 5
Loua très fort sa politesse;
Trouva le dîner cuit à point.
Bon appétit surtout; renards n'en manquent point.
Il se réjouissait à l'odeur de la viande
Mise en menus morceaux, et qu'il croyait friande. 10
On servit, pour l'embarrasser,
En un vase à long col et d'étroite embouchure.
Le bec de la cigogne y pouvait bien passer;
Mais le museau du sire était d'autre mesure.
Il lui fallut à jeun retourner au logis, 15
Honteux comme un renard qu'une poule aurait pris,
Serrant la queue, et portant bas l'oreille.

Trompeurs, c'est pour vous que j'écris:
Attendez-vous à la pareille.

8. Le chêne et le roseau

I. 22

Le chêne un jour dit au roseau: 20
« Vous avez bien sujet d'accuser la nature:
Un roitelet pour vous est un pesant fardeau;
Le moindre vent qui d'aventure
Fait rider la face de l'eau,
Vous oblige à baisser la tête; 25
Cependant que mon front, au Caucase pareil,
Non content d'arrêter les rayons du soleil,

[1] Sous-entendu: *à dîner*.

Brave l'effort de la tempête.
Tout vous est aquilon; tout me semble zéphyr.
Encor si vous naissiez à l'abri du feuillage
Dont je couvre le voisinage,
5 Vous n'auriez pas tant à souffrir:
Je vous défendrais de l'orage;
Mais vous naissez le plus souvent
Sur les humides bords des royaumes du vent.
La nature envers vous me semble bien injuste.
10 — Votre compassion, lui répondit l'arbuste,
Part d'un bon naturel; mais quittez ce souci;
Les vents me sont moins qu'à vous redoutables:
Je plie, et ne romps pas. Vous avez jusqu'ici
Contre leurs coups épouvantables
15 Résisté sans courber le dos;
Mais attendons la fin. » Comme il disait ces mots,
Du bout de l'horizon accourt avec furie
Le plus terrible des enfants
Que le nord eût portés jusque-là dans ses flancs.
20 L'arbre tient bon; le roseau plie.
Le vent redouble ses efforts,
Et fait si bien qu'il déracine
Celui de qui la tête au ciel était voisine,
Et dont les pieds touchaient à l'empire des morts.

9. Le lion et le rat

II. 11

25 Il faut, autant qu'on peut, obliger tout le monde:
On a souvent besoin d'un plus petit que soi.
De cette vérité deux [1] fables feront foi,
Tant la chose en preuves abonde.

[1] L'autre fable, *La colombe et la fourmi*, n'est pas donnée ici.

Entre les pattes d'un lion
Un rat sortit de terre assez à l'étourdie.
Le roi des animaux, en cette occasion,
Montra ce qu'il était, et lui donna la vie.
Ce bienfait ne fut pas perdu. 5
Quelqu'un aurait-il jamais cru
Qu'un lion d'un rat eût affaire ?
Cependant il advint qu'au sortir des forêts
Ce lion fut pris dans des rets,
Dont ses rugissements ne le purent défaire. 10
Sire rat accourut, et fit tant par ses dents
Qu'une maille rongée emporta tout l'ouvrage.
Patience et longueur de temps
Font plus que force ni que rage.

10. Le coq et le renard

II. 15

Sur la branche d'un arbre était en sentinelle 15
Un vieux coq adroit et matois.
« Frère, dit un renard, adoucissant sa voix,
Nous ne sommes plus en querelle:
Paix générale cette fois.
Je viens te l'annoncer; descends, que je t'embrasse; 20
Ne me retarde point, de grâce:
Je dois faire aujourd'hui vingt postes [1] sans manquer.
Les tiens et toi pouvez vaquer
Sans nulle crainte à vos affaires:
Nous vous y servirons en frères. 25
Faites-en les feux [2] dès ce soir;

[1] Mesure de route, ordinairement de deux lieues. [2] Feux de joie.

Et cependant viens recevoir
Le baiser d'amour fraternelle.
— Ami, reprit le coq, je ne pouvais jamais
Apprendre une plus douce et meilleure nouvelle
5 Que celle
De cette paix;
Et ce m'est une double joie
De la tenir de toi. Je vois deux lévriers,
Qui, je m'assure, sont courriers
10 Que pour ce sujet on envoie;
Ils vont vite, et seront dans un moment à nous.
Je descends; nous pourrons nous entre-baiser tous.
— Adieu, dit le renard, ma traite est longue à faire;
Nous nous réjouirons du succès de l'affaire
15 Une autre fois. » Le galant aussitôt
Tire ses grègues,[1] gagne au haut,[2]
Mal content de son stratagème;
Et notre vieux coq en soi-même
Se mit à rire de sa peur;
20 Car c'est double plaisir de tromper le trompeur.

11. Le meunier, son fils, et l'âne

III. 1

. . . « J'ai lu [3] dans quelque endroit qu'un meunier et son fils,
L'un vieillard, l'autre enfant, non pas des plus petits,
Mais garçon de quinze ans, si j'ai bonne mémoire,
Allaient vendre leur âne, un certain jour de foire.

[1] Grègues = culottes. Tirer ses grègues = relever sa culotte pour mieux courir.

[2] Gagner un lieu de sûreté.

[3] Cette fable est mise par La Fontaine dans la bouche de Malherbe, et le « quelque endroit » est peut-être les *Facéties* du Pogge.

Afin qu'il fût plus frais et de meilleur débit,
On lui lia les pieds, on vous le suspendit;
Puis cet homme et son fils le portent comme un lustre.
Pauvres gens, idiots, couple ignorant et rustre !
Le premier qui les vit de rire s'éclata: 5
« Quelle farce, dit-il, vont jouer ces gens-là ?
Le plus âne des trois n'est pas celui qu'on pense. »
Le meunier, à ces mots, connaît son ignorance;
Il met sur pieds sa bête, et la fait détaler.
L'âne, qui goûtait fort l'autre façon d'aller, 10
Se plaint en son patois. Le meunier n'en a cure;
Il fait monter son fils, il suit, et d'aventure
Passent trois bons marchands. Cet objet leur déplut.
Le plus vieux au garçon s'écria tant qu'il put:
« Oh là, oh, descendez, que l'on ne vous le dise, 15
Jeune homme, qui menez laquais à barbe grise !
C'était à vous de suivre, au vieillard de monter.
— Messieurs, dit le meunier, il vous faut contenter. »
L'enfant met pied à terre, et puis le vieillard monte,
Quand trois filles passant, l'une dit: « C'est grand'honte 20
Qu'il faille voir ainsi clocher ce jeune fils,
Tandis que ce nigaud, comme un évêque assis,
Fait le veau sur son âne, et pense être bien sage.
— Il n'est, dit le meunier, plus de veaux à mon âge:
Passez votre chemin, la fille, et m'en croyez. » 25
Après maints quolibets coup sur coup renvoyés,
L'homme crut avoir tort, et mit son fils en croupe.
Au bout de trente pas, une troisième troupe
Trouve encore à gloser. L'un dit: « Ces gens sont fous !
Le baudet n'en peut plus; il mourra sous leurs coups. 30
Hé quoi ? charger ainsi cette pauvre bourrique !
N'ont-ils point de pitié de leur vieux domestique ?

Sans doute qu'à la foire ils vont vendre sa peau.
— Parbleu ! dit le meunier, est bien fou de cerveau
Qui prétend contenter tout le monde et son père.
Essayons toutefois, si par quelque manière
5 Nous en viendrons à bout. » Ils descendent tous deux.
L'âne se prélassant marche seul devant eux.
Un quidam les rencontre, et dit: « Est-ce la mode
Que baudet aille à l'aise, et meunier s'incommode ?
Qui de l'âne ou du maître est fait pour se lasser ?
10 Je conseille à ces gens de le faire enchâsser.
Ils usent leurs souliers, et conservent leur âne.
Nicolas, au rebours;[1] car, quand il va voir Jeanne,
Il monte sur sa bête; et la chanson le dit.
Beau trio de baudets ! » Le meunier repartit:
15 « Je suis âne, il est vrai, j'en conviens, je l'avoue;
Mais que dorénavant on me blâme, on me loue,
Qu'on dise quelque chose ou qu'on ne dise rien,
J'en veux faire à ma tête. » Il le fit, et fit bien.

Quant à vous, suivez Mars, ou l'Amour, ou le Prince,
20 Allez, venez, courez; demeurez en province;
Prenez femme, abbaye, emploi, gouvernement:
Les gens en parleront, n'en doutez nullement.

12. Le renard et le bouc

III. 5

Capitaine renard allait de compagnie
Avec son ami bouc des plus haut encornés:

[1] Nicolas pensait au contraire, (*au rebours*) car il chante:

Adieu cruelle Jeanne,
Si vous ne m'aimez pas,
Je monte sur mon âne,
Galoper au trépas.

Celui-ci ne voyait pas plus loin que son nez;
L'autre était passé maître en fait de tromperie.
La soif les obligea de descendre en un puits:
    Là chacun d'eux se désaltère.
Après qu'abondamment tous deux en eurent pris, 5
Le renard dit au bouc: « Que ferons-nous, compère ?
Ce n'est pas tout de boire, il faut sortir d'ici.
Lève tes pieds en haut, et tes cornes aussi;
Mets-les contre le mur: le long de ton échine
    Je grimperai premièrement; 10
    Puis sur tes cornes m'élevant,
    A l'aide de cette machine,
    De ce lieu-ci je sortirai,
    Après quoi je t'en tirerai.
— Par ma barbe, dit l'autre, il est bon; et je loue 15
    Les gens bien sensés comme toi.
    Je n'aurais jamais, quant à moi,
    Trouvé ce secret, je l'avoue. »
Le renard sort du puits, laisse son compagnon,
    Et vous lui fait un beau sermon 20
    Pour l'exhorter à patience.
« Si le ciel t'eût, dit-il, donné par excellence
Autant de jugement que de barbe au menton,
    Tu n'aurais pas,[1] à la légère,
Descendu dans ce puits. Or adieu; j'en suis hors: 25
Tâche de t'en tirer, et fais tous tes efforts;
    Car, pour moi, j'ai certaine affaire
Qui ne me permet pas d'arrêter en chemin. »

En toute chose il faut considérer la fin.

[1] Le verbe *descendre* se conjugue avec l'auxiliaire *être*; c'est une licence poétique ici. *Tu ne serais* donnerait une syllabe de trop au vers.

13. Le renard et les raisins

III. 11

Certain renard gascon, d'autres disent normand,[1]
Mourant presque de faim, vit au haut d'une treille
Des raisins, mûrs apparemment,
Et couverts d'une peau vermeille.
5 Le galant en eût fait volontiers un repas;
Mais comme il n'y pouvait atteindre:
« Ils sont trop verts, dit-il, et bons pour des goujats. »

Fit-il pas mieux que de se plaindre ?

14. Le pot de terre et le pot de fer

V. 2

Le pot de fer proposa
10 Au pot de terre un voyage.
Celui-ci s'en excusa,
Disant qu'il ferait que sage [2]
De garder le coin du feu;
Car il lui fallait si peu,
15 Si peu, que la moindre chose
De son débris serait cause:
Il n'en reviendrait morceau.
« Pour vous, dit-il, dont la peau
Est plus dure que la mienne,
20 Je ne vois rien qui vous tienne.
— Nous vous mettrons à couvert,
Repartit le pot de fer:

[1] Les Gascons sont vantards; les Normands sont malins.
[2] Locution archaïque, *que* = latin *quod:* Il ferait ce que ferait le sage.

Si quelque matière dure
Vous menace d'aventure,
Entre deux je passerai
Et du coup vous sauverai. »
Cette offre le persuade. 5
Pot de fer son camarade
Se met droit à ses côtés.
Mes gens s'en vont à trois pieds,
Clopin-clopant comme ils peuvent,
L'un contre l'autre jetés 10
Au moindre hoquet [1] qu'ils treuvent.[2]
Le pot de terre en souffre; il n'eut pas fait cent pas
Que par son compagnon il fut mis en éclats,
Sans qu'il eût lieu de se plaindre.

Ne nous associons qu'avecque nos égaux, 15
Ou bien il nous faudra craindre
Le destin d'un de ces pots.

15. Le laboureur et ses enfants

V. 9

Travaillez, prenez de la peine:
C'est le fonds qui manque le moins.

Un riche laboureur, sentant sa mort prochaine, 20
Fit venir ses enfants, leur parla sans témoins.
« Gardez-vous, leur dit-il, de vendre l'héritage
Que nous ont laissé nos parents:
Un trésor est caché dedans.
Je ne sais pas l'endroit; mais un peu de courage 25

[1] *hoquet*, ici = obstacle.
[2] *treuvent* = trouvent — forme archaïque pour rîmer avec *peuvent*.

Vous le fera trouver: vous en viendrez à bout.
Remuez votre champ dès qu'on aura fait l'août:[1]
Creusez, fouillez, bêchez; ne laissez nulle place
Où la main ne passe et repasse. »
5 Le père mort, les fils vous retournent le champ,
Deçà, delà, partout: si bien qu'au bout de l'an,
Il en rapporta davantage,
D'argent, point de caché. Mais le père fut sage
De leur montrer, avant sa mort,
10 Que le travail est un trésor.

16. Les animaux malades de la peste

VII. 1

Cette fable, considérée par beaucoup comme le chef d'œuvre des chefs d'œuvre de La Fontaine, a été souvent interprétée comme visant directement Louis XIV et ses courtisans.

Un mal qui répand la terreur,
Mal que le ciel en sa fureur
Inventa pour punir les crimes de la terre,
La peste (puisqu'il faut l'appeler par son nom),
15 Capable d'enrichir en un jour l'Achéron,
Faisait aux animaux la guerre.
Ils ne mouraient pas tous, mais tous étaient frappés:
On n'en voyait point d'occupés
A chercher le soutien d'une mourante vie;
20 Nul mets n'excitait leur envie;
Ni loups ni renards n'épiaient
La douce et l'innocente proie;
Les tourterelles se fuyaient:
Plus d'amour, partant plus de joie.

[1] Faire l'août = faire la moisson.

Le lion tint conseil, et dit: « Mes chers amis,
Je crois que le ciel a permis
Pour nos péchés cette infortune.
Que le plus coupable de nous
Se sacrifie aux traits du céleste courroux; 5
Peut-être il obtiendra la guérison commune.
L'histoire nous apprend qu'en de tels accidents
On fait de pareils dévouements.
Ne nous flattons donc point; voyons sans indulgence
L'état de notre conscience. 10
Pour moi, satisfaisant mes appétits gloutons
J'ai dévoré force moutons.
Que m'avaient-ils fait ? nulle offense;
Même il m'est arrivé quelquefois de manger
Le berger. 15
Je me dévouerai donc, s'il le faut: mais je pense
Qu'il est bon que chacun s'accuse ainsi que moi:
Car on doit souhaiter, selon toute justice,
Que le plus coupable périsse.
— Sire, dit le renard, vous êtes trop bon roi; 20
Vos scrupules font voir trop de délicatesse;
Eh bien ! manger moutons, canaille, sotte espèce,
Est-ce un péché ? Non, non. Vous leur fîtes, seigneur,
En les croquant, beaucoup d'honneur;
Et quant au berger, l'on peut dire 25
Qu'il était digne de tous maux,
Étant de ces gens-là qui sur les animaux
Se font un chimérique empire. »
Ainsi dit le renard; et flatteurs d'applaudir.
On n'osa trop approfondir 30
Du tigre, ni de l'ours, ni des autres puissances,
Les moins pardonnables offenses.

Tous les gens querelleurs, jusqu'aux simples mâtins,
Au dire de chacun, étaient de petits saints.
L'âne vint à son tour, et dit: « J'ai souvenance
Qu'en un pré de moines passant,
5 La faim, l'occasion, l'herbe tendre, et, je pense,
Quelque diable aussi me poussant,
Je tondis de ce pré la largeur de ma langue.
Je n'en avais nul droit, puis qu'il faut parler net. »
A ces mots on cria haro sur le baudet.
10 Un loup, quelque peu clerc, prouva par sa harangue
Qu'il fallait dévouer [1] ce maudit animal,
Ce pelé, ce galeux, d'où venait tout leur mal.
Sa peccadille fut jugée un cas pendable.
Manger l'herbe d'autrui ! quel crime abominable !
15 Rien que la mort n'était capable
D'expier son forfait: on le lui fit bien voir.

Selon que vous serez puissant ou misérable,
Les jugements de cour vous rendront blanc ou noir.

17. Les vautours et les pigeons

VII. 8

Mars autrefois mit tout l'air en émute.[2]
20 Certain sujet fit naître la dispute
Chez les oiseaux; non ceux que le printemps
Mène à sa cour, et qui, sous la feuillée,
Par leur exemple et leurs sons éclatants,
Font que Vénus est en nous réveillée;
25 Ni ceux encore que la mère d'Amour
Met à son char: mais le peuple vautour,

[1] dévouer = vouer aux dieux, immoler.
[2] émute = émeute (pour rimer avec dispute).

Au bec retors, à la tranchante serre,
Pour un chien mort se fit, dit-on, la guerre.
Il plut du sang: je n'exagère point.
Si je voulais conter de point en point
Tout le détail, je manquerais d'haleine. 5
Maint chef périt, maint héros expira,
Et sur son roc Prométhée espéra
De voir bientôt une fin à sa peine.
C'était plaisir d'observer leurs efforts;
C'était pitié de voir tomber les morts. 10
Valeur, adresse, et ruses, et surprises,
Tout s'employa. Les deux troupes, éprises
D'ardent courroux, n'épargnaient nuls moyens
De peupler l'air que respirent les ombres:
Tout élément remplit de citoyens 15
Le vaste enclos qu'ont les royaumes sombres.
Cette fureur mit la compassion
Dans les esprits d'une autre nation
Au cou changeant, au cœur tendre et fidèle.
Elle employa sa médiation 20
Pour accorder une telle querelle:
Ambassadeurs par le peuple pigeon
Furent choisis; et si bien travaillèrent,
Que les vautours plus ne se chamaillèrent.
Ils firent trève; et la paix s'ensuivit. 25
Hélas ! ce fut aux dépens de la race
A qui la leur aurait dû rendre grâce.
La gent maudite aussitôt poursuivit
Tous les pigeons, en fit ample carnage,
En dépeupla les bourgades, les champs. 30
Peu de prudence eurent les pauvres gens
D'accommoder un peuple si sauvage.

Tenez toujours divisés les méchants:
La sûreté du reste de la terre
Dépend de là. Semez entre eux la guerre;
Ou vous n'aurez avec eux nulle paix.
5 Ceci soit dit en passant. Je me tais.

18. Le coche et la mouche

VII. 9

Dans un chemin montant, sablonneux, malaisé,
Et de tous les côtés au soleil exposé,
Six forts chevaux tiraient un coche.
Femmes, moines, vieillards, tout était descendu;
10 L'attelage suait, soufflait, était rendu.
Une mouche survient, et des chevaux s'approche,
Prétend les animer par son bourdonnement,
Pique l'un, pique l'autre, et pense à tout moment
Qu'elle fait aller la machine,
15 S'assied sur le timon, sur le nez du cocher.
Aussitôt que le char chemine,
Et qu'elle voit les gens marcher,
Elle s'en attribue uniquement la gloire,
Va, vient, fait l'empressée: il semble que ce soit
20 Un sergent de bataille allant en chaque endroit
Faire avancer ses gens et hâter la victoire.
La mouche, en ce commun besoin,
Se plaint qu'elle agit seule, et qu'elle a tout le soin;
Qu'aucun n'aide aux chevaux à se tirer d'affaire.
25 Le moine disait son bréviaire:
Il prenait bien son temps ! une femme chantait:
C'était bien de chansons qu'alors il s'agissait !

Dame mouche s'en va chanter à leurs oreilles,
Et fait cent sottises pareilles.
Après bien du travail, le coche arrive au haut:
« Respirons maintenant ! dit la mouche aussitôt:
J'ai tant fait que nos gens sont enfin dans la plaine. 5
Çà, messieurs les chevaux, payez-moi de ma peine. »
Ainsi certaines gens, faisant les empressés,
S'introduisent dans les affaires:
Ils font partout les nécessaires,
Et, partout importuns, devraient être chassés. 10

19. La laitière et le pot au lait

VII. 10

Perrette, sur sa tête ayant un pot au lait
Bien posé sur un coussinet,
Prétendait arriver sans encombre à la ville.
Légère et court vêtue, elle allait à grands pas,
Ayant mis ce jour-là, pour être plus agile, 15
Cotillon simple et souliers plats.
Notre laitière ainsi troussée
Comptait déjà dans sa pensée
Tout le prix de son lait; en employait l'argent;
Achetait un cent d'œufs; faisait triple couvée: 20
La chose allait à bien par son soin diligent.
« Il m'est, disait-elle, facile
D'élever des poulets autour de ma maison;
Le renard sera bien habile
S'il ne m'en laisse assez pour avoir un cochon. 25
Le porc à s'engraisser coûtera peu de son;
Il était, quand je l'eus, de grosseur raisonnable:
J'aurai, le revendant, de l'argent bel et bon.

Et qui m'empêchera de mettre en notre étable,
Vu le prix dont il est, une vache et son veau,
Que je verrai sauter au milieu du troupeau ? »
Perrette là-dessus saute aussi, transportée:
5 Le lait tombe; adieu veau, vache, cochon, couvée.
La dame de ces biens, quittant d'un œil marri
Sa fortune ainsi répandue,
Va s'excuser à son mari,
En grand danger d'être battue.
10 Le récit en farce en fut fait;
On l'appela le Pot au lait.

Quel esprit ne bat la campagne ?
Qui ne fait châteaux en Espagne ?
Picrochole,[1] Pyrrhus, la laitière, enfin tous,
15 Autant les sages que les fous.
Chacun songe en veillant; il n'est rien de plus doux:
Une flatteuse erreur emporte alors nos âmes;
Tout le bien du monde est à nous,
Tous les honneurs, toutes les femmes.
20 Quand je suis seul, je fais au plus brave un défi;
Je m'écarte, je vais détrôner le sophi,[2]
On m'élit roi, mon peuple m'aime;
Les diadèmes vont sur ma tête pleuvant:
Quelque accident fait-il que je rentre en moi-même:
25 Je suis gros Jean comme devant.

[1] Picrochole = un roi du roman de Rabelais, qui avait, comme Pyrrhus, l'ambition d'être grand conquérant.
[2] Persan pour « roi, » aujourd'hui « schah. »

20. Le savetier et le financier

VIII. 2

Un savetier chantait du matin jusqu'au soir;
C'était merveilles de le voir,
Merveilles de l'ouïr; il faisait des passages,[1]
Plus content qu'aucun des sept sages.
Son voisin, au contraire, étant tout cousu d'or, 5
Chantait peu, dormait moins encor:
C'était un homme de finance.
Si, sur le point du jour, parfois il sommeillait,
Le savetier alors en chantant l'éveillait;
Et le financier se plaignait 10
Que les soins de la Providence
N'eussent pas au marché fait vendre le dormir,
Comme le manger et le boire.
En son hôtel il fait venir
Le chanteur, et lui dit: « Or çà, sire Grégoire, 15
Que gagnez-vous par an ? — Par an ! ma foi, monsieur,
Dit, avec un ton de rieur,
Le gaillard savetier, ce n'est point ma manière
De compter de la sorte; et je n'entasse guère
Un jour sur l'autre: il suffit qu'à la fin 20
J'attrape le bout de l'année;
Chaque jour amène son pain.
— Eh bien, que gagnez-vous, dites-moi, par journée ?
— Tantôt plus, tantôt moins: le mal est que toujours
(Et sans cela nos gains seraient assez honnêtes), 25
Le mal est que dans l'an s'entremêlent des jours
Qu'il faut chômer; on nous ruine en fêtes;
L'une fait tort à l'autre; et monsieur le curé

[1] Passages = variations.

De quelque nouveau saint charge toujours son prône. »
Le financier, riant de sa naïveté,
Lui dit: « Je vous veux mettre aujourd'hui sur le trône.
Prenez ces cent écus; gardez-les avec soin,
5 Pour vous en servir au besoin. »
Le savetier crut voir tout l'argent que la terre
Avait, depuis plus de cent ans,
Produit pour l'usage des gens.
Il retourne chez lui: dans sa cave il enserre
10 L'argent, et sa joie à la fois.
Plus de chant: il perdit la voix,
Du moment qu'il gagna ce qui cause nos peines.
Le sommeil quitta son logis;
Il eut pour hôtes les soucis,
15 Les soupçons, les alarmes vaines.
Tout le jour il avait l'œil au guet; et la nuit,
Si quelque chat faisait du bruit,
Le chat prenait l'argent. A la fin le pauvre homme
S'en courut chez celui qu'il ne réveillait plus:
20 « Rendez-moi, lui dit-il, mes chansons et mon somme,
Et reprenez vos cent écus. »

21. Les deux pigeons

IX. 2

Deux pigeons s'aimaient d'amour tendre:
L'un d'eux, s'ennuyant au logis,
Fut assez fou pour entreprendre
25 Un voyage en lointain pays.
L'autre lui dit: « Qu'allez-vous faire ?
Voulez-vous quitter votre frère ?
L'absence est le plus grand des maux:

Non pas pour vous, cruel ! Au moins, que les travaux,
    Les dangers, les soins du voyage,
    Changent un peu votre courage.[1]
Encor, si la saison s'avançait davantage !
Attendez les zéphyrs: qui vous presse ? un corbeau 5
Tout à l'heure annonçait malheur à quelque oiseau.
  Je ne songerai que rencontre funeste,
Que faucons, que réseaux. « Hélas ! dirai-je, il pleut:
    Mon frère a-t-il tout ce qu'il veut,
    Bon souper, bon gîte, et le reste ? » 10
    Ce discours ébranla le cœur
    De notre imprudent voyageur;
Mais le désir de voir et l'humeur inquiète
L'emportèrent enfin. Il dit: « Ne pleurez point;
Trois jours au plus rendront mon âme satisfaite; 15
Je reviendrai dans peu conter de point en point
    Mes aventures à mon frère;
Je le désennuierai. Quiconque ne voit guère
N'a guère à dire aussi. Mon voyage dépeint
    Vous sera d'un plaisir extrême. 20
Je dirai: J'étais là; telle chose m'advint;
    Vous y croirez être vous-même. »
A ces mots, en pleurant, ils se dirent adieu.
Le voyageur s'éloigne; et voilà qu'un nuage
L'oblige de chercher retraite en quelque lieu. 25
Un seul arbre s'offrit, tel encor que l'orage
Maltraita le pigeon en dépit du feuillage.
L'air devenu serein, il part tout morfondu,
Sèche du mieux qu'il peut son corps chargé de pluie;
Dans un champ à l'écart voit du blé répandu, 30
Voit un pigeon auprès: cela lui donne envie;

[1] *Courage*, sens ancien = disposition du cœur.

Il y vole, il est pris: ce blé couvrait d'un lacs
Les menteurs et traîtres appâts.
Le lacs était usé; si bien que, de son aile,
De ses pieds, de son bec, l'oiseau le rompt enfin;
5 Quelque plume y périt; et le pis du destin
Fut qu'un certain vautour, à la serre cruelle,
Vit notre malheureux, qui, traînant la ficelle
Et les morceaux du lacs qui l'avait attrapé,
Semblait un forçat échappé.
10 Le vautour s'en allait le lier, quand des nues
Fond à son tour un aigle aux ailes étendues.
Le pigeon profita du conflit des voleurs,
S'envola, s'abattit auprès d'une masure,
Crut, pour ce coup, que ses malheurs
15 Finiraient par cette aventure;
Mais un fripon d'enfant (cet âge est sans pitié)
Prit sa fronde, et du coup tua plus d'à moitié
La volatile malheureuse,
Qui, maudissant sa curiosité,
20 Traînant l'aile, et tirant le pied,
Demi-morte et demi-boiteuse,
Droit au logis s'en retourna:
Que bien, que mal, elle arriva
Sans autre aventure fâcheuse.
25 Voilà nos gens rejoints; et je laisse à juger
De combien de plaisirs ils payèrent leurs peines.

Amants, heureux amants, voulez-vous voyager ?
Que ce soit aux rives prochaines.
Soyez-vous l'un à l'autre un monde toujours beau,
30 Toujours divers, toujours nouveau;
Tenez-vous lieu de tout, comptez pour rien le reste.

J'ai quelquefois[1] aimé: je n'aurais pas alors,
Contre le Louvre et ses trésors,
Contre le firmament et sa voûte céleste,
Changé les bois, changé les lieux
Honorés par les pas, éclairés par les yeux 5
De l'aimable et jeune bergère
Pour qui, sous le fils de Cythère,[2]
Je servis, engagé par mes premiers serments.
Hélas ! Quand reviendront de semblables moments ?
Faut-il que tant d'objets si doux et si charmants 10
Me laissent vivre au gré de mon âme inquiète ?
Ah ! si mon cœur osait encor se renflammer !
Ne sentirai-je plus de charme qui m'arrête ?
Ai-je passé le temps d'aimer ?

22. Le gland et la citrouille

IX. 4

[Dès le XVIe siècle, certains penseurs s'affranchissaient de la doctrine traditionnelle de l'Église, et ils avaient assez audacieusement osé nier l'existence d'une Providence; on les appelait les « libertins » ou libres-penseurs. Au XVIIe siècle, le débat sortit du domaine de la théologie; les philosophes s'en emparèrent. Et les philosophes opposés aux « libertins », c'est à dire ceux qui affirmaient avec les théologiens leur croyance en un Dieu d'ordre et de bonté, s'appelaient les « optimistes ». La Fontaine se rangea à leur manière de voir, comme on le verra dans cette fable. Ajoutons que la discussion continua longtemps encore; la philosophie optimiste sera défendue particulièrement par Leibnitz, dans un gros livre, *La Théodicée* (d'un mot grec qui signifie « justification de Dieu »), publié en 1710 et qui se résume dans cette formule célèbre « Tout est bien dans le meilleur des mondes possibles ». Voltaire sera fortement tourmenté par ce problème. Voir *Eighteenth Century French Readings*, Holt and Co., Chap. « Voltaire ».]

[1] Quelquefois, ici = une fois.
[2] *Ile* consacrée à Vénus; Vénus elle-même.

Dieu fait bien ce qu'il fait. Sans en chercher la preuve
En tout cet univers, et l'aller parcourant,
Dans les citrouilles je la treuve.[1]

Un villageois, considérant
5 Combien ce fruit est gros et sa tige menue:
« A quoi songeait, dit-il, l'auteur de tout cela ?
Il a bien mal placé cette citrouille-là:
Hé parbleu ! je l'aurais pendue
A l'un des chênes que voilà;
10 C'eût été justement l'affaire;
Tel fruit, tel arbre, pour bien faire.
C'est dommage, Garo, que tu n'es point entré
Au conseil de celui que prêche ton curé;
Tout en eût été mieux: car pourquoi, par exemple,
15 Le gland, qui n'est pas gros comme mon petit doigt,
Ne pend-il pas en cet endroit ?
Dieu s'est mépris; plus je contemple
Ces fruits ainsi placés, plus il semble à Garo
Que l'on a fait un quiproquo. »
20 Cette réflexion embarrassant notre homme:
« On ne dort point, dit-il, quand on a tant d'esprit. »
Sous un chêne aussitôt il va prendre son somme.
Un gland tombe; le nez du dormeur en pâtit.
Il s'éveille; et, portant la main sur son visage,
25 Il trouve encor le gland pris au poil du menton.
Son nez meurtri le force à changer de langage:
« Oh ! oh ! dit-il, je saigne ! Et que serait-ce donc
S'il fût tombé de l'arbre une masse plus lourde,
Et que ce gland eût été gourde ?
30 Dieu ne l'a pas voulu: sans doute il eut raison;

[1] treuve, forme archaïque = trouve, pour rimer avec preuve.

J'en vois bien à présent la cause. »
En louant Dieu de toute chose,
Garo retourne à la maison.

23. Le paysan du Danube

XI. 7

[Ce récit constitue comme une première *proclamation des droits de l'homme,* plus d'un siècle avant la Révolution — proclamation des droits des peuples opprimés par la tyrannie des forts.]

Il ne faut point juger des gens sur l'apparence.
Le conseil en est bon, mais il n'est pas nouveau. 5
Jadis l'erreur du souriceau [1]
Me servit à prouver le discours que j'avance:
J'ai, pour le fonder à présent,
Le bon Socrate, Ésope,[2] et certain paysan
Des rives du Danube, homme dont Marc-Aurèle [3] 10
Nous fait un portrait fort fidèle.
On connaît les premiers: quant à l'autre, voici
Le personnage en raccourci.
Son menton nourrissait une barbe touffue;
Toute sa personne velue 15
Représentait un ours, mais un ours mal léché:
Sous un sourcil épais il avait l'œil caché,
Le regard de travers, nez tortu, grosse lèvre,
Portait sayon de poil de chèvre,
Et ceinture de joncs marins. 20
Cet homme ainsi bâti fut député des villes
Que lave le Danube.[4] Il n'était point d'asiles

[1] Voir *Fables*, VI, 5.
[2] Socrate était fort laid; Ésope était bossu.
[3] Empereur romain 161–180 ap. J.-C.
[4] Villes de tribus germaniques, la Roumanie actuelle.

Où l'avarice des Romains
Ne pénétrât alors, et ne portât les mains.
Le député vint donc, et fit cette harangue:
« Romains, et vous, sénat assis pour m'écouter,
5 Je supplie avant tout les dieux de m'assister:
Veuillent les immortels, conducteurs de ma langue,
Que je ne dise rien qui doive être repris !
Sans leur aide, il ne peut entrer dans les esprits
Que tout mal et toute injustice:
10 Faute d'y recourir, on viole leurs lois.
Témoin nous que punit la romaine avarice:
Rome est, pour nos forfaits, plus que par ses exploits,
L'instrument de notre supplice.
Craignez, Romains, craignez que le ciel quelque jour
15 Ne transporte chez vous les pleurs et la misère;
Et mettant en nos mains, par un juste retour,
Les armes dont se sert sa vengeance sévère,
Il ne vous fasse, en sa colère,
Nos esclaves à votre tour.
20 Et pourquoi sommes-nous les vôtres ? Qu'on me die [1]
En quoi vous valez mieux que cent peuples divers.
Quel droit vous a rendus maîtres de l'univers ?
Pourquoi venir troubler une innocente vie ?
Nous cultivions en paix d'heureux champs; et nos mains
25 Étaient propres aux arts, ainsi qu'au labourage.
Qu'avez-vous appris aux Germains ?
Ils ont l'adresse et le courage:
S'ils avaient eu l'avidité,
Comme vous, et la violence,
30 Peut-être en votre place ils auraient la puissance,
Et sauraient en user sans inhumanité.

[1] die, forme archaïque = dise, pour rimer avec vie.

Celle que vos préteurs ont sur nous exercée
N'entre qu'à peine en la pensée.
La majesté de vos autels
Elle-même en est offensée;
Car sachez que les immortels 5
Ont les regards sur nous. Grâces à vos exemples,
Ils n'ont devant les yeux que des objets d'horreur,
De mépris d'eux et de leurs temples,
D'avarice qui va jusques à la fureur.
Rien ne suffit aux gens qui nous viennent de Rome: 10
La terre et le travail de l'homme
Font pour les assouvir des efforts superflus.
Retirez-les: on ne veut plus
Cultiver pour eux les campagnes.
Nous quittons les cités, nous fuyons aux montagnes; 15
Nous laissons nos chères compagnes;
Nous ne conversons plus qu'avec des ours affreux,
Découragés de mettre au jour des malheureux,
Et de peupler pour Rome un pays qu'elle opprime.
Quant à nos enfants déjà nés, 20
Nous souhaitons de voir leurs jours bientôt bornés:
Vos préteurs au malheur nous font joindre le crime.
Retirez-les: ils ne nous apprendront
Que la mollesse et que le vice;
Les Germains comme eux deviendront 25
Gens de rapine et d'avarice.
C'est tout ce que j'ai vu dans Rome à mon abord.
N'a-t-on point de présent à faire,
Point de pourpre à donner, c'est en vain qu'on espère
Quelque refuge aux lois: encor leur ministère 30
A-t-il mille longueurs. Ce discours, un peu fort,
Doit commencer à vous déplaire.

Je finis. Punissez de mort
Une plainte un peu trop sincère. »
A ces mots, il se couche; et chacun étonné
Admire le grand cœur, le bon sens, l'éloquence
5 Du sauvage ainsi prosterné.
On le créa patrice [1]; et ce fut la vengeance
Qu'on crut qu'un tel discours méritait. On choisit
D'autres préteurs; et par écrit
Le sénat demanda ce qu'avait dit cet homme,
10 Pour servir de modèle aux parleurs à venir.
On ne sut pas longtemps à Rome
Cette éloquence entretenir.

24. Les souris et le chat-huant

XI. 9

[Cette fable est dirigée contre la doctrine de l'automatisme des bêtes de Descartes. Voir plus loin, p. 214 ss.]

Il ne faut jamais dire aux gens,
Écoutez un bon mot, oyez [2] une merveille.
15 Savez-vous si les écoutants
En feront une estime à la vôtre pareille ?
Voici pourtant un cas qui peut être excepté:
Je le maintiens prodige, et tel que d'une fable
Il a l'air et les traits, encor que véritable.
20 On abattit un pin pour son antiquité,
Vieux palais d'un hibou, triste et sombre retraite
De l'oiseau qu'Atropos prend pour son interprète.
Dans son tronc caverneux, et miné par le temps
Logeaient, entre autres habitants,
25 Force souris sans pieds, toutes rondes de graisse.

[1] Nom d'une magistrature romaine.
[2] Oyez = entendez.

L'oiseau les nourrissait parmi des tas de blé,
Et de son bec avait leur troupeau mutilé.
Cet oiseau raisonnait, il faut qu'on le confesse.
En son temps, aux souris le compagnon chassa:
Les premières qu'il prit du logis échappées, 5
Pour y remédier, le drôle estropia
Tout ce qu'il prit ensuite; et leurs jambes coupées
Firent qu'il les mangeait à sa commodité,
Aujourd'hui l'une et demain l'autre.
Tout manger à la fois, l'impossibilité 10
S'y trouvait, joint aussi le soin de sa santé.
Sa prévoyance allait aussi loin que la nôtre:
Elle allait jusqu'à leur porter
Vivres et grains pour subsister.
Puis, qu'un cartésien s'obstine 15
A traiter ce hibou de montre et de machine!
Quel ressort lui pouvait donner
Le conseil de tronquer un peuple mis en mue?
Si ce n'est pas là raisonner,
La raison m'est chose inconnue. 20
Voyez que d'arguments il fit:
Quand ce peuple est pris, il s'enfuit;
Donc il faut le croquer aussitôt qu'on le happe.
Tout! il est impossible. Et puis pour le besoin
N'en dois-je point garder? Donc il faut avoir soin 25
De le nourrir sans qu'il échappe.
Mais comment? Ôtons-lui les pieds. Or trouvez-moi
Chose par les humains à sa fin mieux conduite!
Quel autre art de penser Aristote et sa suite
Enseignent-ils, par votre foi? [1] 30

[1] Ceci n'est point une fable; et la chose, quoique merveilleuse et presque incroyable, est véritablement arrivée. J'ai peut-être porté

25. Le renard et les poulets d'Inde

XII. 18

Contre les assauts d'un renard
Un arbre à des dindons servait de citadelle.
Le perfide ayant fait tout le tour du rempart,
Et vu chacun en sentinelle,
5 S'écria: Quoi ! ces gens se moqueront de moi !
Eux seuls seront exempts de la commune loi !
Non, par tous les dieux ! non. Il accomplit son dire.
La lune, alors luisant, semblait, contre le pire
Vouloir favoriser la dindonnière gent.
10 Lui, qui n'était novice au métier d'assiégeant,
Eut recours à son sac de ruses scélérates,
Feignit vouloir gravir, se guinda sur ses pattes,
Puis contrefit le mort, puis le ressuscité.
Arlequin [1] n'eût exécuté
15 Tant de différents personnages.
Il élevait sa queue, il la faisait briller
Et cent mille autres badinages,
Pendant quoi nul dindon n'eût osé sommeiller.
L'ennemi les lassait en leur tenant la vue
20 Sur même objet toujours tendue.
Les pauvres gens étant à la longue éblouis,
Toujours il en tombait quelqu'un; autant de pris,
Autant de mis à part: près de moitié succombe.
Le compagnon les porte en son garde-manger.

25 Le trop d'attention qu'on a pour le danger
Fait le plus souvent qu'on y tombe.

---

trop loin la prévoyance de ce hibou, car je ne prétends pas établir dans les bêtes un progrès de raisonnement tel que celui-ci: mais ces exagérations sont permises à la poésie, surtout, dans la manière d'écrire dont je me sers. (*Note de la Fontaine.*)

[1] Personnage de la comédie italienne, fertile en ruses.

CHAPTER VI

DESCARTES

1596–1650

Si Calvin et Montaigne avaient, avant lui, traité en français, des matières philosophiques et religieuses, c'est cependant à Descartes que revient l'honneur d'avoir définitivement consacré le français comme langue philosophique.

Né à La Haye, en Touraine, il reçut son éducation scolaire (1604–1612) au Collège des Jésuites, de La Flèche. Puis il voyagea, servit comme officier pendant la Guerre de Trente ans (1618–1648); mais quitta l'armée en 1629 et se retira en Hollande (entre autres à Amsterdam) où il se sentait plus tranquille pour se livrer tout entier à ses méditations philosophiques. En 1649 il passait en Suède pour devenir l'hôte de la reine Christine, sa grande admiratrice; mais il y mourut au bout de quelques mois.

Descartes était un grand mathématicien et physicien; c'est cependant par son œuvre philosophique qu'il appartient à la littérature.

Consulter: A. Fouillée, *Descartes*, (Coll. Grands écrivains fr.); Liard, *Descartes* (1881); Fr. Bouillier, *Histoire de la Philosophie cartésienne*, (2me éd. 1868).

1. Discours de la méthode

(pour bien conduire sa raison, et chercher la vérité dans les sciences)

[Descartes partage, avec Francis Bacon, le titre de « rénovateur de la philosophie moderne ». Voici ce qu'il faut entendre par là: Pendant tout le Moyen-âge, avait prévalu ce qu'on appelle la « philosophie scolastique », c'est-à-dire la philosophie enseignée dans les écoles — dirigées naturellement à cette époque par les prêtres. Ces serviteurs de l'Église acceptaient comme vérité les doctrines transmises par les grands Docteurs chrétiens; le critère de la vérité était donc l'autorité de ces théologiens philosophes; et la « logique » enseignée à « l'école » (et fondée sur l'art du raisonnement d'Aristote) servait à démontrer ces doctrines acceptées d'avance. Toute manière de penser qui n'aboutissait pas à ces doctrines traditionnelles des pères et Docteurs de l'Eglise était rejetée *à priori* comme erronée; l'étudiant selon le mot d'Horace, devait donc *Jurare in verba magistri*.[1]

C'est ce *critère de l'autorité* que contestera Descartes, et il mettra à sa place le *critère de la raison* — de la raison qui satisfait l'élève et non le maître.

Ceci nous paraît simple et évident aujourd'hui, mais ne l'était pas au temps de Descartes qui avait bien conscience de l'audace de sa formule. D'autre part, on verra qu'il adoptera, au nom de sa raison, plusieurs des doctrines essentielles que les siècles précédents avaient adoptées par autorité et par tradition; donc la révolution ne choquera pas, au XVII° siècle autant qu'on aurait pu le croire; Descartes eut des disciples même parmi les théologiens, tels Pascal, Bossuet et Fénelon qui seront étudiés dans les chapitres suivants.]

Avertissement de Descartes

Si ce discours semble trop long pour être lu en une fois, on le pourra distinguer en six parties; et en la première on trouvera diverses considérations touchant les sciences; en la seconde, les principales règles de la méthode que l'auteur a cherchée; en la troisième, quelques-unes de celles de la morale qu'il a tirée de cette méthode; en la quatrième, les raisons par lesquelles il prouve l'existence de Dieu et de l'âme humaine, qui sont les fondements de sa métaphysique; en la cinquième, l'ordre des questions de physique qu'il a cherchées, et particulièrement l'explication du mouvement du cœur et de quelques autres difficultés qui appartiennent à la médecine, puis aussi la différence qui est entre notre âme et celle des bêtes; et en la dernière, quelles choses il croit être requises pour aller plus avant en la recherche de la nature qu'il n'a été, et quelles raisons l'ont fait écrire.

PREMIÈRE PARTIE

Diverses considérations touchant les sciences

[Le bon sens — ou la raison — est la chose du monde la mieux partagée.]

Le bon sens est la chose du monde la mieux partagée, car chacun pense en être si bien pourvu, que ceux même

[1] Montaigne, au XVI° siècle avait déjà montré qu'une logique toute formelle pouvait être trompeuse, et qu'on pouvait, en s'en servant, prouver à peu près tout; par exemple, qu'il faut manger du

qui sont les plus difficiles à contenter en toute autre chose n'ont point coutume d'en désirer plus qu'ils n'en ont. En quoi il n'est pas vraisemblable que tous se trompent; mais plutôt cela témoigne que la puissance de bien juger et distinguer le vrai d'avec le faux, qui est proprement ce qu'on nomme le bon sens ou la raison, est naturellement égale en tous les hommes, et ainsi que la diversité de nos opinions ne vient pas de ce que les uns sont plus raisonnables que les autres, mais seulement de ce que nous conduisons nos pensées par diverses voies, et ne considérons pas les mêmes choses. Car ce n'est pas assez d'avoir l'esprit bon, mais le principal est de l'appliquer bien . . .

. . . Ainsi mon dessein n'est pas d'enseigner ici la méthode que chacun doit suivre pour bien conduire sa raison, mais seulement de faire voir en quelle sorte j'ai tâché de conduire la mienne. Ceux qui se mêlent de donner des préceptes se doivent estimer plus habiles que ceux auxquels ils les donnent; et s'ils manquent en la moindre chose, ils en sont blâmables. Mais ne proposant cet écrit que comme une histoire, ou, si vous l'aimez mieux, que comme une fable,[1] en laquelle, parmi quelques exemples qu'on peut imiter, on en trouvera peut-être aussi plusieurs autres qu'on aura raison de ne pas suivre, j'espère qu'il sera utile à quelques-uns sans être nuisible à personne, et que tous me sauront gré de ma franchise.

[Descartes raconte l'expérience qu'il a eue. On lui avait laissé croire que les « lettres », c'est à dire ce qui était dans les livres et ce

---

jambon pour se désaltérer; car: *le boire désaltère; or, le jambon fait boire; donc le jambon désaltère.*

[1] *Fable*, dans le sens étymologique d'histoire fictive, par opposition à l'histoire d'événements réels.

qu'on enseignait dans les écoles, lui donneraient « une connaissance claire et assurée de tout ce qui est utile à la vie ». Il fut déçu.]

J'ai été nourri aux lettres dès mon enfance,[1] et, pour ce qu'on me persuadait que par leur moyen on pouvait acquérir une connaissance claire et assurée de tout ce qui est utile à la vie, j'avais un extrême désir de les apprendre. 5 Mais sitôt que j'eus achevé tout ce cours d'études au bout duquel on a coutume d'être reçu au rang des doctes, je changeai entièrement d'opinion. Car je me trouvais embarrassé de tant de doutes et d'erreurs, qu'il me semblait n'avoir fait autre profit, en tâchant de m'instruire, sinon 10 que j'avais découvert de plus en plus mon ignorance. Et néanmoins j'étais en l'une des plus célèbres écoles de l'Europe, où je pensais qu'il devait y avoir de savants hommes, s'il y en avait en aucun endroit de la terre. J'y avais appris tout ce que les autres y apprenaient; et 15 même, ne m'étant pas contenté des sciences qu'on nous enseignait, j'avais parcouru tous les livres traitant de celles qu'on estime les plus curieuses et les plus rares qui avaient pu tomber entre mes mains. Avec cela je savais les jugements que les autres faisaient de moi; et je ne 20 voyais point qu'on m'estimât inférieur à mes condisciples, bien qu'il y en eût déjà entre eux quelques-uns qu'on destinait à remplir les places de nos maîtres. Et enfin notre siècle me semblait aussi fleurissant et aussi fertile en bons esprits qu'ait été aucun des précédents. Ce qui 25 me faisait prendre la liberté de juger par moi de tous les autres, et de penser qu'il n'y avait aucune doctrine dans le monde qui fût telle qu'on m'avait auparavant fait espérer.

[1] Descartes entra au collège jésuite de La Flèche (Anjou), à l'âge de huit ans, et y resta huit ans (1604–1612).

Je ne laissais pas toutefois d'estimer les exercices auxquels on s'occupe dans les écoles. Je savais que les langues que l'on y apprend sont nécessaires pour l'intelligence des livres anciens; que la gentillesse des fables réveille l'esprit; que les actions mémorables des histoires le relèvent, et qu'étant lues avec discrétion, elles aident à former le jugement... Mais je croyais avoir déjà donné assez de temps aux langues, et même aussi à la lecture des livres anciens, et à leurs histoires, et à leurs fables...

J'estimais fort l'éloquence, et j'étais amoureux de la poésie, mais je pensais que l'une et l'autre étaient des dons de l'esprit plutôt que des fruits de l'étude...

Je me plaisais surtout aux mathématiques, à cause de la certitude et de l'évidence de leurs raisons, mais je ne remarquais point encore leur vrai usage, et, pensant qu'elles ne servaient qu'aux arts mécaniques, je m'étonnais de ce que, leurs fondements étant si fermes et si solides, on n'avait rien bâti dessus de plus relevé... [1]

Je révérais notre théologie, et prétendais autant qu'aucun autre à gagner le ciel; mais ayant appris, comme chose très assurée, que le chemin n'en est pas moins ouvert aux plus ignorants qu'aux plus doctes, et que les vérités révélées qui y conduisent sont au-dessus de notre intelligence, je n'eusse osé les soumettre à la faiblesse de mes raisonnements, et je pensais que pour entreprendre de les examiner et y réussir il était besoin d'avoir quelque extraordinaire assistance du ciel et d'être plus qu'homme.

Je ne dirai rien de la philosophie, sinon que, voyant

[1] Descartes fit des travaux fort importants dans le domaine des mathématiques et de la physique.

qu'elle a été cultivée par les plus excellents esprits qui aient vécu depuis plusieurs siècles, et que néanmoins il ne s'y trouve encore aucune chose dont on ne dispute, et par conséquent qui ne soit douteuse, je n'avais point
5 assez de présomption pour espérer d'y rencontrer mieux que les autres . . . [1]

Puis, pour les autres sciences, d'autant qu'elles empruntent leurs principes de la philosophie, je jugeais qu'on ne pouvait avoir rien bâti qui fût solide sur des
10 fondements si peu fermes . . .

[Il essaye les voyages, « le grand livre du monde ». Il est déçu encore, trouvant « quasi autant de liberté [variété] dans les mœurs des hommes que dans les opinions des philosophes ». Il cherche enfin en lui-même, c'est à dire dans sa raison.]

C'est pourquoi, sitôt que l'âge me permit de sortir de la sujétion de mes précepteurs, je quittai entièrement l'étude des lettres; et me résolvant de ne chercher plus d'autre science que celle qui se pourrait trouver en moi-
15 même, ou bien dans le grand livre du monde, j'employai le reste de ma jeunesse à voyager, à voir des cours et des armées, à fréquenter des gens de diverses humeurs et conditions, à recueillir diverses expériences, à m'éprouver moi-même dans les rencontres que la fortune me propo-
20 sait, et partout à faire telle réflexion sur les choses qui se présentaient que j'en pusse tirer quelque profit. Car il me semblait que je pourrais rencontrer beaucoup plus de vérité dans les raisonnements que chacun fait touchant les affaires qui lui importent, et dont l'événement le doit
25 punir bientôt après s'il a mal jugé, que dans ceux que fait

[1] Descartes prend ses précautions contre les désaveux de l'Eglise; il n'enviait point le sort de Galilée, qui, à l'âge de 70 ans, dut abjurer à genoux, devant le tribunal de l'Inquisition, « l'hérésie » que c'est la terre qui tourne autour du soleil et non le contraire.

un homme de lettres dans son cabinet touchant des spéculations qui ne produisent aucun effet, et qui ne lui sont d'autre conséquence, sinon que peut-être il en tirera d'autant plus de vanité qu'elles seront plus éloignées du sens commun, à cause qu'il aura dû employer d'autant plus d'esprit et d'artifice à tâcher de les rendre vraisemblables. Et j'avais toujours un extrême désir d'apprendre à distinguer le vrai d'avec le faux, pour voir clair en mes actions et marcher avec assurance en cette vie.

Il est vrai que pendant que je ne faisais que considérer les mœurs des autres hommes, je n'y trouvais guère de quoi m'assurer, et que j'y remarquais quasi autant de diversité que j'avais fait auparavant entre les opinions des philosophes. En sorte que le plus grand profit que j'en retirais était que, voyant plusieurs choses qui, bien qu'elles nous semblent fort extravagantes et ridicules, ne laissent pas d'être [1] communément reçues et approuvées par d'autrès grands peuples, j'apprenais à ne rien croire trop fermement de ce qui ne m'avait été persuadé que par l'exemple et par la coutume; et ainsi je me délivrais peu à peu de beaucoup d'erreurs qui peuvent offusquer notre lumière naturelle et nous rendre moins capables d'entendre raison. Mais, après que j'eus employé quelques années à étudier ainsi dans le livre du monde et à tâcher d'acquérir quelque expérience, je pris un jour résolution d'étudier aussi en moi-même, et d'employer toutes les forces de mon esprit à choisir les chemins que je devais suivre; ce qui me réussit beaucoup mieux, ce me semble, que si je ne me fusse jamais éloigné ni de mon pays ni de mes livres.

[1] Ne laissent pas d'être = *n'en sont pas moins . . .*

DEUXIÈME PARTIE

Principales régles de la méthode

[Descartes continue ses méditations pendant les longues heures d'oisiveté dans ses campagnes au cours de la Guerre de Trente ans. Il comprend que la « sagesse » des hommes n'est qu'une accumulation incohérente des idées venant des âges passés, et que si l'on aspire à une philosophie ayant de l'unité, il y aura toujours plus de chances de réussite si un seul homme, d'une intelligence assurée, entreprend la tâche.]

J'étais alors en Allemagne où l'occasion des guerres [1] qui n'y sont pas encore finies m'avait appelé; et comme je retournais du couronnement de l'empereur [2] vers l'armée, le commencement de l'hiver m'arrêta en un quartier [3]
5 où, ne trouvant aucune conversation qui me divertît, et n'ayant d'ailleurs, par bonheur, aucuns soins ni passions qui me troublassent, je demeurais tout le jour enfermé seul dans un poêle,[4] où j'avais tout le loisir de m'entretenir de mes pensées. Entre lesquelles l'une des premières
10 fut que je m'avisai de considérer que souvent il n'y a pas tant de perfection dans les ouvrages composés de plusieurs pièces, et faits de la main de divers maîtres, qu'en ceux auxquels un seul a travaillé. Ainsi voit-on que les bâtiments qu'un seul architecte a entrepris et achevés
15 ont coutume d'être plus beaux et mieux ordonnés que ceux que plusieurs ont tâché de raccommoder en faisant

[1] C'était l'époque de la guerre de Trente ans (1618–1648); Descartes avait pris du service comme officier, d'abord sous Maurice de Nassau, le fils du Prince d'Orange, et depuis 1619 sous Tilly et sous Boucquoi.

[2] Ferdinand II (1619–1637).

[3] A Neubourg, ville de Bavière, sur le Danube.

[4] Ellipse pour *la chambre avec le poêle.* Il n'y en avait pas, en général, plus d'une par maison.

servir de vieilles murailles qui avaient été bâties à d'autres fins. Ainsi ces anciennes cités qui, n'ayant été au commencement que des bourgades, sont devenues par succession de temps de grandes villes, sont ordinairement si mal compassées, au prix de ces places régulières qu'un 5 ingénieur trace à sa fantaisie dans une plaine, qu'encore que, considérant leurs édifices chacun à part, on y trouve souvent autant ou plus d'art qu'en ceux des autres, toutefois, à voir comme ils sont arrangés, ici un grand, là un petit, et comme ils rendent les rues courbées et inégales, 10 on dirait plutôt que c'est la fortune que la volonté de quelques hommes usant de raison qui les a ainsi disposés. Et si on considère qu'il y a eu néanmoins de tout temps quelques officiers qui ont eu charge de prendre garde aux bâtiments des particuliers pour les faire servir à 15 l'ornement du public, on connaîtra bien qu'il est malaisé, en ne travaillant que sur les ouvrages d'autrui, de faire des choses fort accomplies. Ainsi je m'imaginai que les peuples qui, ayant été autrefois demi-sauvages, et ne s'étant civilisés que peu à peu, n'ont fait leurs lois qu'à 20 mesure que l'incommodité des crimes et les querelles les y a contraints, ne sauraient être si bien policés que ceux qui, dès le commencement qu'ils se sont assemblés, ont observé les constitutions de quelque prudent législateur. Comme il est bien certain que l'état de la vraie religion, 25 dont Dieu seul a fait les ordonnances, doit être incomparablement mieux réglé que tous les autres. Et, pour parler des choses humaines, je crois que si Sparte a été autrefois très florissante, ce n'a pas été à cause de la bonté de chacune de ses lois en particulier, vu que plu- 30 sieurs étaient fort étranges, et même contraires aux bonnes mœurs; mais à cause que, n'ayant été inventées

que par un seul, elles tendaient toutes à même fin. Et ainsi je pensai que les sciences des livres, au moins celles dont les raisons ne sont que probables, et qui n'ont aucunes démonstrations, s'étant composées et grossies
5 peu à peu des opinions de plusieurs diverses personnes, ne sont point si approchantes de la vérité que les simples raisonnements que peut faire naturellement un homme de bon sens touchant les choses qui se présentent. Et ainsi encore je pensai que pour ce que nous avons tous
10 été enfants avant que d'être hommes, et qu'il nous a fallu longtemps être gouvernés par nos appétits et nos précepteurs, qui étaient souvent contraires les uns aux autres, et qui, ni les uns ni les autres, ne nous conseillaient peut-être pas toujours le meilleur, il est presque
15 impossible que nos jugements soient si purs ni si solides qu'ils auraient été si nous avions eu l'usage entier de notre raison dès le point de notre naissance, et que nous n'eussions jamais été conduits que par elle.

[*La méthode*]

Mais comme un homme qui marche seul et dans les
20 ténèbres, je me résolus d'aller si lentement et d'user de tant de circonspection en toutes choses, que si je n'avançais que fort peu, je me garderais bien au moins de tomber. Même je ne voulus point commencer à rejeter tout à fait aucune des opinions qui s'étaient pu glisser autre-
25 fois en ma créance sans y avoir été introduites par la raison, que je n'eusse auparavant employé assez de temps à faire le projet de l'ouvrage que j'entreprenais, et à chercher la vraie méthode pour parvenir à la connaissance de toutes les choses dont mon esprit serait capable . . .

[N'y a-t-il rien à emprunter aux autres ? Il a étudié un peu la logique, la géométrie et l'algèbre; les deux dernières demeurent toujours dans le domaine de l'abstrait. Quant à la première:]

Mais, en les examinant, je pris garde que, pour la logique, ses syllogismes et la plupart de ses autres instructions servent plutôt à expliquer à autrui les choses qu'on sait, ou même, comme l'art de Lulle,[1] à parler sans jugement de celles qu'on ignore, qu'à les apprendre; et bien qu'elle 5 contienne en effet beaucoup de préceptes très vrais et très bons, il y en a toutefois tant d'autres mêlés parmi [2] qui sont ou nuisibles ou superflus, qu'il est presque aussi malaisé de les en séparer que de tirer une Diane ou une Minerve hors d'un bloc de marbre qui n'est point encore ébauché. 10

[C'est ici que Descartes vise la scolastique, ou philosophie d'autorité qui avait prévalu pendant le moyen-âge et qui ne l'avait pas satisfait, comme nous l'avons expliqué tout à l'heure.]

... Ce qui fut cause que je pensai qu'il fallait chercher quelque autre méthode qui, comprenant les avantages de ces trois, fût exempte de leurs défauts. Et comme la multitude des lois fournit souvent des excuses aux vices, en sorte qu'un État est bien mieux réglé lorsque, n'en 15 ayant que fort peu, elles y sont fort étroitement observées; ainsi, au lieu de ce grand nombre de préceptes dont la logique est composée, je crus que j'aurais assez des quatre suivants, pourvu que je prisse une ferme et con-

[1] Raymond Lulle (1235–1315) philosophe espagnol, auteur du *Ars Magna* (1275 ?) et qui prétendait avoir inventé un moyen de faire mécaniquement le travail de la pensée philosophique, à peu près comme nos machines à compter font pour nous des opérations de chiffres.

[2] parmi = parmi eux.

stante résolution de ne manquer pas une seule fois à les observer.

Le premier était de ne recevoir jamais aucune chose pour vraie que je ne la connusse évidemment être telle;
5 c'est-à-dire d'éviter soigneusement la précipitation et la prévention, et de ne comprendre rien de plus en mes jugements que ce qui se présenterait si clairement et si distinctement à mon esprit, que je n'eusse aucune occasion de le mettre en doute.

10 Le second, de diviser chacune des difficultés que j'examinerais en autant de parcelles qu'il se pourrait et qu'il serait requis pour les mieux résoudre.

Le troisième, de conduire par ordre mes pensées, en commençant par les objets les plus simples et les plus
15 aisés à connaître, pour monter peu à peu comme par degrés jusques à la connaissance des plus composés, et supposant même de l'ordre entre ceux qui ne se précèdent point naturellement les uns les autres.

Et le dernier, de faire partout des dénombrements si
20 entiers et des revues si générales, que je fusse assuré de ne rien omettre.[1]

Ces longues chaînes de raisons, toutes simples et faciles, dont les géomètres ont coutume de se servir pour parvenir à leurs plus difficiles démonstrations, m'avaient donné oc-
25 casion de m'imaginer que toutes les choses qui peuvent tomber sous la connaissance des hommes s'entresuivent en même façon, et que, pourvu seulement qu'on s'abstienne d'en recevoir aucune pour vraie qui ne le soit, et qu'on garde toujours l'ordre qu'il faut pour les déduire

[1] Tout ce qui est impliqué dans la méthode de Descartes, ici seulement esquissée, a été développé par Stuart Mill, *A system of Logic, Rationative and Inductive* (1843).

les unes des autres, il n'y en peut avoir de si éloignées auxquelles enfin on ne parvienne, ni de si cachées qu'on ne découvre.

. . . .

. . . Mais ce qui me contentait le plus de cette méthode était que par elle j'étais assuré d'user en tout de ma raison, sinon parfaitement, au moins le mieux qui fût en mon pouvoir . . . Non que pour cela j'osasse entreprendre d'abord d'examiner toutes les matières qui se présenteraient, car cela même eût été contraire à l'ordre qu'elle prescrit; mais ayant pris garde que leurs principes devaient tous être empruntés de la philosophie, en laquelle je n'en trouvais point encore de certains, je pensai qu'il fallait avant tout que je tâchasse d'y en établir; et que, cela étant la chose du monde la plus importante, et où la précipitation et la prévention étaient le plus à craindre, je ne devais point entreprendre d'en venir à bout que je n'eusse atteint un âge bien plus mûr que celui de vingt-trois ans que j'avais alors, et que je n'eusse auparavant employé beaucoup de temps à m'y préparer, tant en déracinant de mon esprit toutes les mauvaises opinions que j'y avais reçues avant ce temps-là qu'en faisant amas de plusieurs expériences, pour être après la matière de mes raisonnements, et en m'exerçant toujours en la méthode que je m'étais prescrite, afin de m'y affermir de plus en plus.

TROISIÈME PARTIE

[Maximes provisoires de conduite dans la vie, jusqu'à ce que la vérité trouvée par la nouvelle *méthode* en indique peut-être d'autres.]

Et enfin, comme ce n'est pas assez, avant de commencer à rebâtir le logis où on demeure, que de l'abattre, et de faire provision de matériaux et d'architectes, ou s'exercer soi-même à l'architecture, et outre cela d'en avoir soigneusement tracé le dessin, mais qu'il faut aussi s'être pourvu de quelque autre où on puisse être logé commodément pendant le temps qu'on y travaillera; ainsi, afin que je ne demeurasse point irrésolu en mes actions, pendant que la raison m'obligerait de l'être en mes jugements, et que je ne laissasse pas de vivre dès lors le plus heureusement que je pourrais, je me formai une morale par provision, qui ne consistait qu'en trois ou quatre maximes dont je veux bien vous faire part.

La première était d'obéir aux lois et aux coutumes de mon pays, retenant constamment la religion en laquelle Dieu m'a fait la grâce d'être instruit dès mon enfance, et me gouvernant en toute autre chose suivant les opinions les plus modérées et les plus éloignées de l'excès qui fussent communément reçues en pratique par les mieux sensés de ceux avec lesquels j'aurais à vivre. Car, commençant dès lors à ne compter pour rien les miennes propres, à cause que je les voulais remettre toutes à l'examen, j'étais assuré de ne pouvoir mieux que de suivre celles des mieux sensés. Et encore qu'il y en ait peut-être d'aussi bien sensés parmi les Perses ou les Chinois que parmi nous, il me semblait que le plus utile était de me régler selon ceux avec lesquels j'aurais à vivre; et que, pour savoir quelles étaient véritablement leurs opinions, je devais plutôt prendre garde à ce qu'ils pratiquaient qu'à ce qu'ils disaient, non seulement à cause qu'en la corruption de nos mœurs il y a peu de gens qui veuillent dire tout ce qu'ils croient, mais aussi à cause que plusieurs l'ignorent eux-mêmes: car l'action de la pensée par laquelle on croit une chose étant différente de celle par laquelle on connaît qu'on la croit, elles sont souvent l'une sans l'autre.[1] Et entre plusieurs opinions également reçues, je ne choisissais que les plus modérées, tant à cause que ce sont toujours les plus commodes pour la pratique, et vraisemblablement les meilleures, tous excès ayant coutume d'être mauvais, comme 5 aussi afin de me détourner moins du vrai chemin, en cas que je faillisse, que si, ayant choisi l'un des extrêmes, c'eût été l'autre qu'il eût fallu suivre. Et particulièrement je mettais entre les excès [2] toutes les promesses par lesquelles on retranche quelque chose de sa liberté; non 10 que je désapprouvasse les lois qui, pour remédier à l'inconstance des esprits faibles, permettent, lorsqu'on a quelque bon dessein, ou même, pour la sûreté du commerce, quelque dessein qui n'est qu'indifférent, qu'on fasse des vœux ou des contrats qui obligent à y persévérer; 15 mais à cause que je ne voyais au monde aucune chose qui demeurât toujours en même état, et que, pour mon particulier, je me promettais de perfectionner de plus en plus mes jugements, et non point de les rendre pires, j'eusse pensé commettre une grande faute contre le bon sens, si, 20 pource que j'approuvais alors quelque chose, je me fusse obligé de la prendre pour bonne encore après, lorsqu'elle aurait peut-être cessé de l'être, ou que j'aurais cessé de l'estimer telle.

Ma seconde maxime était d'être le plus ferme et le plus 25 résolu en mes actions que je pourrais, et de ne suivre pas moins constamment les opinions les plus douteuses, lorsque je m'y serais une fois déterminé, que si elles eussent été très assurées: imitant en ceci les voyageurs qui, se

[1] On peut croire, par exemple, en l'existence réelle du monde extérieur, mais ne pas être conscient que c'est là une simple croyance.

[2] Je mettais entre les excès = *je comptais parmi les excès.*

trouvant égarés en quelque forêt, ne doivent pas errer en tournoyant tantôt d'un côté, tantôt d'un autre, ni encore moins s'arrêter en une place, mais marcher toujours le plus droit qu'ils peuvent vers un même côté, et ne le 5 changer point pour de faibles raisons, encore que ce n'ait peut-être été au commencement que le hasard seul qui les ait déterminés à le choisir: car par ce moyen, s'ils ne vont justement où ils désirent, ils arriveront au moins à la fin quelque part où vraisemblablement ils seront mieux 10 que dans le milieu d'une forêt. Et ainsi les actions de la vie ne souffrant souvent aucun délai, c'est une vérité très certaine que, lorsqu'il n'est pas en notre pouvoir de discerner les plus vraies opinions, nous devons suivre les plus probables; et même qu'encore que nous ne remar- 15 quions point davantage de probabilité aux unes qu'aux autres, nous devons néanmoins nous déterminer à quelques-unes, et les considérer après, non plus comme douteuses en tant qu'elles se rapportent à la pratique, mais comme très vraies et très certaines, à cause que la raison 20 qui nous y a fait déterminer se trouve telle. Et ceci fut capable dès lors de me délivrer de tous les repentirs et les remords qui ont coutume d'agiter les consciences de ces esprits faibles et chancelants qui se laissent aller inconstamment à pratiquer comme bonnes les choses qu'ils 25 jugent après être mauvaises.

Ma troisième maxime était de tâcher toujours plutôt à me vaincre que la fortune, et à changer mes désirs que l'ordre du monde, et généralement de m'accoutumer à croire qu'il n'y a rien qui soit entièrement en notre pou- 30 voir que nos pensées, en sorte qu'après que nous avons fait notre mieux touchant les choses qui nous sont extérieures, tout ce qui manque de nous réussir est au regard de nous absolument impossible. Et ceci seul me semblait être suffisant pour m'empêcher de rien désirer à l'avenir que je n'acquisse, et ainsi pour me rendre content: car notre volonté ne se portant naturellement à désirer que les choses que notre entendement lui représente en quelque façon comme possibles, il est certain que si nous considérons tous les biens qui sont hors de nous comme également éloignés de notre pouvoir, nous n'aurons pas plus de regret de manquer de ceux qui semblent être dûs à notre naissance, lorsque nous en serons privés sans notre faute, que nous avons de ne posséder pas les royaumes de la Chine ou du Mexique; et que faisant, comme on dit, de nécessité vertu, nous ne désirerons pas davantage d'être sains étant malades, ou d'être libres étant en prison, que nous faisons maintenant d'avoir des corps d'une matière aussi peu corruptible que les diamants, ou des ailes pour voler comme les oiseaux. Mais j'avoue qu'il est besoin d'un long exercice et d'une méditation souvent réitérée pour s'accoutumer à regarder de ce biais toutes les choses: et je crois que c'est principalement en ceci que consistait le secret de ces philosophes [1] qui ont pu autrefois se soustraire de l'empire de la fortune, et malgré les douleurs et la pauvreté disputer de la félicité avec leurs dieux. Car s'occupant sans cesse à considérer les bornes qui leur étaient prescrites par la nature, ils se persuadaient si parfaitement que rien n'était en leur pouvoir que leurs pensées, que cela seul était suffisant pour les empêcher d'avoir aucune affection pour d'autres choses; et ils disposaient d'elles si absolument qu'ils avaient en cela quelque raison de s'estimer plus riches et plus puissants, et plus libres et plus heureux qu'aucun des autres hommes, qui, n'ayant

[1] Les Stoïciens.

point cette philosophie, tant favorisés de la nature et de la fortune qu'ils puissent être, ne disposent jamais ainsi de tout ce qu'ils veulent.

Enfin, pour conclusion de cette morale, je m'avisai de
5 faire une revue sur les diverses occupations qu'ont les hommes en cette vie, pour tâcher à faire choix de la meilleure; et sans que je veuille rien dire de celles des autres, je pensai que je ne pouvais mieux que de continuer en celle-là même où je me trouvais, c'est-à-dire que d'em-
10 ployer toute ma vie à cultiver ma raison, et m'avancer autant que je pourrais en la connaissance de la vérité, suivant la méthode que je m'étais prescrite. J'avais éprouvé de si extrêmes contentements depuis que j'avais commencé à me servir de cette méthode, que je ne croyais
15 pas qu'on en pût recevoir de plus doux ni de plus innocents en cette vie; et découvrant tous les jours, par son moyen, quelques vérités qui me semblaient assez importantes et communément ignorées des autres hommes, la satisfaction que j'en avais remplissait tellement mon es-
20 prit, que tout le reste ne me touchait point.

. . . .

Après m'être ainsi assuré de ces maximes, et les avoir mises à part avec les vérités de la foi, qui ont toujours été les premières en ma créance, je jugeai que pour tout le reste de mes opinions je pouvais librement entreprendre
25 de m'en défaire. Et d'autant que j'espérais en pouvoir mieux venir à bout en conversant avec les hommes, qu'en demeurant plus longtemps renfermé dans le poêle où j'avais eu toutes ces pensées, l'hiver n'était pas encore bien achevé que je me remis à voyager. Et en toutes les
30 neuf années suivantes je ne fis autre chose que rouler çà et là dans le monde, tâchant d'y être spectateur plutôt

qu'acteur en toutes les comédies qui s'y jouent; et faisant particulièrement réflexion en chaque matière sur ce qui la pouvait rendre suspecte et nous donner occasion de nous méprendre, je déracinais cependant de mon esprit toutes les erreurs qui s'y étaient pu glisser auparavant. Non 5 que j'imitasse pour cela les sceptiques qui ne doutent que pour douter, et affectent d'être toujours irrésolus: car au contraire tout mon dessein ne tendait qu'à m'assurer, et à rejeter la terre mouvante et le sable pour trouver le roc ou l'argile[1]... Et il y a justement huit ans que ce désir 10 me fit résoudre à m'éloigner de tous les lieux où je pouvais avoir des connaissances, et à me retirer ici[2] en un pays où la longue durée de la guerre a fait établir de tels ordres que les armées qu'on y entretient ne semblent servir qu'à faire qu'on y jouisse des fruits de la paix avec 15 d'autant plus de sûreté, et où, parmi la foule d'un grand peuple fort actif et plus soigneux de ses propres affaires que curieux de celles d'autrui, sans manquer d'aucune des commodités qui sont dans les villes les plus fréquentées, j'ai pu vivre aussi solitaire et retiré que dans les déserts 20 les plus écartés.

QUATRIÈME PARTIE

[Application de la *méthode*, et surtout du premier précepte « de ne jamais recevoir aucune chose pour vraie que je ne la connusse évidemment être telle ».

Le « doute philosophique » — ou provisoire —; et découverte du « premier principe »: *Je pense donc je suis.*]

---

[1] C'est ce qu'on appelle le doute « provisoire » de Descartes, par opposition à celui des philosophes qui prétendent que l'homme est condamné à un doute éternel — et dont le représentant par excellence est le grec Pyrrhon, du IVe siècle avant J.-C.

[2] Amsterdam.

Je ne sais si je dois vous entretenir des premières méditations que j'y ai faites [sur les fondements de la philosophie]: car elles sont si métaphysiques et si peu communes, qu'elles ne seront peut-être pas au goût de tout le monde;
5 et toutefois, afin qu'on puisse juger si les fondements que j'ai pris sont assez fermes, je me trouve en quelque façon contraint d'en parler. J'avais dès longtemps remarqué que pour les mœurs il est besoin quelquefois de suivre des opinions qu'on sait être fort incertaines, tout de même que
10 si elles étaient indubitables, ainsi qu'il a été dit ci-dessus; mais pour ce qu'alors je désirais vaquer seulement à la recherche de la vérité, je pensai qu'il fallait que je fisse tout le contraire, et que je rejetasse comme absolument faux tout ce en quoi je pourrais imaginer le moindre doute, afin
15 de voir s'il ne resterait point après cela quelque chose en ma créance qui fût entièrement indubitable. Ainsi, à cause que nos sens nous trompent quelquefois, je voulus supposer qu'il n'y avait aucune chose qui fût telle qu'ils nous la font imaginer [1]; et parce qu'il y a des hommes qui se mépren-
20 nent en raisonnant, même touchant les plus simples matières de géométrie, et y font des paralogismes,[2] jugeant que j'étais sujet à faillir autant qu'aucun autre, je rejetai comme fausses toutes les raisons que j'avais prises auparavant pour démonstrations; et enfin, considérant que
25 toutes les mêmes pensées que nous avons étant éveillés nous peuvent aussi venir quand nous dormons, sans qu'il y en ait aucune pour lors qui soit vraie, je me résolus de feindre que toutes les choses qui m'étaient entrées en

[1] « Comme lorsque ceux qui ont la jaunisse voient tout de couleur jaune, ou que les astres ou autres corps fort éloignés nous paraissent beaucoup plus petits qu'ils ne sont » (IVᵉ Partie).

[2] Erreurs involontaires—par opposition aux sophismes où l'homme est conscient qu'il tire des conclusions fausses de prémisses justes.

l'esprit n'étaient non plus vraies que les illusions de mes songes. Mais aussitôt après je pris garde que, pendant que je voulais ainsi penser que tout était faux, il fallait nécessairement que moi qui le pensais fusse quelque chose; et remarquant que cette vérité, *je pense, donc je* 5 *suis*,[1] était si ferme et si assurée, que toutes les plus extravagantes suppositions des sceptiques n'étaient pas capables de l'ébranler, je jugeai que je pouvais la recevoir sans scrupule pour le premier principe de la philosophie que je cherchais. 10

Après cela je considérai en général ce qui est requis à une proposition pour être vraie et certaine: car puisque je venais d'en trouver une que je savais être telle, je pensai que je devais aussi savoir en quoi consiste cette certitude. Et, ayant remarqué qu'il n'y a rien du tout en ceci, *je* 15 *pense, donc je suis*, qui m'assure que je dis la vérité, sinon que je vois très clairement que pour penser il faut être, je jugeai que je pouvais prendre pour règle générale que les choses que nous concevons fort clairement et fort distinctement sont toutes vraies, mais qu'il y a seulement 20 quelque difficulté à bien remarquer quelles sont celles que nous concevons distinctement.

[Descartes ré-affirme ensuite en se fondant sur son raisonnement personnel, et non plus à cause de l'autorité des Docteurs scolastiques, certaines croyances métaphysiques. En voici quelques unes qu'il a expliquées dans les parties suivantes du *Discours de la Méthode* et dans ses *Méditations métaphysiques* (1641):

D'abord, il constate « avec évidence » qu'il y a en nous deux sortes d'idées, les *idées innées* et les *idées acquises* — acquises par les sens ou par le raisonnement. Or, parmi les idées innées, il y a celle de Dieu. Personne n'a jamais vu, entendu, touché Dieu; et comme la raison

[1] Ce mot est peut-être encore plus connu sous sa forme latine: *Cogito, ergo sum*. Descartes avait d'abord écrit son *Discours* en latin.

nous trompe, il se peut que même le raisonnement d'après lequel le monde aurait besoin d'une cause première qui serait Dieu, soit incertain. Mais Descartes croit trouver un argument plus convaincant de l'existence de Dieu dans ceci qu'elle est *innée:* Comment moi, homme, néant, aurais-je cette idée de Dieu si Dieu n'existait pas pour la mettre en moi ? Descartes exprime dans les mots suivants cette (preuve); on l'appelle *l'argument ontologique* de l'existence de Dieu.

« Et pour ce qu'il n'y a pas moins de répugnance que le plus « parfait soit une suite et une dépendance du moins parfait, qu'il n'y « en a que de rien procède quelque chose, je ne la pouvais tenir non « plus de moi-même: de façon qu'il restait qu'elle eût été mise en moi « par une nature qui fût véritablement plus parfaite que je n'étais, et « même qui eût en soi toutes les perfections dont je pouvais avoir « quelque idée, c'est-à-dire, pour m'expliquer en un mot, qui fût « Dieu. »

Continuant ses méditations, Descartes démontre ceci: Dieu étant naturellement parfait, et la perfection comportant la véracité, Dieu ne peut vouloir tromper sa créature; d'où il résulte que je *dois* croire à la réalité du monde extérieur et de mon propre corps dont j'avais provisoirement douté; il serait indigne de Dieu de me faire croire que j'ai un corps quand je n'en aurais point.

Descartes passe ensuite à la constatation qui porte un caractère d'évidence parfaite encore selon lui, que l'homme est composé de deux éléments *l'âme* et *le corps.* Le corps est matière et dépérit, mais l'âme, l'esprit, la pensée, est indépendante de la matière, du corps: d'où l'on arrive à *l'immortalité;* car, le corps peut bien mourir, cette mort n'affecte pas l'âme.]

CINQUIÈME PARTIE

Ordre des questions de physique, et particulièrement explication du mouvement du cœur, etc.

[C'est à cette idée de l'immortalité de l'âme que se rattache une des doctrines les plus curieuses et les plus célèbres de Descartes, la doctrine de *l'automatisme des bêtes:* Les bêtes n'ont pas d'âme comme celle des hommes pour diriger leurs actions, donc ne sont pas immortelles.

Nous reproduisons ici le passage dans lequel est résumée cette thèse de « la différence qui est entre notre âme et celle des bêtes ». Descartes distingue deux causes aux mouvements que nous imprimons à nos corps: « la volonté » et « les esprits animaux. » Les

« esprits animaux » (nous dirions aujourd'hui les « éléments physiologiques ») suffisent tout-à-fait à mettre en action nos membres, c.à.d. que même sans volonté, l'être humain se mouvrait; la « volonté » — qui seule est consciente — peut intervenir et commander aux « esprits » et modifier à son gré les mouvements; elle seule est *animée* dans le sens supérieur de ce mot; elle apporte la « liberté. » Les animaux ont seulement des « esprits animaux, » pas d'« âme » ou de « volonté »; ils sont des machines très complexes.

Le disciple de Descartes, le philosophe Malebranche, a développé particulièrement cette théorie. Pascal aussi a partagé cette manière de voir avec tous ses confrères de l'abbaye de Port Royal, par exemple le grand Arnauld. Mais les adversaires étaient nombreux. Dans les *Mémoires* de Fontaine on lit cette anecdote: « M. Arnauld qui était entré dans le système de Descartes sur les bêtes soutenait que ce n'étaient que des horloges . . . M. de Liancourt lui dit: « J'ai là-bas deux chiens qui tournent la broche chacun leur jour; l'un s'en trouvant embarrassé, se cacha lorsqu'on l'allait prendre, et on eut recours à son camarade pour tourner au lieu de lui. Le camarade cria et fit signe de la queue qu'on le suivît. Il alla dénicher l'autre dans le grenier et le houspilla. Sont-ce là des horloges ? dit-il à M. Arnauld, qui trouva cela si plaisant qu'il ne put faire autre chose que d'en rire. » La Fontaine prit rang parmi les adversaires de Descartes. Voir p. 190, la fable: *Les souris et le chat-huant.*]

J'avais expliqué assez particulièrement toutes ces choses dans le traité[1] que j'avais eu ci-devant dessein de publier. Et ensuite j'y avais montré quelle doit être la fabrique des nerfs et des muscles du corps humain pour faire que les esprits animaux étant dedans aient la force de 5
mouvoir ses membres, ainsi qu'on voit que les têtes, un peu après avoir été coupées, se remuent encore et mordent la terre, nonobstant qu'elles ne soient plus animées; . . . ce qui ne semblera nullement étrange à ceux qui, — sachant combien de divers *automates*, ou machines mouvantes, l'in- 10
dustrie des hommes peut faire, sans y employer que fort

[1] *Traité du monde ou de la lumière,* dans lequel Descartes admettait le mouvement de la terre autour du soleil; publié 17 ans après la mort de l'auteur.

peu de pièces, à comparaison de la grande multitude des os, des muscles, des nerfs, des artères, des veines et de toutes les autres parties qui sont dans le corps de chaque animal, — considéreront ce corps comme une machine qui, ayant 5 été faite des mains de Dieu, est incomparablement mieux ordonnée et a en soi des mouvements plus admirables qu'aucune de celles qui peuvent être inventées par les hommes.

Et je m'étais ici particulièrement arrêté à faire voir 10 que, s'il y avait de telles machines qui eussent les organes et la figure extérieure d'un singe ou de quelque autre animal sans raison, nous n'aurions aucun moyen pour reconnaître qu'elles ne seraient pas en tout de même nature que ces animaux; au lieu que, s'il y en avait qui 15 eussent la ressemblance de nos corps, et imitassent autant nos actions que moralement il serait possible, nous aurions toujours *deux moyens* très-certains pour reconnaître qu'elles ne seraient point pour cela de vrais hommes: dont *le premier* est que jamais elles ne pourraient user de pa-20 roles ni d'autres signes en les composant, comme nous faisons pour déclarer aux autres nos pensées: car on peut bien concevoir qu'une machine soit tellement faite qu'elle profère des paroles, et même qu'elle en profère quelques-unes à propos des actions corporelles qui causeront quel-25 que changement en ses organes, comme si on la touche en quelque endroit, qu'elle demande ce qu'on veut lui dire; si en un autre, qu'elle crie qu'on lui fait mal, et choses semblables; mais non pas qu'elle les arrange diversement pour répondre au sens de tout ce qui se dira en sa pré-30 sence, ainsi que les hommes les plus hébétés peuvent faire; et *le second* est que, bien qu'elles fissent plusieurs choses aussi bien ou peut-être mieux qu'aucun de nous, elles manqueraient infailliblement en quelques autres, par lesquelles on découvrirait qu'elles n'agiraient pas par connaissance, mais seulement par la disposition de leurs organes: car, au lieu que la raison est un instrument universel qui peut servir en toutes sortes de rencontres, 5 ces organes ont besoin de quelque particulière disposition pour chaque action particulière; d'où vient qu'il est moralement impossible qu'il y en ait assez de divers en une machine pour la faire agir en toutes les occurrences de la vie de même façon que notre raison nous fait agir. 10

Or, par ces deux mêmes moyens, on peut aussi connaître la différence qui est entre les hommes et les bêtes. Car c'est une chose bien remarquable qu'il n'y a point d'hommes si hébétés et si stupides, sans en excepter même les insensés, qu'ils ne soient capables d'ar- 15 ranger ensemble diverses paroles et d'en composer un discours par lequel ils fassent entendre leurs pensées; et qu'au contraire il n'y a point d'autre animal, tant parfait et tant heureusement né qu'il puisse être, qui fasse le semblable. Ce qui n'arrive pas de ce qu'ils ont faute 20 d'organes: car on voit que les pies et les perroquets peuvent proférer des paroles ainsi que nous, et toutefois ne peuvent parler ainsi que nous, c'est-à-dire en témoignant qu'ils pensent ce qu'ils disent; au lieu que les hommes qui, étant nés sourds et muets, sont privés des organes 25 qui servent aux autres pour parler, autant ou plus que les bêtes, ont coutume d'inventer d'eux-mêmes quelques signes par lesquels ils se font entendre à ceux qui, étant ordinairement avec eux, ont loisir d'apprendre leur langue. Et ceci ne témoigne pas seulement que les bêtes ont 30 moins de raison que les hommes, mais qu'elles n'en ont point du tout: car on voit qu'il n'en faut que fort peu

pour savoir parler; et d'autant qu'on remarque de l'inégalité entre les animaux d'une même espèce aussi bien qu'entre les hommes, et que les uns sont plus aisés à dresser que les autres, il n'est pas croyable qu'un singe
5 ou un perroquet qui serait des plus parfaits de son espèce n'égalât en cela un enfant des plus stupides, ou du moins un enfant qui aurait le cerveau troublé, si leur âme n'était d'une nature toute différente de la nôtre. Et on ne doit pas confondre les paroles avec les mouvements naturels
10 qui témoignent les passions et peuvent être imités par des machines aussi bien que par les animaux; ni penser, comme quelques anciens, que les bêtes parlent, bien que nous n'entendions pas leur langage. Car, s'il était vrai, puisqu'elles ont plusieurs organes qui se rapportent aux
15 nôtres, elles pourraient aussi bien se faire entendre à nous qu'à leurs semblables. C'est aussi une chose fort remarquable que, bien qu'il y ait plusieurs animaux qui témoignent plus d'industrie que nous en quelques-unes de leurs actions, on voit toutefois que les mêmes n'en
20 témoignent point du tout en beaucoup d'autres: de façon que ce qu'ils font mieux que nous ne prouve pas qu'ils ont de l'esprit, car à ce compte ils en auraient plus qu'aucun de nous et feraient mieux en toute autre chose; mais plutôt qu'ils n'en ont point, et que c'est la nature qui agit
25 en eux selon la disposition de leurs organes: ainsi qu'on voit qu'une horloge, qui n'est composée que de roues et de ressorts, peut compter les heures et mesurer le temps plus justement que nous avec toute notre prudence.

J'avais décrit après, l'âme raisonnable, et fait voir
30 qu'elle ne peut aucunement être tirée de la puissance de la matière, ainsi que les autres choses dont j'avais parlé, mais qu'elle doit expressément être créée, et comment il

ne suffit pas qu'elle soit logée dans le corps humain, ainsi qu'un pilote en son navire, sinon peut-être pour mouvoir ses membres; mais qu'il est besoin qu'elle soit jointe et unie plus étroitement avec lui, pour avoir outre cela des sentiments et des appétits semblables aux nôtres, et ainsi 5 composer un vrai homme. Au reste je me suis ici un peu étendu sur le sujet de l'âme, à cause qu'il est des plus importants: car, après l'erreur de ceux qui nient Dieu, laquelle je pense avoir ci-dessus assez réfutée, il n'y en a point qui éloigne plutôt les esprits faibles du droit chemin 10 de la vertu que d'imaginer que l'âme des bêtes soit de même nature que la nôtre, et que par conséquent nous n'avons rien à craindre ni à espérer après cette vie, non plus que les mouches et les fourmis; au lieu que, lorsqu'on sait combien elles diffèrent, on comprend beaucoup mieux 15 les raisons qui prouvent que la nôtre est d'une nature entièrement indépendante du corps, et par conséquent qu'elle n'est point sujette à mourir avec lui; puis d'autant qu'on ne voit point d'autres causes qui la détruisent, on est porté naturellement à juger de là qu'elle est immor- 20 telle.

2. Le traité des passions de l'âme, 1649

[Dans la Troisième Partie du *Discours de la méthode*, Descartes avait donné une « morale provisoire » en attendant d'avoir élaboré une philosophie. Douze ans plus tard, dans le *Traité des passions* il a arrêté sa morale définitive. C'est au fond celle déjà contenue dans la troisième « maxime » du *Discours:* une morale de la « volonté » basée sur la raison: « Tâcher plutôt à me vaincre que la fortune, et mes désirs que l'ordre du monde. » Une volonté sera rationnelle et vertueuse quand elle agira guidée par une représentation claire et complète de nos passions. Le *Traité des passions* a justement pour but pratique de donner à l'homme cette connaissance, en sorte qu'il n'essaiera pas d'affirmer ses passions en face d'une « fortune » et d'un

« monde » plus forts que lui. Cette morale de la volonté rationnelle avait été celle de Socrate et des Grecs; c'était celle de Corneille (*Le Cid*, 1636; *Discours de la méthode*, 1637; *Traité des passions* 1649); et ce fut après Descartes et Corneille, celle des grands prédicateurs du siècle de Louis XIV. Et ce sera celle de Jean-Jacques Rousseau, au XVIII° siècle, qui l'opposera au matérialisme de ceux qui réclamaient pour eux le nom de « Philosophes ».]

PREMIÈRE PARTIE

. . . . . .

Article 18. — Nos volontés sont de deux sortes: car les unes sont des actions de l'âme qui se terminent en l'âme même, comme lorsque nous voulons aimer Dieu, ou généralement appliquer notre pensée à quelque objet qui n'est point matériel; les autres sont des actions qui se terminent en notre corps, comme lorsque, de cela seul que nous avons la volonté de nous promener, il suit que nos jambes se remuent et que nous marchons.

Art. 40 — . . . Il n'y a point d'âme si faible qu'elle ne puisse, étant bien conduite, acquérir un pouvoir absolu sur ses passions . . .

Art. 41. — . . . La volonté est tellement libre dans sa nature, qu'elle ne peut jamais être contrainte . . .

Art. 45. — Nos passions ne peuvent pas directement être excitées ni ôtées par l'action de notre volonté; mais elles peuvent l'être indirectement par la représentation des choses qui ont coutume d'être jointes avec les passions que nous voulons avoir et qui sont contraires à celles que nous voulons rejeter. Ainsi, pour exciter en soi la hardiesse et ôter la peur, il ne suffit pas d'en avoir la volonté, mais il faut s'appliquer à considérer les raisons, les objets ou les exemples qui persuadent que le péril n'est pas grand, qu'il y a toujours plus de sûreté en la défense qu'en la fuite, qu'on aura de la gloire et de la joie d'avoir vaincu, au lieu qu'on ne peut attendre que du regret et de la honte d'avoir fui, et choses semblables.

Art. 46. — Il y a une raison particulière qui empêche l'âme de pouvoir promptement changer ou arrêter ses 5 passions . . . Cette raison est qu'elles sont presque toutes accompagnées de quelque émotion qui se fait dans le cœur, et par conséquent aussi en tout le sang et les esprits: en sorte que, jusqu'à ce que cette émotion ait cessé, elles demeurent présentes à notre pensée en même façon 10 que les objets sensibles y sont présents pendant qu'ils agissent contre les organes de nos sens. Et comme l'âme, en se rendant fort attentive à quelque autre chose, peut s'empêcher d'ouïr un petit bruit ou de sentir une petite douleur, mais ne peut s'empêcher en même façon d'ouïr 15 le tonnerre ou de sentir le feu qui brûle la main, ainsi elle peut aisément surmonter les moindres passions, mais non pas les plus violentes et les plus fortes, sinon après que l'émotion du sang et des esprits est apaisée. Le plus que la volonté puisse faire pendant que cette émotion est en 20 sa vigueur, c'est de ne pas consentir à ses effets, et de retenir plusieurs des mouvements auxquels elle dispose le corps. Par exemple, si la colère fait lever la main pour frapper, la volonté peut ordinairement la retenir; si la peur incite les gens à fuir, la volonté peut les arrêter et 25 ainsi des autres.

Art. 48. — Or, c'est par le succès de ces combats que chacun peut connaître la force ou la faiblesse de son âme; car ceux en qui naturellement la volonté peut le plus aisément vaincre les passions et arrêter les mouvements 30 du corps qui les accompagnent, ont sans doute les âmes les plus fortes. Mais il y en a qui ne peuvent éprouver leur force, parce qu'ils ne font jamais combattre leur volonté avec ses propres armes, mais seulement avec celles que lui fournissent quelques passions pour résister à quelques autres. Ce que je nomme ses propres armes sont des jugements fermes et déterminés touchant la connaissance du bien et du mal, suivant lesquels elle a résolu de conduire les actions de sa vie; et les âmes les plus faibles de toutes sont celles dont la volonté ne se détermine point ainsi à suivre certains jugements, mais se laisse continuellement emporter aux passions présentes, lesquelles, étant souvent contraires les unes aux autres, la tirent tour à tour à leur parti, et, l'employant à combattre contre elle-même, mettent l'âme au plus déplorable état qu'elle puisse être. Ainsi, lorsque la peur représente la mort comme un mal extrême et qui ne peut être évité que par la fuite, l'ambition, d'autre côté, représente l'infamie de cette fuite comme un mal pire que la mort; ces deux passions agitent diversement la volonté, laquelle, obéissant tantôt à l'une, tantôt à l'autre, s'oppose continuellement à soi-même, et ainsi rend l'âme esclave et malheureuse.

Art. 49. — Il est vrai qu'il y a fort peu d'hommes si faibles et irrésolus qu'ils ne veulent rien que ce que leur passion leur dicte. La plupart ont des jugements déterminés suivant lesquels ils règlent une partie de leurs actions; et, bien que souvent ces jugements soient faux, et même fondés sur quelques passions par lesquelles la volonté s'est auparavant laissé vaincre ou séduire, toutefois à cause qu'elle continue de les suivre lorsque la passion qui les a causés est absente, on les peut considérer comme ses propres armes, et penser que les âmes sont plus fortes ou plus faibles à raison de ce qu'elles peuvent plus ou moins suivre ces jugements et résister aux passions présentes qui leur sont contraires. Mais il y a pourtant grande différence entre les résolutions qui procèdent de quelque fausse opinion et celles qui ne sont appuyées que sur la connaissance de la vérité; d'autant que, si on suit ces dernières, on est assuré de n'en avoir jamais de regret ni de repentir, tandis qu'on en a toujours d'avoir suivi les précédentes lorsqu'on en découvre l'erreur. 5

Art. 50. — . . . Et on peut remarquer la même chose dans les bêtes; car encore qu'elles n'aient point de raison, ni peut-être aussi aucune pensée, tous les mouvements . . . qui excitent en nous les passions ne laissent pas d'être en elles, et d'y servir à entretenir et fortifier, et non pas comme en nous, les passions, mais les mouvements des nerfs et des muscles qui ont coutume de les accompagner. Ainsi lorsqu'un chien voit une perdrix, il est naturellement porté à courir vers elle; et lorsqu'il voit un fusil, ce bruit l'incite naturellement à s'enfuir; mais, néanmoins on dresse les chiens en telle sorte que la vue d'une perdrix fait qu'ils s'arrêtent, et que le bruit qu'ils entendent après lorsqu'on tire sur elle fait qu'ils y accourent. Or, ces choses sont utiles à savoir pour donner le courage à un chacun d'étudier à regarder ses passions: car puisqu'on peut avec un peu d'industrie, changer les mouvements du cerveau dans les animaux dépourvus de raison, il est évident qu'on le peut encore mieux dans les hommes, et que ceux même qui ont les plus faibles âmes pourraient acquérir un empire très absolu sur toutes leurs passions, si on employait assez d'industrie à les dresser et à les conduire. 10 15 20 25 30

[La deuxième et la troisième partie du *Traité* sont des analyses physiologiques et psychologiques des passions.

Les six passions primitives sont: « l'admiration, l'amour, la haine, le désir, la joie et la tristesse » . . . « et toutes les autres sont composées de quelques-unes de ces six, ou bien en sont des espèces. » Quelques chapitres caractéristiques sont: les « Articles » 76, 79, 81, 83, 93 à 98, 120. Voici la conclusion:]

Art. 211. *Un remède général contre les passions.* — Et maintenant que nous les connaissons toutes, nous avons beaucoup moins de sujet de les craindre que nous n'avions auparavant; car nous voyons qu'elles sont toutes bonnes
5 de leur nature, et que nous n'avons rien à éviter que leurs mauvais usages ou leur excès, contre lesquels les remèdes que j'ai expliqués pourraient suffire, si chacun avait assez de soin de les pratiquer. Mais . . . j'avoue qu'il y a peu de personnes qui se soient assez préparées en cette façon
10 contre toutes sortes de rencontres, et . . . qu'il n'y a point de sagesse humaine qui soit capable de leur résister lorsqu'on n'y est pas assez préparé. Ainsi plusieurs ne sauraient s'abstenir de rire étant chatouillés, encore qu'ils n'y prennent point de plaisir; car l'impression de la joie et
15 de la surprise, qui les a fait rire autrefois pour le même sujet étant réveillée en leur fantaisie, fait que leur poumon est subitement enflé malgré eux par le sang que le cœur lui envoie. Ainsi ceux qui sont fort portés de leur naturel aux émotions de la joie et de la pitié, ou de la
20 peur, ou de la colère, ne peuvent s'empêcher de pâmer, ou de pleurer, ou de trembler, ou d'avoir le sang tout ému, en même façon que s'ils avaient la fièvre, lorsque leur fantaisie est fortement touchée par l'objet de quelqu'une de ces passions. Mais ce qu'on peut toujours faire
25 en telle occasion, et que je pense pouvoir mettre ici comme le remède le plus général et le plus aisé à pratiquer contre tous les excès des passions, c'est que, lorsqu'on se sent le

sang ainsi ému, on doit être averti et se souvenir que tout ce qui se présente à l'imagination tend à tromper l'âme et à lui faire paraître les raisons qui servent à persuader l'objet de sa passion beaucoup plus fortes qu'elles ne sont, et celles qui servent à la dissuader beaucoup plus faibles. 5
Et lorsque la passion ne persuade que des choses dont l'exécution souffre quelque délai, il faut s'abstenir d'en porter sur l'heure aucun jugement, et se divertir par d'autres pensées, jusqu'à ce que le temps et le repos aient entièrement apaisé l'émotion qui est dans le sang. 10
Et enfin, lorsqu'elle incite à des actions touchant lesquelles il est nécessaire qu'on prenne résolution sur-le-champ, il faut que la volonté se porte principalement à considérer et à suivre les raisons qui sont contraires à celles que la passion représente, encore qu'elles paraissent moins fortes: comme lorsqu'on est inopinément attaqué par quelque ennemi, l'occasion ne permet pas qu'on emploie aucun temps à délibérer. Mais ce qu'il me semble que ceux qui sont accoutumés à faire réflexion sur leurs actions peuvent toujours, c'est que, lorsqu'ils se sentiront saisis de la peur, ils tâcheront à détourner leur pensée de la considération du danger, en se représentant les raisons pour lesquelles il y a beaucoup plus de sûreté et plus d'honneur en la résistance qu'en la fuite; et au contraire, lorsqu'ils sentiront que le désir de vengeance et la colère les incite à courir inconsidérément vers ceux qui les attaquent, ils se souviendront de penser que c'est imprudence de se perdre quand on peut sans déshonneur se sauver; et que si la partie est fort inégale, il vaut mieux faire une honnête retraite ou prendre quartier, que s'exposer brutalement à une mort certaine.

Art. 212. *Que c'est d'elles seules que dépend tout le bien*

et le mal de cette vie. — Au reste l'âme peut avoir ses plaisirs à part, mais pour ceux qui lui sont communs avec le corps, ils dépendent entièrement des passions, en sorte que les hommes qu'elles peuvent le plus émouvoir sont
5 capables de goûter le plus de douceur en cette vie: il est vrai qu'ils y peuvent aussi trouver le plus d'amertume, lorsqu'ils ne les savent pas bien employer, et que la fortune leur est contraire; mais la sagesse est principalement utile en ce point, qu'elle enseigne à s'en rendre
10 tellement maître, et à les ménager avec tant d'adresse, que les maux qu'elles causent sont fort supportables, et même qu'on tire de la joie de tous.

CHAPITRE SEPT

PASCAL

1623–1662

Port-Royal. L'œuvre littéraire de Pascal est intimement liée à une période de l'histoire de Port-Royal et du mouvement janséniste.

L'abbaye de Port-Royal, dans la vallée de Chevreuse (8 lieues à l'ouest de Paris), couvent de religieuses de l'ordre de Saint-Bernard, avait été fondée au XIII° siècle, mais était tombée dans un état de profonde décadence. Une jeune femme, Angélique Arnauld (1591–1661), qui devint abbesse au commencement du XVII° siècle, sut rétablir le prestige de l'institution. En 1626, à cause de l'insalubrité des bâtiments, on émigra à Paris, dans l'Hôtel de Clagny, au Faubourg Saint-Jacques [aujourd'hui l'Hôpital de la Maternité]; mais le nombre croissant des pensionnaires obligea plus tard à rouvrir la maison de la vallée de Chevreuse; il y eut, dès lors, un *Port-Royal de Paris* et un *Port-Royal des Champs*. Angélique Arnauld avait pris comme directeur religieux depuis 1633, Duvergier de Hauranne, abbé de Saint-Cyran, qui était janséniste.

Le Jansénisme. Qu'était le Jansénisme ? Pour le comprendre, il faut se souvenir qu'on fait remonter aux apôtres deux doctrines du salut: 1. celle de Saint-Pierre et de Saint-Jacques, selon laquelle l'homme obtient le Paradis ou *le salut par les bonnes œuvres;* et il faut ajouter que selon l'Église, Dieu a confié aux descendants de Saint-Pierre, c'est à dire au Pape et aux prêtres, la mission d'absoudre le fidèle de ses péchés ou de lui refuser l'absolution — c'est le pouvoir des clefs (clefs du paradis; Saint-Pierre est représenté dans la statuaire, tenant une clef). 2. L'autre doctrine, opposée à celle des bonnes œuvres, est celle de Saint-Paul, selon laquelle l'homme obtient *le salut par la foi.* On l'appelle souvent la doctrine de la grâce; elle se fonde sur une croyance au ‹ péché originel ›; c'est à dire que l'homme étant né dans le péché, et sa nature étant mauvaise (étant égoïste, sensuelle, passionnée), il lui est impossible d'espérer réaliser aucune action digne de lui mériter le salut: « Je ne fais pas le bien que je voudrais faire, mais je fais le mal que je ne voudrais pas faire » (Rom. VII, 18) dit Saint-Paul. Par conséquent, puisque ce n'est pas par ses œuvres que l'homme peut obtenir son salut, il faut, s'il l'obtient, que ce soit par la grâce de Dieu, par un don: « Dieu a offert son Fils unique au monde afin que celui qui croit en lui ait la vie éternelle » (Jean III, 16). L'homme ne peut rien puisque toutes ses actions sont, par nature, entachées de corruption — sauf accepter le salut par la foi. Et encore, ne peut-il l'accepter que si celui-ci lui est offert; c'est en effet un acte de prédestination divine qui confère le salut aux uns, et ne le donne pas aux autres. L'homme peut, cependant, s'affliger de la corruption de sa nature, et renoncer aux plaisirs mondains qui en sont l'expression.[1] [Pascal explique en termes théologiques cette doctrine à la page 256 ci-dessous.]

Or, les Jansénistes étaient des défenseurs ardents de la Doctrine du salut par la Grâce. Le livre de Jansénius (1585–1638) qui exposait cette doctrine (publié en 1640) a pour titre *Augustinus;* ce titre signifie que l'auteur acceptait la doctrine de Saint-Augustin, qui lui-même avait accepté celle de Saint-Paul. Les Jansénistes étaient donc des gens très austères; et leur but très net était de réagir contre le danger de mœurs trop faciles qui menaçaient la société d'alors. Et les représentants les plus coupables, selon eux, de cette morale facile étaient les Jésuites.

L'ordre des Jésuites (ou Compagnie de Jésus) avait été fondé par Ignace de Loyola, en 1534, ayant avant tout en vue la conversion des hérétiques (surtout Protestants). Mais le mouvement de la Réforme avait eu comme effet dans le monde religieux, tant catholique que protestant, de resserrer la discipline morale; et ce joug d'austérité était maintenant supporté impatiemment par beaucoup, surtout par des personnages haut placés dont l'Eglise désirait le patronage; c'est à eux que les Pères Jésuites s'efforcèrent de prouver que la loi divine n'était pas d'une si inhumaine sévérité, que plutôt Dieu tenait compte de la fragilité de sa créature, et qu'il n'était pas si rigide que de lui refuser toute joie dans ce monde. Les disciples de Jansénius formèrent le noyau de la résistance aux Jésuites, qui le comprirent bien et se déclarèrent aussitôt des adversaires décidés; les Jansénistes furent accusés de professer des doctrines hérétiques.

Des hommes d'esprit profondément religieux se groupèrent autour de l'abbaye de Port-Royal où prévalait l'esprit de Saint-Cyran et de Jansénius; on les appelait les *Solitaires.* Ils avaient même fondé ce qu'on appela les ‹ Petites Écoles ›, qui rivalisèrent avec celles, très célèbres alors, des Jésuites; ils résidaient aux Granges, une ferme dépendant de l'Abbaye de Port-Royal des Champs [Leur élève le plus

[1] En ceci, on reconnaît la doctrine de Calvin, Luther et Knox.

illustre fut Racine]. Les principaux solitaires furent Antoine Arnauld, frère d'Angélique Arnauld (et souvent nommé « le Grand Arnauld »), Pierre Nicole, et, depuis 1655, Pascal.

La Querelle. Dès 1638 les Jésuites persuadèrent au Cardinal Richelieu de faire enfermer Saint-Cyran dans la prison de Vincennes. L'abbé n'en sortit qu'en 1642, et mourut peu après. Entre temps, en 1640, parut imprimé le fameux livre *Augustinus*. Et ce fut d'abord Arnauld qui devint le principal champion des Jansénistes. En 1643 il publia un *Traité de la Fréquente Communion* dont le ton sévère excita encore l'animosité contre les Jansénistes; Arnauld dut se cacher. Mais le succès s'affirmait toujours; en 1648 Sœur Angélique dut même rouvrir le Port-Royal des Champs et retourna y séjourner elle-même. En 1653 les Jésuites firent condamner l'*Augustinus* à Rome; cinq propositions étaient incriminées. Les Jansénistes ripostèrent en acceptant la condamnation des cinq propositions, mais en déclarant qu'elles ne se trouvaient point en réalité dans le livre de Jansénius. En 1655, nouvel incident: le sacrement de la communion fut refusé au Duc de Liancourt parce qu'il avait confié l'éducation de sa fille à Port-Royal. Alors Arnauld fit imprimer la *Lettre à une personne de condition* (le Duc de Liancourt), qui fut dénoncée par les Jésuites et condamnée par un tribunal de Docteurs à la Sorbonne.

Ici entre en scène Pascal, qui écrira, pour défendre Arnauld, *Les Lettres Provinciales*.

Blaise Pascal (1623–1662) était né à Clermont-Ferrand, en Auvergne, où son père était magistrat; l'enfant avait neuf ans quand celui-ci pour mieux élever sa petite famille, vint à Paris. Blaise donna de très bonne heure des preuves d'une intelligence extraordinaire (on raconte qu'à l'âge de douze ans, il aurait trouvé par lui-même les 32 premières propositions de la géométrie d'Euclide). Son intérêt se tourna d'abord vers les sciences, où il se trouva l'émule de Descartes.[1]

Il avait été initié au Jansénisme dès 1646, mais il ne se consacra à la vie religieuse (où sa sœur Jacqueline Pascal, qui nous a laissé une histoire de sa vie, l'avait précédé) qu'en 1654, après une nuit d'extase (23 nov.); on a pensé qu'un accident de voiture au Pont-de-Neuilly (8 nov.) n'avait pas été étranger à cette conversion. En tous cas il était établi à Port-Royal depuis quelques mois, lorsqu'en 1656 il se prêta à ce qu'on demandait de lui, prendre part au grand débat.

[1] Il fit des expériences sur la pesanteur de l'air qui conduisirent à l'invention du baromètre; il inventa une « machine arithmétique » (machine à calculer); et c'est à lui qu'on attribue l'invention des voitures publiques ou *omnibus*, le « carrosse à cinq sous ».

Les Lettres Provinciales (1656–57). Il imagina une personne de la province écrivant à un ami de Paris pour demander des éclaircissements sur le Jansénisme. Le titre de ce célèbre ouvrage (qui circula d'abord sous forme de lettres isolées) est *Dix-huit Lettres Provinciales, ou Lettres écrites par Louis de Montalte à un Provincial de ses amis, et aux Révérends Pères Jésuites sur le sujet de la morale et de la politique de ces Pères.*

Pour bien comprendre les *Lettres provinciales*, il faut savoir que les Jésuites avaient préparé pour les jeunes confesseurs de leur ordre une sorte de manuel qui leur donnait des directions sur la manière de juger les péchés au confessionnal. Il fallait surtout ne pas adhérer trop strictement aux principes acceptés de morale ou aux décisions de la conscience, mais plutôt prendre en considération les *cas* particuliers (de là, le nom *casuistique* donné à cette morale des Jésuites). Pascal va s'appliquer à montrer les dangers de cette *casuistique* en dénonçant quelques doctrines qu'on en a tirées; par exemple la « doctrine des équivoques », qui autorisait à prendre avantage d'une équivoque de langage; il y a équivoque, par exemple, si dans cette phrase « j'ai vu cet homme, » l'un des interlocuteurs entend Pierre et l'autre Jacques [Pascal signale des cas d'équivoque à la page 234; et à la page 248 où le mot « assassin » ne s'applique *pas* à un meurtrier qui n'a pas pris de l'argent pour commettre son action]; ou la « doctrine des restrictions mentales » (*mental reservations*); ou la « doctrine des probabilités ».

Consulter: De l'immense bibliographie sur le Jansénisme et Pascal, citons seulement: A. Gazier, *Histoire du mouvement janséniste depuis les origines jusqu'à nos jours* (Champion, 2 vol. 1922); A. Hallays, *Le pèlerinage de Port-Royal* (Perrin, 1909); Strowski, *Pascal et son temps* (Plon, 1907–9) et surtout Boutroux, *Pascal* (Coll. des Grands écrivains fr. 7me éd. 1919).

1. La Cinquième Provinciale

La *Cinquième Provinciale* expose « la doctrine des probabilités »: [1]

[1] Dans les quatre premières *Lettres* Pascal expliquait le point de vue des jansénistes — que les jésuites avaient attaqué — au sujet des doctrines du Pouvoir prochain, de la Grâce suffisante, efficace, et actuelle, des Péchés de Commission et d'Omission. Toutes ces doctrines développent ces idées: que les hommes sont responsables de leurs péchés, car ils se sont servis des facultés (ou Pouvoirs prochains) pour réaliser le mal que Dieu avait rendu seulement possible; et que Dieu seul est auteur du bien parcequ'il faut sa Grâce

De Paris, ce 20 mars 1656

Monsieur, voici ce que je vous ai promis.[1] Voici les premiers traits de la morale des bons pères jésuites, « de ces hommes éminents en doctrine et en sagesse, qui sont tous conduits par la sagesse divine, qui est plus assurée que toute la philosophie. » Vous pensez peut-être que je 5 raille. Je le dis sérieusement, ou plutôt ce sont eux-mêmes qui le disent dans leur livre intitulé *Imago primi sæculi.* Je ne fais que copier leurs paroles, aussi bien que dans la suite de cet éloge: « c'est une société d'hommes, ou plutôt d'anges, qui a été prédite par Isaïe en ces paroles: 10 Allez, anges prompts et légers. » La prophétie n'en est-elle pas claire? « Ce sont des esprits d'aigles; c'est une troupe de phénix,[2] un auteur ayant montré depuis peu qu'il y en a plusieurs. Ils ont changé la face de la chrétienté. » Il le faut croire, puisqu'ils le disent. Et vous 15 l'allez bien voir dans la suite de ce discours, qui vous apprendra leurs maximes.

J'ai voulu m'en instruire de bonne sorte. Je ne me suis pas fié à ce que notre ami[3] m'en avait appris. J'ai voulu les voir eux-mêmes; mais j'ai trouvé qu'il ne m'avait 20 rien dit que de vrai. Je pense qu'il ne ment jamais. Vous le verrez par le récit de ces conférences.

---

surnaturelle (suffisante et actuelle) pour vaincre la nature pécheresse de l'homme. Depuis la *Cinquième lettre* Pascal cesse de défendre les jansénistes et porte la lutte dans le camp adverse en montrant combien de raisons les jansénistes avaient de s'élever avec indignation contre la morale que beaucoup des jésuites faisaient prévaloir.

[1] A la fin de la lettre précédente, il avait promis de montrer « le renversement que la doctrine des jésuites apportait dans la morale. »

[2] *Phénix*, ici dans le sens de personnes très rares, comme uniques en leur espèce.

[3] Un janséniste de sa connaissance dont la lettre précédente rapportait la conversation.

Dans celle que j'eus avec lui, il me dit de si étranges choses, que j'avais peine à le croire; mais il me les montra dans les livres de ses pères: de sorte qu'il ne me resta rien à dire pour leur défense, sinon que c'étaient les sentiments
5 de quelques particuliers qu'il n'était pas juste d'imputer au corps. Et en effet, je l'assurai que j'en connaissais qui sont aussi sévères que ceux qu'il me citait sont relâchés. Ce fut sur cela qu'il me découvrit l'esprit de la société, qui n'est pas connu de tout le monde, et vous
10 serez peut-être bien aise de l'apprendre. Voici ce qu'il me dit:

« Vous pensez beaucoup faire en leur faveur, de montrer qu'ils ont de leurs pères aussi conformes aux maximes évangéliques que les autres y sont contraires; et vous
15 concluez de là que ces opinions larges n'appartiennent pas à toute la société. Je le sais bien; car si cela était, ils n'en souffriraient pas qui y fussent si contraires. Mais, puisqu'ils en ont aussi qui sont dans une doctrine si licencieuse, concluez-en de même que l'esprit de la société
20 n'est pas celui de la sévérité chrétienne: car, si cela était, ils n'en souffriraient pas qui y fussent si opposés. — Eh quoi! lui répondis-je, quel peut donc être le dessein du corps entier? C'est sans doute qu'ils n'en ont aucun d'arrêté, et que chacun a la liberté de dire à l'aventure
25 ce qu'il pense! — Cela ne peut pas être, me répondit-il: un si grand corps ne subsisterait pas dans une conduite téméraire, et sans une âme qui le gouverne et qui règle tous ses mouvements; outre qu'ils ont un ordre particulier de ne rien imprimer sans l'aveu de leurs supérieurs. —
30 Mais quoi! lui dis-je, comment les mêmes supérieurs peuvent-ils consentir à des maximes si différentes? — C'est ce qu'il faut vous apprendre, me répliqua-t-il.

Sachez donc que leur objet n'est pas de corrompre les mœurs: ce n'est pas leur dessein. Mais ils n'ont pas aussi pour unique but celui de les réformer: ce serait une mauvaise politique. Voici quelle est leur pensée. Ils ont assez bonne opinion d'eux-mêmes pour croire qu'il est 5 utile et comme nécessaire au bien de la religion que leur crédit s'étende partout, et qu'ils gouvernent toutes les consciences. Et, parce que les maximes évangéliques et sévères sont propres pour gouverner quelques sortes de personnes, ils s'en servent dans ces occasions où elles 10 leur sont favorables. Mais, comme ces mêmes maximes ne s'accordent pas au dessein de la plupart des gens, ils les laissent à l'égard de ceux-là, afin d'avoir de quoi satisfaire tout le monde. C'est pour cette raison que, ayant affaire à des personnes de toutes sortes de conditions et 15 de nations si différentes, il est nécessaire qu'ils aient des casuistes [1] assortis à toute cette diversité.

De ce principe vous jugez aisément que, s'ils n'avaient que des casuistes relâchés, ils ruineraient leur principal dessein, qui est d'embrasser tout le monde, puisque ceux 20 qui sont véritablement pieux cherchent une conduite plus sévère. Mais, comme il n'y en a pas beaucoup de cette sorte, ils n'ont pas besoin de beaucoup de directeurs sévères pour les conduire. Ils en ont peu pour peu; au lieu que la foule des casuistes relâchés s'offre à la foule de 25 ceux qui cherchent le relâchement.

C'est par cette conduite *obligeante et accommodante*, comme l'appelle le père Petau, qu'ils tendent les bras à tout le monde. Car, s'il se présente à eux quelqu'un qui soit tout résolu de rendre des biens mal acquis ne craignez 30

[1] *Casuistes* = qui discutent des *cas* de conscience morale. Voir Introduction.

pas qu'ils l'en détournent. Ils loueront au contraire et confirmeront une si sainte résolution. Mais qu'il en vienne un autre qui veuille avoir l'absolution sans restituer, la chose sera bien difficile, s'ils n'en fournissent des
5 moyens dont ils se rendront les garants.

Par là ils conservent tous leurs amis, et se défendent contre tous leurs ennemis. Car, si on leur reproche leur extrême relâchement, ils produisent incontinent au public leurs directeurs austères, avec quelques livres qu'ils ont
10 faits de la rigueur de la loi chrétienne; et les simples, et ceux qui n'approfondissent pas plus avant les choses, se contentent de ces preuves.

Ainsi ils en ont pour toutes sortes de personnes, et répondent si bien selon ce qu'on leur demande, que,
15 quand ils se trouvent en des pays où un Dieu crucifié passe pour folie, ils suppriment le scandale de la croix, et ne prêchent que Jésus-Christ glorieux, et non pas Jésus-Christ souffrant: comme ils ont fait dans les Indes et dans la Chine, où ils ont permis aux chrétiens l'idolâtrie même,
20 par cette subtile invention de leur faire cacher sous leurs habits une image de Jésus-Christ à laquelle ils leur enseignent de rapporter mentalement[1] les adorations publiques qu'ils rendent à l'idole Cachinchoam et à leur Keum-fucum; comme Gravina, dominicain,[2] le leur re-
25 proche, et comme le témoigne le mémoire, en espagnol, présenté au roi d'Espagne Philippe IV, par les cordeliers des îles Philippines, rapporté par Thomas Hurtado dans son livre du *Martyre de la foi*, page 427. De telle sorte que la congrégation des cardinaux *de propaganda fide* fut

[1] Exemple d'application de la doctrine des « Équivoques ».

[2] Dominicains ... Cordeliers = ordres religieux qui avaient aussi des missionnaires en Chine et aux îles Philippines.

obligée de défendre particulièrement aux jésuites, sous peine d'excommunication, de permettre des adorations d'idole sous aucun prétexte, et de cacher le mystère de la croix à ceux qu'ils instruisent de la religion, leur commandant expressément de n'en recevoir aucun au baptême qu'après cette connaissance, et leur ordonnant d'exposer dans leurs églises l'image du crucifix, comme il est porté amplement dans le décret de cette congrégation, donné le 9 juillet 1646, signé par le cardinal Capponi.

Voilà de quelle manière ils se sont répandus par toute la terre à la faveur *de la doctrine des opinions probables*,[1] qui est la source et la base de tout ce dérèglement. C'est ce qu'il faut que vous appreniez d'eux-mêmes; car ils ne le cachent à personne, non plus que tout ce que vous venez d'entendre, avec cette seule différence, qu'ils couvrent leur prudence humaine et politique du prétexte d'une prudence divine et chrétienne, comme si la foi et la tradition qui la maintient n'étaient pas toujours une et invariable dans tous les temps et dans tous les lieux; comme si c'était à la règle à se fléchir pour convenir au sujet qui doit lui être conforme; et comme si les âmes n'avaient, pour se purifier de leurs taches qu'à corrompre la loi du Seigneur; au lieu « que la loi du Seigneur, qui est sans tache et toute sainte, est celle qui doit convertir les âmes », et les conformer à ses salutaires instructions !

Allez donc, je vous prie, voir ces bons pères, et je m'assure que vous remarquerez aisément dans le relâchement de leur morale la cause de leur doctrine touchant la grâce. Vous y verrez les vertus chrétiennes si incon-

[1] Cette doctrine sera développée plus bas; selon elle, l'autorisation de ce « dérèglement » ayant été donnée par un religieux dont l'opinion compte, pouvait être acceptée par ses collègues.

nues et si dépourvues de la charité, qui en est l'âme et la vie; vous y verrez tant de crimes palliés, et tant de désordres soufferts, que vous ne trouverez plus étrange qu'ils soutiennent que tous les hommes ont toujours assez de grâce pour vivre dans la piété de la manière qu'ils l'entendent. Comme leur morale est toute païenne, la nature suffit pour l'observer. Quand nous soutenons la nécessité de la grâce efficace,[1] nous lui donnons d'autres vertus pour objet. Ce n'est pas simplement pour guérir les vices par d'autres vices; ce n'est pas seulement pour faire pratiquer aux hommes les devoirs extérieurs de la religion; c'est pour une vertu plus haute que celle des pharisiens et des plus sages du paganisme. La loi et la raison sont des grâces suffisantes pour ces effets. Mais pour dégager l'âme de l'amour du monde, pour la retirer de ce qu'elle a de plus cher, pour la faire mourir à soi-même, pour la porter et l'attacher uniquement et invariablement à Dieu, ce n'est l'ouvrage que d'une main toute-puissante. Et il est aussi peu raisonnable de prétendre que l'on a toujours un plein pouvoir, qu'il le serait de nier que ces vertus destituées d'amour de Dieu, lesquelles ces bons pères confondent avec les vertus chrétiennes, ne sont pas en notre puissance. »

Voilà comment il me parla, et avec beaucoup de douleur; car il s'afflige sérieusement de tous ces désordres. Pour moi, j'estimai ces bons pères de l'excellence de leur politique, et je fus, selon son conseil, trouver un bon casuiste de la société. C'est une de mes anciennes connaissances, que je voulus renouveler exprès. Et comme j'étais instruit de la manière dont il les fallait traiter, je

[1] La doctrine fondamentale des jansénistes, que le passage suivant explique.

n'eus pas de peine à le mettre en train. Il me fit d'abord mille caresses, car il m'aime toujours, et, après quelques discours indifférents, je pris occasion du temps où nous sommes pour apprendre de lui quelque chose sur le jeûne, afin d'entrer insensiblement en matière. Je lui témoignai 5 donc que j'avais de la peine à le supporter.[1] Il m'exhorta à me faire violence; mais, comme je continuai à me plaindre, il en fut touché et se mit à chercher quelque cause de dispense. Il m'en offrit en effet plusieurs qui ne me convenaient point, lorsqu'il s'avisa enfin de me deman- 10 der si je n'avais pas de peine à dormir sans souper. « Oui, lui dis-je, mon père, et cela m'oblige souvent à faire collation à midi et à souper le soir. — Je suis bien aise, me répliqua-t-il, d'avoir trouvé ce moyen de vous soulager sans péché; allez, vous n'êtes point obligé de jeûner. Je 15 ne veux pas que vous m'en croyiez; venez à la bibliothèque. »

J'y fus, et là, en prenant un livre: « En voici la preuve, me dit-il, et Dieu sait quelle ! C'est Escobar. — Qui est Escobar, lui dis-je, mon père ? — Quoi ! vous ne savez 20 pas qui est Escobar de notre société, qui a compilé cette *Théologie morale* de vingt-quatre de nos pères; sur quoi il fait, dans la préface, une allégorie de ce livre, « à celui de l'*Apocalypse*,[2] qui était scellé de sept sceaux ? Et il dit

[1] Au jour de jeûne, le catholique fait un repas régulier seulement, au lieu de deux les autres jours; c'est le *souper;* et à côté de cela, il fait une *collation* très légère (*luncheon*, quelques onces de pain par exemple). Le *souper* est généralement pris au milieu du jour; la *collation* le soir.

[2] Chap. IV du *Livre de l'Apocalypse*, décrivant « un agneau qui était là comme immolé » sur un trône, et qui remit à quatre grands animaux (le lion, le veau, l'homme et l'aigle) et vingt-quatre vieillards, un livre scellé de sept sceaux; ils vont briser les sept sceaux pour interpréter au monde le contenu divin du livre.

que Jésus l'offre ainsi scellé aux quatre animaux Suarez, Vasquez, Molina, Valentia,[1] en présence de vingt-quatre jésuites qui représentent les vingt-quatre vieillards ? »

Il lut toute cette allégorie, qu'il trouvait bien juste, 5 et par où il me donnait une grande idée de l'excellence de cet ouvrage. Ayant ensuite cherché son passage du jeûne: « Le voici, me dit-il, au traité 1, exemple 13, n° 67. « Celui qui ne peut dormir s'il n'a soupé, est-il obligé de jeûner ? Nullement. » N'êtes-vous pas content ? — Non, 10 pas tout à fait, lui dis-je; car je puis bien supporter le jeûne en faisant collation le matin et soupant le soir. — Voyez donc la suite, me dit-il, ils ont pensé à tout. « Et que dira-t-on si on peut bien se passer d'une collation le matin en soupant le soir ? — Me voilà. — On n'est point encore 15 obligé de jeûner. Car personne n'est obligé de changer l'ordre de ses repas. » — Oh, la bonne raison ! lui dis-je. — Mais, dites-moi, continua-t-il, usez-vous de beaucoup de vin ? — Non, mon père, lui dis-je; je ne le puis souffrir. — Je vous disais cela, me répondit-il, pour vous avertir que 20 vous en pourriez boire le matin, et quand il vous plairait, sans rompre le jeûne; et cela soutient toujours. En voici la décision au même lieu, n° 57. « Peut-on, sans rompre le jeûne, boire du vin à telle heure qu'on voudra, et même en grande quantité ? On le peut, et même de l'hypocras. » 25 Je ne me souvenais pas de cet hypocras, dit-il; il faut que je le mette sur mon recueil. — Voilà un honnête homme, lui dis-je, qu'Escobar. — Tout le monde l'aime, répondit le père. Il fait de si jolies questions ! Voyez celle-ci qui est au même endroit, n° 38. « Si un homme doute qu'il 30 ait vingt et un ans,[2] est-il obligé de jeûner ? — Non. —

[1] Les quatre grandes autorités théologiques des jésuites.

[2] On jeûne seulement depuis 21 ans, mais on fait maigre (abstention de viande) dès l'âge de la communion (10 à 12 ans).

Mais si j'ai vingt et un ans cette nuit à une heure après minuit, et qu'il soit demain jeûne, serai-je obligé de jeûner demain ? — Non; car vous pourriez manger autant qu'il vous plairait depuis minuit jusqu'à une heure, puisque vous n'auriez pas encore vingt et un ans: et ainsi, 5 ayant droit de rompre le jeûne, vous n'y êtes point obligé. » —Oh ! que cela est divertissant ! lui dis-je. — On ne s'en peut tirer, me répondit-il; je passe les jours et les nuits à le lire; je ne fais autre chose.

Le bon père, voyant que j'y prenais plaisir, en fut 10 ravi . . . — En vérité, mon père, lui dis-je, je ne le crois pas bien encore. Eh quoi ? n'est-ce pas un péché de ne pas jeûner quand on le peut ? Est-il permis de rechercher les occasions de pécher ? ou plutôt n'est-on pas obligé de les fuir ? Cela serait assez commode. — Non pas toujours, 15 me dit-il; c'est selon. — Selon quoi ? lui dis-je. — Ho ! ho ! repartit le père. — Et si on recevait quelque incommodité en fuyant les occasions, y serait-on obligé, à votre avis ? — Ce n'est pas au moins celui du père Bauny, que voici, p. 1084. « On ne doit pas refuser l'absolution à ceux qui 20 demeurent dans les occasions prochaines du péché, s'ils sont en tel état qu'ils ne puissent les quitter sans donner sujet au monde de parler, ou sans qu'ils en reçussent eux-mêmes de l'incommodité. » — Je m'en réjouis, mon père, il ne reste plus qu'à dire qu'on peut rechercher les 25 occasions de propos délibéré, puisqu'il est permis de ne les pas fuir. — Cela même est aussi quelquefois permis, ajouta-t-il. Le célèbre casuiste Basile Ponce l'a dit, et le père Bauny le cite et approuve son sentiment, que voici dans le *Traité de la pénitence*, question 4, p. 94. 30 « On peut rechercher une occasion directement et pour elle-même, *primo et per se*, quand le bien spirituel et temporel de nous ou de notre prochain nous y porte. »

Vraiment, lui dis-je, il me semble que je rêve quand j'entends des religieux parler de cette sorte ! Eh quoi ! mon père, dites-moi, en conscience, êtes-vous dans ce sentiment-là ? — Non vraiment, me dit le père. — Vous parlez donc, continuai-je, contre votre conscience ? — Point du tout, dit-il. Je ne parlais pas en cela selon ma conscience, mais selon celle de Ponce et du père Bauny: et vous pourriez les suivre en sûreté; car ce sont d'habiles gens. — Quoi ! mon père, parce qu'ils ont mis ces trois lignes dans leurs livres, sera-t-il devenu permis de rechercher les occasions de pécher ? Je croyais ne devoir prendre pour règle que l'Écriture et la tradition de l'Église, mais non pas vos casuistes. — O bon Dieu, s'écria le père, vous me faites souvenir de ces jansénistes ! Est-ce que le père Bauny et Basile Ponce ne peuvent pas rendre leur opinion probable ? — Je ne me contente pas du probable, lui dis-je, je cherche le sûr. — Je vois bien, me dit le bon père, que vous ne savez pas ce que c'est que la doctrine des opinions probables. Vous parleriez autrement si vous le saviez. Ah ! vraiment, il faut que je vous en instruise. Vous n'aurez pas perdu votre temps d'être venu ici; sans cela vous ne pouviez rien entendre. C'est le fondement et l'*a b c* de toute notre morale.

Je fus ravi de le voir tombé dans ce que je souhaitais: et, le lui ayant témoigné, je le priai de m'expliquer ce que c'était qu'une opinion probable. « Nos auteurs vous y répondront mieux que moi, dit-il. Voici comme ils en parlent tous généralement, et entre autres, nos vingt-quatre, *in principibus*, exemplum 3, n° 8. « Une opinion est appelée probable, lorsqu'elle est fondée sur des raisons de quelque considération. D'où il arrive quelquefois qu'un seul docteur fort grave peut rendre une opinion probable. » Et en voici la raison: « car un homme adonné particulièrement à l'étude ne s'attacherait pas à une opinion, s'il n'y était attiré par une raison bonne et suffisante. » — Et ainsi, lui dis-je, un seul docteur peut tourner les consciences et les bouleverser à son gré, et toujours en sûreté. — Il n'en faut pas rire, me dit-il, ni penser combattre cette doctrine. Quand les jansénistes l'ont voulu faire, ils y ont perdu leur temps. Elle est trop bien établie. Écoutez Sanchez, qui est un des plus célèbres de nos pères (*Somme* liber 1, ch. 9, n° 7). — « Vous douterez peut-être si l'autorité d'un seul docteur bon et savant rend une opinion probable. A quoi je réponds que oui. Et c'est ce qu'assurent Angelus, Sylvius Navarrus, Emmanuel Sa, etc. Et voici comme on le prouve. Une opinion probable est celle qui a un fondement considérable. Or l'autorité d'un homme savant et pieux n'est pas de petite considération, mais plutôt de grande considération. Car, écoutez bien cette raison: Si le témoignage d'un tel homme est de grand poids pour nous assurer qu'une chose se soit passée, par exemple, à Rome, pourquoi ne le sera-t-il pas de même dans un doute de morale ? »

— La plaisante comparaison, lui dis-je, des choses du monde à celles de la conscience. — Ayez patience: Sanchez répond à cela dans les lignes qui suivent immédiatement: « Et la restriction qu'y apportent certains auteurs ne me plaît pas, que l'autorité d'un tel docteur est suffisante dans les choses de droit humain, mais non pas dans celles de droit divin. Car elle est de grand poids dans les unes et dans les autres. »

Mon père, lui dis-je franchement, je ne puis faire cas

de cette règle. Qui m'a assuré que, dans la liberté que vos docteurs se donnent d'examiner les choses par la raison, ce qui paraîtra sûr à l'un le paraisse à tous les autres? La diversité des jugements est si grande... — Vous ne
5 l'entendez pas, dit le père en m'interrompant, aussi sont-ils fort souvent de différents avis, mais cela n'y fait rien. Chacun rend le sien probable et sûr. Vraiment l'on sait bien qu'ils ne sont pas tous de même sentiment, et cela n'en est que mieux. Ils ne s'accordent au contraire pres-
10 que jamais. Il y a peu de questions où vous ne trouviez que l'un dit oui, l'autre dit non. Et en tous ces cas-là, l'une et l'autre des opinions contraires est probable. Et c'est pourquoi Diana dit sur un certain sujet, part, 3, traité 4, rép. 244: « Ponce et Sanchez sont de contraires avis; mais, parce
15 qu'ils étaient tous deux savants, chacun rend son opinion probable. »

Mais, mon père, lui dis-je, on doit être bien embarrassé à choisir alors! — Point du tout, dit-il, il n'y a qu'à suivre l'avis qui agrée le plus. — Eh quoi! si l'autre est
20 plus probable? — Il n'importe, me dit-il. — Et si l'autre est plus sûr? — Il n'importe, me dit encore le père, le voici bien expliqué. C'est Emmanuel Sa, de notre société, dans son aphorisme *de Dubio*, p. 183: « On peut faire ce qu'on pense être permis selon une opinion probable,
25 quoique le contraire soit plus sûr. Or, l'opinion d'un seul docteur grave y suffit. » — Et si une opinion est tout ensemble et moins probable et moins sûre, sera-t-il permis de la suivre en quittant ce que l'on croit être plus probable et plus sûr? — Oui, encore une fois, me dit-il; écoutez
30 Filiutius, ce grand jésuite de Rome, *Morales Quæstiones;* tractatus 21, ch. 4, n°, 128: « Il est permis de suivre l'opinion la moins probable, quoiqu'elle soit la moins sûre. C'est

l'opinion commune des nouveaux auteurs. » Cela n'est-il pas clair ? —Nous voici bien au large, lui dis-je, mon révérend père. Grâces à vos opinions probables, nous avons une belle liberté de conscience. Et vous autres casuistes, avez-vous la même liberté dans vos réponses ? — Oui, me dit-il, nous répondons aussi ce qu'il nous plaît, ou plutôt ce qu'il plaît à ceux qui nous interrogent. Car voici nos règles, prises de nos pères, Layman (*Theol. Mor.* l. I, tr. 1, c. 2, § 2, n° 7): Vasquez (*Distinctiones* 62, c. 9, n° 47); Sanchez (*in Summâ* l. I, c. 9, n° 23); et de nos vingt-quatre (*in princ. ex.* 3, n° 24). Voici les paroles de Layman, que le livre de nos vingt-quatre a suivies: « Un docteur, étant consulté, peut donner un conseil, non-seulement probable selon son opinion, mais contraire à son opinion, s'il est estimé probable par d'autres, lorsque cet avis contraire au sien se rencontre plus favorable et plus agréable à celui qui le consulte: SI FORTE *et illi favorabilior seu exoptatior sit.* Mais je dis de plus qu'il ne sera point hors de raison qu'il donne à ceux qui le consultent un avis tenu pour probable par quelque personne savante, quand même il s'assurerait qu'il serait absolument faux. »

Tout de bon, mon père, votre doctrine est bien commode. Quoi ! avoir à répondre oui et non à son choix ? On ne peut assez priser un tel avantage. Et je vois bien maintenant à quoi vous servent les opinions contraires que vos docteurs ont sur chaque matière. Car l'une vous sert toujours, et l'autre ne vous nuit jamais. Si vous ne trouvez votre compte d'un côté, vous vous jetez de l'autre, et toujours en sûreté. — Cela est vrai, dit-il, et ainsi nous pouvons toujours dire avec Diana, qui trouva le père Bauny pour lui, lorsque le père Lugo lui était contraire:

Sæpe, premente Deo, fert Deus alter opem.
Si quelque Dieu nous presse, un autre nous délivre.

— J'entends bien, lui dis-je, mais il me vient une difficulté dans l'esprit. C'est qu'après avoir consulté un de vos docteurs, et pris de lui une opinion un peu large, on sera peut-être attrapé si on rencontre un confesseur qui n'en soit pas, et qui refuse l'absolution, si l'on ne change de sentiment. N'y avez-vous point donné ordre, mon père ? — En doutez-vous ? me répondit-il. On les a obligés à absoudre leurs pénitents qui ont des opinions probables, sur peine de péché mortel, afin qu'ils n'y manquent pas. C'est ce qu'ont bien montré nos pères, et entre autres le père Bauny (tr. 4, *de Pœnitentiâ*, q. 13, p. 93) : « Quand le pénitent, dit-il, suit une opinion probable, le confesseur le doit absoudre, quoique son opinion soit contraire à celle du pénitent. » — Mais il ne dit pas que ce soit un péché mortel de ne le pas absoudre. — Que vous êtes prompt ! me dit-il; écoutez la suite: il en fait une conclusion expresse: « Refuser l'absolution à un pénitent qui agit selon une opinion probable, est un péché qui, de sa nature, est mortel. » Et il cite, pour confirmer ce sentiment, trois des plus fameux de nos pères, Suarez (tom. 4, dist. 32, sect. 5); Vasquez (disputatio 62, c. 7); et Sanchez (n° 29).

— O mon père ! lui dis-je, voilà qui est bien prudemment ordonné ! Il n'y a plus rien à craindre. Un confesseur n'oserait plus y manquer. Je ne savais pas que vous eussiez le pouvoir d'ordonner sur peine de damnation. Je croyais que vous ne saviez qu'ôter les péchés; je ne pensais pas que vous en sussiez introduire. Mais vous avez tout pouvoir, à ce que je vois. — Vous ne parlez pas proprement, me dit-il. Nous n'introduisons pas les péchés, nous ne faisons que les remarquer. J'ai déjà bien reconnu deux ou trois fois que vous n'êtes pas bon scolastique.[1] — Quoi qu'il en soit, mon père, voilà mon doute bien résolu. Mais j'en ai un autre encore à vous proposer: c'est que je ne sais comment vous pouvez faire, quand les pères de l'Église sont contraires au sentiment de quelqu'un de vos casuistes.

— Vous l'entendez bien peu, me dit-il. Les pères étaient bons pour la morale de leur temps, mais ils sont trop éloignés pour celle du nôtre. Ce ne sont plus eux qui la règlent, ce sont les nouveaux casuistes. Écoutez notre père Cellot (*de Hier.*, l. VIII, c. 16, p. 714), qui suit en cela notre fameux père Reginaldus: « Dans les questions de morale, les nouveaux casuistes sont préférables aux anciens pères, quoiqu'ils fussent plus proches des apôtres. » Et c'est en suivant cette maxime que Diana parle de cette sorte (p. 5, tr. 8, reg. 31): « Les bénéficiers [2] sont-ils obligés de restituer leur revenu dont ils disposent mal ? Les anciens disaient que oui, mais les nouveaux disent que non: ne quittons donc pas cette opinion qui décharge de l'obligation de restituer. » — Voilà de belles paroles, lui dis-je, et pleines de consolation pour bien du monde. — Nous laissons les pères, me dit-il, à ceux qui traitent la morale positive: mais, pour nous, qui gouvernons les consciences, nous les lisons peu, et ne citons dans nos écrits que les nouveaux casuistes. Voyez Diana qui a tant écrit; il a mis à l'entrée de ses livres la liste des auteurs qu'il rapporte. Il y en a deux cent quatre-vingt-seize, dont le plus ancien est mort depuis quatre-vingts ans. — Cela est donc venu au monde depuis votre société ? lui dis-je. — Environ,

[1] Raisonneur selon la doctrine de l'École (*scola*).

[2] Titulaires de dignités ecclésiastiques avec revenus.

me répondit-il. — C'est-à-dire, mon père, qu'à votre arrivée on a vu disparaître saint Augustin, saint Chrysostome, saint Ambroise, saint Jérôme et les autres pour ce qui est de la morale. Mais au moins que je sache les noms de 5 ceux qui leur ont succédé; qui sont-ils ces nouveaux auteurs ? — Ce sont des gens bien habiles et bien célèbres, me dit-il. C'est Villalobos, Conink, Llamas, Achokier, Dealkozer, Dellacruz, Veracruz, Ugolin, Tambourin, Fernandez, Martinez, Suarez, Henriquez, Vasquez, Lopez, 10 Gomez, Sanchez, de Veanis, de Grassis, de Grassalis, de Pitigianis, de Graphæis, Squilanti, Bizozeri, Barcola, de Bobadilla, Simancha, Perez de Lara, Adretta, Lorca, de Scarcia, Quaranta, Scophra, Pedrezza, Cabrezza, Bisbe, Dias, de Clavasio, Villagut, Adam à Manden, Iribarne, 15 Binsfeld, Volfangi à Vorberg, Vosthery, Strevesdorf. — O mon père ! lui dis-je tout effrayé, tous ces gens-là étaient-ils chrétiens ? — Comment, chrétiens ! me répondit-il. Ne vous disais-je pas que ce sont les seuls par lesquels nous gouvernons aujourd'hui la chrétienté ? »

20 Cela me fit pitié, mais je ne lui en témoignai rien, et lui demandai seulement si tous ces auteurs-là étaient jésuites. « Non, me dit-il, mais il n'importe; ils n'ont pas laissé de dire de bonnes choses. Ce n'est pas que la plupart ne les aient prises ou imitées des nôtres; mais nous ne 25 nous piquons pas d'honneur, outre qu'ils citent nos pères à toute heure et avec éloge. Voyez Diana, qui n'est pas de notre société; quand il parle de Vasquez, il l'appelle *le phénix des esprits*. Et quelquefois il dit « que Vasquez seul lui est autant que tout le reste des hommes ensem- 30 ble. *Instar omnium.* » Aussi tous nos pères se servent fort souvent de ce bon Diana: car, si vous entendez bien notre doctrine de la probabilité, vous verrez que cela n'y

fait rien. Au contraire; nous avons bien voulu que d'autres que les jésuites puissent rendre leurs opinions probables, afin qu'on ne puisse pas nous les imputer toutes. Et ainsi, quand quelque auteur que ce soit en a avancé une, nous avons droit de la prendre, si nous le 5 voulons, par la doctrine des opinions probables; et nous n'en sommes pas les garants, quand l'auteur n'est pas de notre corps. — J'entends tout cela, lui dis-je. Je vois bien par là que tout est bien venu chez vous, hormis les anciens pères, et que vous êtes les maîtres de la campagne. 10 Vous n'avez plus qu'à courir.

Mais je prévois trois ou quatre grands inconvénients, et de puissantes barrières qui s'opposeront à votre course. — Et quoi ? me dit le père tout étonné. — C'est, lui répondis-je, l'Écriture sainte, les papes et les conciles, que 15 vous ne pouvez démentir, et qui sont tous dans la voie unique de l'Évangile. — Est-ce là tout ? me dit-il. Vous m'avez fait peur. Croyez-vous qu'une chose si visible n'ait pas été prévue, et que nous n'y ayons pas pourvu? Vraiment je vous admire, de penser que nous soyons op- 20 posés à l'Écriture, aux papes ou aux conciles ! Il faut que je vous éclaircisse du contraire. Je serais bien marri que vous crussiez que nous manquons à ce que nous leur devons. Vous avez sans doute pris cette pensée de quelques opinions de nos pères qui paraissent choquer leurs 25 décisions, quoique cela ne soit pas. Mais, pour en entendre l'accord, il faudrait avoir plus de loisir. Je souhaite que vous ne demeuriez pas mal édifié de nous. Si vous voulez que nous nous revoyions demain, je vous en donnerai l'éclaircissement. » 30

Voilà la fin de cette conférence, qui sera celle de cet entretien: aussi en voilà bien assez pour une lettre. Je m'assure que vous en serez satisfait en attendant la suite. Je suis, etc.

[Voici un passage de la Lettre sixième qui explique comment le jésuite propose d'écarter l'autorité de l'Écriture et de l'Église:

« . . . Il m'en a instruit, en effet, dans ma seconde visite, dont voici le récit.

Ce bon père me parla de cette sorte: « Une des manières dont nous accordons ces contradictions apparentes est par l'interprétation de quelque terme. Par exemple, le pape Grégoire XIV a déclaré que les assassins sont indignes de jouir de l'asile des églises, et qu'on les en doit arracher. Cependant nos vingt-quatre vieillards disent (tr. 6, ex. 4, n. 27): « Que tous ceux qui tuent en trahison ne doivent pas encourir la peine de cette bulle. » Cela vous paraît être contraire, mais on l'accorde, en interprétant le mot d'*assassin*, comme ils font par ces paroles: « Les assassins ne sont-ils pas indignes de jouir du privilège des églises ? Oui, par la bulle de Grégoire XIV. Mais nous entendons par le mot d'assassins, ceux qui ont reçu de l'argent pour tuer quelqu'un en trahison. D'où il arrive que ceux qui tuent sans en recevoir aucun prix, mais seulement pour obliger leurs amis, ne sont pas appelés assassins. » De même il est dit dans l'Évangile: «Donnez l'aumône de votre superflu. » Cependant plusieurs casuistes ont trouvé moyen de décharger les personnes les plus riches de l'obligation de donner l'aumône. Cela vous paraît encore contraire; mais on en fait voir facilement l'accord, en interprétant le mot de *superflu*, en sorte qu'il n'arrive presque jamais que personne en ait. Et c'est ce qu'a fait le docte Vasquez en cette sorte, dans son *Traité de l'aumône*, c. 4: « Ce que les personnes du monde gardent pour relever leur condition et celle de leurs parents n'est pas appelé superflu; et c'est pourquoi à peine trouvera-t-on qu'il y ait jamais de superflu chez les gens du monde, et non pas même chez les rois. »—Je vois bien, mon père, que cela suit de la doctrine de Vasquez. Mais que répondrait-on, si l'on objectait qu'afin de faire son salut, il serait donc aussi sûr, selon Vasquez, de ne point donner l'aumône, pourvu qu'on ait assez d'ambition pour n'avoir point de superflu, qu'il est sûr, selon l'Évangile, de n'avoir point d'ambition, afin d'avoir du superflu pour en pouvoir donner l'aumône ? — Il faudrait répondre, me dit-il, que toutes ces deux voies sont sûres, selon le même Évangile: l'une selon l'Évangile dans le sens le plus littéral et le plus facile à trouver; l'autre selon le même Évangile, interprêté par Vasquez. Vous voyez par là l'utilité des interprétations . . . »]

La réponse faite à Pascal par les défenseurs des Jésuites, est que ceux-ci ne sont nullement les inventeurs de la « casuistique », et que Saint-Paul lui-même fut le premier casuiste chrétien dans ses épîtres, lorsqu'il discute plusieurs ‹ cas › de conduite pour les chrétiens de la première église: par exemple, si on peut manger des viandes sacrifiées aux idoles, si les femmes doivent porter un voile à l'église, le cas du divorce, etc. Voir Belloc *Pascal's Provinciales* pour une réfutation courte et aisée à comprendre. Comme écrivain non-catholique, voir par exemple, *Le chemin de velours*, par Rémy de Gourmont, qui, lui aussi, considère que les cas de conduite sont tous des cas individuels et que Pascal n'a pas raison en principe dans son attaque.

Plusieurs érudits affirment aujourd'hui que Pascal a, dans les derniers temps de sa vie, récusé le Jansénisme.

* * *

L'attaque des *Lettres Provinciales* était trop forte; elle aggrava le péril au lieu de le conjurer. Les Jésuites employèrent les plus grands moyens pour réduire au silence leurs redoutables adversaires; ils avaient, avec eux, le pouvoir temporel. Ils firent fermer les Petites Écoles et chasser les Solitaires. Ceci ne suffisant pas, en 1660 les persécutions reprennent; on ordonne la destruction des Petites Écoles; en 1665 on enferma les religieuses récalcitrantes à Port-Royal-des-Champs où elles restèrent séquestrées jusqu'en 1669; en 1668 on avait nommé comme abbesse de Port-Royal-de-Paris une religieuse qui avait renié le Jansénisme. En 1679 on défendit formellement de recruter de nouvelles pensionnaires; c'était assurer, semble-t-il, la disparition de la secte; en 1707 on priva de communion celles qui restaient fidèles à Jansénius, et on les excommunia; en 1709 on promulgua la suppression de Port-Royal, et les dernières religieuses furent jetées dans divers couvents; en 1710 enfin, Louis XIV ordonna de raser les bâtiments de Port-Royal-des-Champs (dont on visite les restes aujourd'hui).

Disons cependant que la chose ne s'arrêta pas là; le XVIII° siècle vit la continuation de cette lutte sourde et opiniâtre, avec ce résultat qu'en 1762 l'ordre des Jésuites fut à son tour expulsé de France, et en 1773 supprimé par le Pape. Il ne fut rétabli qu'en 1814, à la Restauration.

2. Les Pensées

[Pendant les cinq dernières années de sa vie, Pascal, dont la santé était précaire, s'abandonna à une piété exaltée, se condamnant à des macérations qui hâtèrent sa mort (à 39 ans, 1662). Il avait espéré écrire un grand ouvrage destiné à prouver la vérité de la religion chrétienne. On a publié (1670) de nombreuses notes qu'il avait laissées, sous le titre de *Pensées*. Il n'avait laissé aucun plan définitif; aucun des plans adoptés par les éditeurs n'est satisfaisant. Bien des Pensées publiées n'ont apparemment rien à faire avec l'« Apologie du Christianisme. » Nous citons d'après l'édition Havet, (5e éd. 1897).

Les idées qui reviennent avec persistance sont: L'homme qui réfléchit a conscience de sa fragilité dans la nature. Cette « pensée » fait sa grandeur; car les forces brutales et immenses qui l'écrasent ne savent pas leur puissance, et lui, l'homme, sait sa faiblesse. L'homme aspire à sortir de son néant. Cependant la « pensée » qui lui a mis au cœur cette aspiration, ne lui aide aucunement à la satisfaire. Au contraire, la raison humaine, quand nous nous adressons à elle, loin de nous montrer une voie de salut, augmente encore notre sens d'impuissance: parce que, plus elle cherche à pénétrer la vérité des choses, plus elle s'enfonce dans des contradictions; il faut renoncer à trouver dans la philosophie. Pascal s'adresse alors à la religion. Or plusieurs religions déclarent avoir une « révélation » divine de la vérité. Mais, parmi celles-ci il en est une qui repose toute sur cette fragilité humaine et sur son besoin de délivrance: c'est le Christianisme. Ses dogmes ne sont pas établis sur la raison philosophique; mais elle satisfait le cœur; et « le cœur a ses raisons que la raison ne connaît pas. »]

L'homme cherche à connaître la vérité. Dans cette recherche, la raison, loin de fournir une réponse, rend l'homme plus perplexe, et semble l'éloigner de la vérité. L'infiniment grand.[1]

Art. I. — 1. Que l'homme contemple donc la nature entière dans sa haute et pleine majesté; qu'il éloigne sa vue des objets bas qui l'environnent; qu'il regarde cette éclatante lumière mise comme une lampe éternelle pour 5 éclairer l'univers; que la terre lui paraisse comme un point, au prix du vaste tour [2] que cet astre décrit, et qu'il

[1] Ces titres n'appartiennent pas à Pascal; ils doivent faciliter la compréhension du texte à l'étudiant.

[2] Pascal croyait encore au système géocentrique. Copernic n'avait vécu qu'au XVIe siècle; et Galilée avait été condamné pour sa croyance au système héliocentrique en 1633. Descartes croyait au

s'étonne de ce que ce vaste tour lui-même n'est qu'une pointe très délicate à l'égard de celui que les astres qui roulent dans le firmament embrassent. Mais si notre vue s'arrête là, que l'imagination passe outre: elle se lassera plus tôt de concevoir que la nature de fournir. Tout ce monde visible n'est qu'un trait imperceptible dans l'ample sein de la nature. Nulle idée n'en approche. Nous avons beau enfler nos conceptions au delà des espaces imaginables, nous n'enfantons que des atomes, au prix de la réalité des choses. C'est une sphère infinie dont le centre est partout, la circonférence nulle part. Enfin, c'est le plus grand caractère sensible de la toute-puissance de Dieu, que notre imagination se perde dans cette pensée.

Que l'homme, étant revenu à soi, considère ce qu'il est au prix de ce qui est; qu'il se regarde comme égaré dans ce canton détourné de la nature, et que, de ce petit cachot [1] où il se trouve logé, j'entends l'univers, il apprenne à estimer la terre, les royaumes, les villes et soi-même son juste prix.

L'infiniment petit.

Qu'est-ce qu'un homme dans l'infini? Mais pour lui présenter un autre prodige aussi étonnant, qu'il recherche dans ce qu'il connaît les choses les plus délicates. Qu'un ciron lui offre dans la petitesse de son corps des parties incomparablement plus petites, des jambes avec

mouvement de la terre autour du soleil, mais il n'osa pas publier le *Traité du monde* qu'il avait écrit cette même année, 1633, et dans lequel il exposait cette opinion.

[1] Pascal se représentait la « nature » comme composée d'un grand nombre de systèmes planétaires ou « univers » juxtaposés, chacun de ceux-ci étant infiniment petit — un « cachot » — dans ce nombre immense.

des jointures, des veines dans ces jambes, du sang dans ces veines, des humeurs dans ce sang, des gouttes dans ces humeurs, des vapeurs [1] dans ces gouttes; que, divisant encore ces dernières choses, il épuise ses forces en ces con-
5 ceptions, et que le dernier objet où il peut arriver soit maintenant celui de notre discours; il pensera peut-être que c'est là l'extrême petitesse de la nature. Je veux lui faire voir là-dedans un abîme nouveau. Je lui veux peindre non-seulement l'univers visible, mais l'immensité
10 qu'on peut concevoir de la nature, dans l'enceinte de ce raccourci d'atome. Qu'il y voie une infinité d'univers, dont chacun a son firmament, ses planètes, sa terre, en la même proportion que le monde visible; dans cette terre, des animaux, et enfin des cirons, dans lesquels il retrou-
15 vera ce que les premiers ont donné; et, trouvant encore dans les autres la même chose, sans fin et sans repos, qu'il se perde dans ces merveilles, aussi étonnantes, dans leur petitesse, que les autres dans leur étendue; car qui n'admirera que notre corps, qui tantôt n'était pas perceptible
20 dans l'univers, imperceptible lui-même dans le sein du tout, soit à présent un colosse, un monde, ou plutôt un tout, à l'égard du néant où l'on ne peut arriver ?

Qui se considère de la sorte s'effrayera de soi-même, et, se considérant soutenu dans la masse que la nature lui a
25 donnée, entre ces deux abîmes de l'infini et du néant, il tremblera à la vue de ces merveilles; et je crois que, sa curiosité se changeant en admiration, il sera plus disposé à les contempler en silence qu'à les rechercher avec présomption.

[1] humeurs . . . vapeurs . . . gouttes. Termes médicaux du XVIIe siècle pour désigner des substances indéfinies, et couvrant l'ignorance de ceux qui les employaient.

Car enfin qu'est-ce que l'homme dans la nature? Un néant à l'égard de l'infini, un tout à l'égard du néant, un milieu entre rien et tout. Infiniment éloigné de comprendre les extrêmes, la fin des choses et leur principe sont pour lui invinciblement cachés dans un secret impénétrable; également incapable de voir le néant d'où il est tiré, et l'infini où il est englouti . . .

La supériorité de l'homme consiste à pouvoir prendre connaissance de son ignorance et de son impuissance vis-à-vis de la nature où il est placé.

2. Je puis bien concevoir un homme sans mains, pieds, tête, car ce n'est que l'expérience qui nous apprend que la tête est plus nécessaire que les pieds. Mais je ne puis concevoir l'homme sans pensée, ce serait une pierre ou une brute.

3. La grandeur de l'homme est grande en ce qu'il se connaît misérable. Un arbre ne se connaît pas misérable. C'est donc être misérable que de se connaître misérable; mais c'est être grand que de connaître qu'on est misérable. Toutes ces misères-là mêmes prouvent sa grandeur. Ce sont misères de grand seigneur, misères d'un roi dépossédé.

6. L'homme n'est qu'un roseau, le plus faible de la nature, mais c'est un roseau pensant. Il ne faut pas que l'univers entier s'arme pour l'écraser. Une vapeur, une goutte d'eau, suffit pour le tuer. Mais quand l'univers l'écraserait, l'homme serait encore plus noble que ce qui le tue, parce qu'il sait qu'il meurt, et l'avantage que l'univers a sur lui, l'univers n'en sait rien.

Toute notre dignité consiste donc en la pensée. C'est de là qu'il faut nous relever, et non de l'espace et de la durée, que nous ne saurions remplir. Travaillons donc à bien penser: voilà le principe de la morale.

Art. II. — 3. La vanité est si ancrée dans le cœur de l'homme, qu'un soldat, un goujat, un cuisinier, un cro-
5 cheteur se vante et veut avoir ses admirateurs: et les philosophes mêmes en veulent. Et ceux qui écrivent contre veulent avoir la gloire d'avoir bien écrit; et ceux qui le lisent veulent avoir la gloire de l'avoir lu; et moi qui écris ceci, ai peut-être cette envie; peut-être que
10 ceux qui le liront . . .

Les hommes agissent le plus souvent sans être guidés par la raison. Nouvelle preuve de l'impuissance de celle-ci.

Art. III. — 3. . . . Le plus grand philosophe du monde, sur une planche plus large qu'il ne faut, s'il y a au-dessous un précipice, quoique sa raison le convainque de sa sûreté, son imagination prévaudra. Plusieurs n'en sau-
15 raient soutenir la pensée sans pâlir et suer.

Qui ne sait que la vue de chats, de rats, l'écrasement d'un charbon, etc., emportent la raison hors des gonds? Le ton de voix impose aux plus sages, et change un discours et un poème de force.

20 L'affection ou la haine changent la justice de face; et combien un avocat bien payé par avance trouve-t-il plus juste la cause qu'il plaide! combien son geste hardi le fait-il paraître meilleur aux juges, dupés par cette apparence! Plaisante raison qu'un vent manie, et à tout
25 sens!

Je ne veux pas rapporter tous ses effets; je rapporterais presque toutes les actions des hommes, qui ne branlent presque que par ses secousses. Car la raison a été obligée de céder, et la plus sage prend pour ses principes ceux que l'imagination des hommes a témérairement introduits en chaque lieu.

Nos magistrats ont bien connu ce mystère. Leurs robes rouges, leurs hermines,[1] dont ils s'emmaillottent en chats fourrés,[2] les palais où ils jugent, les fleurs de lis, tout cet appareil auguste était fort nécessaire; et si les médecins n'avaient des soutanes et des mules, et que les docteurs n'eussent des bonnets carrés et des robes trop amples de quatre parties,[3] jamais ils n'auraient dupé le monde, qui ne peut résister à cette montre si authentique. Les seuls gens de guerre ne se sont pas déguisés de la sorte, parce qu'en effet leur part est plus essentielle: ils s'établissent par la force, les autres par grimace . . .

8. . . . Sur quoi fondera-t-il l'économie du monde qu'il veut gouverner ? Sera-ce sur le caprice de chaque particulier ? Quelle confusion ! Sera-ce sur la justice ? Il l'ignore.

Les hommes, n'ayant pas de vérité et de justice pour les guider, finissent par adopter certains usages qu'ils suivent, à défaut de mieux.

Certainement s'il la connaissait, il n'aurait pas établi cette maxime, la plus générale de toutes celles qui sont parmi les hommes, que chacun suive les mœurs de son pays; l'éclat de la véritable équité aurait assujetti tous les peuples, et les législateurs n'auraient pas pris pour modèle, au lieu de cette justice constante, les fantaisies et les caprices des Perses, des Allemands et des Indiens. On la verrait plantée par tous les États du monde et dans

[1] Pour *robes d'hermine*.

[2] *Chats fourrés* se dit plaisamment des juges qui, avec leurs robes à fourrures, rappellent les chats au poil doux et lisse recouvrant des griffes.

[3] Des quatre-cinquièmes.

tous les temps, au lieu qu'on ne voit rien de juste ou d'injuste qui ne change de qualité en changeant de climat. Trois degrés de latitude du pôle renversent toute la jurisprudence. Un méridien décide de la vérité. En peu d'an-
5 nées de possession, les lois fondamentales changent. Le droit a ses époques.[1] L'entrée de Saturne au Lion [2] nous marque l'origine d'un tel crime. Plaisante justice qu'une rivière borne ! Vérité au deçà des Pyrénées, erreur au delà . . .

« *L'homme n'est qu'un sujet plein d'erreur naturelle et ineffaçable sans la grâce* ».

10 19. L'homme n'est qu'un sujet plein d'erreur naturelle et ineffaçable sans la grâce. Rien ne lui montre la vérité: tout l'abuse. Ces deux principes de vérités, la raison et les sens, outre qu'ils manquent chacun de sincérité, s'abusent réciproquement l'un l'autre. Les sens abusent la
15 raison par de fausses apparences; et cette même piperie [3] qu'ils apportent à la raison, ils la reçoivent d'elle à leur tour: elle s'en revanche. Les passions de l'âme troublent les sens, et leur font des impressions fausses. Ils mentent et se trompent à l'envi . . .

20 *Art. VIII.* — 1. . . . Les principales forces des pyrrhoniens,[4] je laisse les moindres, sont: Que nous n'avons au-

[1] Par exemple, les Romains conquièrent un pays, et les lois changent.

[2] Allusion aux croyances astrologiques: quand la planète Saturne entre dans le domaine céleste de la constellation du Lion, il y a conjonction funeste. Pascal n'y croit pas lui-même, cela va sans dire; mais c'est toujours la même idée: l'homme n'ayant pas la vérité par sa raison, et aspirant à la vérité, il s'accroche à la superstition.

[3] Terme archaïque, *tromperie*.

[4] Sceptiques, disciples de Pyrrhon, philosophe grec, IVe siècle av. J.-C.

cune certitude de la vérité de ces principes,[1] hors la foi et la révélation, sinon en ce que nous les sentons naturellement en nous; or, ce sentiment naturel n'est pas une preuve convaincante de leur vérité, puisque n'y ayant point de certitude, hors la foi, si l'homme est créé par un Dieu bon, par un démon méchant, ou à l'aventure, il est en doute si ces principes nous sont donnés ou véritables, ou faux, ou incertains, selon notre origine. De plus, que personne n'a d'assurance, hors de la foi, s'il veille ou s'il dort, vu que durant le sommeil on croit veiller aussi fermement que nous faisons; on croit voir les espaces, les figures, les mouvements; on sent couler le temps, on le mesure, et enfin on agit de même qu'éveillé; de sorte que, la moitié de la vie se passant en sommeil, par notre propre aveu, où, quoi qu'il nous en paraisse, nous n'avons aucune idée du vrai, tous nos sentiments étant alors des illusions, qui sait si cette autre moitié de la vie où nous pensons veiller n'est pas un autre sommeil un peu différent du premier, dont nous nous éveillons quand nous pensons dormir ? . . .

Que fera donc l'homme en cet état ? Doutera-t-il de tout ? doutera-t-il s'il veille, si on le pince, si on le brûle ? doutera-t-il s'il doute ? doutera-t-il s'il est ? On n'en peut venir là; et je mets en fait qu'il n'y a jamais eu de pyrrhonien effectif parfait. La nature soutient la raison impuissante, et l'empêche d'extravaguer jusqu'à ce point.

Dira-t-il donc, au contraire, qu'il possède certainement la vérité, lui qui, si peu qu'on le pousse, ne peut en montrer aucun titre, et est forcé de lâcher prise ?

Quelle chimère est-ce donc que l'homme ! quelle nouveauté, quel monstre, quel chaos, quel sujet de contradic-

[1] Voir Art. III. Pensée 13, ci-dessus.

tion, quel prodige ! Juge de toutes choses, imbécile ver de terre, dépositaire du vrai, cloaque d'incertitude et d'erreur, gloire et rebut de l'univers.

Qui démêlera cet embrouillement ? La nature confond
5 les pyrrhoniens et la raison confond les dogmatiques. Que deviendrez-vous donc, ô homme ! qui cherchez quelle est votre véritable condition par votre raison naturelle ? Vous ne pouvez fuir une de ces sectes, ni subsister dans aucune.

Connaissez donc, superbe, quel paradoxe vous êtes à
10 vous-même. Humiliez-vous, raison impuissante; taisez-vous, nature imbécile: apprenez que l'homme passe infiniment l'homme, et entendez de votre maître votre condition véritable, que vous ignorez. Écoutez Dieu . . .

2. Tous les hommes recherchent d'être heureux; cela
15 est sans exception. Quelque différents moyens qu'ils y emploient, ils tendent tous à ce but. Ce qui fait que les uns vont à la guerre et que les autres n'y vont pas est ce même désir qui est dans tous les deux, accompagné de différentes vues. La volonté ne fait jamais la moindre dé-
20 marche que vers cet objet. C'est le motif de toutes les actions de tous les hommes, jusqu'à ceux qui vont se pendre.

Et cependant, depuis un si grand nombre d'années, jamais personne, sans la foi, n'est arrivé à ce point où tous visent continuellement. Tous se plaignent: princes, sujets;
25 nobles, roturiers; vieux, jeunes; forts, faibles; savants, ignorants; sains, malades; de tous pays, de tous les temps, de tous âges et de toutes conditions.

Une épreuve si longue, si continuelle et si uniforme, devrait bien nous convaincre de notre impuissance d'ar-
30 river au bien par nos efforts; mais l'exemple nous instruit peu. Il n'est jamais si parfaitement semblable, qu'il n'y

ait quelque délicate différence; et c'est de là que nous attendons que notre attente ne sera pas déçue en cette occasion comme en l'autre. Et ainsi, le présent ne nous satisfaisant jamais, l'espérance nous pipe, et de malheur en malheur, nous mène jusqu'à la mort, qui en est un comble éternel . . .

Les deux manières de connaître: par la raison, par le cœur. Le cœur ne demande pas de preuves rationnelles; le cœur « sent » la vérité.

6. Nous connaissons la vérité, non-seulement par la raison, mais encore par le cœur; c'est de cette dernière sorte que nous connaissons les premiers principes, et c'est en vain que le raisonnement, qui n'y a point de part, essaie de les combattre. Les pyrrhoniens, qui n'ont que cela pour objet, y travaillent inutilement. Nous savons que nous ne rêvons point, quelque impuissance où nous soyons de le prouver par raison; cette impuissance ne conclut autre chose que la faiblesse de notre raison, mais non pas l'incertitude de toutes nos connaissances, comme ils le prétendent. Car la connaissance des premiers principes, comme qu'il y a *espace*, *temps*, *mouvement*, *nombres*, est aussi ferme qu'aucune de celles que nos raisonnements nous donnent. Et c'est sur ces connaissances du cœur et de l'instinct qu'il faut que la raison s'appuie, et qu'elle y fonde tout son discours. Le cœur sent qu'il y a trois dimensions dans l'espace, et que les nombres sont infinis; et la raison démontre ensuite qu'il n'y a point deux nombres carrés dont l'un soit double de l'autre. Les principes se sentent, les propositions se concluent; et le tout avec certitude, quoique par différentes voies. Et il est aussi inutile et aussi ridicule que la raison demande au

cœur des preuves de ses premiers principes, pour vouloir y consentir, qu'il serait ridicule que le cœur demandât a la raison un sentiment de toutes les propositions qu'elle démontre, pour vouloir les recevoir . . .

Dieu est une connaissance du cœur, ou sentiment.

5 *Art. IX.* — 1. . . . Qu'ils apprennent au moins quelle est la religion qu'ils combattent, avant que de la combattre. Si cette religion se vantait d'avoir une vue claire de Dieu, et de le posséder à découvert et sans voile, ce serait la combattre que de dire qu'on ne voit rien dans le monde
10 qui le montre avec cette évidence. Mais puisqu'elle dit au contraire que les hommes sont dans les ténèbres et dans l'éloignement de Dieu, qu'il s'est caché à leur connaissance, que c'est même le nom qu'il se donne dans les Écritures, *Deus absconditus;* et enfin, si elle travaille égale-
15 ment à établir ces deux choses: que Dieu a établi des marques sensibles dans l'Église pour se faire reconnaître à ceux qui le chercheraient sincèrement, et qu'il les a couvertes néanmoins de telle sorte qu'il ne sera aperçu que de ceux qui le cherchent de tout leur cœur, quel
20 avantage peuvent-ils tirer, lorsque, dans la négligence où ils font profession d'être, de chercher la vérité, ils crient que rien ne la leur montre ? puisque cette obscurité où ils sont, et qu'ils objectent à l'Église, ne fait qu'établir une des choses qu'elle soutient, sans toucher à l'autre, et
25 établit sa doctrine, bien loin de la ruiner . . .

. . . Mais, en vérité, je leur dirais ce que j'ai dit souvent, que cette négligence n'est pas supportable. Il ne s'agit pas ici de l'intérêt léger de quelque personne étrangère, pour en user de cette façon; il s'agit de nous-mêmes, et de
30 notre tout.

L'immortalité de l'âme est une chose qui nous importe si fort, qui nous touche si profondément, qu'il faut avoir perdu tout sentiment pour être dans l'indifférence de savoir ce qui en est. Toutes nos actions et nos pensées doivent prendre des routes si différentes, selon qu'il y aura 5 des biens éternels à espérer ou non, qu'il est impossible de faire une démarche avec sens et jugement, qu'en la réglant par la vue de ce point qui doit être notre dernier objet.

Ainsi, notre premier intérêt et notre premier devoir est de nous éclaircir sur ce sujet, d'où dépend toute notre con- 10 duite. Et c'est pourquoi, entre ceux qui n'en sont pas persuadés, je fais une extrême différence de ceux qui travaillent de toutes leurs forces à s'en instruire, à ceux qui vivent sans s'en mettre en peine et sans y penser...

Le « pari de Pascal ».

Ainsi on peut bien connaître qu'il y a un Dieu sans sa- 15 voir ce qu'il est...

Qui blâmera donc les chrétiens de ne pouvoir rendre raison de leur créance, eux qui professent une religion dont ils ne peuvent rendre raison ? Ils déclarent, en l'exposant au monde, que c'est une sottise, *stultitiam*, et puis vous 20 vous plaignez de ce qu'ils ne la prouvent pas ! S'ils la prouvaient, ils ne tiendraient pas parole: c'est en manquant de preuves qu'ils ne manquent pas de sens. — Oui; mais encore que cela excuse ceux qui l'offrent telle, et que cela les ôte de blâme de la produire sans raison, cela 25 n'excuse pas ceux qui la reçoivent. — Examinons donc ce point, et disons: Dieu est, ou il n'est pas. Mais de quel côté pencherons-nous ? La raison n'y peut rien déterminer. Il y a un chaos infini qui nous sépare. Il se joue un jeu, à l'extrémité de cette distance infinie, où 30 il arrivera croix ou pile.[1] Que gagerez-vous? Par raison, vous ne pouvez faire ni l'un ni l'autre; par raison, vous ne pouvez défendre nul des deux . . .

Le cœur ne révèle pas seulement Dieu, mais aussi autre chose: L'homme, par le cœur a conscience, outre de sa fragilité dans l'univers, de sa misère morale, ou, en langage théologique, de sa nature mauvaise, de son état de péché — et il aspire à la délivrance, à la rédemption de cette misère: cette rédemption offerte par la religion chrétienne.

Art. XI. — 10 *bis* . . . Elle enseigne donc ensemble aux hommes ces deux vérités: et qu'il y a un Dieu dont les hommes sont capables, et qu'il y a une corruption dans la nature qui les en rend indignes. Il importe également aux hommes de connaître l'un et l'autre de ces points, et il est également dangereux à l'homme de connaître Dieu sans connaître sa misère, et de connaître sa misère sans connaître le Rédempteur qui l'en peut guérir. Une seule de ces connaissances fait ou l'orgueil des philosophes, qui ont connu Dieu et non leur misère, ou le désespoir des athées, qui connaissent leur misère sans Rédempteur. Et ainsi, comme il est également de la nécessité de l'homme de connaître ces deux points, il est aussi également de la miséricorde de Dieu de nous les avoir fait connaître. La religion chrétienne le fait; c'est en cela qu'elle consiste. Qu'on examine l'ordre du monde sur cela, et qu'on voie si toutes choses ne tendent pas à l'établissement des deux chefs de cette religion.

Art. XII. — 1. Les grandeurs et les misères de l'homme sont tellement visibles, qu'il faut nécessairement que la véritable religion nous enseigne, et qu'il y a quelque grand

[1] face et revers de pièce de monnaie (*head or tail*).

principe de grandeur en l'homme, et qu'il y a un grand principe de misère. Il faut donc qu'elle nous rende raison de ces étonnantes contrariétés.

Il faut que, pour rendre l'homme heureux, elle lui montre qu'il y a un Dieu; qu'on est obligé de l'aimer; que 5 notre vraie félicité est d'être en lui, et notre unique mal d'être séparé de lui; qu'elle reconnaisse que nous sommes pleins de ténèbres qui nous empêchent de le connaître et de l'aimer; et qu'ainsi nos devoirs nous obligeant d'aimer Dieu, et nos concupiscences nous en détournant, nous 10 sommes pleins d'injustice. Il faut qu'elle nous rende raison de ces oppositions que nous avons à Dieu et à notre propre bien; il faut qu'elle nous enseigne les remèdes à ces impuissances, et les moyens d'obtenir ces remèdes. Qu'on examine sur cela toutes les religions du monde, et 15 qu'on voie s'il y en a une autre que la chrétienne qui y satisfasse...

Art. XX. — 19. On n'entend rien aux ouvrages de Dieu, si on ne prend pour principe qu'il a voulu aveugler les uns et éclairer les autres. 20

Art. XXIV. — 5. Le cœur a ses raisons, que la raison ne connaît point; on le sait en mille choses. Je dis que le cœur aime l'être universel naturellement, et soi-même naturellement, selon qu'il s'y adonne; et il se durcit contre l'un ou l'autre, à son choix. Vous avez rejeté l'un 25 et conservé l'autre: est-ce par raison que vous aimez? C'est le cœur qui sent Dieu, et non la raison. Voilà ce que c'est que la foi: Dieu sensible au cœur, non à la raison.

Le mystère de Jésus

... Console-toi: tu ne me chercherais pas, si tu ne m'avais trouvé. 30

Je pense à toi dans mon agonie; j'ai versé telles gouttes de sang pour toi . . .

Laisse-toi conduire à mes règles; vois comme j'ai bien conduit la Vierge et les Saints, qui m'ont laissé agir en eux.

5 Le Père aime tout ce que JE fais.

Veux-tu qu'il me coûte toujours du sang de mon humanité, sans que tu donnes des larmes ?

C'est mon affaire que ta confession; ne crains point, et prie avec confiance, comme pour moi . . .

10 Les médecins ne te guériront pas; car tu mourras à la fin. Mais c'est moi qui guéris et rends le corps immortel.

Souffre les chaînes et la servitude corporelles; je ne te délivre que de la spirituelle à présent.

Je te suis plus ami que tel et tel; car j'ai fait pour toi 15 plus qu'eux, et ils ne souffriraient pas ce que j'ai souffert de toi, et ne mourraient pas pour toi dans le temps de tes infidélités et cruautés, comme j'ai fait, et comme je suis prêt à faire et fais, dans mes élus et au Saint Sacrement . . .

20 Je t'aime plus ardemment que tu n'as aimé tes souillures. *Ut immundus pro luto.*[1]

Qu'à moi en soit la gloire, et non à toi, ver et terre . . .

Je te parle et te conseille souvent . . . car je ne veux pas que tu manques de conducteur . . . Tu ne me chercherais 25 pas si tu ne me possédais; ne t'inquiète donc pas . . .

QUELQUES PENSÉES CÉLÈBRES DE PASCAL QUI N'ONT PAS TRAIT À LA RELIGION

Art. VI. — 3. Pourquoi me tuez-vous ? Eh quoi ! ne demeurez-vous pas de l'autre côté de l'eau ? Mon ami, si

[1] Comme l'homme immonde pour sa fange.

vous demeuriez de ce côté, je serais un assassin, cela serait injuste de vous tuer de la sorte; mais, puisque vous demeurez de l'autre côté, je suis un brave, et cela est juste.

19. Diseur de bons mots, mauvais caractère. 5

43. *bis.* Qui voudra connaître à plein la vanité de l'homme n'a qu'à considérer les causes et les effets de l'amour. La cause en est « un je ne sais quoi » (CORNEILLE)[1]; et les effets en sont effroyables. Ce je ne sais quoi, si peu de chose qu'on ne peut le reconnaître, remue 10 toute la terre, les princes, les armées, le monde entier. Le nez de Cléopâtre: s'il eût été plus court, toute la face de la terre aurait changé.

56. Voulez-vous qu'on croie du bien de vous? n'en dites pas. 15

Art. VII. — 1. A mesure qu'on a plus d'esprit, on trouve qu'il y a plus d'hommes originaux. Les gens du commun ne trouvent pas de différence entre les hommes.

13. L'homme n'est ni ange ni bête, et le malheur veut que qui veut faire l'ange fait la bête. 20

[1] Il est des nœuds secrets, il est des sympathies,
Dont par le doux rapport les âmes assorties
S'attachent l'une à l'autre et se laissent piquer
Par ces je ne sais quoi qu'on ne peut expliquer.
(CORNEILLE, *Rodogune*, vers 359–362.)

CHAPITRE HUIT

BOSSUET

1627–1704

Bossuet est, au grand siècle, le grand représentant de l'éloquence de la chaire (*pulpit*) comme Mirabeau sera, au temps de la Révolution, le grand représentant de l'éloquence politique. Ce ne fut cependant pas le seul domaine où il gagna sa renommée.

Il naquit à Dijon (Bourgogne), où il fit ses premières études au Collège des Jésuites; il alla ensuite à Paris, où il fut ordonné prêtre en 1652. Par scrupule, craignant les flatteries que lui valaient ses talents oratoires, il voulut commencer son activité dans une petite localité près de Metz, en Lorraine. C'est là qu'il se trouva pour la première fois en face du problème protestant. On se préparait à révoquer l'Edit de Nantes (1598) qui avait accordé aux Protestants la liberté de conscience, et, pour atténuer les effets de cet acte, on cherchait à opérer d'avance de nombreuses conversions; Bossuet fut chargé de la direction d'une ‹ maison de nouvelles converties ›, mission fort délicate. En 1659 il est nommé évêque de Condom; mais il réside à Paris où son influence à la cour grandit de jour en jour. C'est ainsi qu'il fut chargé de l'éducation du Dauphin (prince héritier, fils aîné de Louis XIV). En 1681 il est nommé évêque de Meaux, près de Paris.

Bossuet est souvent appelé, à cause de son éloquence et de l'autorité avec laquelle il exerçait son ministère, l'*Aigle de Meaux*.

Bossuet défenseur de la doctrine du droit divin des rois. Personne mieux que Bossuet n'incarne l'esprit du grand siècle. Il est celui qui a affirmé avec le plus d'assurance la doctrine du droit divin des rois; à titre de conseiller privé il a servi Louis XIV comme si celui-ci était le représentant de Dieu sur la terre; et lorsqu'il fut nommé précepteur de l'héritier du trône, il instruisit son royal élève dans ces mêmes idées. Plusieurs des écrits de Bossuet ont été composés en vue de cette charge de précepteur du dauphin; ainsi son *Discours sur l'Histoire universelle* (1678) et son *Traité de politique tirée des Ecritures* (1678).

Bossuet et les Protestants. Il a d'autre part affirmé, avec non moins de force, l'autorité de l'Eglise; et il a approuvé les mesures prises pour forcer les Protestants à rentrer dans le sein du Catholicisme. Le plus célèbre de ses ouvrages exposant cette manière de voir, est l'*Histoire des Variations des Eglises protestantes* (1668): L'argumentation est fondée sur cette idée que tant de sectes variées chez les Protestants suggèrent bien des doutes sur la valeur d'une religion si incertaine, tandis que l'unité doctrinale parfaite qui règne chez les Catholiques est comme une garantie de sa vérité.

Bossuet et le Quiétisme. Il a également affirmé l'autorité du dogme catholique en matière de foi vis-à-vis du mouvement quiétiste. Son principal adversaire dans cette controverse fut Fénelon dont il sera question dans le chapitre suivant.

Bossuet et le Gallicanisme. Lorsque, cependant, s'éleva en France un conflit entre l'Eglise et le Roi, Bossuet prit parti pour ce dernier, et prétendit que le pape n'avait pas d'autorité en ce qui concerne les affaires temporelles du royaume de France. En opposition à l'*Ultramontanisme*, le clergé de France dirigé par Bossuet fit la ‹ Déclaration du Clergé de France en quatre articles, sur les libertés de l'Eglise gallicane › (1682); cette *Déclaration* ayant été attaquée, Bossuet écrivit une *Défense* de la Déclaration.

Bossuet prédicateur. Pour la postérité, Bossuet est surtout admirable par son éloquence de la chaire. S'il avait, dans tant d'écrits, affirmé et fait respecter l'autorité des grands, il n'a jamais parlé avec autant de force que quand, comme prédicateur de la cour, il rappelait aux puissants de ce monde que Dieu seul est grand et que les honneurs du monde ne sont que néant. C'est surtout dans ses « Oraisons funèbres » que ce thème fut développé. En effet la vanité des grandeurs humaines ne pouvait jamais apparaître plus frappante que devant la mort.

Trois des *oraisons funèbres* de Bossuet sont surtout célèbres: Celle d'*Henriette, reine d'Angleterre*, morte en France en 1661; elle était la fille de Henri IV de France et elle avait épousé Charles I°, roi d'Angleterre; son époux mourut sur l'échafaud; elle dut fuir en France, crut un moment avoir recouvré son trône, dut encore s'incliner devant la destinée: — reine, elle connut surtout la misère. Celle de *la Duchesse d'Orléans*, fille de la précédente, qui, princesse née en Angleterre, avait épousé le frère de Louis XIV, Monsieur, Duc d'Orléans; elle était douée des plus beaux talents de l'intelligence et du cœur, et très appréciée à la cour; elle mourut soudainement, un an après sa mère, au retour d'une mission diplomatique en Angleterre que lui avait confiée Louis XIV (on crut à un empoisonnement par vengeance politique; mais cette idée est généralement abandonnée). Bossuet choisit comme texte le mot: *Tout est vanité!* La troisième parmi ces oraisons funèbres particulièrement célèbres fut prononcée beaucoup plus tard, en 1687, à l'occasion de la mort du *Grand Condé*, un ami personnel de Bossuet (Voir plus bas).

Consulter: Lanson, *Bossuet* (Classiques populaires); Rébelliau, *Bossuet* (Coll. Grands écrivains de la France); Brunetière, *Bossuet* (1914); et, pour un livre beaucoup plus complet et savant, Rébelliau *Bossuet, historien du Protestantisme* (1891).

D'autres représentants de l'éloquence de la chaire à la même époque sont Bourdaloue (1632–1714) l'égal de Bossuet comme prédicateur, aux yeux des contemporains; Fléchier (1632–1710); et Massillon (1663–1742).

1. Discours sur l'Histoire Universelle

à Monseigneur le Dauphin pour expliquer la suite de la religion et les changements des empires

[La philosophie de l'histoire que Bossuet enseigne à son royal élève dans le *Discours sur l'Histoire Universelle* est celle-ci: D'abord, Dieu gouverne le monde; sa Providence se manifeste au cours de toute l'histoire (dont Bossuet emprunte les éléments à la Bible): Personne ne peut aller contre sa volonté. Ensuite, les événements ont, à côté de la Cause première qui est Dieu, des causes particulières; connaître ces causes-là en sorte de pouvoir diriger un peuple selon la volonté divine, est la condition pour un prince de bien administrer son royaume. Bossuet cherche à déterminer ces causes en étudiant les destinées des empires depuis l'origine du monde jusqu'à Charlemagne. Il n'eut pas le loisir de continuer son œuvre jusqu'à son temps.[1]]

CHAPITRE VIII: — *Conclusion de tout le Discours précédent, où l'on montre qu'il faut tout rapporter à une Providence.*

Mais souvenez-vous, Monseigneur, que ce long enchaînement des causes particulières qui font et défont les empires,
5 dépend des ordres secrets de la divine Providence. Dieu tient du plus haut des cieux les rênes de tous les royaumes; il a tous les cœurs en sa main: tantôt il retient les passions;

[1] Mais Voltaire, au siècle suivant, dans l'*Essai sur les Mœurs et l'Esprit des Nations*, a repris l'histoire où Bossuet l'avait laissée. Il oppose à ce qui était le fond de la doctrine de Bossuet: « Tout ce qui est bien dans ce monde revient à Dieu », cette idée que « tout ce qui dans ce monde est mauvais est dû à l'Eglise » (pas à Dieu, car Voltaire était déiste).

tantôt il leur lâche la bride, et par là il remue tout le genre humain. Veut-il faire des conquérants, il fait marcher l'épouvante devant eux, et il inspire à eux et à leurs soldats une hardiesse invincible. Veut-il faire des législateurs ? il leur envoie son esprit de sagesse et de prévoyance; il leur 5 fait prévenir les maux qui menacent les États, et poser les fondements de la tranquillité publique. Il connaît la sagesse humaine, toujours courte par quelque endroit; il l'éclaire, il étend ses vues, et puis il l'abandonne à ses ignorances: il l'aveugle, il la précipite; il la confond par elle- 10 même: elle s'enveloppe, elle s'embarrasse dans ses propres subtilités, et ses précautions lui sont un piège. Dieu exerce par ce moyen ses redoutables jugements, selon les règles de sa justice toujours infaillible. C'est lui qui prépare les effets dans les causes les plus éloignées, et qui frappe ces 15 grands coups dont le contre-coup porte si loin....

C'est ainsi que Dieu règne sur tous les peuples. Ne parlons plus de hasard ni de fortune, ou parlons-en seulement comme d'un nom dont nous couvrons notre ignorance. Ce qui est hasard à l'égard de nos conseils incertains, est un 20 dessein concerté dans un conseil plus haut, c'est-à-dire, dans ce conseil éternel qui renferme toutes les causes et tous les effets dans un même ordre. De cette sorte, tout concourt à la même fin; et c'est faute d'entendre le tout, que nous trouvons du hasard ou de l'irrégularité dans les 25 rencontres particulières.

C'est pourquoi tous ceux qui gouvernent se sentent assujettis à une force majeure. Ils font plus ou moins qu'ils ne pensent, et leurs conseils n'ont jamais manqué d'avoir des effets imprévus. Ni ils [1] ne sont maîtres des disposi- 30

[1] Cette construction *Ni ils ... ni ils ...* ne serait plus guère autorisée chez des auteurs modernes.

tions que les siècles passés ont mises dans les affaires; ni ils ne peuvent prévoir le cours que prendra l'avenir, loin qu'ils le puissent forcer. Celui-là seul tient tout en sa main, qui sait le nom de ce qui est et de ce qui n'est pas 5 encore; qui préside à tous les temps, et prévient tous les conseils.

2. Politique tirée des propres paroles de l'Écriture Sainte

(à Monseigneur le Dauphin)

[La doctrine du « droit divin des rois » est formulée au Livre III: « Où l'on commence à expliquer la nature et les propriétés de l'autorité royale ». A l'Article Premier on lit que « il y a quatre caractères ou qualités essentielles à l'autorité royale: 1. L'autorité royale est sacrée; 2. Elle est paternelle; 3. Elle est absolue; 4. Elle est soumise à la raison ». L'Article II développe le premier caractère: « L'autorité royale est sacrée »; et Bossuet se fonde surtout sur la parole de Saint-Paul (Epître aux Romains, XIII, 4): « Le Prince est ministre de Dieu pour le bien. Si vous faites mal, tremblez; car ce n'est pas en vain qu'il a le glaive: et il est ministre de Dieu, vengeur des mauvaises actions » (Romains, XIII, 4). Bossuet commente: « Les princes agissent donc comme ministres de Dieu, et ses lieutenants sur la terre. C'est par eux qu'il exerce son empire. ‹ Pensez-vous pouvoir résister au royaume du Seigneur, qu'il possède par les enfants de David ? › » (II Chroniques, XIII, 8).]

Et voici l'ARTICLE IV:

Conséquences de la doctrine précédente: de la majesté, et de ses accompagnements.

Ce que c'est que la majesté: Je n'appelle pas majesté cette pompe qui environne les rois, ou cet éclat extérieur qui éblouit le vulgaire. C'est le rejaillissement de la 10 majesté, et non pas la majesté elle-même.

La majesté est l'image de la grandeur de Dieu dans le prince.

Dieu est infini, Dieu est tout. Le prince, en tant que

prince, n'est pas regardé comme un homme particulier: c'est un personnage public, tout l'État est en lui; la volonté de tout le peuple est renfermée dans la sienne. Comme en Dieu est réunie toute perfection et toute vertu, ainsi toute la puissance des particuliers est réunie en la personne du prince. Quelle grandeur qu'un seul homme en contienne tant !

La puissance de Dieu se fait sentir en un instant de l'extrémité du monde à l'autre: la puissance royale agit en même temps dans tout le royaume. Elle tient tout le royaume en état, comme Dieu y tient tout le monde.

Que Dieu retire sa main, le monde retombera dans le néant: que l'autorité cesse dans le royaume, tout sera en confusion.

Considérez le prince dans son cabinet. De là partent les ordres qui font aller de concert les magistrats et les capitaines, les citoyens et les soldats, les provinces et les armées par mer et par terre. C'est l'image de Dieu qui, assis dans son trône au plus haut des cieux, fait aller toute la nature. . . .

Enfin, ramassez ensemble les choses si grandes et si augustes que nous avons dites sur l'autorité royale. Voyez un peuple immense réuni en une seule personne: voyez cette puissance sacrée, paternelle et absolue: voyez la raison secrète qui gouverne tout le corps de l'État, renfermée dans une seule tête: vous voyez l'image de Dieu dans les rois, et vous avez l'idée de la majesté royale.

Dieu est la sainteté même, la bonté même, la puissance même, la raison même. En ces choses est la majesté de Dieu. En l'image de ces choses est la majesté du prince.

Elle est si grande, cette majesté, qu'elle ne peut être dans le prince comme dans sa source; elle est empruntée de Dieu, qui la lui donne pour le bien des peuples, à qui il est bon d'être contenus par une force supérieure.

Je ne sais quoi de divin s'attache au prince, et inspire la crainte aux peuples. Que le roi ne s'oublie pas pour cela lui-même. « Je l'ai dit, c'est Dieu qui parle; je l'ai dit: Vous êtes des dieux; et vous êtes tous enfants du Très-Haut; mais vous mourrez comme les grands. » [1] Je l'ai dit. Vous êtes des dieux; c'est-à-dire: Vous avez dans votre autorité, vous portez sur votre front un caractère divin. Vous êtes les enfants du Très-Haut: c'est lui qui a établi votre puissance pour le bien du genre humain. Mais, ô dieux de chair et de sang, ô dieux de boue et de poussière, « vous mourrez comme des hommes, vous tomberez comme les grands. » [2] La grandeur sépare les hommes pour un peu de temps; une chute commune à la fin les égale tous.

O rois, exercez donc hardiment votre puissance; car elle est divine et salutaire au genre humain; mais exercez-la avec humilité. Elle vous est appliquée par le dehors. Au fond, elle vous laisse faibles; elle vous laisse mortels; elle vous laisse pécheurs, et vous charge devant Dieu d'un plus grand compte.

3. Saint-Paul

(Sermon de Bossuet)

Afin que vous compreniez quel est ce prédicateur, destiné par la Providence pour confondre la sagesse humaine, écoutez la description que j'en ai tirée de lui-même dans la première [Epître] aux Corinthiens.

[1] *Psaume LXXXII*, 67 (Dans la Bible protestante, c'est *Psaume LXXXI*).

[2] *Ibid.*

Trois choses contribuent ordinairement à rendre un orateur agréable et efficace; la personne de celui qui parle, la beauté des choses qu'il traite, la manière ingénieuse dont il les explique; et la raison en est évidente. Car l'estime de l'orateur prépare une attention favorable, les belles choses 5 nourrissent l'esprit, et l'adresse de les expliquer d'une manière qui plaise les fait doucement entrer dans le cœur. Mais de la manière que se représente le prédicateur dont je parle, il est bien aisé de juger qu'il n'a aucun de ces avantages. . . . 10

Mais peut-être que sa doctrine sera si plausible et si belle, qu'elle donnera du crédit à cet homme si méprisé. Non, il n'en est pas de la sorte: « Il ne sait, dit-il, autre chose que son Maître crucifié » : c'est-à-dire, qu'il ne sait rien que ce qui choque, que ce qui scandalise, que ce qui 15 paraît folie et extravagance. Comment donc peut-il espérer que ses auditeurs soient persuadés ? Mais, grand Paul, si la doctrine que vous annoncez est si étrange et si difficile, cherchez du moins des termes polis, couvrez des fleurs de la rhétorique cette face hideuse de votre Évangile, 20 et adoucissez son austérité par les charmes de votre éloquence. A Dieu ne plaise, répond ce grand homme, que je mêle la sagesse humaine à la sagesse du Fils de Dieu ! c'est la volonté de mon Maître que mes paroles ne soient pas moins rudes que ma doctrine paraît incroyable. Saint- 25 Paul rejette tous les artifices de la rhétorique. Son discours, bien loin de couler avec cette douceur agréable, avec cette égalité tempérée que nous admirons dans les orateurs, paraît inégal et sans suite à ceux qui ne l'ont pas assez pénétré; et les délicats de la terre, qui ont, disent-ils, 30 les oreilles fines, sont offensés de la dureté de son style irrégulier. Mais, mes frères, n'en rougissons pas. Le discours de l'apôtre est simple; mais ses pensées sont toutes divines. S'il ignore la rhétorique, s'il méprise la philosophie, Jésus-Christ lui tient lieu de tout; et son nom qu'il a toujours à la bouche, ses mystères qu'il traite si divinement, rendront sa simplicité toute-puissante. Il ira, cet ignorant dans l'art de bien dire, avec cette locution rude, avec cette phrase qui sent l'étranger, il ira en cette Grèce polie, la mère des philosophes et des orateurs; et malgré la résistance du monde, il y établira plus d'églises, que Platon n'y a gagné de disciples par cette éloquence qu'on a crue divine. Il prêchera Jésus dans Athènes, et le plus savant de ses sénateurs passera de l'Aréopage en l'école de ce Barbare.[1] Il poussera encore plus loin ses conquêtes, il abattra aux pieds du Sauveur la majesté des faisceaux romains en la personne d'un proconsul,[2] et il fera trembler dans leurs tribunaux les juges devant lesquels on le cite. Rome même entendra sa voix; et un jour cette ville maîtresse se tiendra bien plus honorée d'une lettre du style de Paul, adressée à ses concitoyens, que de tant de fameuses harangues qu'elle a entendues de son Cicéron.

Et d'où vient cela, chrétiens ? C'est que Paul a des moyens pour persuader que la Grèce n'enseigne pas, et que Rome n'a pas appris. Une puissance surnaturelle, qui se plaît à relever ce que les superbes méprisent, s'est répandue et mêlée dans l'auguste simplicité de ses paroles. De là vient que nous admirons dans ses admirables épîtres une certaine vertu plus qu'humaine, qui persuade contre les règles, ou plutôt qui ne persuade pas tant, qu'elle captive les entendements; qui ne flatte pas les oreilles, mais qui porte ses coups droit au cœur. De même qu'on voit un

[1] Denys l'Aréopagite (*Actes des Apôtres*, XVII, 34).
[2] Serge-Paul, dans l'île de Chypre (*Actes*, XIII, 6–12).

grand fleuve qui retient encore, coulant dans la plaine, cette force violente et impétueuse, qu'il avait acquise aux montagnes d'où il tire son origine; ainsi cette vertu céleste, qui est contenue dans les écrits de saint Paul, même dans cette simplicité de style, conserve toute la vigueur qu'elle 5 apporte du ciel, d'où elle descend.

C'est par cette vertu divine que la simplicité de l'apôtre a assujetti toutes choses. Elle a renversé les idoles, établi la croix de Jésus, persuadé à un million d'hommes de mourir pour en défendre la gloire: enfin, dans ses ad- 10 mirables épîtres, elle a expliqué de si grands secrets, qu'on a vu les plus sublimes esprits, après s'être exercés longtemps dans les plus hautes spéculations où pouvait aller la philosophie, descendre de cette vaine hauteur, où ils se croyaient élevés, pour apprendre à bégayer humblement dans l'école 15 de Jésus-Christ, sous la discipline de Paul.

4. Oraison funèbre de Louis de Bourbon, prince de Condé (*fils de Henri II de Bourbon*)

Prononcée à Notre-Dame, le 10e *jour de mars* 1687, *en présence du prince de Condé, son fils*

[Louis de Bourbon, prince de Condé, dit le Grand Condé, l'un des plus grands capitaines de la France, né à Paris en 1621. Il porta le titre de duc d'Enghien jusqu'à la mort de son père (1646). En 1638 il remplaça son père comme gouverneur de Bourgogne; c'est là qu'il connut Bossuet dont il resta l'ami. Il fit ses premières armes à dix-neuf ans; à vingt-deux ans il était général, et chargé de repousser l'armée du roi d'Espagne, Philippe IV, laquelle venant de la Flandre espagnole menaçait les frontières du nord; il remporta la célèbre victoire de Rocroy (Ardennes) le 18 mai, 1643; couronnant son succès par la prise de Thionville et de Sierk. L'année suivante il alla rejoindre son émule, Turenne, à l'armée française combattant en Allemagne où rageait la guerre de Trente Ans et gagna la sanglante bataille de Fribourg, 1644. Il occupa une partie du Palatinat, prit Philipsbourg (Baden), Worms, Spire, Mayence et Landau

(Vallée du Rhin): à Nordlingue (Bavière) il battit Merc (1645). Après un an de repos il reprit les armes et fit capituler Dunkerque. Puis il fut envoyé en Espagne (1647), où il assiégea Lérida, puis de nouveau en Flandres où il écrasa à Lens (1648), les restes de la fameuse infanterie espagnole dont il avait ébranlé le prestige à Rocroy; il hâta ainsi la conclusion du Traité de Westphalie qui clôt la guerre de Trente Ans (1648).

Il fut mêlé aux Guerres de la Fronde; d'abord du côté de la cour et de Mazarin; il assiégea et reprit Paris; mais il éleva de telles prétentions après la victoire, que Mazarin, effrayé de lui, le jeta en prison (1650). Quand il en sortit un an après il ne respirait que la vengeance; il se mit lui-même à la tête d'une nouvelle Fronde et alla jusqu'à faire alliance avec l'Espagne: le grand Condé, à la solde du roi Philippe IV, marcha contre la France; il eut comme adversaire le grand Turenne, son compagnon d'armes d'autrefois, et ne fut pas très heureux. Au Traité des Pyrenées (1659), la paix se fit entre Condé et son roi et Condé fut rétabli dans ses anciens honneurs. En 1668 il dirigea l'invasion de la Franche-Comté; il commanda une armée à la guerre de Hollande (1672), — qui débuta par le Passage du Rhin chanté par Boileau —; et il écrasa le Prince d'Orange à Senef en 1674. Sa dernière campagne fut celle d'Alsace en 1675 contre le général autrichien Montecuculli.[1]

Il passa les dernières années de sa vie dans la retraite, dans son magnifique château de Chantilly (trente milles au nord de Paris) et mourut à Fontainebleau le 11 décembre 1686.

Condé est le *Grand Cyrus* de Mlle de Scudéry et l'*Æmile* de La Bruyère.]

Dominus tecum, vivorum fortissime . . . Vade in hâc fortitudine tuâ . . . Ego ero tecum.

Le Seigneur est avec vous, ô le plus courageux de tous les hommes. Allez avec ce courage dont vous êtes rempli. Je serai avec vous.

(JUGES, VI, 12, 14, 16)

Monseigneur [2], au moment que j'ouvre la bouche pour célébrer la gloire immortelle de Louis de Bourbon, prince

[1] On lira avec intérêt, dans Henri-Robert, *Les grands procès de l'histoire*, IVe série, (Paris, Payot, 1925) le chapitre sur « Le Grand Condé. »

[2] Henri-Jules, duc d'Enghien, fils unique de Condé.

de Condé, je me sens également confondu, et par la grandeur du sujet, et, s'il m'est permis de l'avouer, par l'inutilité du travail. Quelle partie du monde habitable n'a pas ouï les victoires du prince de Condé et les merveilles de sa vie ? On les raconte partout: le Français qui les vante n'apprend rien à l'étranger, et quoi que je puisse aujourd'hui vous en rapporter, toujours prévenu par vos pensées, j'aurai encore à répondre au secret reproche que vous me ferez, d'être demeuré beaucoup au-dessous. Nous ne pouvons rien, faibles orateurs, pour la gloire des âmes extraordinaires: le Sage a raison de dire que « leurs seules actions les peuvent louer »: toute autre louange languit auprès des grands noms; et la seule simplicité d'un récit fidèle pourrait soutenir la gloire du prince de Condé. Mais en attendant que l'histoire, qui doit ce récit aux siècles futurs, le fasse paraître, il faut satisfaire, comme nous pourrons, à la reconnaissance publique et aux ordres du plus grand de tous les rois.[1] Que ne doit point le royaume à un prince qui a honoré la maison de France [2], tout le nom français, son siècle, et pour ainsi dire l'humanité tout entière ? Louis le Grand [3] est entré lui-même dans ces sentiments. Après avoir pleuré ce grand homme, et lui avoir donné par ses larmes, au milieu de toute sa cour, le plus glorieux éloge qu'il pût recevoir, il assemble dans un temple si célèbre [4] ce que son royaume a de plus auguste pour y rendre des devoirs publics à la mémoire de ce prince; et il veut que ma faible voix anime

[1] Voir neuf lignes plus bas.

[2] Condé, le premier prince du sang; son arrière-grand-père fut l'oncle de Henri IV.

[3] Louis XIV; le titre de « Louis le Grand » lui avait été conféré par la ville de Paris, en 1680.

[4] Notre-Dame de Paris.

toutes ces tristes représentations et tout cet appareil funèbre. Faisons donc cet effort sur notre douleur.

Les qualités du cœur et celles de l'esprit ne seraient rien si Condé n'y avait ajouté la piété qui est « le tout de l'homme ».

Ici un plus grand objet, et plus digne de cette chaire, se présente à ma pensée. C'est Dieu qui fait les guerriers et
5 les conquérants. « C'est vous, lui disait David, qui avez instruit mes mains à combattre, et mes doigts à tenir l'épée. » S'il inspire le courage, il ne donne pas moins les autres grandes qualités naturelles et surnaturelles, et du cœur et de l'esprit. Tout part de sa puissante main:
10 c'est lui qui envoie du ciel les généreux sentiments, les sages conseils et toutes les bonnes pensées. Mais il veut que nous sachions distinguer entre les dons qu'il abandonne à ses ennemis, et ceux qu'il réserve à ses serviteurs. Ce qui distingue ses amis d'avec tous les autres,
15 c'est la piété: jusqu'à ce qu'on ait reçu ce don du ciel, tous les autres non seulement ne sont rien, mais encore tournent en ruine à ceux qui en sont ornés. Sans ce don inestimable de la piété, que serait-ce que le prince de Condé avec tout ce grand cœur et ce grand génie ? Non,
20 mes Frères, si la piété n'avait comme consacré ses autres vertus, ni ces princes [1] ne trouveraient aucun adoucissement à leur douleur, ni ce religieux pontife [2] aucune confiance dans ses prières, ni moi-même aucun soutien aux louanges que je dois à un si grand homme. Poussons
25 donc à bout la gloire humaine par cet exemple: détruisons l'idole des ambitieux; qu'elle tombe anéantie devant ces autels. Mettons ensemble aujourd'hui, car nous le pou-

[1] Le fils de Condé, duc d'Enghien; le petit-fils, duc de Bourbon; le neveu, prince de Conti.

[2] L'archevêque de Paris, Harlay de Champvallon.

vons dans un si noble sujet, toutes les plus belles qualités d'une excellente nature; et à la gloire de la vérité, montrons dans un prince admiré de tout l'univers que ce qui fait les héros, ce qui porte la gloire du monde jusqu'au comble: valeur, magnanimité, bonté naturelle, voilà pour 5 le cœur: vivacité, pénétration, grandeur et sublimité de génie, voilà pour l'esprit, ne seraient qu'une illusion, si la piété ne s'y était jointe: et enfin, que la piété est le tout de l'homme. C'est, Messieurs, ce que vous verrez dans la vie éternellement mémorable de très haut et très puis- 10 sant prince Louis de Bourbon, Prince de Condé, premier prince du sang.

I

Les qualités de l'esprit. Dieu fait les grands conquérants, Cyrus, Alexandre, Condé.

Dieu nous a révélé que lui seul il fait les conquérants, et que seul il les fait servir à ses desseins. Quel autre a fait un Cyrus, si ce n'est Dieu, qui l'avait nommé deux cents 15 ans avant sa naissance dans les oracles d'Isaïe? « Tu n'es pas encore, lui disait-il, mais je te vois, et je t'ai nommé par ton nom: tu t'appelleras Cyrus: je marcherai devant toi dans les combats: à ton approche je mettrai les rois en fuite: je briserai les portes d'airain: c'est moi qui 20 étends les cieux, qui soutiens la terre, qui nomme ce qui n'est pas, comme ce qui est: » c'est-à-dire c'est moi qui fais tout, et moi qui vois dès l'éternité tout ce que je fais. Quel autre a pu former un Alexandre, si ce n'est ce même Dieu, qui en a fait voir de si loin et par des figures si 25 vives l'ardeur indomptable à son prophète Daniel? « Le voyez-vous, dit-il, ce conquérant; avec quelle rapidité il

s'élève de l'occident comme par bonds, et ne touche pas à terre ? » Semblable dans ses sauts hardis et dans sa légère démarche à ces animaux vigoureux et bondissants, il ne s'avance que par vives et impétueuses saillies, et n'est
5 arrêté ni par montagnes ni par précipices. Déjà le roi de Perse est entre ses mains: « A sa vue il s'est animé: *efferatus est in eum* », dit le prophète; « il l'abat, il le foule aux pieds: nul ne le peut défendre des coups qu'il lui porte, ni lui arracher sa proie. » A n'entendre que ces paroles
10 de Daniel, qui croiriez-vous voir, Messieurs, sous cette figure, Alexandre ou le prince de Condé ?

Dieu donc lui avait donné cette indomptable valeur pour le salut de la France durant la minorité d'un roi de quatre ans.[1] Laissez-le croître, ce roi chéri du ciel; tout
15 cédera à ses exploits: supérieur aux siens comme aux ennemis, il saura tantôt se servir, tantôt se passer de ses plus fameux capitaines; et seul, sous la main de Dieu, qui sera continuellement à son secours, on le verra l'assuré rempart de ses états.[2] Mais Dieu avait choisi le duc
20 d'Enghien pour le défendre dans son enfance. Aussi, vers les premiers jours de son règne, à l'âge de vingt-deux ans, le duc conçut un dessein où les vieillards expérimentés[3] ne purent atteindre: mais la victoire le justifia devant Rocroy.

La bataille de Rocroy (1643). On admire la description très exacte de chaque phase de la bataille par Bossuet qui n'était cependant pas un stratégiste.

[1] Louis XIV, né en 1638, devint roi en 1643. Anne d'Autriche fut Régente jusqu'en 1651, date de la majorité de Louis XIV. Rocroy, 1643.

[2] Voir p. 299, notre note 2.

[3] Le maréchal de L'Hôpital, et ses généraux s'étaient opposés au plan d'attaque devant Rocroy.

L'armée ennemie est plus forte, il est vrai: elle est composée de ces vieilles bandes wallonnes,[1] italiennes et espagnoles, qu'on n'avait pu rompre jusqu'alors. Mais pour combien fallait-il compter le courage qu'inspirait à nos troupes le besoin pressant de l'État, les avantages 5 passés, et un jeune prince du sang qui portait la victoire dans ses yeux? Don Francisco de Mellos[2] l'attend de pied ferme; et, sans pouvoir reculer, les deux généraux et les deux armées semblent avoir voulu se renfermer dans des bois et dans des marais pour décider leur querelle, 10 comme deux braves, en champ clos. Alors que ne vit-on pas? Le jeune prince parut un autre homme. Touchée d'un si digne objet, sa grande âme se déclara tout entière: son courage croissait avec les périls et ses lumières avec son ardeur. A la nuit qu'il fallut passer en présence 15 des ennemis, comme un vigilant capitaine, il reposa le dernier: mais jamais il ne reposa plus paisiblement. A la veille d'un si grand jour, et dès la première bataille, il est tranquille, tant il se trouve dans son naturel: et on sait que le lendemain, à l'heure marquée, il fallut réveiller 20 d'un profond sommeil cet autre Alexandre.[3] Le voyez-vous comme il vole, ou à la victoire, ou à la mort? Aussitôt qu'il eut porté de rang en rang l'ardeur dont il était animé, on le vit presque en même temps pousser l'aile droite des ennemis, soutenir la nôtre ébranlée, rallier le 25 Français à demi vaincu, mettre en fuite l'Espagnol victorieux, porter partout la terreur, et étonner de ses regards étincelants ceux qui échappaient à ses coups.

[1] Wallonie = ancien nom d'une partie des Pays-Bas.

[2] Gouverneur des Pays-Bas espagnols.

[3] L'histoire raconte qu'Alexandre dormit profondément la nuit précédant l'importante bataille d'Arbelles contre Darius (331 av. J.-C.)

Restait cette redoutable infanterie de l'armée d'Espagne, dont les gros bataillons serrés, semblables à autant de tours, mais à des tours qui sauraient réparer leurs brèches, demeuraient inébranlables au milieu de tout le
5 reste en déroute, et lançaient des feux de toutes parts. Trois fois le jeune vainqueur s'efforça de rompre ces intrépides combattants: trois fois il fut repoussé par le valeureux comte de Fontaines,[1] qu'on voyait porté dans sa chaise, et, malgré ses infirmités, montrer qu'une âme
10 guerrière est maîtresse du corps qu'elle anime. Mais enfin il faut céder. C'est en vain qu'à travers des bois, avec sa cavalerie toute fraîche, Bek [2] précipite sa marche pour tomber sur nos soldats épuisés: le prince l'a prévenu: les bataillons enfoncés demandent quartier: mais
15 la victoire va devenir plus terrible pour le duc d'Enghien que le combat. Pendant qu'avec un air assuré il s'avance pour recevoir la parole de ces braves gens, ceux-ci toujours en garde craignent la surprise de quelque nouvelle attaque: leur effroyable décharge met les nôtres en furie:
20 on ne voit plus que carnage: le sang enivre le soldat, jusqu'à ce que le grand prince, qui ne put voir égorger ces lions comme de timides brebis, calma les courages émus, et joignit au plaisir de vaincre celui de pardonner. Quel fut alors l'étonnement de ces vieilles troupes et de
25 leurs braves officiers, lorsqu'ils virent qu'il n'y avait plus de salut pour eux qu'entre les bras du vainqueur? De quels yeux regardèrent-ils le jeune prince, dont la victoire avait relevé la haute contenance, à qui la clémence ajoutait de nouvelles grâces? Qu'il eût encore volon-

[1] Pedro, comte de Fuentes (1560–1643), commandant l'armée espagnole, malgré son grand âge. Il mourut à Rocroy.

[2] Chef des contingents allemands au service des Espagnols.

tiers sauvé la vie au brave comte de Fontaines ! Mais il se trouva par terre, parmi ces milliers de morts dont l'Espagne sent encore la perte. Elle ne savait pas que le prince qui lui fit perdre tant de ses vieux régiments à la journée de Rocroy, en devait achever les restes dans 5 les plaines de Lens.[1] Ainsi la première victoire fut le gage de beaucoup d'autres. Le prince fléchit le genou, et, dans le champ de bataille, rend au Dieu des armées la gloire qu'il lui envoyait. Là on célébra Rocroy délivré, les menaces d'un redoutable ennemi tournées à sa 10 honte, la régence affermie, la France en repos ; et un règne qui devait être si beau, commencé par un si heureux présage. L'armée commença l'action de grâces ; toute la France suivit ; on y élevait jusqu'au ciel le coup d'essai du duc d'Enghien : c'en serait assez pour illustrer une 15 autre vie que la sienne, mais pour lui, c'est le premier pas de sa course.

Dès cette première campagne, après la prise de Thionville, digne prix de la victoire de Rocroy, il passa pour un capitaine également redoutable dans les sièges et dans les 20 batailles. Mais voici dans un jeune prince victorieux quelque chose qui n'est pas moins beau que la victoire. La cour, qui lui préparait à son arrivée les applaudissements qu'il méritait, fut surprise de la manière dont il les reçut. La reine régente lui a témoigné que le roi était 25 content de ses services. C'est dans la bouche du souverain la digne récompense de ses travaux. Si les autres osaient le louer, il repoussait leurs louanges comme des offenses ; et indocile à la flatterie, il en craignait jusqu'à l'apparence . . . 30

[1] 1648. Voir introduction.

Autres campagnes (voir l'introduction à ce morceau).

La cour ne le retint guère, quoiqu'il en fût la merveille. Il fallait montrer partout, et à l'Allemagne comme à la Flandre, le défenseur intrépide que Dieu nous donnait. Arrêtez ici vos regards. Il se prépare contre le 5 Prince quelque chose de plus formidable qu'à Rocroy; et pour éprouver sa vertu, la guerre va épuiser toutes ses inventions et tous ses efforts. Quel objet se présente à mes yeux? Ce n'est pas seulement des hommes à combattre: c'est des montagnes inaccessibles;[1] c'est des ravines 10 et des précipices d'un côté; c'est de l'autre un bois impénétrable, dont le fond est un marais; et derrière des ruisseaux, de prodigieux retranchements: c'est partout des forts élevés, et des forêts abattues que traversent des chemins affreux: et au dedans, c'est Merci avec ses braves 15 Bavarois, enflés de tant de succès et de la prise de Fribourg;[2] Merci qu'on ne vit jamais reculer dans les combats; Merci que le prince de Condé et le vigilant Turenne n'ont jamais surpris dans un mouvement irrégulier, et à qui ils ont rendu ce grand témoignage, que jamais il 20 n'avait perdu un seul moment favorable, ni manqué de prévenir leurs desseins, comme s'il eût assisté à leurs conseils. Ici donc, durant huit jours et à quatre attaques différentes, on vit tout ce qu'on peut soutenir et entreprendre à la guerre. Nos troupes semblent rebutées, 25 autant par la résistance des ennemis que par l'effroyable disposition des lieux; et le prince se vit quelque temps comme abandonné. Mais comme un autre Machabée,

[1] C'est la campagne de la Forêt-Noire (1644).

[2] Les Bavarois avaient pris Fribourg (1644), une semaine avant qu'il fût attaqué par Condé.

« son bras ne l'abandonna pas, et son courage irrité par tant de périls vint à son secours. »[1] On ne l'eut pas plutôt vu pied à terre forcer le premier ces inaccessibles hauteurs, que son ardeur entraîna tout après elle. Merci voit sa perte assurée; ses meilleurs régiments sont défaits; la nuit sauve les restes de son armée. Mais que des pluies excessives s'y joignent encore, afin que nous ayons à la fois, avec tout le courage et tout l'art, toute la nature à combattre. Quelque avantage que prenne un ennemi habile autant que hardi, et dans quelque affreuse montagne qu'il se retranche de nouveau, poussé de tous côtés, il faut qu'il laisse en proie au duc d'Enghien, non seulement son canon et son bagage, mais encore tous les environs du Rhin. Voyez comme tout s'ébranle. Philipsbourg[2] est aux abois en dix jours, malgré l'hiver qui approche: Philipsbourg qui tint si longtemps le Rhin captif sous nos lois, et dont le plus grand des rois a si glorieusement réparé la perte. Worms, Spire, Mayence, Landau, vingt autres places de nom ouvrent leurs portes. Merci ne les peut défendre, et ne paraît plus devant son vainqueur. Ce n'est pas assez; il faut qu'il tombe à ses pieds, digne victime de sa valeur. Nordlingue en verra la chute: il y sera décidé qu'on ne tient non plus devant les Français en Allemagne qu'en Flandre, et on devra tous ces avantages au même prince. Dieu, protecteur de la France et d'un roi qu'il a destiné à ses grands ouvrages, l'ordonne ainsi.

[1] Judas, le Macchabée, avait délivré Jérusalem des Syriens (163 av. J.-C.), mais périt trois ans après dans une bataille, lors d'une nouvelle attaque des envahisseurs.

[2] Ville prise aux Espagnols en 1644, appartint à la France jusqu'en 1676, quand elle fut reprise par l'armée autrichienne lors de la guerre de Hollande; mais sa perte fut compensée par le territoire cédé à Louis XIV par le traité de Nimègue (1678).

Par ces ordres, tout paraissait sûr sous la conduite du duc d'Enghien: et sans vouloir ici achever le jour à vous marquer seulement ses autres exploits, vous savez, parmi tant de fortes places attaquées, qu'il n'y en eut qu'une 5 seule [1] qui put échapper à ses mains; encore releva-t-elle la gloire du prince. L'Europe, qui admirait la divine ardeur dont il était animé dans les combats, s'étonna qu'il en fût le maître, et dès l'âge de vingt-six ans, aussi capable de ménager ses troupes que de les pousser dans les 10 hasards, et de céder à la fortune que de la faire servir à ses desseins . . .

Brève allusion aux Guerres de la Fronde (voir l'introduction à ce morceau).

Après avoir fait sentir aux ennemis, durant tant d'années, l'invincible puissance du roi, s'il fallut agir au dedans pour la soutenir, je dirai tout en un mot, il fit 15 respecter la régente; [2] et puisqu'il faut une fois parler de ces choses dont je voudrais pouvoir me taire éternellement, jusqu'à cette fatale prison [3] il n'avait pas seulement songé qu'on pût rien attenter contre l'État; et dans son plus grand crédit, s'il souhaitait d'obtenir des grâces, 20 il souhaitait encore plus de les mériter. C'est ce qui lui faisait dire; — je puis bien ici répéter devant ces autels les paroles que j'ai recueillies de sa bouche, puisqu'elles marquent si bien le fond de son cœur — il disait donc,

[1] Lérida, en Espagne; Condé en abandonna le siège (1646), préférant un acte de sagesse à un acte de simple bravoure militaire.

[2] Anne d'Autriche, régente jusqu'en 1651. Condé lui fut fidèle pendant la première Fronde. Voir l'introduction sur le rôle de Condé pendant les guerres des Frondes.

[3] Allusion à sa trahison. Bossuet veut montrer que c'est la prison à laquelle il avait été condamné par Mazarin (voir introduction), et non les sentiments personnels de Condé qui l'ont détourné de son roi.

en parlant de cette prison malheureuse, qu'il y était entré le plus innocent de tous les hommes, et qu'il en était sorti le plus coupable. « Hélas ! poursuivait-il, je ne respirais que le service du roi et la grandeur de l'État ! » On ressentait dans ses paroles un regret sincère d'avoir 5 été poussé si loin par ses malheurs. Mais sans vouloir excuser ce qu'il a si hautement condamné lui-même, disons, pour n'en parler jamais, que, comme dans la gloire éternelle les fautes des saints pénitents, couvertes de ce qu'ils ont fait pour les réparer et de l'éclat infini de la 10 divine miséricorde, ne paraissent plus, ainsi, dans des fautes si sincèrement reconnues, et dans la suite si glorieusement réparées par de fidèles services, il ne faut plus regarder que l'humble reconnaissance du prince qui s'en repentit, et la clémence du grand roi qui les oublia . . . 15

II

Les qualités de l'esprit manifestées dans le génie militaire.

Venons maintenant aux qualités de l'esprit ; et puisque, pour notre malheur, ce qu'il y a de plus fatal à la vie humaine, c'est-à-dire l'art militaire, est en même temps ce qu'elle a de plus ingénieux et de plus habile, considérons d'abord par cet endroit le grand génie de notre prince. Et 20 premièrement, quel général porta jamais plus loin sa prévoyance ? C'était une de ses maximes, qu'il fallait craindre les ennemis de loin, pour ne les plus craindre de près et se réjouir à leur approche . . . Rien n'échappe à sa prévoyance . . . Il tenait pour maxime qu'un habile capitaine 25 peut bien être vaincu, mais qu'il ne lui est pas permis d'être surpris. Aussi lui devons-nous cette louange, qu'il

ne l'a jamais été. A quelque heure et de quelque côté que viennent les ennemis, ils le trouvent toujours sur ses gardes, toujours prêt à fondre sur eux et à prendre ses avantages: comme un aigle qu'on voit toujours, soit
5 qu'il vole au milieu des airs, soit qu'il se pose sur le haut de quelque rocher, porter de tous côtés des regards perçants, et tomber si sûrement sur sa proie, qu'on ne peut éviter ses ongles non plus que ses yeux. Aussi vifs étaient les regards, aussi vite et impétueuse était l'at-
10 taque, aussi fortes et inévitables étaient les mains du prince de Condé. En son camp on ne connaît point les vaines terreurs, qui fatiguent et rebutent plus que les véritables. Toutes les forces demeurent entières pour les vrais périls: tout est prêt au premier signal; et, comme
15 dit le prophète, « toutes les flèches sont aiguisées, et tous les arcs sont tendus » . . .

. . . .

Quoiqu'une heureuse naissance eût apporté de si grands dons à notre prince, il ne cessait de l'enrichir par ses réflexions. Les campements de César firent son étude. Je
20 me souviens qu'il nous ravissait, en nous racontant comme en Catalogne, dans les lieux où ce fameux capitaine, par l'avantage des postes, contraignit cinq légions romaines et deux chefs[1] expérimentés à poser les armes sans combat, lui-même il avait été reconnaître les rivières et les mon-
25 tagnes qui servirent à ce grand dessein: et jamais un si digne maître n'avait expliqué par de si doctes leçons les *Commentaires* de César. Les capitaines des siècles futurs lui rendront un honneur semblable. On viendra étudier

[1] Afranius et Petreius, lieutenants de Pompée. (Cf. César, *De Bello civ.*, Livre I.)

sur les lieux[1] ce que l'histoire racontera du campement de Piéton,[2] et des merveilles dont il fut suivi. On remarquera dans celui de Châtenoy[3] l'éminence qu'occupa ce grand capitaine, et le ruisseau dont il se couvrit sous le canon du retranchement de Selestad.[4] Là on lui verra 5 mépriser l'Allemagne conjurée, suivre à son tour les ennemis, quoique plus forts, rendre leurs projets inutiles, et leur faire lever le siège de Saverne, comme il avait fait un peu auparavant celui de Haguenau.[5] C'est par de semblables coups, dont sa vie est pleine, qu'il a porté si haut 10 sa réputation, que ce sera dans nos jours s'être fait un nom parmi les hommes et s'être acquis un mérite dans les troupes, d'avoir servi sous le prince de Condé; et comme un titre pour commander, de l'avoir vu faire...

. . . .

Mais ce qu'un sage général doit le mieux connaître, 15 c'est ses soldats et ses chefs. Car de là vient ce parfait concert qui fait agir les armées comme un seul corps, ou pour parler avec l'Écriture, « comme un seul homme »: *Egressus est Israel tanquam vir unus.* Pourquoi comme un seul homme? Parce que sous un même chef, qui connaît 20 et les soldats et les chefs comme ses bras et ses mains, tout est également vif et mesuré. C'est ce qui donne la

[1] Allusions à la campagne d'Alsace, dirigée par Condé et Turenne, contre la Hollande.

[2] Ruisseau près de Senef. Condé s'y est si bien retranché que l'ennemi, malgré sa supériorité numérique n'a pas osé l'attaquer.

[3] En Lorraine; Condé y tint Montecuculli en échec, grâce aux avantages stratégiques de la position.

[4] Près de Châtenoy; après la mort de Turenne, Condé y commanda l'armée française (1675).

[5] Villes d'Alsace, près de Strasbourg; épisodes de la campagne contre Montecuculli, en 1675.

victoire; et j'ai ouï dire à notre grand prince qu'à la journée de Nordlingue, ce qui l'assurait du succès, c'est qu'il connaissait M. de Turenne, dont l'habileté consommée n'avait besoin d'aucun ordre pour faire tout ce qu'il fal-
5 lait. Celui-ci publiait de son côté qu'il agissait sans inquiétude, parce qu'il connaissait le prince et ses ordres toujours sûrs. C'est ainsi qu'ils se donnaient mutuellement un repos qui les appliquait chacun tout entier à son action: ainsi finit heureusement la bataille la plus hasar-
10 deuse et la plus disputée qui fût jamais.[1]

Les deux grands généraux du grand siècle, Turenne et Condé.

Ç'a été dans notre siècle un grand spectacle, de voir dans le même temps et dans les mêmes campagnes ces deux hommes, que la voix commune de toute l'Europe égalait aux plus grands capitaines des siècles passés: tan-
15 tôt à la tête de corps séparés; tantôt unis plus encore par le concours des mêmes pensées que par les ordres que l'inférieur recevait de l'autre; tantôt opposés [2] front à front, et redoublant l'un dans l'autre l'activité et la vigilance: comme si Dieu, dont souvent, selon l'Écriture, la sagesse
20 se joue dans l'univers, eût voulu nous les montrer en toutes les formes, et nous montrer ensemble tout ce qu'il peut faire des hommes. Que de campements, que de

[1] A la bataille de Norlingue, les Français furent repoussés plusieurs fois avant que Merci, blessé enfin grièvement, se rendît.

[2] Turenne, considéré comme l'égal de Condé comme général, était de naissance moins noble, et par là son inférieur hiérarchique. Ils unirent leurs efforts pour la France dans la campagne d'Allemagne, en 1645, et dans la première guerre de la Fronde. Mais ils combattirent dans des camps opposés lors de la seconde guerre de la Fronde; Turenne était resté fidèle à la cour, et Condé était passé au service de l'Espagne.

belles marches, que de hardiesses, que de précautions, que de périls, que de ressources ! Vit-on jamais en deux hommes les mêmes vertus avec des caractères si divers, pour ne pas dire si contraires ? L'un [1] paraît agir par des réflexions profondes, et l'autre par de soudaines illuminations: celui-ci par conséquent plus vif, mais sans que son feu eût rien de précipité; celui-là d'un air plus froid sans jamais rien avoir de lent, plus hardi à faire qu'à parler, résolu et déterminé au dedans, lors même qu'il paraissait embarrassé au dehors. L'un, dès qu'il parut dans les armées, donne une haute idée de sa valeur, et fait attendre quelque chose d'extraordinaire; mais toutefois s'avance par ordre, et vient comme par degrés aux prodiges [2] qui ont fini le cours de sa vie: l'autre, comme un homme inspiré, dès sa première bataille s'égale aux maîtres les plus consommés. L'un, par de vifs et continuels efforts, emporte l'admiration du genre humain, et fait taire l'envie; l'autre jette d'abord une si vive lumière, qu'elle n'osait l'attaquer. L'un enfin, par la profondeur de son génie et les incroyables ressources de son courage, s'élève au-dessus des plus grands périls, et sait même profiter de toutes les infidélités de la fortune: l'autre, et par l'avantage d'une si haute naissance, et par ces grandes pensées que le Ciel envoie, et par une espèce d'instinct admirable dont les hommes ne connaissent pas le secret, semble né pour entraîner la fortune dans ses desseins et forcer les destinées. Et afin que l'on vît toujours dans ces deux hommes de grands caractères, mais divers, l'un, emporté d'un coup soudain, meurt pour son pays comme un Judas le Macha-

[1] Turenne.

[2] La délivrance de l'Alsace (1675). Turenne fut tué au cours de cette campagne, à Salzbach, le 27 juillet.

bée [1]; l'armée le pleure comme son père, et la cour [2] et tout le peuple gémit; sa piété est louée comme son courage, et sa mémoire ne se flétrit point par le temps: l'autre, élevé par les armes au comble de la gloire comme un David, 5 comme lui meurt dans son lit en publiant les louanges de Dieu et instruisant sa famille, et laisse tous les cœurs remplis tant de l'éclat de sa vie que de la douceur de sa mort. Quel spectacle de voir et d'étudier ces deux hommes, et d'apprendre de chacun d'eux toute l'estime 10 que méritait l'autre ! C'est ce qu'a vu notre siècle: et ce qui est encore plus grand, il a vu un roi se servir de ces deux grands chefs, et profiter du secours du Ciel; et après qu'il en est privé par la mort de l'un et les maladies de l'autre,[3] concevoir de plus grands desseins, exécuter de 15 plus grandes choses, s'élever au-dessus de lui-même, surpasser et l'espérance des siens et l'attente de l'univers: tant est haut son courage, tant est vaste son intelligence, tant ses destinées sont glorieuses.[4]

Voilà, Messieurs, les spectacles que Dieu donne à l'uni- 20 vers; et les hommes qu'il y envoie quand il y veut faire éclater, tantôt dans une nation, tantôt dans une autre, selon ses conseils éternels, sa puissance ou sa sagesse . . .

[1] Voir *note* 2, page 291.

[2] Mme de Sévigné dit de sa mort: « Toute la cour fut en larmes; M. de Condom [Bossuet, alors évêque de Condom] pensa s'évanouir. »

[3] Après 1675 Condé se retira à Chantilly à cause de ses infirmités.

[4] Cette comparaison entre Turenne et Condé avait indisposé certains contemporains, mais Bossuet veut ignorer la différence dans le rang de noblesse, et ne considérer que l'égalité dans les talents et les actions.

Les héros païens sont des ornements de la création, mais Condé est en outre un ornement de la piété.

C'est de Dieu que viennent ces dons: qui en doute? Ces dons sont admirables: qui ne le voit pas? Mais pour confondre l'esprit humain qui s'enorgueillit de tels dons, Dieu ne craint point d'en faire part à ses ennemis. Saint Augustin considère parmi les païens tant de sages, tant 5
de conquérants, tant de graves législateurs, tant d'excellents citoyens, un Socrate, un Marc-Aurèle, un Scipion, un César, un Alexandre, tous privés de la connaissance de Dieu, et exclus de son royaume éternel. N'est-ce donc pas Dieu qui les a faits? Mais quel autre les pouvait 10
faire, si ce n'est celui qui fait tout dans le ciel et dans la terre? Mais pourquoi les a-t-il faits? et quels étaient les desseins particuliers de cette sagesse profonde qui jamais ne fait rien en vain? Écoutez la réponse de saint Augustin: « Il les a faits, nous dit-il, pour orner le siècle présent: » 15
Ut ordinem sæculi præsentis ornaret. Il a fait dans les grands hommes ces rares qualités, comme il a fait le soleil. Qui n'admire ce bel astre? Qui n'est ravi de l'éclat de son midi, et de la superbe parure de son lever et de son coucher? Mais puisque Dieu le fait luire sur les bons et 20
sur les mauvais, ce n'est pas un si bel objet qui nous rend heureux: Dieu l'a fait pour embellir et pour éclairer ce grand théâtre du monde. De même, quand il a fait dans ses ennemis aussi bien que dans ses serviteurs ces belles lumières d'esprit, ces rayons de son intelligence, ces 25
images de sa bonté: ce n'est pas pour les rendre heureux qu'il leur a fait ces riches présents; c'est une décoration de l'univers, c'est un ornement du siècle présent. Et voyez la malheureuse destinée de ces hommes qu'il a

choisis pour être les ornements de leur siècle. Qu'ont-ils voulu, ces hommes rares, sinon des louanges et la gloire que les hommes donnent ? Peut-être que, pour les confondre, Dieu refusera cette gloire à leurs vains désirs ? — 5 Non: il les confond mieux en la leur donnant, et même au delà de leur attente. Cet Alexandre, qui ne voulait que faire du bruit dans le monde, y en fait plus qu'il n'aurait osé espérer. Il faut encore qu'il se trouve dans tous nos panégyriques; et il semble, par une espèce de 10 fatalité glorieuse à ce conquérant, qu'aucun prince ne puisse recevoir de louanges qu'il ne les partage. S'il a fallu quelque récompense à ces grandes actions des Romains, Dieu leur en a su trouver une convenable à leurs mérites comme à leurs désirs. Il leur donne pour récom- 15 pense l'empire du monde, comme un présent de nul prix: O rois, confondez-vous dans votre grandeur: conquérants, ne vantez pas vos victoires. Il leur donne pour récompense la gloire des hommes; récompense qui ne vient pas jusqu'à eux; qui s'efforce de s'attacher, à quoi ? peut-être 20 à leurs médailles, ou à leurs statues déterrées, restes des ans et des barbares; aux ruines de leurs monuments et de leurs ouvrages qui disputent avec le temps; ou plutôt à leur idée, à leur ombre, à ce qu'on appelle leur nom. Voilà le digne prix de tant de travaux, et dans le comble 25 de leurs vœux la conviction de leur erreur. Venez, rassasiez-vous, grands de la terre: saisissez-vous, si vous pouvez, de ce fantôme de gloire, à l'exemple de ces grands hommes que vous admirez. Dieu, qui punit leur orgueil dans les enfers, ne leur a pas envié, dit saint Augustin, 30 cette gloire tant désirée; et « vains, ils ont reçu une récompense aussi vaine que leur désirs »: *Receperunt mercedem suam, vani vanam.*

III

La mort très chrétienne du Grand Condé.

Il n'en sera pas ainsi de notre grand prince: l'heure de Dieu est venue, heure attendue, heure désirée, heure de miséricorde et de grâce. Sans être averti par la maladie, sans être pressé [1] par le temps, il exécute ce qu'il méditait. Un sage religieux,[2] qu'il appelle exprès, règle les affaires 5 de sa conscience: il obéit, humble chrétien, à sa décision; et nul n'a jamais douté de sa bonne foi. Dès lors aussi on le vit toujours sérieusement occupé du soin de se vaincre soi-même, de rendre vaines toutes les attaques de ses insupportables douleurs, d'en faire par sa soumission un 10 continuel sacrifice. Dieu, qu'il invoquait avec foi, lui donna le goût de son Écriture, et dans ce livre divin la solide nourriture de la piété. Ses conseils se réglaient plus que jamais par la justice: on y soulageait la veuve et l'orphelin; et le pauvre en approchait avec confiance. 15 Sérieux autant qu'agréable père de famille, dans les douceurs qu'il goûtait avec ses enfants, il ne cessait de leur inspirer les sentiments de la véritable vertu; et ce jeune prince son petit-fils [3] se sentira éternellement d'avoir été cultivé par de telles mains. Toute sa maison profitait de 20 son exemple. Plusieurs de ses domestiques avaient été malheureusement nourris dans l'erreur que la France tolérait alors [4]: combien de fois l'a-t-on vu inquiété de leur salut, affligé de leur résistance, consolé par leur conver-

[1] Condé s'était tourné vers la religion, trois ans avant sa mort.

[2] Le Père Deschamps, jésuite.

[3] Le duc de Bourbon (1668–1710).

[4] Le protestantisme avait été toléré en France jusqu'à la révocation, deux ans auparavant, de l'Édit de Nantes.

sion ! Avec quelle incomparable netteté d'esprit leur faisait-il voir l'antiquité et la vérité de la religion catholique ! Ce n'était plus cet ardent vainqueur, qui semblait vouloir tout emporter: c'était une douceur, une patience, une
5 charité qui songeait à gagner les cœurs, et à guérir les esprits malades. Ce sont, Messieurs, ces choses simples, gouverner sa famille, édifier ses domestiques, faire justice et miséricorde, accomplir le bien que Dieu veut et souffrir les maux qu'il envoie; ce sont ces communes pratiques de
10 la vie chrétienne, que Jésus-Christ louera au dernier jour devant ses saints anges et devant son père céleste. Les histoires seront abolies avec les empires, et il ne se parlera plus de tous ces faits éclatants dont elles sont pleines.

. . . .

Il s'affaiblissait, ce grand prince, mais la mort cachait
15 ses approches. Lorsqu'on le crut en meilleur état, et que le duc d'Enghien, toujours partagé entre les devoirs de fils et de sujet, était retourné par son ordre auprès du roi, tout change en un moment, et on déclare au prince sa mort prochaine. Chrétiens, soyez attentifs, et venez ap-
20 prendre à mourir; ou plutôt venez apprendre à n'attendre pas la dernière heure pour commencer à bien vivre. Quoi ! attendre à commencer une vie nouvelle, lorsqu'entre les mains de la mort, glacés sous ses froides mains, vous ne saurez si vous êtes avec les morts ou encore avec les vi-
25 vants ! Ah ! prévenez par la pénitence cette heure de troubles et de ténèbres. Par là, sans être étonné de cette dernière sentence qu'on lui prononça, le prince demeure un moment dans le silence; et tout à coup: « O mon Dieu ! dit-il, vous le voulez, votre volonté soit faite: je me jette
30 entre vos bras; donnez-moi la grâce de bien mourir. » Que désirez-vous davantage ? Dans cette courte prière

vous voyez la soumission aux ordres de Dieu, l'abandon à sa providence, la confiance en sa grâce, et toute la piété. Dès lors aussi, tel qu'on l'avait vu dans tous ses combats, résolu, paisible, occupé sans inquiétude de ce qu'il fallait faire pour les soutenir, tel fut-il à ce dernier choc; et la mort ne lui parut pas plus affreuse, pâle et languissante, que lorsqu'elle se présente au milieu du feu sous l'éclat de la victoire qu'elle montre seule . . .

Ce que le prince commença ensuite pour s'acquitter des devoirs de la religion mériterait d'être raconté à toute la terre: non à cause qu'il est remarquable, mais à cause pour ainsi dire qu'il ne l'est pas, et qu'un prince si exposé à tout l'univers ne donne rien aux spectateurs. N'attendez donc pas, Messieurs, de ces magnifiques paroles qui ne servent qu'à faire connaître, sinon un orgueil caché, du moins les efforts d'une âme agitée qui combat ou qui dissimule son trouble secret. Le prince de Condé ne sait ce que c'est de prononcer de ces pompeuses sentences; et dans la mort comme dans la vie, la vérité fit toujours toute sa grandeur. Sa confession fut humble, pleine de componction et de confiance. Il ne lui fallut pas longtemps pour la préparer: la meilleure préparation pour celle des derniers temps, c'est de ne les attendre pas.

Mais, Messieurs, prêtez l'oreille à ce qui va suivre. A la vue du saint viatique[1] qu'il avait tant désiré, voyez comme il s'arrête sur ce doux objet. Alors il se souvint des irrévérences, dont, hélas ! on déshonore ce divin mystère. Les chrétiens ne connaissent plus la sainte frayeur dont on était saisi autrefois à la vue du sacrifice. On dirait qu'il eût cessé d'être terrible, comme l'appelaient

[1] Le sacrement de l'Eucharistie — dernière communion — reçu par un malade sur le chemin (*via*) de la mort.

les saints Pères, et que le sang de notre victime n'y coule pas encore aussi véritablement que sur le Calvaire. Loin de trembler devant les autels, on y méprise Jésus-Christ présent; et dans un temps où tout un royaume se remue
5 pour la conversion des hérétiques, on ne craint point d'en autoriser les blasphèmes. Gens du monde, vous ne pensez pas à ces horribles profanations: à la mort vous y penserez avec confusion et saisissement. Le prince se ressouvint de toutes les fautes qu'il avait commises; et
10 trop faible pour expliquer avec force ce qu'il en sentait, il emprunta la voix de son confesseur pour en demander pardon au monde, à ses domestiques et à ses amis. On lui répondit par des sanglots: ah ! répondez-lui maintenant en profitant de cet exemple.

15 Les autres devoirs de la religion furent accomplis avec la même piété et la même présence d'esprit. Avec quelle foi, et combien de fois pria-t-il le Sauveur des âmes, en baisant sa croix, que son sang répandu pour lui ne le fût pas inutilement ! C'est ce qui justifie le pécheur, c'est ce
20 qui soutient le juste, c'est ce qui rassure le chrétien. Que dirai-je des saintes prières des agonisants, où dans les efforts que fait l'Église, on entend ses vœux les plus empressés, et comme les derniers cris par où cette sainte mère achève de nous enfanter à la vie céleste ? Il se les
25 fit répéter trois fois, et il y trouva toujours de nouvelles consolations. En remerciant ses médecins: « Voilà, dit-il, maintenant mes vrais médecins. » Il montrait les ecclésiastiques dont il écoutait les avis, dont il continuait les prières, les psaumes toujours à la bouche, la confiance
30 toujours dans le cœur. S'il se plaignit, c'était seulement d'avoir si peu à souffrir pour expier ses péchés. Sensible jusqu'à la fin à la tendresse des siens, il ne s'y laissa ja-

mais vaincre; et au contraire il craignait toujours de trop donner à la nature.

. . . .

Puis-je taire durant ce temps ce qui se faisait à la cour et en la présence du roi? Lorsqu'il y fit lire la dernière lettre que lui écrivit ce grand homme, et qu'on y vit, dans 5 les trois temps[1] que marquait le prince, ses services qu'il y passait si légèrement au commencement et à la fin de sa vie, et dans le milieu ses fautes dont il faisait une si sincère reconnaissance, il n'y eut cœur qui ne s'attendrît à l'entendre parler de lui-même avec tant de modestie; et 10 cette lecture, suivie des larmes du roi, fit voir ce que les héros sentent les uns pour les autres. Mais lorsqu'on vint à l'endroit du remercîment, où le prince marquait qu'il mourait content, et trop heureux d'avoir encore assez de vie pour témoigner au roi sa reconnaissance, son dévoue- 15 ment, et s'il l'osait dire, sa tendresse, tout le monde rendit témoignage à la vérité de ses sentiments; et ceux qui l'avaient ouï parler si souvent de ce grand roi dans ses entretiens familiers pouvaient assurer que jamais ils n'avaient rien entendu ni de plus respectueux et de plus 20 tendre pour sa personne sacrée, ni de plus fort pour célébrer ses vertus royales,[2] sa piété, son courage, son grand génie, principalement à la guerre, que ce qu'en disait ce grand prince avec aussi peu d'exagération que de flatterie.

Pendant qu'on lui rendait ce beau témoignage, ce grand 25 homme n'était plus. Tranquille entre les bras de son Dieu où il s'était une fois jeté, il attendait sa miséricorde et implorait son secours, jusqu'à ce qu'il cessa enfin de respirer et de vivre . . .

[1] Périodes de la vie du Prince.

[2] Remarquez l'éloge du roi constamment répété, et comparez la note d'introduction à Boileau sur cette coutume du XVIIe siècle.

Vanité des honneurs que peuvent conférer les hommes.

Venez, peuples, venez maintenant; mais venez plutôt, princes et seigneurs; et vous qui jugez la terre, et vous qui ouvrez aux hommes les portes du ciel; et vous plus que tous les autres, princes et princesses, nobles rejetons 5 de tant de rois, lumières de la France, mais aujourd'hui obscurcies et couvertes de votre douleur comme d'un nuage: venez voir le peu qui nous reste d'une si auguste naissance, de tant de grandeur, de tant de gloire. Jetez les yeux de toutes parts[1]: voilà tout ce qu'a pu faire la 10 magnificence et la piété pour honorer un héros: des titres, des inscriptions, vaines marques de ce qui n'est plus; des figures qui semblent pleurer autour d'un tombeau, et des fragiles images d'une douleur que le temps emporte avec tout le reste; des colonnes qui semblent vouloir porter 15 jusqu'au ciel le magnifique témoignage de notre néant: et rien enfin ne manque dans tous ces honneurs, que celui à qui on les rend. Pleurez donc sur ces faibles restes de la vie humaine, pleurez sur cette triste immortalité que nous donnons aux héros . . .

20 Pour moi, s'il m'est permis, après tous les autres, de venir rendre les derniers devoirs à ce tombeau, ô prince, le digne sujet de nos louanges et de nos regrets, vous vivrez éternellement dans ma mémoire: votre image y sera tracée, non point avec cette audace qui promettait 25 la victoire, — non, je ne veux rien voir en vous de ce que la mort y efface. — Vous aurez dans cette image des traits immortels: je vous y verrai tel que vous étiez à ce

[1] Le chœur était décoré de magnifiques tentures; le catafalque montait jusqu'à la voûte; des images allégoriques et des inscriptions représentaient les victoires de Condé.

dernier jour, sous la main de Dieu, lorsque sa gloire sembla commencer à vous apparaître. C'est là que je vous verrai plus triomphant qu'à Fribourg et à Rocroy; et ravi d'un si beau triomphe, je dirai en actions de grâces ces belles paroles du bien-aimé disciple: *Et hæc est victoria* 5 *quæ vincit mundum, fides nostra:* « La véritable victoire, celle qui met sous nos pieds le monde entier, c'est notre foi. » Jouissez, prince, de cette victoire, jouissez-en éternellement par l'immortelle vertu de ce sacrifice. Agréez ces derniers efforts d'une voix qui vous fut connue. Vous 10 mettrez fin à tous ces discours.[1] Au lieu de déplorer la mort des autres, grand prince, dorénavant je veux apprendre de vous à rendre la mienne sainte: heureux si, averti par ces cheveux blancs du compte que je dois rendre de mon administration, je réserve au troupeau que 15 je dois nourrir de la parole de vie les restes d'une voix qui tombe et d'une ardeur qui s'éteint.

[1] Ce fut la dernière oraison funèbre prononcée par Bossuet. Il avait 60 ans.

CHAPITRE NEUF

FÉNELON

1651–1715

On rapproche toujours les noms de Bossuet et Fénelon (comme Racine et Corneille), les deux grands dignitaires de l'Église, mais pour les opposer en même temps l'un à l'autre à cause de la manière différente en laquelle ils ont exercé leur ministère: à « l'Aigle de Meaux » (Bossuet), on compare — à cause de son éloquence suave et à cause de ses méthodes d'action par persuasion plutôt que par autorité — « le Cygne de Cambrai » (Fénelon mourut archevêque de Cambrai).

De famille très noble, François de Salignac de la Mothe Fénelon naquit à Sarlat, dans le Périgord. Sa carrière présente quelques parallèles curieux avec celle de Bossuet. Tous deux, lorsqu'ils étaient venus terminer leurs études de théologie à Paris (Fénelon, au fameux Séminaire de Saint-Sulpice) y acquirent prématurément une réputation d'éloquence. Puis, de même que Bossuet, Fénelon fut appelé à diriger une ‹ Maison des nouvelles catholiques › (1678), — et tous deux approuvèrent, quoique avec regret, les mesures de violence décrétées contre les Protestants et qui aboutirent, en 1685, à la Révocation de l'Édit de Nantes. En 1689, Fénelon fut nommé précepteur du Duc de Bourgogne; c'était le petit-fils de Louis XIV, et le fils du Dauphin qui avait été l'élève de Bossuet. Contrairement toutefois à Bossuet, Fénelon réussit de manière remarquable dans sa tâche; trop bien même au gré de Louis XIV, car il inculqua au Duc des idées de réforme du royaume qui ne plaisaient point au souverain.[1] Fénelon prépara plusieurs ouvrages spécialement pour son élève, des *Fables*, les *Dialogues des Morts*, un *Traité de l'Existence de Dieu*, et surtout *Les Aventures de Télémaque*. Il fut nommé par le roi, en reconnaissance de ses services de précepteur, Archevêque de Cambrai (non loin

[1] Le Duc de Bourgogne ne régna pas; comme son père, le Dauphin, il mourut (1712) avant Louis XIV; — de sorte que ce fut l'arrière-petit-fils de Louis XIV qui en 1715 monta sur le trône, sous le nom de Louis XV.

de la frontière de Belgique, au Nord de Paris); c'est à dire que cette récompense était en même temps une punition puisque ce poste éloignait Fénelon de la cour (1695).[1]

C'est vers la même époque qu'il fut mêlé à l'*Affaire du Quiétisme* (voir plus bas) où il se trouva en opposition très forte avec Bossuet, ce qui compromit encore son prestige à la cour.

Il mourut dans son archevêché en 1715, laissant le souvenir de beaucoup de charité dans le territoire de sa juridiction.

Consulter: Paul Janet. *Fénelon* (Coll. des Grands écrivains français); J. Lemaître, *Fénelon* (1910); H. Brémond, *Apologie pour Fénelon* (1910). Les ouvrages d'érudition sur Fénelon sont dûs à la plume de l'abbé Chérel.

1. Éducation des filles, 1687

[Le premier ouvrage de l'abbé Fénelon, écrit à 36 ans, non pour le public, mais « pour répondre aux pieuses intentions d'une mère vertueuse, madame la duchesse de Beauvilliers, » laquelle, « outre plusieurs garçons, eut huit filles, qui, grâce aux exemples domestiques qu'elles eurent sous les yeux pendant leur jeunesse, et aux principes qu'elles puisèrent dans les instructions de Fénelon, furent des modèles de toutes les vertus que la charité inspire et que la religion embellit » (*Histoire de Fénelon*, par le Cardinal de Bausset, 1809). La position de Supérieur de la Maison des Nouvelles Catholiques de Paris —

---

[1] On comprend que Louis XIV n'ait pas beaucoup aimé un homme qui osait parler à son Roi comme le faisait Fénelon. Voici comment se terminait une lettre célèbre dans laquelle le prélat flétrissait les ambitions de Louis XIV dans la seconde partie du règne (1694):

« . . . En voilà assez, Sire, pour reconnaître que vous avez passé votre vie entière hors des chemins de la vérité et de la justice, et par conséquent hors de celui de l'Evangile. Tant de troubles affreux qui ont désolé l'Europe depuis plus de vingt ans, tant de sang répandu, tant de scandales commis, tant de provinces saccagées, tant de villes et de villages mis en cendres sont la funeste suite de cette guerre de 1672, entreprise pour votre gloire et pour la confusion des faiseurs de gazettes et de médailles de Hollande.

« Cependant vos peuples, que vous devriez aimer comme vos enfants, et qui ont été jusqu'ici si passionnés pour vous, meurent de faim. La culture de la terre est presque abandonnée. La France entière n'est plus qu'un grand hôpital désolé et sans provisions . . .

« Vous n'aimez point Dieu, vous ne le craignez même que d'une crainte d'esclave; c'est l'enfer et non pas Dieu que vous craignez . . . »

une de ces maisons établies alors dans différentes villes de la France pour ramener les jeunes filles protestantes à la foi catholique, et y retenir les catholiques qui songeaient à adopter la Réforme [1] — et la part qu'il prit à l'instruction des Demoiselles de Saint Louis, à l'école de Saint-Cyr, fondée par Mme de Maintenon en 1685 l'avaient préparé à écrire ce traité.]

I. DE L'IMPORTANCE DE L'ÉDUCATION DES FILLES

(extrait du chapitre I)

Rien n'est plus négligé que l'éducation des filles. La coutume et le caprice des mères y décident souvent de tout. On suppose qu'on doit donner à ce sexe peu d'instruction. L'éducation des garçons passe pour une des 5 principales affaires par rapport au bien public; et, quoiqu'on n'y fasse guère moins de fautes que dans celle des filles, du moins on est persuadé qu'il faut beaucoup de lumières pour y réussir. Les plus habiles gens se sont appliqués à donner des règles dans cette matière. Combien 10 voit-on de maîtres et de collèges ! Combien de dépenses pour des impressions de livres, pour des recherches de sciences, pour des méthodes d'apprendre les langues, pour le choix des professeurs ! Tous ces grands préparatifs ont souvent plus d'apparence que de solidité; mais enfin ils 15 marquent la haute idée qu'on a de l'éducation des garçons. Pour les filles, dit-on, il ne faut pas qu'elles soient savantes; la curiosité les rend vaines et précieuses; il suffit qu'elles sachent gouverner un jour leurs ménages, et obéir à leurs maris sans raisonner. On ne manque pas de se servir de 20 l'expérience qu'on a de beaucoup de femmes que la science a rendues ridicules; après quoi on se croit en droit d'abandonner aveuglément les filles à la conduite des mères ignorantes et indiscrètes.[2]

[1] Voir note d'introduction.

[2] Indiscrètes = sans discernement.

Il est vrai qu'il faut craindre de faire des savantes ridicules. Les femmes ont d'ordinaire l'esprit encore plus faible et plus curieux que les hommes; aussi n'est-il point à propos de les engager dans des études dont elles pourraient s'entêter. Elles ne doivent ni gouverner l'État, ni faire la guerre, ni entrer dans le ministère des choses sacrées; ainsi elles peuvent se passer de certaines connaissances étendues qui appartiennent à la politique, à l'art militaire, à la jurisprudence, à la philosophie et à la théologie. La plupart même des arts mécaniques ne leur conviennent pas; elles sont faites pour des exercices modérés. Leur corps, aussi bien que leur esprit, est moins fort et moins robuste que celui des hommes. En revanche, la nature leur a donné en partage l'industrie, la propreté et l'économie, pour les occuper tranquillement dans leur maison.

Mais que s'ensuit-il de la faiblesse naturelle des femmes ? Plus elles sont faibles, plus il est important de les fortifier. N'ont-elles pas des devoirs à remplir, mais des devoirs qui sont les fondements de toute la vie humaine ? Ne sont-ce pas les femmes qui ruinent et qui soutiennent les maisons, qui règlent tout le détail des choses domestiques, et qui, par conséquent, décident de ce qui touche de plus près à tout le genre humain ? Par là, elles ont la principale part aux bonnes ou aux mauvaises mœurs de presque tout le monde. Une femme judicieuse, appliquée et pleine de religion, est l'âme de toute une grande maison; elle y met de l'ordre pour les biens temporels et pour le salut. Les hommes mêmes, qui ont toute l'autorité en public, ne peuvent par leurs délibérations établir aucun bien effectif, si les femmes ne leur aident à l'exécuter.

2. COMMENT IL FAUT FAIRE ENTRER DANS L'ESPRIT DES ENFANTS LES PREMIERS PRINCIPES DE LA RELIGION

(extrait du chapitre VII)

Nous avons remarqué que le premier âge des enfants n'est pas propre à raisonner; non qu'ils n'aient déjà toutes les idées et tous les principes généraux de raison qu'ils auront dans la suite, mais parce que, faute de connaître
5 beaucoup de faits, ils ne peuvent appliquer leur raison, et que d'ailleurs l'agitation de leur cerveau les empêche de suivre leurs pensées et de les lier.

Il faut pourtant, sans les presser, tourner doucement le premier usage de leur raison à connaître Dieu. Persua-
10 dez-les des vérités chrétiennes, sans leur donner des sujets de doute. Ils voient mourir quelqu'un; ils savent qu'on l'enterre; dites-leur: « Ce mort est-il dans le tombeau ? — Oui. — Il n'est donc pas en paradis ? — Pardonnez-moi; il y est. — Comment est-il dans le tombeau et dans le
15 paradis en même temps ? — C'est son âme qui est en paradis, c'est son corps qui est mis dans la terre.

Son âme n'est donc pas son corps ? — Non. — L'âme n'est donc pas morte ? — Non; elle vivra toujours dans le ciel. » Ajoutez: « Et vous, voulez-vous être sauvée ? —
20 Oui. — Mais qu'est-ce que se sauver ? — C'est que l'âme va en paradis quand on est mort. — Et la mort, qu'est-ce ? — C'est que l'âme quitte le corps, et que le corps s'en va en poussière. »

Je ne prétends pas qu'on mène d'abord les enfants à
25 répondre ainsi; je puis dire néanmoins que plusieurs m'ont fait ces réponses dès l'âge de quatre ans. Mais je suppose un esprit moins ouvert et plus reculé; le pis aller, c'est de l'attendre quelques années de plus sans impatience.

Il faut montrer aux enfants une maison, et les accoutumer à comprendre que cette maison ne s'est pas bâtie d'elle-même. « Les pierres, leur direz-vous, ne se sont pas élevées sans que personne les portât. » Il est bon même de leur montrer des maçons qui bâtissent; puis faites- 5 leur regarder le ciel, la terre, et les principales choses que Dieu y a faites pour l'usage de l'homme; dites-leur: « Voyez combien le monde est plus beau et mieux fait qu'une maison. S'est-il fait de lui-même ? Non, sans doute; c'est Dieu qui l'a bâti de ses propres mains. » 10

D'abord, suivez la méthode de l'Écriture: frappez vivement leur imagination; ne leur proposez rien qui ne soit revêtu d'images sensibles. Représentez Dieu assis sur un trône, avec des yeux plus brillants que les rayons du soleil et plus perçants que les éclairs: faites-le parler; donnez- 15 lui des oreilles qui écoutent tout; des mains qui portent l'univers, des bras toujours levés pour punir les méchants, un cœur tendre et paternel pour rendre heureux ceux qui l'aiment. Viendra le temps que vous rendrez toutes ces connaissances plus exactes. Observez toutes les ouver- 20 tures que l'esprit de l'enfant vous donnera; tâtez-le par divers endroits, pour découvrir par où les grandes vérités peuvent mieux entrer dans sa tête. Surtout ne lui dites rien de nouveau sans le lui familiariser par quelque comparaison sensible. 25

Par exemple, demandez-lui s'il aimerait mieux mourir que de renoncer à Jésus-Christ; il vous répondra: « Oui. » Ajoutez: « Mais quoi ! donneriez-vous votre tête à couper pour aller en paradis ? — Oui. » — Jusque-là, l'enfant croit qu'il aurait assez de courage pour le faire. Mais vous, qui 30 voulez lui faire sentir qu'on ne peut rien sans la grâce, vous ne gagnerez rien si vous lui dites simplement qu'on a besoin de grâce pour être fidèle: il n'entend point tous ces mots-là, si vous l'accoutumez à les dire sans les entendre, vous n'en êtes pas plus avancé. Que ferez-vous donc ? Racontez-lui l'histoire de Saint-Pierre; représentez-le 5 qui dit d'un ton présomptueux: « S'il faut mourir, je vous suivrai: quand tous les autres vous quitteraient, je ne vous abandonnerai jamais. » Puis dépeignez sa chute; il renie trois fois Jésus-Christ; une servante lui fait peur. Dites pourquoi Dieu permit qu'il fût si faible: puis servez-vous 10 de la comparaison d'un enfant ou d'un malade qui ne saurait marcher tout seul, et faites-lui entendre que nous avons besoin que Dieu nous porte, comme une nourrice porte son enfant: par là vous rendrez sensible le mystère de la grâce.

Mais la vérité la plus difficile à faire entendre est que 15 nous avons une âme plus précieuse que notre corps. On accoutume d'abord les enfants à parler de leur âme; et on fait bien, car ce langage qu'ils n'entendent point ne laisse pas de les accoutumer à supposer confusément la distinction du corps et de l'âme, en attendant qu'ils puis- 20 sent la concevoir. Autant les préjugés de l'enfance sont pernicieux quand ils mènent à l'erreur, autant sont-ils utiles lorsqu'ils accoutument l'imagination à la vérité, en attendant que la raison puisse s'y tourner par principes. Mais enfin il faut établir une vraie persuasion. 25 Comment le faire ? Sera-ce en jetant une jeune fille dans des subtilités de philosophie ? Rien n'est si mauvais, il faut se borner à lui rendre clair et sensible, s'il se peut, ce qu'elle entend et ce qu'elle dit tous les jours.

Pour son corps, elle ne le connaît que trop; tout la 30 porte à le flatter, à l'orner et à s'en faire une idole; il est capital de lui en inspirer le mépris, en lui montrant quelque chose de meilleur en elle.

Dites donc à un enfant en qui la raison agit déjà: « Est-ce votre âme qui mange ? » S'il répond mal, ne le grondez point; mais dites-lui doucement que l'âme ne mange pas. « C'est le corps, direz-vous, qui mange; c'est le corps qui est semblable aux bêtes. Les bêtes ont-elles de l'esprit ? Sont-elles savantes ? — Non, répondra l'enfant. — Mais elles mangent, continuerez-vous, quoiqu'elles n'aient point d'esprit. Vous voyez donc bien que ce n'est pas l'esprit qui mange, c'est le corps qui prend les viandes pour se nourrir; c'est lui qui marche, c'est lui qui dort. — Et l'âme, que fait-elle ? — Elle raisonne; elle connaît tout le monde; elle aime certaines choses; il y en a d'autres qu'elle regarde avec aversion. » Ajoutez, comme en vous jouant: « Voyez-vous cette table ? — Oui. — Vous la connaissez donc ? — Oui. — Vous voyez bien qu'elle n'est pas faite comme cette chaise; vous savez bien qu'elle est de bois, et qu'elle n'est pas comme la cheminée, qui est de pierre ? — Oui. » — répondra l'enfant. N'allez pas plus loin sans avoir reconnu, dans le ton de sa voix et dans ses yeux, que ces vérités si simples l'ont frappé. Puis dites-lui: « Mais, cette table vous connaît-elle ? » Vous verrez que l'enfant se mettra à rire, pour se moquer de cette question. N'importe, ajoutez: « Qui vous aime mieux de cette table ou de cette chaise ? » Il rira encore. Continuez: « Et la fenêtre, est-elle bien sage ? » Puis essayez d'aller plus loin. « Et cette poupée, vous répond-elle quand vous lui parlez ? — Non. — Pourquoi ? Est-ce qu'elle n'a point d'esprit ? — Non, elle n'en a pas. — Elle n'est donc pas comme vous; car vous la connaissez, et elle ne vous connaît point. Mais après votre mort, quand vous serez sous terre, ne serez-vous pas comme cette poupée ? — Oui. — Vous ne sentirez

plus rien ? — Non. — Vous ne connaîtrez plus personne ? — Non. — Et votre âme sera dans le ciel ? — Oui. — N'y verra-t-elle pas Dieu ? — Il est vrai. — Et l'âme de la poupée, où est-elle à présent ? » Vous verrez que l'en-
5 fant souriant vous répondra, ou du moins vous fera entendre que la poupée n'a point d'âme . . .

3. REMARQUES SUR PLUSIEURS DÉFAUTS DES FILLES

(extrait du chapitre IX)

Nous avons encore à parler du soin qu'il faut prendre pour préserver les filles de plusieurs défauts ordinaires à leur sexe. On les nourrit dans une mollesse et dans une
10 timidité qui les rend incapables d'une conduite ferme et réglée. Au commencement, il y a beaucoup d'affectation, et ensuite beaucoup d'habitude, dans ces craintes mal fondées et dans ces larmes qu'elles versent à si bon marché: le mépris de ces affectations peut servir beau-
15 coup à les corriger, puisque la vanité y a tant de part.

Il faut aussi réprimer en elles les amitiés trop tendres, les petites jalousies, les compliments excessifs, les flatteries, les empressements: tout cela les gâte et les accoutume à trouver que tout ce qui est grave et sérieux est
20 trop sec et trop austère. Il faut même tâcher de faire en sorte qu'elles s'étudient à parler d'une manière courte et précise. Le bon esprit consiste à retrancher tout discours inutile et à dire beaucoup en peu de mots; au lieu que la plupart des femmes disent peu en beaucoup de paroles.
25 Elles prennent la facilité de parler et la vivacité d'imagination pour l'esprit; elles ne choisissent point entre leurs pensées; elles n'y mettent aucun ordre par rapport aux choses qu'elles ont à expliquer; elles sont passionnées sur

presque tout ce qu'elles disent, et la passion fait parler beaucoup; cependant, on ne peut espérer rien de fort bon d'une femme si l'on ne la réduit à réfléchir de suite, à examiner ses pensées, à les expliquer d'une manière courte, et à savoir ensuite se taire. 5

Une autre chose contribue beaucoup aux longs discours des femmes: c'est qu'elles sont nées artificieuses, et qu'elles usent de longs détours pour venir à leur but. Elles estiment la finesse; et comment ne l'estimeraient-elles pas, puisqu'elles ne connaissent point de meilleure 10 prudence, et que c'est d'ordinaire la première chose que l'exemple leur a enseignée ? Elles ont un naturel souple pour jouer facilement toutes sortes de comédies; les larmes ne leur coûtent rien: leurs passions sont vives, et leurs connaissances bornées: de là vient qu'elles ne négligent 15 rien pour réussir, et que les moyens qui ne conviendraient pas à des esprits plus réglés leur paraissent bons; elles ne raisonnent guère pour examiner s'il faut désirer une chose, mais elles sont très industrieuses pour y parvenir.

Ajoutez qu'elles sont timides et pleines de fausse 20 honte; ce qui est encore une source de dissimulation. Le moyen de prévenir un si grand mal est de ne les mettre jamais dans le besoin de la finesse et de les accoutumer à dire ingénument leurs inclinations sur toutes les choses permises. Qu'elles soient libres pour témoigner leur 25 ennui quand elles s'ennuient; qu'on ne les assujettisse point à paraître goûter certaines personnes ou certains livres qui ne leur plaisent pas.

2. Télémaque, 1699

Le plus important des ouvrages composés pour le Duc de Bourgogne. Le récit des aventures n'est qu'un prétexte pour l'enseignement du jeune homme. Télémaque est le fils d'Ulysse, roi d'Ithaque.

Celui-ci, après la prise de Troie, ne réussit pas, pendant de longues années, à rentrer dans sa patrie; il est poursuivi par la colère de Neptune, le dieu de la mer et le protecteur des Troïens, qui soulève des tempêtes sur sa route. La nouvelle de sa mort s'est répandue, et de nombreux prétendants se pressent autour de Pénélope, la reine; ils veulent sa main pour avoir la couronne. Télémaque, cependant, va entreprendre un périlleux voyage à la recherche de son père. Minerve, la déesse de la sagesse et protectrice d'Ulysse, accompagnera Télémaque comme guide et comme conseiller; dans ce but, elle a revêtu la forme mortelle de Mentor, un vieux et dévoué serviteur de la maison d'Ulysse. Ils parcourent des pays très divers dans leurs organisations politiques, dans leurs coutumes, dans leur religion; cela procure à Mentor l'occasion de donner à son jeune ami, mille enseignements utiles sur l'art de vivre et de gouverner — le Duc de Bourgogne ne devait-il pas se préparer à monter sur le trône de France ? A la fin de ces aventures (qui ont conduit Télémaque jusqu'aux enfers), ils rentrent à Ithaque où Ulysse les a précédés. Minerve, après avoir donné ses suprêmes recommandations à Télémaque s'élève dans les airs et disparaît.

On trouve dans le *Télémaque* beaucoup de ces traits qui étaient une critique très claire du gouvernement absolutiste de Louis XIV, de sa trop grande disposition à faire la guerre, de son amour du grand luxe et des coûteux palais, et qui indisposèrent le roi contre Fénelon.

Il y a deux chapitres fort importants, celui de la Bétique, qui oppose la description de « l'âge d'or » à l'âge de luxe de Louis XIV (Livre VII), et celui de Salente où Fénelon montre que même un état victime des dangers d'une civilisation excessive peut être réformé (Livres X, XI, XVII). Le *Télémaque* fut publié pour la première fois en 1699, à l'insu de Fénelon.

Voir la note à Boileau, *Art poëtique*, Chant III, sur le style mythologique.

I. LA BÉTIQUE

(extrait du livre VII)

[Mentor et Télémaque s'étaient enfuis de l'Ile où Calypso avait essayé, par ses charmes féminins, de retenir le fils d'Ulysse, en se précipitant dans la mer. Adoam, capitaine d'un vaisseau phénicien, les avait recueillis et leur fait la description du pays idéal, où règne encore sur cette terre l'Age d'or. L'imagination de Fénelon choisit, pour y placer ce pays idéal, la Bétique au Sud-Ouest de l'Espagne (aujourd'hui la province de Grenade), au climat doux et fertile, arrosé par le fleuve Bétis (aujourd'hui le Guadalquivir).]

Cependant Télémaque dit à Adoam:

« Je me souviens que vous m'avez parlé d'un voyage que vous fîtes dans la Bétique depuis que nous fûmes partis d'Égypte. La Bétique est un pays dont on raconte tant de merveilles, qu'à peine peut-on les croire. 5
Daignez m'apprendre si tout ce qu'on en dit est vrai. — Je serai bien aise, dit Adoam, de vous dépeindre ce fameux pays, digne de votre curiosité, et qui surpasse tout ce que la renommée en publie. »

Aussitôt il commença ainsi: 10

« Le fleuve Bétis coule dans un pays fertile, et sous un ciel doux, qui est toujours serein. Le pays a pris le nom de ce fleuve, qui se jette dans le grand Océan, assez près des colonnes d'Hercule,[1] et de cet endroit où la mer furieuse, rompant ses digues, sépara autrefois la terre de 15
Tarsis [2] d'avec la grande Afrique. Ce pays semble avoir conservé les délices de l'âge d'or. Les hivers y sont tièdes, et les rigoureux aquilons n'y soufflent jamais. L'ardeur de l'été y est toujours tempérée par des zéphirs rafraîchissants, qui viennent adoucir l'air vers le milieu du jour. 20
Ainsi toute l'année n'est qu'un heureux hymen du printemps et de l'automne, qui semblent se donner la main. La terre, dans les vallons et dans es campagnes unies, y porte chaque année une double moisson. Les chemins y sont bordés de lauriers, de grenadiers, de jasmins, et 25
d'autres arbres toujours verts et toujours fleuris. Les montagnes sont couvertes de troupeaux qui fournissent des laines fines recherchées de toutes les nations connues.

[1] Les montagnes escarpées qui se dressent des deux côtés du Détroit de Gibraltar. Hercule, selon la fable, ouvrit un passage à la mer en séparant les deux montagnes.

[2] L'Espagne.

Il y a plusieurs mines d'or et d'argent dans ce beau pays: mais les habitants, simples et heureux dans leur simplicité, ne daignent pas seulement compter l'or et l'argent parmi leurs richesses; ils n'estiment que ce qui sert véritablement aux besoins de l'homme.

« Quand nous avons commencé à faire notre commerce chez ces peuples, nous avons trouvé l'or et l'argent parmi eux employés aux mêmes usages que le fer; par exemple, pour des socs de charrue. Comme ils ne faisaient aucun commerce au dehors, ils n'avaient besoin d'aucune monnaie. Ils sont presque tous bergers ou laboureurs. On voit en ce pays peu d'artisans: car ils ne veulent souffrir que les arts qui servent aux véritables nécessités des hommes; encore même la plupart des hommes en ce pays, étant adonnés à l'agriculture ou à la conduite des troupeaux, ne laissent pas d'exercer les arts nécessaires à leur vie simple et frugale.

« Les femmes filent cette belle laine, et en font des étoffes fines d'une merveilleuse blancheur: elles font le pain, apprêtent à manger, et ce travail leur est facile, car on vit en ce pays de fruits ou de lait, et rarement de viande. Elles emploient le cuir de leurs moutons à faire une légère chaussure pour elles, pour leurs maris, et pour leurs enfants; elles font des tentes, dont les unes sont de peaux cirées, et les autres d'écorces d'arbres; elles font et lavent tous les habits de la famille et tiennent leurs meubles dans une propreté admirable. Leurs habits sont aisés à faire: car, en ce doux climat, on ne porte qu'une pièce d'étoffe fine et légère, qui n'est point taillée, et que chacun met à longs plis autour de son corps pour la modestie, lui donnant la forme qu'il veut.

« Les hommes n'ont d'autres arts à exercer, outre la

culture des terres et la conduite des troupeaux, que l'art de mettre le bois et le fer en œuvre; encore même ne se servent-ils guère du fer, excepté pour les instruments nécessaires au labourage. Tous les arts qui regardent l'architecture leur sont inutiles; car ils ne bâtissent jamais 5 de maisons. C'est, disent-ils, s'attacher trop à la terre, que de s'y faire une demeure qui dure beaucoup plus que nous; il suffit de se défendre des injures de l'air. Pour tous les autres arts estimés chez les Grecs, chez les Égyptiens, et chez tous les autres peuples bien policés, ils les détestent, 10 comme des inventions de la vanité et de la mollesse.

« Quand on leur parle des peuples qui ont l'art de faire des bâtiments superbes, des meubles d'or et d'argent, des étoffes ornées de broderies et de pierres précieuses, des parfums exquis, des mets délicieux, des instruments dont 15 l'harmonie charme, ils répondent en ces termes: Ces peuples sont bien malheureux d'avoir employé tant de travail et d'industrie à se corrompre eux-mêmes! Ce superflu amollit, enivre, tourmente ceux qui le possèdent; il tente ceux qui en sont privés de vouloir l'acquérir par 20 l'injustice et par la violence. Peut-on nommer bien un superflu qui ne sert qu'à rendre les hommes mauvais? Les hommes de ces pays sont-ils plus sains et plus robustes que nous? vivent-ils plus longtemps? sont-ils plus unis entre eux? mènent-ils une vie plus libre, plus tran- 25 quille, plus gaie? Au contraire, ils doivent être jaloux les uns des autres, rongés par une lâche et noire envie, toujours agités par l'ambition, par la crainte, par l'avarice, incapables des plaisirs purs et simples, puisqu'ils sont esclaves de tant de fausses nécessités dont ils font 30 dépendre tout leur bonheur. C'est ainsi, continuait Adoam, que parlent ces hommes sages, qui n'ont appris

la sagesse qu'en étudiant la simple nature. Ils ont horreur de notre politesse; et il faut avouer que la leur est grande dans leur aimable simplicité. Ils vivent tous ensemble, sans partager les terres; chaque famille est gou-
5 vernée par son chef, qui en est le véritable roi. Le père de famille est en droit de punir chacun de ses enfants ou petits-enfants qui fait une mauvaise action; mais, avant que de le punir, il prend les avis du reste de la famille. Ces punitions n'arrivent presque jamais; car l'innocence
10 des mœurs, la bonne foi, l'obéissance et l'horreur du vice, habitent dans cette heureuse terre. Il semble qu'Astrée,[1] qu'on dit retirée dans le ciel, est encore ici-bas cachée parmi ces hommes. Il ne faut point de juge parmi eux, car leur propre conscience les juge. Tous les biens sont
15 communs: les fruits des arbres, les légumes de la terre, les troupeaux sont des richesses si abondantes, que des peuples si sobres et si modérés n'ont pas besoin de les partager. Chaque famille, errante dans ce beau pays, transporte ses tentes d'un lieu en un autre, quand elle a
20 consumé les fruits et épuisé les pâturages de l'endroit où elle s'était mise. Ainsi ils n'ont point d'intérêts à soutenir les uns contre les autres, et ils s'aiment tous d'un amour fraternel que rien ne trouble. C'est le retranchement des vaines richesses et des plaisirs trompeurs qui
25 leur conserve cette paix, cette union et cette liberté. Ils sont tous libres et tous égaux.

« On ne voit parmi eux aucune distinction que celle qui vient de l'expérience des sages vieillards ou de la sagesse extraordinaire de quelques jeunes hommes qui égalent

[1] Fille de Jupiter et de Thémis, déesse de la Justice, qui habitait la terre pendant l'âge d'or; puis les crimes de l'âge de fer l'ayant remplie d'horreur, elle s'était enfuie au ciel.

les vieillards consommés en vertu. La fraude, la violence, le parjure, les procès, les guerres ne font jamais entendre leur voix cruelle et empestée dans ce pays chéri des dieux. Jamais le sang humain n'a rougi cette terre; à peine y voit-on couler celui des agneaux. Quand on 5 parle à ces peuples des batailles sanglantes, des rapides conquêtes, des renversements d'États qu'on voit dans les autres nations, ils ne peuvent assez s'étonner. Quoi! disent-ils, les hommes ne sont-ils pas assez mortels, sans se donner encore les uns aux autres une mort précipitée? 10 La vie est si courte! et il semble qu'elle leur paraisse trop longue! sont-ils sur la terre pour se déchirer les uns les autres pour se rendre mutuellement malheureux?

« Au reste, ces peuples de la Bétique ne peuvent comprendre qu'on admire tant les conquérants qui subju- 15 guent les grands empires. Quelle folie, disent-ils, de mettre son bonheur à gouverner les autres hommes, dont le gouvernement donne tant de peine, si on veut les gouverner avec raison et suivant la justice! Mais pourquoi prendre plaisir à les gouverner malgré eux? C'est tout ce qu'un 20 homme sage peut faire que de s'assujettir à gouverner un peuple docile dont les dieux l'ont chargé, ou un peuple qui le prie d'être comme son père et son pasteur. Mais gouverner les peuples contre leur volonté, c'est se rendre très misérable, pour avoir le faux honneur de les tenir 25 dans l'esclavage. Un conquérant est un homme que les dieux, irrités contre le genre humain, ont donné à la terre dans leur colère pour ravager les royaumes, pour répandre partout l'effroi, la misère, le désespoir, et pour faire autant d'esclaves qu'il y a d'hommes libres. Un 30 homme qui cherche la gloire ne la trouve-t-il pas assez en conduisant avec sagesse ce que les dieux ont mis dans ses mains ? Croit-il ne pouvoir mériter des louanges qu'en devenant violent, injuste, hautain, usurpateur et tyrannique sur tous ses voisins ? Il ne faut jamais songer à la guerre que pour défendre sa liberté. Heureux celui qui, 5 n'étant point esclave d'autrui, n'a point la folle ambition de faire d'autrui son esclave ! Ces grands conquérants, qu'on nous dépeint avec tant de gloire, ressemblent à ces fleuves débordés qui paraissent majestueux, mais qui ravagent toutes les fertiles campagnes qu'ils devaient 10 seulement arroser. »

Après qu'Adoam eut fait cette peinture de la Bétique, Télémaque, charmé, lui fit diverses questions curieuses.

« Ces peuples, lui dit-il, boivent-ils du vin ? — Ils n'ont garde d'en boire, reprit Adoam, car ils n'ont jamais voulu 15 en faire. Ce n'est pas qu'ils manquent de raisins, aucune terre n'en porte de plus délicieux; mais ils se contentent de manger le raisin comme les autres fruits, et ils craignent le vin comme le corrupteur des hommes. « C'est une espèce de poison, disent-ils, qui met en fureur; il ne 20 fait pas mourir l'homme, mais il le rend bête. Les hommes peuvent conserver leur santé et leurs forces sans vin: avec le vin, ils courent risque de ruiner leur santé et de perdre les bonnes mœurs » . . .

2. LES ADIEUX DE MENTOR A TÉLÉMAQUE

[Les pages suivantes sont les dernières du *Télémaque*. L'éducation du jeune héros est terminée; il va enfin faire voile pour Ithaque, où l'a précédé Ulysse, son père. C'est alors que Minerve, qui avait pris pour l'accompagner dans ses voyages, la forme de Mentor, se fait reconnaître et lui adresse ses adieux.]

Dans le moment où Télémaque allait avec ardeur presser les matelots pour hâter le départ,[1] Mentor l'arrêta tout à coup, et l'engagea à faire sur le rivage un grand sacrifice à Minerve. Télémaque fait avec docilité ce que Mentor veut. On dresse deux autels de gazon; 5 l'encens fume, le sang des victimes coule. Télémaque pousse des soupirs tendres vers le ciel, et reconnaît la puissante protection de la déesse.

A peine le sacrifice est-il achevé qu'il suit Mentor dans les routes sombres d'un petit bois voisin. Là il aperçoit 10 tout à coup que le visage de son ami prend une nouvelle forme; les rides de son front s'effacent, comme les ombres disparaissent quand l'Aurore, de ses doigts de rose, ouvre les portes de l'orient et enflamme tout l'horizon; ses yeux creux et austères se changent en des yeux bleus d'une 15 douceur céleste et pleins d'une flamme divine; sa barbe grise et négligée disparaît; des traits nobles et fiers, mêlés de douceur et de grâce, se montrent aux yeux de Télémaque ébloui. Il reconnaît un visage de femme, avec un teint plus uni qu'une fleur tendre et nouvellement 20 éclose au soleil: on y voit la blancheur des lis mêlée de roses naissantes. Sur ce visage fleurit une éternelle jeunesse avec une majesté simple et négligée: une odeur d'ambroisie se répand de ses cheveux flottants; ses habits éclatent comme les vives couleurs dont le soleil en se 25 levant peint les sombres voûtes du ciel et les nuages qu'il vient dorer. Cette divinité ne touche pas du pied à terre; elle coule légèrement dans l'air comme un oiseau le fend de ses ailes: elle tient de sa puissante main une lance

[1] Le manque de vent avait obligé Télémaque et Mentor à s'arrêter dans une « petite île déserte et sauvage, bordée de rochers affreux. » La prochaine étape allait être Ithaque.

brillante capable de faire trembler les villes et les nations les plus guerrières; Mars même en serait effrayé: sa voix est douce et modérée, mais forte et insinuante; toutes ses paroles sont des traits de feu qui percent le
5 cœur de Télémaque, et qui lui font ressentir je ne sais quelle douleur délicieuse; sur son casque paraît l'oiseau triste d'Athènes, et sur sa poitrine brille la redoutable égide. A ces marques Télémaque reconnaît Minerve.

« O déesse, dit-il, c'est donc vous-même qui avez daigné
10 conduire le fils d'Ulysse pour l'amour de son père ! » . . . Il voulait en dire davantage, mais la voix lui manqua; ses lèvres s'efforçaient en vain d'exprimer les pensées qui sortaient avec impétuosité du fond de son cœur; la divinité présente l'accablait, et il était comme un homme
15 qui dans un songe est oppressé jusqu'à perdre la respiration, et qui, par l'agitation pénible de ses lèvres, ne peut former aucune voix.

Enfin Minerve prononça ces paroles: « Fils d'Ulysse, écoutez-moi pour la dernière fois. Je n'ai instruit aucun
20 mortel avec autant de soin que vous; je vous ai mené par la main au travers des naufrages, des terres inconnues, des guerres sanglantes et de tous les maux qui peuvent éprouver le cœur de l'homme.

« Je vous ai montré par des expériences sensibles les
25 vraies et les fausses maximes par lesquelles on peut régner. Vos fautes ne vous ont pas été moins utiles que vos malheurs: car quel est l'homme qui peut gouverner sagement s'il n'a jamais souffert, et s'il n'a jamais profité des souffrances où ses fautes l'ont précipité ?

30 « Vous avez rempli, comme votre père, les terres et les mers de vos tristes aventures. Allez, vous êtes maintenant digne de marcher sur ses pas. Il ne vous reste plus

qu'un court et facile trajet jusqu'à Ithaque, où il arrive dans ce moment: combattez avec lui, et obéissez-lui comme le moindre de ses sujets; donnez-en l'exemple aux autres. Il vous donnera pour épouse Antiope, et vous serez heureux avec elle, pour avoir moins cherché la 5 beauté que la sagesse et la vertu.

« Lorsque vous règnerez, mettez toute votre gloire à renouveler l'âge d'or; écoutez tout le monde, croyez peu de gens: gardez-vous bien de vous croire trop vous-même, craignez de vous tromper; mais ne craignez jamais de 10 laisser voir aux autres que vous avez été trompé.

« Aimez les peuples; n'oubliez rien pour en être aimé. La crainte est nécessaire quand l'amour manque, mais il la faut toujours employer à regret comme les remèdes violents et les plus dangereux. 15

« Considérez toujours de loin toutes les suites de ce que vous voudrez entreprendre; prévoyez les plus terribles inconvénients, et sachez que le vrai courage consiste à envisager tous les périls, et à les mépriser quand ils deviennent nécessaires. Celui qui ne veut pas les voir n'a 20 pas assez de courage pour en supporter tranquillement la vue: celui qui les voit tous, qui évite tous ceux qu'on peut éviter, et qui tente les autres sans s'émouvoir, est le seul sage et magnanime.

« Fuyez la mollesse, le faste, la profusion; mettez votre 25 gloire dans la simplicité: que vos vertus et vos bonnes actions soient les ornements de votre personne et de votre palais; qu'elles soient la garde qui vous environne, et que tout le monde apprenne de vous en quoi consiste le vrai honneur. 30

« N'oubliez jamais que les rois ne règnent point pour leur propre gloire, mais pour le bien des peuples. Les biens qu'ils font s'étendent jusque dans les siècles les plus éloignés; les maux qu'ils font se multiplient de génération en génération jusqu'à la postérité la plus reculée. Un mauvais règne fait quelquefois la calamité de plusieurs 5 siècles.

« Surtout, soyez en garde contre votre humeur: c'est un *ennemi* que vous porterez partout avec vous jusqu'à la mort;[1] il entrera dans vos conseils, et vous trahira si vous l'écoutez. L'humeur fait perdre les occasions les 10 plus importantes: elle donne des inclinations et des aversions d'enfant, au préjudice des plus grands intérêts; elle fait décider les plus grandes affaires par les plus petites raisons; elle obscurcit tous les talents, rabaisse le courage, rend un homme inégal, faible, vil et insuppor-15 table. Défiez-vous de cet ennemi.

« Craignez les dieux, ô Télémaque; cette crainte est le plus grand trésor du cœur de l'homme: avec elle vous viendront la sagesse, la justice, la paix, la joie, les plaisirs purs, la vraie liberté, la douce abondance, la gloire sans 20 tache.

« Je vous quitte, ô fils d'Ulysse: mais ma sagesse ne vous quittera point, pourvu que vous sentiez toujours que vous ne pouvez rien sans elle. Il est temps que vous appreniez à marcher tout seul. Je ne me suis séparée de 25 vous en Égypte et à Salente que pour vous accoutumer à être privé de cette douceur, comme on sèvre les enfants lorsqu'il est temps de leur ôter le lait pour leur donner des aliments solides. »

A peine la déesse eut achevé ce discours qu'elle s'éleva 30 dans les airs, et s'enveloppa d'un nuage d'or et azur, où elle disparut. Télémaque, soupirant, étonné et hors de

[1] Le Duc de Bourgogne était d'un caractère très emporté.

lui-même, se prosterna à terre, levant les mains au ciel; puis il alla éveiller ses compagnons, se hâta de partir, arriva à Ithaque, et reconnut son père chez le fidèle Eumée.[1]

3. Dialogues des morts, 1700–1712

LE CONNÉTABLE DE BOURBON ET BAYARD

[Charles de Bourbon, de la famille royale des Bourbons, né en 1489, reçut le titre de Connétable — le plus grand titre militaire de France, c.-à-d. général des armées du roi (supprimé par Louis XIII en 1627) — à l'âge de 26 ans. Sa bravoure à la bataille de Marignan, où il commandait l'avant-garde (13 et 14 sept. 1515) est surtout restée fameuse. Madame, Louise de Savoie, duchesse d'Angoulème, mère de François I°, lui offrit sa main, qu'il refusa. Elle n'oublia pas cet affront, le fit dépouiller de ses richesses, et excita l'animosité du roi son fils contre lui. Cette persécution irrita le Connétable qui mit son bras au service de Charles-Quint, l'ennemi de la France; il contribua beaucoup à la victoire de Charles sur François, à Pavie (1525). Plus tard, du reste, lorsqu'il n'eut plus besoin de ses services, Charles-Quint se montra ingrat envers le Connétable. Celui-ci finit par mourir au siège de Rome en 1527, en montant à l'assaut de la ville.

Pierre du Terrail, Seigneur de Bayard, né en 1476, surnommé « le chevalier sans peur et sans reproche», se signala par son héroïsme splendide et ses vertus chevaleresques sous Charles VIII, Louis XII, et François I°. Celui-ci voulut être armé chevalier par lui sur le champ de bataille de Marignan. Bayard fut blessé grièvement à Biagrasso, luttant pour couvrir contre Bourbon la retraite de l'armée française, compromise par l'imprudence de Bonnivet, un favori de François I°.

La scène du *Dialogue* est sur le champ de bataille où Bourbon vient d'apercevoir Bayard blessé et qui va mourir.

Les *Dialogues* ont été écrits aussi à l'intention du Duc de Bourgogne.]

---

[1] Le gardien des troupeaux d'Ulysse. Son nom est synonyme de serviteur dévoué. C'est sous son toit déjà qu'était descendu Ulysse en abordant à Ithaque après ses longues pérégrinations sur les mers; et ce fut lui qui aida son maître à se défaire des insolents prétendants de Pénélope.

Le Connétable. — N'est-ce point le pauvre Bayard que je vois, au pied de cet arbre, étendu sur l'herbe, et percé d'un grand coup ? Oui, c'est lui-même. Hélas ! je le plains. En voilà deux qui périssent aujourd'hui par nos 5 armes, Vandenesse[1] et lui. Ces deux Français étaient deux ornements de leur nation par leur courage. Je sens que mon cœur est encore touché pour sa patrie. Mais avançons pour lui parler. Ah ! mon pauvre Bayard, c'est avec douleur que je te vois en cet état.

10 *Bayard.* — C'est avec douleur que je vous vois aussi.

Le Connétable. — Je comprends bien que tu es fâché de te voir dans mes mains par le sort de la guerre. Mais je ne veux point te traiter en prisonnier; je te veux garder comme un bon ami, et prendre soin de ta guérison comme 15 si tu étais mon propre frère: ainsi tu ne dois point être fâché de me voir.

Bayard. — Hé ! croyez-vous que je ne suis point fâché d'avoir obligation au plus grand ennemi de la France ? Ce n'est point de ma captivité ni de ma blessure dont je 20 suis en peine. Je meurs: dans un moment, la mort va me délivrer de vos mains.

Le Connétable. — Non, mon cher Bayard, j'espère que nos soins réussiront à te guérir.

Bayard. — Ce n'est point là ce que je cherche, et je 25 suis content de mourir.

Le Connétable. — Qu'as-tu donc ? Est-ce que tu ne saurais te consoler d'avoir été vaincu et fait prisonnier dans la retraite de Bonnivet ? Ce n'est pas ta faute; c'est la sienne: les armes sont journalières.[2] Ta gloire est assez

[1] Jean de Chabannes, seigneur de Vandenesse, mort comme son ami Bayard, sur le champ de bataille de Biagrasso (1524).

[2] archaïque dans ce sens: variables selon les *jours*.

bien établie par tant de belles actions. Les Impériaux[1] ne pourront jamais oublier cette vigoureuse défense de Mézières[2] contre eux.

Bayard. — Pour moi, je ne puis jamais oublier que vous êtes ce grand connétable, ce prince du plus noble sang qu'il y ait dans le monde, et qui travaille à déchirer de ses propres mains sa patrie et le royaume de ses ancêtres. 5

Le Connêtable. — Quoi ! Bayard, je te loue, et tu me condamnes ! je te plains, et tu m'insultes !

Bayard. — Si vous me plaignez, je vous plains aussi; et je vous trouve bien plus à plaindre que moi. Je sors de la vie sans tache; j'ai sacrifié la mienne à mon devoir; je meurs pour mon pays, pour mon roi, estimé des ennemis de la France, et regretté de tous les bons Français. Mon état est digne d'envie. 10 15

Le Connêtable. — Et moi je suis victorieux d'un ennemi qui m'a outragé; je me venge de lui; je le chasse du Milanais;[3] je fais sentir à toute la France combien elle est malheureuse de m'avoir perdu en me poussant à bout: appelles-tu cela être à plaindre ? 20

Bayard. — Oui: on est toujours à plaindre quand on agit contre son devoir: il vaut mieux périr en combattant pour la patrie, que la vaincre et triompher d'elle. Ah ! quelle horrible gloire que celle de détruire son propre pays ! 25

Le Connêtable. — Mais ma patrie a été ingrate après tant de services que je lui avais rendus. Madame m'a fait traiter indignement par un dépit d'amour. Le roi,

[1] Soldats de l'empereur Charles-Quint.

[2] Sur la Meuse, dans les Ardennes. Bayard y fit une défense héroïque contre les Impériaux (1521).

[3] Longtemps objet de dispute entre François I° et Charles-Quint; il finit par rester à ce dernier.

par faiblesse pour elle, m'a fait une injustice énorme en me dépouillant de mon bien. On a détaché de moi jusqu'à mes domestiques, Matignon et d'Argonges. J'ai été contraint, pour sauver ma vie, de m'enfuir presque seul: 5 que voulais-tu que je fisse ?

Bayard. — Que vous souffrissiez toutes sortes de maux, plutôt que de manquer à la France et à la grandeur de votre maison. Si la persécution était trop violente, vous pouviez vous retirer; mais il valait mieux être pauvre, 10 obscur, inutile à tout, que de prendre les armes contre nous. Votre gloire eût été au comble dans la pauvreté et dans le plus misérable exil.

Le Connétable. — Mais ne vois-tu pas que la vengeance s'est jointe à l'ambition pour me jeter dans cette extré- 15 mité ? J'ai voulu que le roi se repentît de m'avoir traité si mal.

Bayard. — Il fallait l'en faire repentir par une patience à toute épreuve, qui n'est pas moins la vertu d'un héros que le courage.

20 *Le Connétable.* — Mais le roi étant si injuste et si aveuglé par sa mère, méritait-il que j'eusse de si grands égards pour lui ?

Bayard. — Si le roi ne le méritait pas, la France entière le méritait. La dignité même de la couronne, dont vous 25 êtes un des héritiers, le méritait. Vous vous deviez à vous-même d'épargner la France, dont vous pouviez être un jour roi.

Le Connétable. — Eh bien ! j'ai tort, je l'avoue; mais ne sais-tu pas combien les meilleurs cœurs ont de peine à 30 résister à leur ressentiment ?

Bayard. — Je le sais bien; mais le vrai courage consiste à y résister. Si vous connaissez votre faute, hâtez-vous de la réparer. Pour moi, je meurs; et je vous trouve plus à plaindre dans vos prospérités, que moi dans mes souffrances. Quand l'empereur ne vous tromperait pas,[1] quand même il vous donnerait sa sœur en mariage, et qu'il partagerait la France avec vous, il n'effacerait point la tache qui déshonore votre vie. Le connétable de Bourbon rebelle ! Ah ! quelle honte ! Écoutez Bayard mourant comme il a vécu, et ne cessant de dire la vérité.

4. Lettre à propos des affaires du Quiétisme, 3 août 1697

(Au Duc de Beauvillier.)

[La doctrine du « Quiétisme », ou du « pur amour », ou de « l'amour désintéressé », par lequel l'homme trouve dans la contemplation intérieure de Dieu une « quiétude » absolue jusqu'à en perdre la conscience de sa propre personnalité et à s'abîmer dans la divinité, qui venue d'Espagne était répandue en France par Mme de la Mothe-Guyon (1648–1717) avait été considérée comme favorisant le sectarisme et avait été condamnée — comme le Protestantisme et le Jansénisme. Fénelon, alors archevêque de Cambrai, avait pris la défense de Mme de la Mothe-Guyon jetée en prison (1695); Bossuet lui avait opposé l'autorité de l'Église; alors à son tour, Fénelon avait soutenu dans son livre sur les *Maximes des saints* (1697) que les idées quiétistes avaient été professées en fait précisément par les Pères de l'Église. Le livre ayant été condamné en France, Fénelon en avait appelé au pape déclarant que, en bon catholique, il accepterait la décision du Saint-Père (1699). Le pape confirma la condamnation; Fénelon se soumit. Cette lettre est écrite avant que le pape ait parlé; Fénelon, absolument mais avec dignité, comme tout le XVIIe siècle, se déclare prêt à s'incliner devant l'autorité.]

Ne soyez pas en peine de moi, Monsieur, l'affaire de mon livre va à Rome. Si je me suis trompé, l'autorité du Saint-Siège me détrompera, et fera ce que je cherche avec un cœur docile et soumis. Si je me suis mal expliqué, on réformera mes expressions. Si la matière paraît mé-

[1] Voir note d'introduction.

riter une explication plus étendue, je la ferai avec joie par les additions que l'on me demandera. Si mon livre n'exprime pas une doctrine pure, j'aurai la consolation de savoir précisément ce qu'on doit croire, et ce qu'on
5 doit rejeter. Je ne laisserai pas de faire toutes les additions qui, sans affaiblir la vérité, pourraient éclaircir et édifier les lecteurs les plus alarmés. Mais enfin, Monsieur, si le pape condamne mon livre, je serai, s'il plaît à Dieu, le premier à le condamner, et à faire des mande-
10 ments pour en défendre la lecture dans le diocèse de Cambrai. Je demanderai seulement au Pape qu'il ait la bonté de marquer précisément les endroits qu'il condamne, et les sens qui portent sa condamnation, afin que ma souscription soit sans restriction, et que je ne coure jamais
15 risque de défendre, ni d'excuser, ni de tolérer le sens déjà condamné. Ainsi, vous le voyez, Monsieur, avec ces dispositions que Dieu me donne, je suis en paix, et n'ai qu'à attendre la décision de mon supérieur, dans lequel je reconnais l'autorité de Jésus-Christ. Je ne défendrai
20 l'amour désintéressé qu'avec un sincère désintéressement. Il ne s'agit point ici du point d'honneur, ni de l'opinion du monde, ni de l'humiliation profonde que la nature peut craindre d'un mauvais succès. J'agis, ce me semble, avec droiture; mes ennemis le reconnaîtront. Je crains
25 autant d'être présomptueux et retenu par une mauvaise honte, que d'être faible, politique et timide dans la défense de la vérité.

Si le pape me condamne, je serai détrompé, et par là le vaincu aura tout le véritable fruit de la victoire. *Vic-*
30 *toria cedet victis*, dit Saint-Augustin. Si au contraire le pape ne condamne pas ma doctrine, je tâcherai par mon silence et par mon respect d'apaiser ceux de mes confrères

dont le zèle s'est animé contre moi et qui m'ont imputé une doctrine dont je n'ai pas moins d'horreur qu'eux et que j'ai toujours détestée.[1] Peut-être me rendront-ils justice quand ils verront ma bonne foi.

Voilà mes sentiments, Monsieur. Je pars pour Cambrai, ayant sacrifié à Dieu, au fond de mon cœur, tout ce que je puis lui sacrifier là-dessus. Souffrez que je vous exhorte dans ce même esprit; je n'ai rien ménagé d'humain et de temporel pour la doctrine que j'ai crue véritable, je ne laisse ignorer au Pape aucune des raisons qui peuvent appuyer cette doctrine. En voilà assez; c'est à Dieu à faire le reste, si c'est sa cause que j'ai défendue, ne regardant point les intérêts des hommes ni leur procédé; c'est Dieu seul qu'il faut voir en tout ceci...

[1] Pour mieux attaquer le Quiétisme, certains avaient prétendu l'identifier avec une doctrine païenne selon laquelle s'abandonner à l'amour, c'était suivre l'appel de la nature et par conséquent honorer Dieu, l'auteur de la nature. Bossuet lui-même avait ajouté foi à certaines rumeurs qui accusaient Mme de Guyon de pratiquer ainsi le « pur amour. »

CHAPITRE X

LES MORALISTES

I. LA ROCHEFOUCAULD

1613–1680

Le Duc François de La Rochefoucauld appartenait à une des premières familles de France. Sa naissance le conduisit à l'armée. Il passa toute la première partie de sa vie à nouer des intrigues politiques, d'abord contre Richelieu et puis contre Mazarin qui tous deux cherchaient à réduire les privilèges de la noblesse — sources constantes de désordre dans le royaume. Les événements de la Fronde finirent par le ruiner et faillirent lui coûter la vue (par un coup de mousquet). Après le retour de la paix, il se retira (1653) dans son château de Verteuil en Poitou, où il écrivit ses *Mémoires* (On y admire entre autres choses un portrait de Richelieu.). A 43 ans, il rentra à Paris; il fréquenta beaucoup le salon de Madame de Sablé; là, on cultivait volontiers un jeu de société, le jeu des « maximes »: les partenaires cherchaient à exprimer d'une façon brève et frappante, quelque observation psychologique ou pensée morale. La Rochefoucauld s'y montrait très habile; rentré chez lui, il travaillait encore ses maximes avec un soin extrême, et finit par les publier, en 1665.

L'esprit de ces célèbres « maximes » est celui d'un homme qui a été désabusé de la vie et refuse de parer de beaux noms des vérités sévères. On dit cependant que sa philosophie aurait été plus amère encore si sa grande amie, Mme de La Fayette (voir plus bas) ne l'eût adoucie parfois. L'épigraphe est bien choisie. La plus célèbre de toutes les maximes est celle du numéro 218.

Consulter: J. Bourdeau, *La Rochefoucauld* (Coll. des Grands écrivains français); G. Grappe, *La Rochefoucauld* (Plon, 1914) E. Magne, *Le vrai visage de La Rochefoucauld*, (Ollendorff, 1923).

1. Maximes, 1665

Nos vertus ne sont le plus souvent
que des vices déguisés

1. Ce que nous prenons pour des vertus n'est souvent qu'un assemblage de diverses actions et de divers intérêts que la fortune ou notre industrie savent arranger; et ce n'est pas toujours par valeur et par chasteté que les hommes sont vaillants et que les femmes sont chastes. 5

16. Cette clémence, dont on fait une vertu, se pratique tantôt par vanité, quelquefois par paresse, souvent par crainte, et presque toujours par toutes les trois ensemble.

17. La modération des personnes heureuses vient du calme que la bonne fortune donne à leur humeur. 10

19. Nous avons tous assez de force pour supporter les maux d'autrui.

20. La constance des sages n'est que l'art de renfermer leur agitation dans le cœur.

22. La philosophie triomphe aisément des maux passés 15 et des maux à venir; mais les maux présents triomphent d'elle.

29. Le mal que nous faisons ne nous attire pas tant de persécution et de haine que nos bonnes qualités.

31. Si nous n'avions point de défauts, nous ne pren- 20 drions pas tant de plaisir à en remarquer dans les autres.

37. L'orgueil a plus de part que la bonté aux remontrances que nous faisons à ceux qui commettent des fautes; et nous ne les reprenons pas tant pour les en corriger, que pour leur persuader que nous en sommes exempts. 25

38. Nous promettons selon nos espérances, et nous tenons selon nos craintes.

42. Nous n'avons pas assez de force pour suivre toute notre raison.

44. La force et la faiblesse de l'esprit sont mal nommées; elles ne sont en effet que la bonne ou la mauvaise 5 disposition des organes du corps.

49. On n'est jamais si heureux ni si malheureux qu'on s'imagine.

54. Le mépris des richesses était dans les philosophes [1] un désir caché de venger leur mérite de l'injustice de la 10 fortune par le mépris des mêmes biens dont elle les privait; c'était un secret pour se garantir de l'avilissement de la pauvreté; c'était un chemin détourné pour aller à la considération qu'ils ne pouvaient avoir par les richesses.

15 62. La sincérité est une ouverture de cœur. On la trouve en fort peu de gens; et celle que l'on voit d'ordinaire n'est qu'une fine dissimulation pour attirer la confiance des autres.

72. Si on juge de l'amour par la plupart de ses effets, 20 il ressemble plus à la haine qu'à l'amitié.

78. L'amour de la justice n'est, en la plupart des hommes, que la crainte de souffrir l'injustice.

84. Il est plus honteux de se défier de ses amis que d'en être trompé.

25 85. Nous nous persuadons souvent d'aimer les gens plus puissants que nous, et néanmoins c'est l'intérêt seul qui produit notre amitié. Nous ne nous donnons pas à eux pour le bien que nous leur voulons faire, mais pour celui que nous en voulons recevoir.

93. Les vieillards aiment à donner de bons préceptes,

[1] Les Stoïciens. Voir la fable de La Fontaine, *Le Renard et les Raisins* (III, 11).

pour se consoler de n'être plus en état de donner de mauvais exemples.

116. Rien n'est moins sincère que la manière de demander et de donner des conseils. Celui qui en demande paraît avoir une déférence respectueuse pour les sentiments de son ami, bien qu'il ne pense qu'à lui faire approuver les siens, et à le rendre garant de sa conduite; et celui qui conseille paye la confiance qu'on lui témoigne d'un zèle ardent et désintéressé, quoiqu'il ne cherche le plus souvent, dans les conseils qu'il donne, que son propre intérêt ou sa gloire.

121. On fait souvent du bien pour pouvoir impunément faire du mal.

138. On aime mieux dire du mal de soi-même que de n'en point parler.

146. On ne loue d'ordinaire que pour être loué.

149. Le refus des louanges est un désir d'être loué deux fois.

169. Pendant que la paresse et la timidité nous retiennent dans notre devoir, notre vertu en a souvent tout l'honneur.

171. Les vertus se perdent dans l'intérêt, comme les fleuves se perdent dans la mer.

178. Ce qui nous fait aimer les nouvelles connaissances n'est pas tant la lassitude que nous avons des vieilles, ou le plaisir de changer, que le dégoût de n'être pas assez admirés de ceux qui nous connaissent trop, et l'espérance de l'être davantage de ceux qui ne nous connaissent pas tant.

184. Nous avouons nos défauts pour réparer par notre sincérité le tort qu'ils nous font dans l'esprit des autres.

196. Nous oublions aisément nos fautes lorsqu'elles ne sont sues que de nous.

200. La vertu n'irait pas si loin si la vanité ne lui tenait compagnie.

204. La sévérité des femmes est un ajustement et un fard qu'elles ajoutent à leur beauté.

5 205. L'honnêteté des femmes est souvent l'amour de leur réputation et de leur repos.

212. La plupart des gens ne jugent des hommes que par la vogue qu'ils ont, ou par leur fortune.

218. L'hypocrisie est un hommage que le vice rend à 10 la vertu.

219. La plupart des hommes s'exposent assez dans la guerre pour sauver leur honneur; mais peu se veulent toujours exposer autant qu'il est nécessaire pour faire réussir le dessein pour lequel ils s'exposent.

15 226. Le trop grand empressement qu'on a de s'acquitter d'une obligation est une espèce d'ingratitude.

227. Les gens heureux ne se corrigent guère, et ils croient toujours avoir raison, quand la fortune soutient leur mauvaise conduite.

20 231. C'est une grande folie de vouloir être sage tout seul.

235. Nous nous consolons aisément des disgrâces de nos amis, lorsqu'elles servent à signaler notre tendresse pour eux.

237. Nul ne mérite d'être loué de bonté s'il n'a pas la 25 force d'être méchant; toute autre bonté n'est le plus souvent qu'une paresse ou une impuissance de la volonté.

245. C'est une grande habileté que de savoir cacher son habileté.

251. Il y a des personnes à qui les défauts siéent bien, 30 et d'autres qui sont disgrâciées avec leurs bonnes qualités.

261. L'éducation que l'on donne d'ordinaire aux jeunes gens est un second amour-propre qu'on leur inspire.

262. Il n'y a point de passion où l'amour de soi-même règne si puissamment que dans l'amour; et on est toujours plus disposé à sacrifier le repos de ce qu'on aime, qu'à perdre le sien.

263. Ce qu'on nomme libéralité n'est le plus souvent que la vanité de donner, que nous aimons mieux que ce que nous donnons. 5

276. L'absence diminue les médiocres passions et augmente les grandes, comme le vent éteint les bougies et allume le feu. 10

279. Quand nous exagérons la tendresse que nos amis ont pour nous, c'est souvent moins par reconnaissance que par le désir de faire juger de notre mérite.

284. Il y a des méchants qui seraient moins dangereux s'ils n'avaient aucune bonté. 15

294. Nous aimons toujours ceux qui nous admirent, et nous n'aimons pas toujours ceux que nous admirons.

298. La reconnaissance de la plupart des hommes n'est qu'une secrète envie de recevoir de plus grands bienfaits. 20

303. Quelque bien qu'on nous dise de nous, on ne nous apprend rien de nouveau.

304. Nous pardonnons souvent à ceux qui nous ennuient, mais nous ne pouvons pardonner à ceux que nous ennuyons. 25

316. Les personnes faibles ne peuvent être sincères.

327. Nous n'avouons de petits défauts que pour persuader que nous n'en avons pas de grands.

329. On croit quelquefois haïr la flatterie, mais on ne hait que la manière de flatter. 30

347. Nous ne trouvons guère de gens de bon sens que ceux qui sont de notre avis.

356. Nous ne louons d'ordinaire de bon cœur que ceux qui nous admirent.

409. Nous aurions souvent honte de nos plus belles actions, si le monde voyait tous les motifs qui les produisent.

428. Nous pardonnons aisément à nos amis les défauts qui ne nous regardent pas.

438. Il y a une certaine reconnaissance vive, qui ne nous acquitte pas seulement des bienfaits que nous avons reçus, mais qui fait même que nos amis nous doivent, en leur payant ce que nous leur devons.

462. Le même orgueil qui nous fait blâmer les défauts dont nous nous croyons exempts, nous porte à mépriser les bonnes qualités que nous n'avons pas.

479. Il n'y a que les personnes qui ont de la fermeté qui puissent avoir une véritable douceur; celles qui paraissent douces n'ont d'ordinaire que de la faiblesse, qui se convertit aisément en aigreur.

483. On est d'ordinaire plus médisant par vanité que par malice.

489. Quelque méchants que soient les hommes, ils n'oseraient paraître ennemis de la vertu, et lorsqu'ils la veulent persécuter ils feignent de croire qu'elle est fausse, ou ils lui supposent des crimes.

2. Portrait de M. de la Rochefoucauld fait par lui-même, 1659

Je suis d'une taille médiocre, libre et bien proportionnée. J'ai le teint brun, mais assez uni, le front élevé et d'une raisonnable grandeur, les yeux noirs, petits et enfoncés, et les sourcils noirs et épais, mais bien tournés. Je serais fort empêché de dire de quelle sorte j'ai le nez tait; car il n'est ni camus, ni aquilin, ni gros, ni pointu, au moins à ce que je crois: tout ce que je sais, c'est qu'il est plutôt grand que petit, et qu'il descend un peu trop bas. J'ai la bouche grande, et les lèvres assez rouges d'ordinaire, et ni bien ni mal taillées. J'ai les dents blanches et passablement bien rangées. On m'a dit autrefois que j'avais un peu trop de menton: je viens de me regarder dans le miroir pour savoir ce qui en est, et je ne sais pas trop bien qu'en juger. Pour le tour du visage je l'ai ou carré ou en ovale; lequel des deux, il me serait fort difficile de le dire. J'ai les cheveux noirs, naturellement frisés, et avec cela assez épais et assez longs pour pouvoir prétendre en belle tête.

J'ai quelque chose de chagrin et de fier dans la mine; cela fait croire à la plupart des gens que je suis méprisant, quoique je ne le sois point du tout. J'ai l'action fort aisée, et même un peu trop, et jusqu'à faire beaucoup de gestes en parlant . . .

Premièrement, pour parler de mon humeur, je suis mélancolique, et je le suis à un point que, depuis trois ou quatre ans, à peine m'a-t-on vu rire trois ou quatre fois. . . . J'ai de l'esprit, et je ne fais point difficulté de le dire; car à quoi bon façonner là-dessus? Tant biaiser et tant apporter d'adoucissement pour dire les avantages que l'on a, c'est, ce me semble, cacher un peu de vanité sous une modestie apparente, et se servir d'une manière bien adroite pour faire croire de soi beaucoup plus de bien que l'on n'en dit . . .

La conversation des honnêtes gens est un des plaisirs qui me touchent le plus. J'aime qu'elle soit sérieuse, et que la morale en fasse la plus grande partie. Cependant, je sais la goûter aussi, lorsqu'elle est enjouée; et si je ne dis pas beaucoup de petites choses pour rire, ce n'est pas du moins que je ne connaisse pas ce que valent les bagatelles bien dites, et que je ne trouve fort divertissante cette manière de badiner, où il y a certains esprits prompts 5 et aisés qui réussissent si bien. J'écris bien en prose, je fais bien en vers; et, si j'étais sensible à la gloire qui vient de ce côté-là, je pense qu'avec peu de travail je pourrais m'acquérir assez de réputation . . .

Je juge assez bien des ouvrages de vers et de prose que 10 l'on me montre; mais j'en dis peut-être mon sentiment avec un peu trop de liberté. Ce qu'il y a encore de mal en moi, c'est que j'ai quelquefois une délicatesse trop scrupuleuse et une critique trop sévère . . .

J'ai les sentiments vertueux, les inclinations belles, et 15 une si forte envie d'être tout à fait honnête homme, que mes amis ne me sauraient faire un plus grand plaisir que de m'avertir sincèrement de mes défauts . . .

J'ai toutes les passions assez douces et assez réglées: on ne m'a presque jamais vu en colère, et je n'ai jamais eu 20 de haine pour personne. Je ne suis pas pourtant incapable de me venger, si l'on m'avait offensé et qu'il y allât de mon honneur à me ressentir de l'injure qu'on m'aurait faite. Au contraire, je suis assuré que le devoir ferait si bien en moi l'office de la haine, que je poursui- 25 vrais ma vengeance avec encore plus de vigueur qu'un autre.

L'ambition ne me travaille point. Je ne crains guère de choses, et ne crains aucunement la mort. Je suis peu sensible à la pitié, et voudrais ne l'y être point du tout. 30 Cependant, il n'est rien que je ne fisse pour le soulagement d'une personne affligée; et je crois effectivement que l'on doit tout faire, jusqu'à lui témoigner même beaucoup de compassion de son mal, car les misérables sont si sots, que cela leur fait le plus grand bien du monde; mais je tiens aussi qu'il faut se contenter d'en témoigner et se garder soigneusement d'en avoir. C'est une passion qui n'est bonne à rien au dedans d'une âme bien faite, qui ne 5 sert qu'à affaiblir le cœur, et qu'on doit laisser au peuple, qui, n'exécutant jamais rien par la raison, a besoin de passions pour le porter à faire les choses.

J'aime mes amis; et je les aime d'une façon que je ne balancerais pas un moment à sacrifier mes intérêts aux 10 leurs. J'ai de la condescendance pour eux, je souffre patiemment leurs mauvaises humeurs; seulement je ne leur fais pas beaucoup de caresses, et je n'ai pas non plus de grandes inquiétudes en leur absence.

J'ai naturellement fort peu de curiosité pour la plus 15 grande partie de tout ce qui en donne aux autres gens. Je suis fort secret, et j'ai moins de difficulté que personne à taire ce qu'on m'a dit en confidence. Je suis extrêmement régulier à ma parole; je n'y manque jamais, de quelque conséquence que puisse être ce que 20 j'ai promis, et je m'en suis fait toute ma vie une loi indispensable. J'ai une civilité fort exacte parmi les femmes; et je ne crois pas avoir jamais rien dit devant elles qui leur ait pu faire de la peine. Quand elles ont l'esprit bien fait, j'aime mieux leur conversation que celle 25 des hommes: on y trouve une certaine douceur qui ne se rencontre point parmi nous; et il me semble, outre cela, qu'elles s'expliquent avec plus de netteté, et qu'elles donnent un tour plus agréable aux choses qu'elles disent . . . 30

J'approuve extrêmement les belles passions; elles marquent la grandeur de l'âme; et quoique, dans les inquié-

tudes qu'elles donnent, il y ait quelque chose de contraire à la sévère sagesse, elles s'accommodent si bien d'ailleurs avec la plus austère vertu, que je crois qu'on ne les saurait condamner avec justice. Moi qui connais tout ce
5 qu'il y a de délicat et de fort dans les grands sentiments de l'amour, si jamais je viens à aimer, ce sera assurément de cette sorte, mais, de la façon dont je suis, je ne crois pas que cette connaissance que j'ai me passe jamais de l'esprit au cœur.

II. LA BRUYÈRE

1645–1696

Jean de La Bruyère naquit à Paris. Il fut de 1666 à 1675 avocat au Parlement de Paris; puis jusqu'en 1687, trésorier des finances à Caen — où il ne résida pas cependant. C'est pourquoi il put en 1684, sur la recommandation de Bossuet se charger d'enseigner au petit-fils du Prince de Condé, le Duc de Bourbon, l'histoire et la philosophie. Il ne s'entendit guère avec le jeune seigneur, et la conséquence fut qu'il traça dans son livre un portrait peu flatteur des enfants. Quand cette éducation fut terminée, il resta chez Condé, au château de Chantilly, en qualité de gentilhomme attaché au Duc d'Enghien, fils du Prince. C'est ainsi qu'il put observer de près la cour et étudier cette société à laquelle il emprunta les matériaux pour son ouvrage *Les Caractères.* Un philosophe grec Théophraste, avait laissé un certain nombre de portraits ou ‹ caractères. › La Bruyère les traduisit assez librement, et surtout en ajouta d'autres de sa propre plume. Le succès fut comme on l'a dit ‹ bruyant. › On mettait des noms sous les personnages décrits; on écrivit des « clefs » dont la plus célèbre est celle conservée à la Bibliothèque de l'Arsenal, à Paris (1693).

Les « Maximes » de La Rochefoucauld (1665) se rapportent à l'homme en général, tandis que les « caractères » de La Bruyère, tout en prétendant être généraux, visent fort souvent très particulièrement les hommes de son temps. Il y a là les éléments d'une satire qui prépare la réaction du XVIII° siècle contre le XVII°.

Consulter: P. Morillot, *La Bruyère* (Coll. des Grands écrivains français); E. Magne, *La Bruyère* (Plon, 1914).

Les caractères ou les mœurs de ce siècle

(Ire éd. 1688, 9e éd. 1696)[1]

Extraits

Admonere voluimus, non mordere; prodesse, non laedere; consulere moribus hominum, non officere.
(ÉRASME)

PRÉFACE

Je rends au public ce qu'il m'a prêté; j'ai emprunté de lui la matière de cet ouvrage: il est juste que l'ayant achevé avec toute l'attention pour la vérité dont je suis capable, et qu'il mérite de moi, je lui en fasse la restitution. Il peut regarder avec loisir ce portrait que j'ai fait de lui d'après nature, et s'il se connaît quelques-uns des défauts que je touche, s'en corriger. C'est l'unique fin que l'on doit se proposer en écrivant, et le succès aussi que l'on doit moins se promettre; mais comme les hommes ne se dégoûtent point du vice, il ne faut pas aussi se lasser de le leur reprocher: ils seraient peut-être pires, s'ils venaient à manquer de censeurs ou de critiques; c'est ce qui fait que l'on prêche et que l'on écrit . . . Il y a une autre règle et que j'ai intérêt que l'on veuille suivre, qui est de ne

[1] La Bruyère, prévoyant les attaques, procéda avec prudence. Il publia d'abord sous ce titre: *Les caractères de Théophraste traduits du grec, avec les caractères ou les mœurs de ce siècle.* Il y eut trois éditions cette première année. La 4me édition, 1690, La Bruyère s'enhardit, imprima les caractères de Théophraste en petites lettres, son texte à lui en grosses lettres, et au lieu de 420 pages il y en donna maintenant 764. La 5me édition a cent nouveaux ‹caractères›; la 6me, (en 1691) 77, — entre autres celui d'Onuphre, l'hypocrite religieux; et Théophraste n'en a plus alors que 54, sur 587; la 7me édition (1692) a 77 nouveaux caractères; la 8me (1694) 42 nouveaux caractères; la 9me est posthume (1696) (cf. Morillot, *ouvrage cité*).

pas perdre mon titre de vue, et de penser toujours et dans toute la lecture de cet ouvrage, que ce sont les caractères ou les mœurs de ce siècle que je décris; car bien que je les tire souvent de la cour de France et des hommes de 5 ma nation, on ne peut pas néanmoins les restreindre à une seule cour, ni les renfermer en un seul pays sans que mon livre ne perde beaucoup de sa portée et de son utilité, ni ne s'écarte du plan que je me suis fait d'y peindre les hommes en général, comme des raisons qui entrent 10 dans l'ordre des chapitres et dans une certaine suite insensible des réflexions qui les composent. Après cette précaution si nécessaire, et dont on pénètre assez les conséquences, je crois pouvoir protester contre tout chagrin. toute plainte, toute maligne interprétation, toute fausse 15 application et toute censure, contre les froids plaisants et les lecteurs malintentionnés... Ce ne sont point des maximes que j'ai voulu écrire; elles sont comme des lois dans la morale, et j'avoue que je n'ai ni assez d'autorité ni assez de génie pour faire le législateur; je sais même 20 que j'aurais péché contre l'usage des maximes, qui veut qu'à la manière des oracles elles soient courtes et concises. Quelques-unes de ces remarques le sont, quelques autres sont plus étendues: on pense les choses d'une manière différente, et on les explique par un tour aussi tout dif-25 férent, par une sentence, par un raisonnement, par une métaphore ou quelque autre figure, par un parallèle, par une simple comparaison, par un fait tout entier, par un seul trait, par une description, par une peinture: de là procède la longueur ou la brièveté de mes réflexions. 30 Ceux enfin qui font des maximes veulent être crus: je consens, au contraire, que l'on dise de moi que je n'ai pas quelquefois bien remarqué, pourvu que l'on remarque mieux.

DES OUVRAGES DE L'ESPRIT.

[La Bruyère reprend ici, à sa manière, la « Querelle des Anciens et des Modernes » (Voir Chapitre IV). Il expose la théorie suivante: Le beau est absolu, c'est à dire que ce qui est beau l'est pour tout le monde, en tous lieux et en tous temps; donc on peut discuter si une œuvre est belle ou non. Le beau absolu a été atteint par les Grecs de l'antiquité, tandis que tout l'art médiéval ou « gothique » est un recul et un art « barbare ». Cette manière de voir est, d'ailleurs, celle du XVII° siècle ou siècle classique, comme nous l'avons déjà vu chez Boileau, et que le Romantisme reniera; le premier, Chateaubriand, dans le *Génie du Christianisme* (1802) annihilait cette idée si surprenante pour nous que l'art des cathédrales, l'art de la *Chanson de Roland*, de *Tristan et Iseut*, etc. est « barbarie ».

Les Français du XVII° siècle, continue La Bruyère, sont revenus à l'aspiration au beau absolu des Anciens; mais ils ne pourront jamais dépassser ceux-ci; ils n'ont pas même atteint à leur perfection. La Bruyère fait une distinction entre ouvrages beaux mais qui ont cependant des défauts, et ouvrages sans défauts c'est à dire qui ont la perfection de ceux des Anciens. Un exemple des premiers est *Le Cid* de Corneille, « un des plus beaux poèmes que l'on puisse faire »; MAIS « l'une des meilleures critiques qui ait été faite sur aucun sujet est celle du *Cid* » (Il s'agit de cette critique du *Cid* faite par L'Académie Française, dont il a été question plus haut, et où l'on déclarait que cette pièce violait les règles d'une tragédie parfaite). Un autre exemple est celui de Molière dont les pièces sont magnifiques mais non sans défauts. Quant à Térence, il est Latin et pas Grec, et s'il n'a pas les défauts de Molière, il lui manque la chaleur: le Grec Aristophane avait toute beauté *et* la perfection.]

1. Tout est dit, et l'on vient trop tard depuis plus de sept mille ans qu'il y a des hommes, et qu'ils pensent. Sur ce qui concerne les mœurs, le plus beau et le meilleur est enlevé; l'on ne fait que glaner après les anciens et les habiles d'entre les modernes. 5

10. Il y a dans l'art un point de perfection, comme de bonté ou de maturité dans la nature. Celui qui le sent et qui l'aime a le goût parfait; celui qui ne le sent pas, et qui aime en deçà ou au delà, a le goût défectueux. Il y a

donc un bon et un mauvais goût, et l'on dispute des goûts avec fondement.

14. Tout l'esprit d'un auteur consiste à bien définir et à bien peindre. Moïse, Homère, Platon, Virgile, Horace, ne sont au-dessus des autres écrivains que par leurs expressions et par leurs images: il faut exprimer le vrai pour écrire naturellement, fortement, délicatement.

15. On a dû faire du style ce qu'on a fait de l'architecture. On a entièrement abandonné l'ordre gothique, que la barbarie avait introduit pour les palais et pour les temples; on a rappelé le dorique, l'ionique et le corinthien; ce qu'on ne voyait plus que dans les ruines de l'ancienne Rome et de la vieille Grèce, devenu moderne, éclate dans nos portiques et dans nos péristyles. De même on ne saurait en écrivant rencontrer le parfait et, s'il se peut, surpasser les anciens que par leur imitation.

Combien de siècles se sont écoulés avant que les hommes, dans les sciences et dans les arts, aient pu revenir au goût des anciens et reprendre enfin le simple et le naturel !

On se nourrit des anciens et des habiles modernes; on les presse, on en tire le plus que l'on peut, on en renfle ses ouvrages: et quand enfin l'on est auteur, et que l'on croit marcher tout seul, on s'élève contre eux, on les maltraite, semblable à ces enfants drus et forts d'un bon lait qu'ils ont sucé, qui battent leur nourrice.

Un auteur moderne prouve ordinairement que les anciens nous sont inférieurs en deux manières, par raison et par exemple: il tire la raison de son goût particulier, et l'exemple de ses ouvrages.

Il avoue que les anciens, quelque inégaux et peu corrects qu'ils soient, ont de beaux traits; il les cite, et ils sont si beaux qu'ils font lire sa critique.

Quelques habiles prononcent en faveur des anciens contre les modernes; mais ils sont suspects et semblent juger en leur propre cause, tant leurs ouvrages sont faits sur le goût de l'antiquité: on les récuse.

30. Quelle prodigieuse distance entre un bel ouvrage et un ouvrage parfait ou régulier ! Je ne sais s'il s'en est encore trouvé de ce dernier genre. Il est peut-être moins difficile aux rares génies de rencontrer le grand et le sublime, que d'éviter toute sorte de fautes. Le *Cid* n'a eu qu'une voix pour lui à sa naissance, qui a été celle de l'admiration; il s'est vu plus fort que l'autorité et la politique qui ont tenté vainement de le détruire; il a réuni en sa faveur des esprits toujours partagés d'opinions et de sentiments, les grands et le peuple; ils s'accordent tous à le savoir de mémoire, et à prévenir au théâtre les acteurs qui le récitent. Le *Cid* enfin est l'un des plus beaux poèmes que l'on puisse faire; et l'une des meilleures critiques qui ait été faite sur aucun sujet est celle du *Cid*.

38. Il n'a manqué à Térence que d'être moins froid: quelle pureté, quelle exactitude, quelle politesse, quelle élégance, quels caractères ! Il n'a manqué à Molière que d'éviter le jargon et le barbarisme, et d'écrire purement: quel feu, quelle naïveté, quelle source de la bonne plaisanterie, quelle imitation des mœurs, quelles images, et quel fléau de ridicule ! Mais quel homme on aurait pu faire de ces deux comiques !

DU MÉRITE PERSONNEL

1. Qui peut, avec les plus rares talents et le plus excellent mérite, n'être pas convaincu de son inutilité, quand il considère qu'il laisse en mourant un monde qui ne se sent pas de sa perte et où tant de gens se trouvent pour le remplacer ?

2. De bien des gens il n'y a que le nom qui vale quelque chose. Quand vous les voyez de fort près, c'est moins que rien; de loin ils imposent.

21. S'il est heureux d'avoir de la naissance, il ne l'est
5 pas moins d'être tel qu'on ne s'informe plus si vous en avez.

27. L'or éclate, dites-vous, sur les habits de *Philémon.* Il éclate de même chez les marchands. — Il est habillé des plus belles étoffes. — Le sont-elles moins toutes dé-
10 ployées dans les boutiques et à la pièce? — Mais la broderie et les ornements y ajoutent encore la magnificence. — Je loue donc le travail de l'ouvrier. — Si on lui demande quelle heure il est, il tire une montre qui est un chef-d'œuvre; la garde de son épée est un onyx; il a au
15 doigt un gros diamant qu'il fait briller aux yeux, et qui est parfait; il ne lui manque aucune de ces curieuses bagatelles que l'on porte sur soi autant pour la vanité que pour l'usage, et il ne se plaint [1] non plus de toute sorte de parure qu'un jeune homme qui a épousé une riche vieille.
20 — Vous m'inspirez enfin de la curiosité; il faut voir du moins des choses si précieuses: envoyez-moi cet habit et ces bijoux de Philémon, je vous tiens quitte de la personne.

Tu te trompes, Philémon, si avec ce carrosse brillant, ce grand nombre de coquins qui te suivent, et ces six
25 bêtes qui te traînent, tu penses que l'on t'en estime davantage: l'on écarte tout cet attirail, qui t'est étranger, pour pénétrer jusques à toi, qui n'es qu'un fat.

Ce n'est pas qu'il faut quelquefois [2] pardonner à celui qui, avec un grand cortège, un habit riche et un magni-
30 fique équipage, s'en croit plus de naissance et plus d'es-

[1] *se plaindre = se priver* (rare, même au XVIIe siècle).
[2] = Ce n'est pas dire qu'il ne faut point quelquefois . . .

prit: il lit cela dans la contenance et dans les yeux de ceux qui lui parlent.

32. *Æmile*[1] était né ce que les plus grands hommes ne deviennent qu'à force de règles, de méditation et d'exercice. Il n'a eu dans ses premières années qu'à remplir des talents qui étaient naturels et qu'à se livrer à son génie. Il a fait, il a agi, avant que de savoir, ou plutôt il a su ce qu'il n'avait jamais appris. Dirai-je que les jeux de son enfance ont été plusieurs victoires? Une vie accompagnée d'un extrême bonheur joint à une longue expérience serait illustre par les seules actions qu'il avait achevées dès sa jeunesse. Toutes les occasions de vaincre qui se sont depuis offertes, il les a embrassées; et celles qui n'étaient pas, sa vertu et son étoile les ont fait naître: admirable même et par les choses qu'il a faites, et par celles qu'il aurait pu faire. On l'a regardé comme un homme incapable de céder à l'ennemi, de plier sous le nombre ou sous les obstacles; comme une âme du premier ordre, pleine de ressources et de lumières, et qui voyait encore où personne ne voyait plus; comme celui qui, à la tête des légions, était pour elles un présage de la victoire, et qui valait seul plusieurs légions; qui était grand dans la prospérité, plus grand quand la fortune lui a été contraire (la levée d'un siège,[2] une retraite, l'ont plus ennobli que ses triomphes; l'on ne met qu'après les batailles gagnées et les villes prises); qui était rempli de gloire et de modestie: on lui a entendu dire: *Je fuyais*, avec la même grâce qu'il disait: *Nous les battîmes;* un homme dévoué à l'État, à sa famille, au chef de sa famille[3]; sincère

[1] Condé, chez la famille duquel La Bruyère passa les 12 dernières années de sa vie.

[2] Lérida, en Espagne. Voir introduction à l'Oraison funèbre de Condé, par Bossuet. [3] Louis XIV.

pour Dieu et pour les hommes; autant admirateur du mérite que s'il lui eût été moins propre et moins familier; un homme vrai, simple, magnanime, à qui il n'a manqué que les moindres vertus.

5 38. Je connais *Mopse*[1] d'une visite qu'il m'a rendue sans me connaître. Il prie des gens qu'il ne connaît point de le mener chez d'autres dont il n'est pas connu; il écrit à des femmes qu'il connaît de vue; il s'insinue dans un cercle de personnes respectables, et qui ne savent quel il est, et
10 là, sans attendre qu'on l'interroge, ni sans sentir qu'il interrompt, il parle, et souvent, et ridiculement. Il entre une autre fois dans une assemblée, se place où il se trouve, sans nulle attention aux autres ni à soi-même; on l'ôte d'une place destinée à un ministre, il s'assied à celle du
15 duc et pair; il est là précisément celui dont la multitude rit, et qui seul est grave et ne rit point. Chassez un chien du fauteuil du roi, il grimpe à la chaire du prédicateur; il regarde le monde indifféremment, sans embarras, sans pudeur; il n'a pas, non plus que le sot, de quoi rougir.

DE LA SOCIÉTÉ ET DE LA CONVERSATION

20 2. C'est le rôle d'un sot d'être importun: un homme habile sent s'il convient ou s'il ennuie; il sait disparaître le moment qui précède celui où il serait de trop quelque part.

3. L'on marche sur les mauvais plaisants, et il pleut
25 par tout pays de cette sorte d'insectes. Un bon plaisant est une pièce rare; à un homme qui est né tel, il est encore fort délicat d'en soutenir longtemps le personnage: il n'est pas ordinaire que celui qui fait rire se fasse estimer.

[1] D'après les Clefs, l'abbé de Saint-Pierre, auteur de la *Polysynodie* et du *Projet de paix perpétuelle* (1658–1743).

9. *Arrias*[1] a tout lu, a tout vu, il veut le persuader ainsi; c'est un homme universel, et il se donne pour tel; il aime mieux mentir que de se taire ou de paraître ignorer quelque chose. On parle à la table d'un grand d'une cour du Nord: il prend la parole, et l'ôte à ceux qui allaient dire ce qu'ils en savent; il s'oriente dans cette région lointaine comme s'il en était originaire; il discourt des mœurs de cette cour, des femmes du pays, de ses lois et de ses coutumes; il récite des historiettes qui y sont arrivées; il les trouve plaisantes, et il en rit le premier jusqu'à éclater. Quelqu'un se hasarde de le contredire, et lui prouve nettement qu'il dit des choses qui ne sont pas vraies. Arrias ne se trouble point, prend feu au contraire contre l'interrupteur: « Je n'avance, lui dit-il, je ne raconte rien que je ne sache d'original; je l'ai appris de *Sethon*, ambassadeur de France dans cette cour, revenu à Paris depuis quelques jours, que je connais familièrement, que j'ai fort interrogé, et qui ne m'a caché aucune circonstance. » Il reprenait le fil de sa narration avec plus de confiance qu'il ne l'avait commencée, lorsque l'un des conviés lui dit: « C'est Sethon à qui vous parlez, lui-même, et qui arrive de son ambassade. »

12. J'entends *Théodecte*[2] de l'antichambre; il grossit sa voix à mesure qu'il s'approche. Le voilà entré: il rit, il crie, il éclate; on bouche ses oreilles, c'est un tonnerre. Il n'est pas moins redoutable par les choses qu'il dit que par le ton dont il parle. Il ne s'apaise, et il ne revient de ce grand fracas que pour bredouiller des vanités et des sottises. Il a si peu d'égard au temps, aux personnes, aux

[1] D'après les Clefs le héros de cette mésaventure serait Robert de Chatillon, fils d'un procureur au tribunal du Châtelet.

[2] Les Clefs suggèrent le comte d'Aubigné, frère de Mme de Maintenon (douteux).

bienséances, que chacun a son fait sans qu'il ait eu intention de le lui donner; il n'est pas encore assis qu'il a, à son insu, désobligé toute l'assemblée. A-t-on servi, il se met le premier à table, et dans la première place; les femmes sont à sa droite et à sa gauche. Il mange, il boit, il conte, il plaisante, il interrompt tout à la fois. Il n'a nul discernement des personnes, ni du maître, ni des conviés; il abuse de la folle déférence qu'on a pour lui. Est-ce lui, est-ce *Eutidème* qui donne le repas ? Il rappelle à soi toute l'autorité de la table, et il y a un moindre inconvénient à la lui laisser entière qu'à la lui disputer. Le vin et les viandes n'ajoutent rien à son caractère. Si l'on joue, il gagne au jeu; il veut railler celui qui perd, et il l'offense; les rieurs sont pour lui; il n'y a sorte de fatuités qu'on ne lui passe. Je cède enfin et je disparais, incapable de souffrir plus longtemps Théodecte et ceux qui le souffrent.

16. L'esprit de la conversation consiste bien moins à en montrer beaucoup qu'à en faire trouver aux autres: celui qui sort de votre entretien content de soi et de son esprit l'est de vous parfaitement. Les hommes n'aiment point à vous admirer, ils veulent plaire; ils cherchent moins à être instruits, et même réjouis, qu'à être goûtés et applaudis; et le plaisir le plus délicat est de faire celui d'autrui.

41. Dans la société, c'est la raison qui plie la première. Les plus sages sont souvent menés par le plus fou et le plus bizarre: l'on étudie son faible, son humeur, ses caprices; l'on s'y accommode; l'on évite de le heurter; tout le monde lui cède. La moindre sérénité qui paraît sur son visage lui attire des éloges; on lui tient compte de n'être pas toujours insupportable. Il est craint, ménagé, obéi, quelquefois aimé.

65. L'on a vu, il n'y a pas longtemps, un cercle de per-

sonnes [1] des deux sexes, liées ensemble par la conversation et par un commerce d'esprit. Ils laissaient au vulgaire l'art de parler d'une manière intelligible; une chose dite entre eux peu clairement en entraînait une autre encore plus obscure, sur laquelle on enchérissait par de vraies énigmes, toujours suivies de longs applaudissements: par tout ce qu'ils appelaient délicatesse, sentiments, tour et finesse d'expression, ils étaient enfin parvenus à n'être plus entendus et à ne s'entendre pas eux-mêmes. Il ne fallait, pour fournir à ces entretiens, ni bon sens, ni jugement, ni mémoire, ni la moindre capacité; il fallait de l'esprit, non pas du meilleur, mais de celui qui est faux, et où l'imagination a trop de part.

68. Il a régné pendant quelque temps une sorte de conversation fade et puérile, qui roulait toute sur des questions frivoles qui avaient relation au cœur et à ce qu'on appelle passion ou tendresse. La lecture de quelques romans les avait introduites parmi les plus honnêtes gens [2] de la ville et de la cour; ils s'en sont défaits, et la bourgeoisie les a reçues avec les pointes et les équivoques.

74. *Hermagoras* ne sait pas qui est roi de Hongrie; [3] il s'étonne de n'entendre faire aucune mention du roi de Bohême; [4] ne lui parlez pas des guerres de Flandre et de Hollande; [5] dispensez-le du moins de vous répondre: il

[1] Evidemment l'Hôtel de Rambouillet.

[2] « honnête » au XVIIe siècle ne se rapportait pas tant à une qualité morale qu'à la culture intellectuelle.

[3] Il n'y eut plus de roi depuis 1526. Pendant un siècle et demi l'Autriche et la Turquie se disputèrent ce pays; en 1688 enfin il fut réuni définitivement à la couronne d'Autriche.

[4] La Bohême n'avait pas eu de roi depuis 1526 et avait passé sous la souveraineté de l'Autriche en 1545.

[5] Guerre de la France contre les Pays Bas espagnols en Flandre (1668–1669) et contre la Hollande (1672–1678).

confond les temps, il ignore quand elles ont commencé, quand elles ont fini; combats, sièges, tout lui est nouveau. Mais il est instruit de la guerre des Géants,[1] il en raconte le progrès et les moindres détails, rien ne lui est échappé; 5 il débrouille de même l'horrible chaos des deux empires, le Babylonien et l'Assyrien; il connaît à fond les Égyptiens et leurs dynasties. Il n'a jamais vu Versailles, il ne le verra point: il a presque vu la tour de Babel; il en compte les degrés; il sait combien d'architectes ont pré-10 sidé à cet ouvrage; il sait le nom des architectes. Dirai-je qu'il croit Henri IV fils de Henri III ? [2] Il néglige du moins de rien connaître aux maisons de France, d'Autriche et de Bavière: « Quelles minuties ! » dit-il, pendant qu'il récite de mémoire toute une liste des rois des Mèdes ou de Baby-15 lone, et que les noms d'*Apronal*, d'*Hérigebal*, de *Noesnemordach*, de *Mardokempad*, lui sont aussi familiers qu'à nous ceux de Valois et de Bourbon. Il demande si l'Empereur [3] a jamais été marié; mais personne ne lui apprendra que Ninus [4] a eu deux femmes. On lui dit que le Roi jouit 20 d'une santé parfaite, et il se souvient que Thetmosis, un roi d'Égypte, était valétudinaire, et qu'il tenait cette complexion de son aïeul Alipharmutosis. Que ne sait-il point ? Quelle chose lui est cachée de la vénérable anti-

[1] Les guerres fabuleuses des Cyclopes contre Jupiter.

[2] Henri III, dernier roi de la maison des Valois (1574–1589), n'avait pas d'enfant. Après les guerres de religion, le fils d'Antoine de Bourbon, Henri, roi de Navarre et chef du parti protestant, devint roi de France sous le nom de Henri IV (1589–1610) après avoir abjuré le protestantisme. Il inaugura le règne des Bourbons.

[3] L'empereur Léopold I° d'Allemagne (1658–1705) avait eu trois femmes.

[4] Le fondateur de Ninive (2000 av. J.-C.) le second mari de Sémiramis qui l'assassina et devint reine d'Assyrie. A son tour elle fut assassinée par son fils Ninyas.

quité ? Il vous dira que Sémiramis, ou selon quelques-uns, Sérimaris, parlait comme son fils Ninyas, qu'on ne les distinguait pas à la parole: si c'était parce que la mère avait une voix mâle comme son fils, ou le fils une voix efféminée comme sa mère, qu'il n'ose pas le décider. Il 5 vous révèlera que Nembrod[1] était gaucher, et Sésostris[2] ambidextre; que c'est une erreur de s'imaginer qu'un Artaxerxe[3] ait été appelé Longuemain parce que les bras lui tombaient jusqu'aux genoux, et non à cause qu'il avait une main plus longue que l'autre; et il ajoute qu'il y a 10 des auteurs graves qui affirment que c'était la droite, qu'il croit néanmoins être bien fondé à soutenir que c'est la gauche.

DES BIENS DE FORTUNE

7. Si le financier manque son coup, les courtisans disent de lui: « C'est un bourgeois, un homme de rien, un 15 malotru »; s'il réussit, ils lui demandent sa fille.

18. *Champagne*,[4] au sortir d'un long dîner qui lui enfle l'estomac, et dans les douces fumées d'un vin d'Avenay ou de Sillery,[5] signe un ordre qu'on lui présente, qui ôterait le pain à toute une province, si l'on n'y remédiait. 20 Il est excusable: quel moyen de comprendre, dans la première heure de la digestion, qu'on puisse quelque part mourir de faim ?

78. Ni les troubles, *Zénobie*,[6] qui agitent votre empire,

[1] Fondateur de Babylone. [2] Roi d'Égypte. [3] Roi de Perse.

[4] Champagne = peut-être le financier Monnerot, homme de naissance obscure, ami des bons repas.

[5] Deux marques de vin de Champagne.

[6] La célèbre reine de Palmyre (IIIe siècle), qui eut à soutenir une guerre de cinq ans contre les Romains après la mort de son époux et qui fut vaincue. Les ruines de Palmyre venaient d'être découvertes en 1691, et La Bruyère écrivit ce Caractère en 1694.

ni la guerre que vous soutenez virilement contre une nation puissante depuis la mort du roi votre époux, ne diminuent rien de votre magnificence. Vous avez préféré à toute autre contrée les rives de l'Euphrate pour y
5 élever un superbe édifice: l'air y est sain et tempéré, la situation en est riante: un bois sacré l'ombrage du côté du couchant. Les dieux de Syrie, qui habitent quelquefois la terre, n'y auraient pu choisir une plus belle demeure. La campagne autour est couverte d'hommes qui taillent
10 et qui coupent, qui vont et qui viennent, qui roulent ou qui charrient le bois du Liban, l'airain et le porphyre; les grues et les machines gémissent dans l'air, et font espérer à ceux qui voyagent vers l'Arabie de revoir à leur retour en leurs foyers ce palais achevé, et dans cette splendeur
15 où vous désirez de le porter avant de l'habiter, vous et les princes vos enfants. N'y épargnez rien, grande reine; employez-y l'or et tout l'art des plus excellents ouvriers; que les Phidias et les Zeuxis de votre siècle déploient toute leur science sur vos plafonds et sur vos lambris;
20 tracez-y de vastes et délicieux jardins, dont l'enchantement soit tel qu'ils ne paraissent pas faits de la main des hommes; épuisez vos trésors et votre industrie sur cet ouvrage incomparable; et après que vous y aurez mis, Zénobie, la dernière main, quelqu'un de ces pâtres qui
25 habitent les sables voisins de Palmyre, devenu riche par les péages de vos rivières, achètera un jour à deniers comptants cette royale maison, pour l'embellir et la rendre plus digne de lui et de sa fortune.[1]

[1] La Bruyère a certainement dans l'idée plusieurs faits contemporains, par exemple, D'Hervart avait acheté et remis à neuf somptueusement le bel hôtel du duc d'Épernon. Et ces faits-là allaient se multiplier au XVIIIe siècle. En 1698 déjà le château de Rambouillet (où était mort François I[o]) fut acheté par Fleuriau D'Armenon-

83. *Giton*[1] a le teint frais, le visage plein et les joues pendantes, l'œil fixe et assuré, les épaules larges, l'estomac haut, la démarche ferme et délibérée. Il parle avec confiance; il fait répéter celui qui l'entretient, et il ne goûte que médiocrement tout ce qu'il lui dit. Il déploie un 5 ample mouchoir, et se mouche avec grand bruit; il crache fort loin, et il éternue fort haut. Il dort le jour, il dort la nuit, et profondément: il ronfle en compagnie. Il occupe à table et à la promenade plus de place qu'un autre; il tient le milieu en se promenant avec ses égaux; il s'arrête, et l'on 10 s'arrête; il continue de marcher, et l'on marche; tous se règlent sur lui. Il interrompt, il redresse ceux qui ont la parole; on ne l'interrompt pas, on l'écoute aussi longtemps qu'il veut parler; on est de son avis, on croit les nouvelles qu'il débite. S'il s'assied, vous le voyez s'enfoncer dans 15 un fauteuil, croiser les jambes l'une sur l'autre, froncer le sourcil, abaisser son chapeau sur ses yeux pour ne voir personne, ou le relever ensuite et découvrir son front par fierté et par audace. Il est enjoué, grand rieur, impatient, présomptueux, colère, libertin,[2] politique, mystérieux sur 20 les affaires du temps; il se croit des talents et de l'esprit. Il est riche.

Phédon a les yeux creux, le teint échauffé, le corps sec et le visage maigre: il dort peu, et d'un sommeil fort léger; il est abstrait, rêveur, et il a avec de l'esprit l'air 25 d'un stupide; il oublie de dire ce qu'il sait, ou de parler

---

ville et « restauré »; l'un des plus célèbres de ces parvenus est Dupin qui s'était élevé au rang de fermier général, avait acquis le château de Chenonceaux et avait dépensé à sa reconstruction des sommes énormes.

[1] Les Clefs donnent Barbizieux, fils de l'opulent Louvois, comme l'original du riche.

[2] Libertin, au XVIIe siècle, = libre penseur.

d'évènements qui lui sont connus; et s'il le fait quelquefois, il s'en tire mal; il croit peser à ceux à qui il parle; il conte brièvement, mais froidement; il ne se fait pas écouter, il ne fait point rire: il applaudit, il sourit à ce que les autres
5 lui disent, il est de leur avis; il court, il vole pour leur rendre de petits services; il est complaisant, flatteur, empressé; il est mystérieux sur ses affaires, quelquefois menteur; il est superstitieux, scrupuleux, timide; il marche doucement et légèrement, il semble craindre de fouler la
10 terre; il marche les yeux baissés, et il n'ose les lever sur ceux qui passent. Il n'est jamais du nombre de ceux qui forment un cercle pour discourir; il se met derrière celui qui parle, recueille furtivement ce qui se dit, et il se retire si on le regarde. Il n'occupe point de lieu, il ne tient point
15 de place; il va les épaules serrées, le chapeau abaissé sur ses yeux pour n'être point vu; il se replie et se renferme dans son manteau: il n'y a point de rues ni de galeries si embarrassées et si remplies de monde, où il ne trouve moyen de passer sans effort, et de se couler sans être aperçu. Si on le
20 prie de s'asseoir, il se met à peine sur le bord d'un siège; il parle bas dans la conversation, et il articule mal; libre néanmoins avec ses amis sur les affaires publiques, chagrin contre le siècle, médiocrement apprécié des ministres et du ministère. Il n'ouvre la bouche que pour répondre;
25 il tousse, il se mouche sous son chapeau; il crache presque sur soi, et il attend qu'il soit seul pour éternuer, ou, si cela lui arrive, c'est à l'insu de la compagnie; il n'en coûte à personne ni salut ni compliment. Il est pauvre.

DE LA COUR

10. La cour est comme un édifice bâti de marbre: je
30 veux dire qu'elle est composée d'hommes fort durs, mais fort polis.

14. L'air de cour est contagieux: il se prend à Versailles, comme l'accent normand à Rouen ou à Falaise; on l'entrevoit en des fourriers, en de petits contrôleurs, en des chefs de fruiterie; l'on peut, avec une portée d'esprit fort médiocre, y faire de grands progrès. Un homme d'un génie élevé et d'un mérite solide ne fait pas assez de cas de cette espèce de talent pour faire son capital de l'étudier et se le rendre propre; il l'acquiert sans réflexion, et il ne pense point à s'en défaire.

17. Vous voyez des gens qui entrent sans saluer que légèrement, qui marchent des épaules, et qui se rengorgent comme une femme: ils vous interrogent sans vous regarder; ils parlent d'un ton élevé, et qui marque qu'ils se sentent au-dessus de ceux qui se trouvent présents; ils s'arrêtent, et on les entoure; ils ont la parole, président au cercle, et persistent dans cette hauteur ridicule et contrefaite, jusqu'à ce qu'il survienne un grand, qui, la faisant tomber tout d'un coup par sa présence, les réduise à leur naturel, qui est moins mauvais.

DES GRANDS

25. Si je compare ensemble les deux conditions des hommes les plus opposées, je veux dire les grands avec le peuple, ce dernier me paraît content du nécessaire, et les autres sont inquiets et pauvres avec le superflu. Un homme du peuple ne saurait faire aucun mal; un grand ne veut faire aucun bien et est capable de grands maux. L'un ne se forme et ne s'exerce que dans les choses qui sont utiles; l'autre y joint les pernicieuses. Là se montrent ingénument la grossièreté et la franchise; ici se cache une sève maligne et corrompue sous l'écorce de la politesse. Le peuple n'a guère d'esprit, et les grands n'ont

point d'âme: celui-là a un bon fond et n'a point de dehors; ceux-ci n'ont que des dehors et qu'une simple superficie. Faut-il opter ? Je ne balance pas: je veux être peuple.

DE L'HOMME

50. Les enfants[1] sont hautains, dédaigneux, colères,
5 envieux, curieux, intéressés, paresseux, volages, timides, intempérants, menteurs, dissimulés; ils rient et pleurent facilement: ils ont des joies immodérées et des afflictions amères sur de très petits sujets; ils ne veulent point souffrir de mal, et aiment à en faire: ils sont déjà des hommes.
10 51. Les enfants n'ont ni passé ni avenir, et, ce qui ne nous arrive guère, ils jouissent du présent.

57. Les enfants commencent entre eux par l'état populaire: chacun y est le maître; et ce qui est bien naturel, ils ne s'en accommodent pas longtemps, et passent au
15 monarchique. Quelqu'un se distingue, ou par une plus grande vivacité, ou par une meilleure disposition du corps, ou par une connaissance plus exacte des jeux différents et des petites lois qui les composent; les autres lui défèrent, et il se forme alors un gouvernement absolu qui ne roule
20 que sur le plaisir.

128. L'on voit certains animaux farouches,[2] des mâles et des femelles, répandus par la campagne, noirs, livides et tout brûlés du soleil, attachés à la terre qu'ils fouillent et qu'ils remuent avec une opiniâtreté invincible; ils ont
25 comme une voix articulée, et quand ils se lèvent sur leurs

[1] La sévérité de La Bruyère pour les enfants s'explique par ce fait qu'il ne connut jamais de près qu'*un* enfant, le difficile et très volontaire duc de Bourbon, petit-fils du Grand Condé, dont il avait été le précepteur.

[2] A propos de ce passage connu de La Bruyère et qui en fait un précurseur de la Révolution, rappelons dans les termes de Richelieu,

pieds, ils montrent une face humaine; et en effet ils sont des hommes. Ils se retirent la nuit dans des tanières, où ils vivent de pain noir, d'eau et de racines; ils épargnent aux autres hommes la peine de semer, de labourer et de recueillir pour vivre, et méritent ainsi de ne pas manquer 5 de ce pain qu'ils ont semé.

DE LA MODE

2. ... Le fleuriste a un jardin dans un faubourg; il y court au lever du soleil, et il en revient à son coucher. Vous le voyez planté, et qui a pris racine au milieu de ses tulipes et devant la *Solitaire:* il ouvre de grands yeux, il 10 frotte ses mains, il se baisse, il la voit de plus près, il ne l'a jamais vue si belle, il a le cœur épanoui de joie: il la quitte pour l'*Orientale;* de là, il va à la *Veuve;* il passe au *Drap d'or;* de celle-ci à l'*Agathe*, d'où il revient enfin à la *Solitaire*, où il se fixe, où il se lasse, où il s'assied, où il 15 oublie de dîner: aussi est-elle nuancée, bordée, huilée, à pièces emportées; elle a un beau vase ou un beau calice; il la contemple, il l'admire. Dieu et la nature sont en tout cela ce qu'il n'admire point; il ne va pas plus loin que l'oignon de sa tulipe, qu'il ne livrerait pas pour mille écus, 20 et qu'il donnera pour rien quand les tulipes seront négligées et que les œillets auront prévalu. Cet homme rai-

---

la doctrine sociale alors acceptée: « Il les (paysans) faut comparer aux mulets qui, étant accoutumés à la charge, se gâtent par un long repos. » Et voici un rapport adressé à Louis XIV en 1687 (l'année avant la publication des Caractères) sur la condition des paysans de son royaume: « Les paysans vivent de pain fait avec du blé noir; d'autres qui n'ont pas même de blé noir, vivent de racines de fougère bouillies avec de la farine d'orge ou d'avoine et du sel. On les trouve couchés sur la paille; point d'habits que ceux qu'ils portent, point de meubles, point de provisions pour la vie. »

sonnable qui a une âme, qui a un culte et une religion, revient chez soi fatigué, affamé, mais fort content de sa journée; il a vu des tulipes.[1]

Parlez à cet autre de la richesse des moissons, d'une 5 ample récolte, d'une bonne vendange: il est curieux de fruits; vous n'articulez pas, vous ne vous faites pas entendre. Parlez-lui de figues et de melons, dites que les poiriers rompent de fruit cette année, que les pêchers ont donné avec abondance: c'est pour lui une idiome inconnu; 10 il s'attache aux seuls pruniers: il ne vous répond pas. Ne l'entretenez pas même de vos pruniers: il n'a de l'amour que pour une certaine espèce, toute autre que vous lui nommez le fait sourire et se moquer. Il vous mène à l'arbre, cueille artistement cette prune exquise; 15 il l'ouvre, vous en donne une moitié et prend l'autre: « Quelle chair ! dit-il; goûtez-vous cela ? cela est-il divin ? voilà ce que vous ne trouverez pas ailleurs ! » Et là-dessus ses narines s'enflent, il cache avec peine sa joie et sa vanité par quelques dehors de modestie. O l'homme 20 divin, en effet ! homme qu'on ne peut jamais assez louer et admirer ! homme dont il sera parlé dans plusieurs siècles ! que je voie sa taille et son visage pendant qu'il vit; que j'observe les traits et la contenance d'un homme qui seul entre les mortels possède une telle prune !

. . . .

[1] Ici encore La Bruyère est extrêmement actuel; « Il y a eu en ce siècle, écrit Furetière en 1690, une étrange manie des curieux pour les tulipes; ils ont estimé leur beau carreau de tulipes des quinze ou vingt mille francs. » On cite un amateur qui avait donné pour toute dot à sa fille un oignon de tulipe, un autre qui vendit trois mille livres un seul oignon. — La littérature a depuis tiré parti de cette mode. Citons la *Tulipe noire* d' A. Dumas, la comédie de M. Jacques Normand, *L'Amiral*, et en Angleterre en 1914, *The Laughing Cavalier*, par la Baroness Orczy.

Diphile commence par un oiseau et finit par mille: sa maison n'en est pas égayée, mais empestée. La cour, la salle, l'escalier, le vestibule, les chambres, le cabinet, tout est volière. Ce n'est plus un ramage, c'est un vacarme; les vents d'automne et les eaux dans leurs plus grandes 5 crues ne font pas un bruit si perçant et si aigu; on ne s'entend non plus parler les uns les autres que dans ces chambres où il faut attendre, pour faire le compliment d'entrée, que les petits chiens aient aboyé. Ce n'est plus pour Diphile un agréable amusement, c'est une affaire labo- 10 rieuse, et à laquelle à peine il peut suffire. Il passe les jours, ces jours qui échappent et qui ne reviennent plus, à verser du grain et à nettoyer des ordures. Il donne pension à un homme qui n'a point d'autre ministère que de siffler des serins au flageolet et de faire couver des 15 *Canaries*. Il est vrai que ce qu'il dépense d'un côté, il l'épargne de l'autre, car ses enfants sont sans maîtres et sans éducation. Il se renferme le soir, fatigué de son propre plaisir, sans pouvoir jouir du moindre repos que ses oiseaux ne reposent, et que ce petit peuple, qu'il n'aime 20 que parce qu'il chante, ne cesse de chanter. Il retrouve ses oiseaux dans son sommeil: lui-même il est oiseau, il est huppé, il gazouille, il perche; il rêve la nuit qu'il mue ou qu'il couve . . .

Qui pourrait épuiser tous les différents genres de cu- 25 rieux?

4. *Onuphre*[1] n'a pour tout lit qu'une housse de serge

[1] Nom du valet de chambre de Mazarin (Onofrio) qui aurait servi de modèle pour ce portrait selon M. Alméras, (*Le Tartuffe de Molière*, Paris, 1928, p. 64). Les « clefs » désignent comme original l'abbé du Pin, Docteur en Sorbonne, et M. de Mauroy, curé des Invalides.

On a observé qu'il y avait dans Onuphre des allusions évidentes au Tartuffe de Molière; — bien plus, que La Bruyère oppose son per-

grise, mais il couche sur le coton et sur le duvet: de même il est habillé simplement, mais commodément, je veux dire d'une étoffe fort légère en été, et d'une autre fort moelleuse pendant l'hiver; il porte des chemises très
5 déliées,[1] qu'il a un très grand soin de bien cacher. Il ne dit point: *Ma haire et ma discipline;* au contraire, il passerait pour ce qu'il est, pour un hypocrite, et il veut passer pour ce qu'il n'est pas, pour un homme dévot: il est vrai qu'il fait en sorte que l'on croie, sans qu'il le dise,
10 qu'il porte une haire et qu'il se donne la discipline. Il y a quelques livres répandus dans sa chambre indifféremment; ouvrez-les: c'est *le Combat spirituel*, *le Chrétien intérieur* et *l'Année sainte:* d'autres livres sont sous la clef. S'il marche par la ville, et qu'il découvre de loin un homme
15 devant qui il est nécessaire qu'il soit dévot, les yeux baissés, la démarche lente et modeste, l'air recueilli lui sont familiers; il joue son rôle. S'il entre dans une église, il observe d'abord de qui il peut être vu, et selon la découverte qu'il vient de faire, il se met à genoux et prie,
20 ou il ne songe ni à se mettre à genoux ni à prier. Arrive-t-il vers un homme de bien et d'autorité qui le verra et qui peut l'entendre, non seulement il prie, mais il médite, il pousse des élans et des soupirs: si l'homme de bien se retire, celui-ci, qui le voit partir, s'apaise et ne souffle
25 pas. Il entre une autre fois dans un lieu saint, perce la foule, choisit un endroit pour se recueillir, et où tout le monde voit qu'il s'humilie: s'il entend des courtisans qui parlent, qui rient, et qui sont à la chapelle avec moins de

---

sonnage à celui de Molière: La Bruyère conçoit un hypocrite plus subtil et plus retors que celui assez malhabile de Molière, un Tartuffe supérieur (voir à ce sujet, Alméras, *ouvrage cité*, pp. 147–150).

[1] Amples et souples.

silence que dans l'antichambre, il fait plus de bruit qu'eux pour les faire taire; il reprend sa méditation, qui est toujours la comparaison qu'il fait de ces personnes avec lui-même, et où il trouve son compte. Il évite une église déserte et solitaire, où il pourrait entendre deux 5 messes de suite, le sermon, vêpres et complies, tout cela entre Dieu et lui, et sans que personne lui en sût gré: il aime la paroisse, il fréquente les temples où se fait un grand concours; on n'y manque point son coup, on y est vu. Il choisit deux ou trois jours dans toute l'année, où, 10 à propos de rien, il jeûne ou fait abstinence; mais à la fin de l'hiver il tousse, il a une mauvaise poitrine, il a des vapeurs, il a eu la fièvre: il se fait prier, presser, quereller, pour rompre le carême dès son commencement, et il en vient là par complaisance. Si Onuphre est nommé 15 arbitre dans une querelle de parents ou dans un procès de famille, il est pour les plus forts, je veux dire pour les plus riches, et il ne se persuade point que celui ou celle qui a beaucoup de bien puisse avoir tort. S'il se trouve bien d'un homme opulent, à qui il a su imposer,[1] dont il 20 est le parasite, et dont il peut tirer de grands secours, il ne cajole point sa femme, il ne lui fait du moins ni avance ni déclaration . . . Il n'oublie pas de tirer avantage de l'aveuglement de son ami et de la prévention où il l'a jeté en sa faveur: tantôt il lui emprunte de l'argent, 25 tantôt il fait si bien que cet ami lui en offre; il se fait reprocher de n'avoir pas recours à ses amis dans ses besoins. Quelquefois il ne veut pas recevoir une obole sans donner un billet,[2] qu'il est bien sûr de ne jamais retirer. Il dit

[1] Tout ce qui suit est une allusion bien directe au Tartuffe de Molière.

[2] billet à ordre — promettant de restituer à une date fixe la somme reçue.

une autre fois, et d'une certaine manière, que rien ne lui manque, et c'est lorsqu'il ne lui faut qu'une petite somme. Il vante quelque autre fois publiquement la générosité de cet homme, pour le piquer d'honneur et le conduire à lui faire une grande largesse. Il ne pense point à profiter de toute sa succession, ni à s'attirer une donation générale de tous ses biens, s'il s'agit surtout de les enlever à un fils, le légitime héritier. Un homme dévot n'est ni avare, ni violent, ni injuste, ni même intéressé. Onuphre n'est pas dévot, mais il veut être cru tel, et, par une parfaite quoique fausse imitation de la piété, ménager sourdement ses intérêts: aussi ne se joue-t-il pas à la ligne directe, et il ne s'insinue jamais dans une famille où se trouvent tout à la fois une fille à pourvoir et un fils à établir; il y a là des droits trop forts et trop inviolables; on ne les traverse point sans faire de l'éclat, et il l'appréhende, sans qu'une pareille entreprise vienne aux oreilles du prince, à qui il dérobe sa marche, par la crainte qu'il a d'être découvert et de paraître ce qu'il est. Il en veut à la ligne collatérale, on l'attaque plus impunément: il est la terreur des cousins et des cousines, du neveu et de la nièce, le flatteur et l'ami déclaré de tous les oncles qui ont fait fortune; il se donne pour l'héritier légitime de tout vieillard qui meurt riche et sans enfants; et il faut que celui-ci le déshérite, s'il veut que ses parents recueillent sa succession: si Onuphre ne trouve pas jour à les en frustrer à fond, il leur en ôte du moins une bonne partie: une petite calomnie, moins que cela, une légère médisance lui suffit pour ce pieux dessein; et c'est le talent qu'il possède à un plus haut degré de perfection; il se fait même souvent un point de conduite de ne pas le laisser inutile: il y a des gens, selon lui, qu'on est obligé en conscience de décrier; et ces gens sont ceux qu'il n'aime point, à qui il veut nuire, et dont il désire la dépouille. Il vient à ses fins sans se donner même la peine d'ouvrir la bouche; on lui parle d'*Eudoxe*, il sourit ou il soupire; on l'interroge, on insiste, il ne répond rien; et il a raison: il en a assez dit. 5

CHAPITRE ONZE

TROIS FEMMES ÉCRIVAINS[1]

I. MADAME DE LA FAYETTE

(1634–1693)

Marie Madeleine Pioche de la Vergne est née à Paris. Elle fut mariée en 1655 au Comte de La Fayette. Elle était fort instruite; très bien en cour; et un des grands noms de l'Hôtel de Rambouillet. Elle fut liée particulièrement avec Madame, Duchesse d'Orléans, et avec Madame de Sévigné. (Pour sa grande et noble amitié avec La Rochefoucauld, voir page 393). Comme Mademoiselle de Scudéry, elle ne signait pas ses livres; le poète Segrais lui prêtait son nom. Deux romans d'elle sont connus: *Zayde* (1670) dans le genre « précieux », et *La Princesse de Clèves* (1678); le second surtout dont l'importance dans l'histoire de la littérature est considérable; il est le premier roman dans le sens moderne du mot, c'est à dire où la vie est considérée sous les aspects de la réalité et où les sentiments analysés sont ceux de la sincérité. Longtemps, il est demeuré le seul, la ‹ préciosité › ayant continué à régner jusqu'assez avant dans le XVIIIe siècle. Le dernier roman intéressant de ce style précieux, *Le Temple de Cnide*, par Montesquieu est de 1725, tandis que le genre dont Mme de La Fayette a donné le modèle ne triomphera qu'avec *Manon Lescaut*, de l'abbé Prévost, en 1731, et avec *Gil-Blas*, de Lesage, 1715–1735. (Voir *Eighteenth Century French Readings*, Holt and Co., Chapitre « Le roman ».)

Consulter: Comte d'Haussonville, *Madame de La Fayette* (Coll. Grands écrivains français, Hachette, 1891). Et si on veut, Emile Magne, *Le cœur et l'esprit de Mme de La Fayette* (Emile-Paul 1930). Du même, *Mme de La Fayette en ménage* (Emile-Paul, 1930).

[Portrait de Mme de La Fayette, d'après Somaize, *Dictionnaire des précieuses:* « Féliciane est une précieuse aimable, jeune et spirituelle, d'un esprit enjoué, d'un abord agréable; elle est civile, obligeante et un peu railleuse; mais elle raille de si bonne grâce qu'elle

[1] Voir E. Angot, *Dames du grand siècle* (Emile-Paul, 1919).

se fait aimer de ceux qu'elle traite le plus mal, ou du moins qu'elle ne s'en fait point haïr. Elle écrit bien en prose, comme il est aisé de voir par le portrait qu'elle a fait de Sophronie (Mme de Sévigné) dont elle est intime amie. »

Mme de Sévigné, lors de la mort de celle qui avait été son amie pendant quarante ans, écrit une longue lettre (3 juin 1693) dont voici un passage; — « Vous saviez tout le mérite de Mme de La Fayette ou par vous, ou par moi, ou par vos amis; sur cela vous n'en pouviez trop croire, elle était digne d'être de vos amis; et je me trouvais trop heureuse d'être aimée d'elle depuis un temps très considérable; jamais nous n'avions eu le moindre nuage dans notre amitié. La longue habitude ne m'avait point accoutumée à son mérite; ce goût était toujours vif et nouveau; je lui rendais beaucoup de soins, par le mouvement de mon cœur sans que la bienséance où l'amitié nous engage y eût aucune part; j'étais assurée aussi que je faisais sa plus tendre consolation, et depuis quarante ans c'était la même chose; cette date est violente, mais elle fonde bien aussi la vérité de notre liaison . . . Elle a eu raison pendant sa vie, elle a eu raison après sa mort, et jamais elle n'a été sans cette divine raison, qui était sa qualité principale. »]

LA PRINCESSE DE CLÈVES, 1678

[Mlle de Chartres a épousé, sur le conseil de sa mère, le prince de Clèves pour lequel elle éprouvait beaucoup d'estime mais pas d'amour. Quelque temps après le mariage, elle rencontre à la cour (de Henri II, 1519–1559) le duc de Nemours, qui exerce un attrait irrésistible sur toutes les dames, un chevalier du reste parfait. Le duc tombe amoureux de la princesse de Clèves, qui répond à son amour. Mais elle reste inébranlablement attachée à son devoir, et pour se fortifier dans son cœur contre toute tentation, elle avoue sa passion à son époux. Le prince apprécie cette magnifique franchise et n'en estime que davantage la princesse, mais il ne résiste pas à l'amère jalousie qui étreint son cœur et qui le dispose à croire un moment à la culpabilité de son épouse. Il meurt consumé de chagrin. Nemours espère que la princesse va maintenant céder à l'amour et consentir au mariage; mais elle pense que son devoir consiste à rester fidèle à ses premiers vœux, et elle cherche refuge contre sa passion dans un couvent.]

1. La princesse confesse à son époux qu'elle porte au cœur un amour pour un autre.

M. de Clèves disait à sa femme: « Mais pourquoi ne voulez-vous point revenir à Paris ? Qui vous peut retenir à la campagne ? Vous avez depuis quelque temps un goût pour la solitude qui m'étonne et qui m'afflige, parce qu'il
5 nous sépare. Je vous trouve même plus triste que de coutume, et je crains que vous n'ayez quelque sujet d'affliction. — Je n'ai rien de fâcheux dans l'esprit, répondit-elle avec un air embarrassé; mais le tumulte de la cour est si grand, et il y a toujours un si grand monde chez vous,
10 qu'il est impossible que le corps et l'esprit ne se lassent et que l'on ne cherche du repos. — Le repos, répliqua-t-il, n'est guère propre pour une personne de votre âge. Vous êtes chez vous et dans la cour de manière à ne vous pas donner de lassitude, et je craindrais plutôt que vous ne
15 fussiez bien aise d'être séparée de moi. — Vous me feriez une grande injustice d'avoir cette pensée, reprit-elle avec un embarras qui augmentait toujours; mais je vous supplie de me laisser ici. Si vous y pouviez demeurer, j'en aurais beaucoup de joie, pourvu que vous y de-
20 meurassiez seul et que vous voulussiez bien n'y avoir point ce nombre infini de gens qui ne vous quittent presque jamais. — Ah ! madame, s'écria M. de Clèves, votre air et vos paroles me font voir que vous avez des raisons pour souhaiter d'être seule; je ne les sais point, et je vous
25 conjure de me les dire. »

Il la pressa longtemps de les lui apprendre, sans pouvoir l'y obliger; et, après qu'elle se fut défendue d'une manière qui augmentait toujours la curiosité de son mari, elle demeura dans un profond silence, les yeux baissés;

puis tout à coup, prenant la parole et le regardant: « Ne me contraignez point, lui dit-elle, à vous avouer une chose que je n'ai pas la force de vous avouer, quoique j'en aie eu plusieurs fois le dessein. Songez seulement que la prudence ne veut pas qu'une femme de mon âge, et 5 maîtresse de sa conduite, demeure exposée au milieu de la cour. — Que me faites-vous envisager, madame, s'écria M. de Clèves ! je n'oserais vous le dire de peur de vous offenser. » Mme de Clèves ne répondit point; et, son silence achevant de confirmer son mari dans ce 10 qu'il avait pensé: « Vous ne me dites rien, reprit-il, et c'est me dire que je ne me trompe pas. — Eh bien, monsieur, lui répondit-elle en se jetant à ses genoux, je vais vous faire un aveu que l'on n'a jamais fait à un mari; mais l'innocence de ma conduite et de mes intentions 15 m'en donne la force. Il est vrai que j'ai des raisons pour m'éloigner de la cour et que je veux éviter les périls où se trouvent quelquefois les personnes de mon âge. Je n'ai jamais donné nulle marque de faiblesse, et je ne craindrais pas d'en laisser paraître, si vous me laissiez la 20 liberté de me retirer de la cour . . . Quelque dangereux que soit le parti que je prends, je le prends avec joie pour me conserver digne d'être à vous. Je vous demande mille pardons, si j'ai des sentiments qui vous déplaisent; du moins je ne vous déplairai jamais par mes actions. Son- 25 gez que, pour faire ce que je fais, il faut avoir plus d'amitié et plus d'estime pour un mari que l'on n'en a jamais eu. Conduisez-moi, ayez pitié de moi, et aimez-moi encore, si vous pouvez. »

M. de Clèves était demeuré, pendant tout ce discours, 30 la tête appuyée sur ses mains, hors de lui-même, et il n'avait pas songé à faire relever sa femme. Quand elle eut cessé de parler, qu'il la vit à ses genoux, le visage couvert de larmes, et d'une beauté si admirable, il pensa mourir de douleur, et, l'embrassant en la relevant: « Ayez pitié de moi, vous-même, madame, lui dit-il, j'en 5 suis digne, et pardonnez, si, dans les premiers moments d'une affliction aussi violente qu'est la mienne, je ne réponds pas comme je dois à un procédé comme le vôtre. Vous me paraissez plus digne d'estime et d'admiration que tout ce qu'il y a jamais eu de femmes au monde; 10 mais aussi je me trouve le plus malheureux homme qui ait jamais existé. Vous m'avez donné de la passion dès le premier moment que je vous ai vue; vos rigueurs et votre possession n'ont pu l'éteindre, elle dure encore; je n'ai jamais pu vous donner de l'amour et je vois que vous 15 craignez d'en avoir pour un autre. Et qui est-il, madame, cet homme heureux qui vous donne cette crainte ? Depuis quand vous plaît-il ? Qu'a-t-il fait pour vous plaire ? Quel chemin a-t-il trouvé pour aller à votre cœur ? Je m'étais consolé en quelque sorte de ne l'avoir pas touché 20 par la pensée qu'il était incapable de l'être. Cependant un autre fait ce que je n'ai pu faire: j'ai, tout ensemble, la jalousie d'un mari et celle d'un amant. Mais il est impossible d'avoir celle d'un mari après un procédé comme le vôtre: il est trop noble pour ne pas me donner 25 une sûreté; il me console même comme votre amant. La confiance et la sincérité que vous avez pour moi sont d'un prix infini. Vous m'estimez assez pour croire que je n'abuserai pas de cet aveu. Vous avez raison, madame, je n'en abuserai pas, et je ne vous en aimerai pas moins. 30 Vous me rendez malheureux par la plus grande marque de fidélité que jamais une femme ait donnée à son mari; mais, madame, achevez et apprenez-moi qui est celui que vous voulez éviter. — Je vous supplie de ne me le point demander, répondit-elle; je suis résolue de ne pas vous le dire, et je crois que la prudence ne veut pas que je vous le nomme. — Ne craignez point, madame, reprit M. de Clèves; je connais trop le monde pour ignorer que la considération d'un mari n'empêche pas que l'on soit amoureux de sa femme. . . . Encore une fois, madame, je vous conjure de m'apprendre ce que j'ai envie de savoir. — Vous m'en presseriez inutilement, répliqua-t-elle; j'ai de la force pour taire ce que je ne crois pas devoir dire. L'aveu que je vous ai fait n'a pas été par faiblesse, et il faut plus de courage pour avouer cette vérité que pour entreprendre de la cacher » . . .

Lorsque le prince fut parti, que Mme de Clèves demeura seule, qu'elle regarda ce qu'elle venait de faire, elle en fut si épouvantée qu'à peine put-elle imaginer que ce fût une vérité. Elle trouva qu'elle s'était ôté elle-même le cœur et l'estime de son mari, et qu'elle s'était creusé un abîme dont elle ne sortirait jamais. Elle se demandait pourquoi elle avait fait une chose si hasardeuse, et elle trouvait qu'elle s'y était engagée sans en avoir presque eu le dessein. La singularité d'un pareil aveu, dont elle ne trouvait point d'exemple, lui en faisait voir tout le péril.

Mais quand elle venait à penser que ce remède, quelque violent qu'il fût, était le seul qui la pouvait défendre contre M. de Nemours, elle trouvait qu'elle ne devait point se repentir, et qu'elle n'avait point trop hasardé. Elle passa toute la nuit pleine d'incertitude, de trouble et de crainte; mais enfin le calme revint dans son esprit; elle trouva même de la douceur à avoir donné ce témoignage de fidélité à un mari qui le méritait si bien, qui avait tant d'estime et tant d'amitié pour elle, et qui venait de lui en donner encore des marques par la manière dont il avait reçu ce qu'elle lui avait avoué.

2. Après la mort du prince de Clèves, la princesse refuse d'épouser M. de Nemours

L'on ne peut exprimer ce que sentirent M. de Nemours
5 et Mme de Clèves de se trouver seuls et en état de se parler pour la première fois. Ils demeurèrent quelque temps sans rien dire; enfin M. de Nemours rompant le silence: « Pardonnerez-vous à M. de Chartres,[1] madame, lui dit-il, de m'avoir donné l'occasion de vous voir et de
10 vous entretenir, que vous m'avez toujours si cruellement ôtée ? »

« Je ne lui dois pas pardonner, répondit-elle, d'avoir oublié l'état où je suis et à quoi il expose ma réputation. » En prononçant ces paroles elle voulut s'en aller, et M.
15 de Nemours la retenant: « Ne craignez rien, madame, répliqua-t-il, personne ne sait que je suis ici, et aucun hasard n'est à craindre. Écoutez-moi, madame, écoutez-moi; si ce n'est par bonté, que ce soit du moins pour l'amour de vous-même, et pour vous délivrer des ex-
20 travagances où m'emporterait infailliblement une passion dont je ne suis plus le maître. »

Mme de Clèves céda pour la première fois au penchant qu'elle avait pour M. de Nemours, et le regardant avec des yeux pleins de douceur et de charmes: « Mais qu'es-
25 pérez-vous, lui dit-elle, de la complaisance que vous me demandez ? Vous vous repentirez peut-être de l'avoir obtenue, et je me repentirai infailliblement de vous

[1] Parent de la princesse, grand ami de M. de Nemours, et qui avait arrangé cette entrevue.

l'avoir accordée. Vous méritez une destinée plus heureuse que celle que vous avez eue jusqu'ici, et que celle que vous pouvez trouver à l'avenir, à moins que vous ne la cherchiez ailleurs. »

« Moi, madame, lui dit-il, chercher du bonheur ailleurs ! 5 Et y en a-t-il d'autre que d'être aimé de vous ? »

« Puisque vous voulez que je vous parle, et que je m'y résous, répondit Mme de Clèves en s'asseyant, je le ferai avec une sincérité que vous trouverez malaisément dans les personnes de mon sexe. Je ne vous dirai point que je 10 n'aie pas vu l'attachement que vous avez eu pour moi. Je vous avoue que vous m'avez inspiré des sentiments qui m'étaient inconnus avant de vous avoir vu, et dont j'avais moi-même si peu d'idée, qu'ils me donnèrent d'abord une surprise qui augmentait encore le trouble 15 qui les suit toujours. Je vous fais cet aveu avec moins de honte, parce que je le fais dans un temps où je le puis faire sans crime, et que vous avez vu que ma conduite n'a pas été réglée par mes sentiments.

— Croyez-vous, madame, lui dit M. de Nemours en se 20 jetant à ses genoux, que je n'expire pas à vos pieds de joie et de transport ? — Je ne vous apprends, lui répondit-elle en souriant, que ce que vous ne saviez déjà que trop. — Ah ! madame, répliqua-t-il, quelle différence de le savoir par un effet du hasard, ou de l'apprendre par 25 vous-même et de voir que vous voulez bien que je le sache ! — Il est vrai, lui dit-elle, que je veux bien que vous le sachiez, et que je trouve de la douceur à vous le dire; je ne sais même si je ne vous le dis point plus pour l'amour de vous que pour l'amour de moi. Car enfin cet 30 aveu n'aura point de suite, et je suivrai les règles austères que mon devoir m'impose. — Vous n'y songez pas, ma-

dame, répondit M. de Nemours; il n'y a plus de devoir qui vous lie; vous êtes en liberté, et, si j'osais, je vous dirais même qu'il dépend de vous de faire en sorte que votre devoir vous oblige un jour à conserver les senti-
5 ments que vous avez pour moi. — Mon devoir, répliqua-t-elle, me défend de penser jamais à personne, et moins à vous qu'à qui que ce soit au monde, par des raisons qui vous sont inconnues... Il n'est que trop véritable que vous êtes cause de la mort de M. de Clèves; les soupçons
10 que lui a donnés votre conduite inconsidérée lui ont coûté la vie, comme si vous la lui aviez ôtée de vos propres mains. Voyez ce que je devrais faire, si vous en étiez venus ensemble à ces extrémités et que le même malheur en fût arrivé. Je sais bien que ce n'est pas la même chose
15 à l'égard du monde; mais, au mien, il n'y a aucune différence, puisque je sais que c'est par vous qu'il est mort, et que c'est à cause de moi. — Ah ! madame, lui dit M. de Nemours, quel fantôme de devoir opposez-vous à mon bonheur ? Quoi ! madame, une pensée vaine et sans
20 fondement vous empêchera de rendre heureux un homme que vous ne haïssez pas ? Quoi ! j'aurais pu concevoir l'espérance de passer ma vie avec vous; ma destinée m'aurait conduit à aimer la plus estimable personne du monde; j'aurais vu en elle tout ce qui peut faire une
25 adorable maîtresse; elle ne m'aurait pas haï, et je n'aurais trouvé dans sa conduite que tout ce qui peut être à désirer dans une femme !... Ah ! madame vous oubliez que vous m'avez distingué du reste des hommes. Ou plutôt vous ne m'en avez jamais distingué: vous vous êtes
30 trompée, et je me suis flatté.

— Vous ne vous êtes point flatté, lui répondit-elle; les raisons de mon devoir ne me paraîtraient peut-être pas si fortes sans cette distinction dont vous doutez, et c'est elle qui me fait envisager des malheurs à m'attacher à vous ... Je veux vous parler encore avec la même sincérité que j'ai déjà commencé, reprit-elle, et je vais passer par-dessus toute la retenue et toutes les délicatesses que 5 je devrais avoir dans une première conversation; mais je vous conjure de m'écouter sans m'interrompre.

Je crois devoir à votre attachement la faible récompense de ne vous cacher aucun de mes sentiments et de vous les laisser voir tels qu'ils sont. Ce sera apparemment 10 la seule fois de ma vie que je me donnerai la liberté de vous les faire paraître; néanmoins, je ne saurais vous avouer sans honte que la certitude de n'être plus aimée de vous comme je le suis me paraît un si horrible malheur, que, quand je n'aurais point de raisons de devoir insur- 15 montables, je doute si je pourrais me résoudre à m'exposer à ce malheur. Je sais que vous êtes libre, que je le suis, et que les choses sont telles que le public n'aurait peut-être pas sujet de vous blâmer, ni moi non plus, quand nous nous engagerions ensemble pour jamais; mais 20 les hommes conservent-ils de la passion dans ces engagements éternels? dois-je espérer un miracle en ma faveur, et puis-je me mettre en état de voir certainement finir cette passion dont je ferais toute ma félicité? M. de Clèves était peut-être l'unique homme du monde capa- 25 ble de conserver de l'amour dans le mariage. Ma destinée n'a pas voulu que j'aie pu profiter de ce bonheur; peut-être aussi que sa passion n'aurait subsisté que parce qu'il n'en aurait point trouvé en moi. Mais je n'aurais pas le même moyen de conserver la vôtre; je crois même 30 que les obstacles ont fait votre constance; vous en avez trouvé pour vous animer à vaincre, et mes actions in-

volontaires, ou les choses que le hasard vous a apprises, vous ont donné assez d'espérance pour ne vous pas rebuter. — Ah ! madame, reprit M. de Nemours, je ne saurais garder le silence que vous m'imposez; vous me
5 faites trop d'injustice, et vous me faites trop voir combien vous êtes éloignée d'être prévenue en ma faveur. — J'avoue, répondit-elle, que les passions peuvent me conduire; mais elles ne sauraient m'aveugler: rien ne me peut empêcher de connaître que vous êtes né avec toutes les
10 dispositions pour la galanterie et toutes les qualités qui sont propres à y donner des succès heureux; vous avez déjà eu plusieurs passions, vous en auriez encore; je ne ferais plus votre bonheur; je vous verrais pour une autre comme vous auriez été pour moi: j'en aurais une douleur
15 mortelle, et je ne serais pas même assurée de n'avoir point le malheur de la jalousie . . .

Quand je pourrais m'accoutumer à cette sorte de malheur, pourrais-je m'accoutumer à celui de croire voir M. de Clèves vous accuser de sa mort, me reprocher de vous
20 avoir aimé, de vous avoir épousé, et me faire sentir la différence de son attachement au vôtre ? Il est impossible, continua-t-elle, de passer par-dessus des raisons si fortes: il faut que je demeure dans l'état où je suis et dans les résolutions que j'ai prises de n'en sortir jamais . . . »

25 M. de Nemours se jeta à ses pieds, et s'abandonna à tous les mouvements dont il était agité. Il lui fit voir, et par ses paroles et par ses pleurs, la plus vive et la plus tendre passion dont un cœur ait jamais été touché. Celui de madame de Clèves n'était pas insensible; et, regardant
30 ce prince avec des yeux un peu grossis par les larmes: « Pourquoi faut-il, s'écria-t-elle, que je vous puisse accuser de la mort de M. de Clèves ? Que n'ai-je commencé

à vous connaître depuis que je suis libre, ou pourquoi ne vous ai-je pas connue avant d'être engagée ? Pourquoi la destinée nous sépare-t-elle par un obstacle si invincible ? — Il n'y a point d'obstacle, madame, reprit M. de Nemours; vous seule vous opposez à mon bonheur; vous 5 seule vous imposez une loi que la vertu et la raison ne vous sauraient imposer. — Il est vrai, épliqua-t-elle, que je sacrifie beaucoup à un devoir qui ne subsiste que dans mon imagination. Attendez ce que le temps pourra faire. M. de Clèves ne fait qu'expirer, et cet objet funeste est 10 trop proche pour me laisser des vues claires et distinctes; ayez cependant le plaisir de vous être fait aimer d'une personne qui n'aurait rien aimé, si elle ne vous avait jamais vu: croyez que les sentiments que j'ai pour vous seront éternels et qu'ils subsisteront également, quoi que 15 je fasse. Adieu, lui dit-elle; voici une conversation qui me fait honte. »

[Après avoir encore réfléchi sur ce problème de conscience, la princesse se retire au couvent et meurt peu de temps après.]

II. MADAME DE SÉVIGNÉ

(1626–1696)

Madame de Sévigné brille d'une lumière presqu'incomparable dans le domaine de la littérature épistolaire; son seul rival serait Voltaire.

Marie de Rabutin-Chantal naquit à Paris, fut orpheline dès 7 ans. Ce fut son oncle, l'abbé de Coulanges, qui prit soin de son éducation. Il en fit une femme très cultivée, et elle fut très reconnaissante à cet excellent parent. De son côté, elle faisait la joie de son oncle. Elle eut comme précepteurs deux poètes bien connus de l'époque, Ménage et Chapelain. Elle apprit d'eux le latin, l'espagnol, l'italien. Lorsqu'elle parut à la cour elle fut fort recherchée et adulée. A 18 ans, elle épousait le Marquis de Sévigné, lequel mourut dans un duel sept ans après le mariage. Deux enfants étaient nés; un fils et une fille. Cette fille surtout était son orgueil; elle la maria au Comte de Grignan, un descendant d'une des premières familles de Provence, alors à Paris. Peu de temps après le mariage, cependant, le Comte de Grignan fut envoyé comme lieutenant général en Provence. Madame de Sévigné dut donc se séparer de sa fille; elle se consola quelque peu en lui écrivant un grand nombre des lettres qui l'ont rendue célèbre. Elle habitait à Paris l'Hôtel Carnavalet (aujourd'hui transformé en Musée de l'Histoire de la Ville de Paris); en été elle se rendait à sa propriété des Rochers, en Bretagne (près de Vitré). Elle mourut, de petite vérole, lors d'une visite à sa fille en Provence.

Consulter: Il y a beaucoup de livres sur Mme de Sévigné; citons seulement G. Boissier, *Mme de Sévigné* (Coll. Grands écrivains français, Hachette, 1887), A. Hallays, *Mme de Sévigné,* (Plon. 1921).

[Portrait de Mme de Sévigné par Mlle de Scudéry dans *Clélie:* « La princesse Clarinte a les yeux bleus et pleins de feu. Elle danse merveilleusement et ravit les yeux et le cœur; sa voix est douce, juste et charmante, et elle chante d'une manière passionnée. Elle a appris la langue italienne et chante certaines petites chansons qui lui plaisent plus que celles de son pays, parcequ'elles sont plus passionnées. Quant à son esprit je ne sais si je pourrais vous le faire bien comprendre; mais je sais bien qu'il n'en fut jamais un plus agréable, mieux tourné, plus éclairé, ni plus délicat. Elle a l'imagination vive; et l'air de toute sa personne est si galant, si propre et si charmant qu'on ne peut, sans honte, la voir sans l'aimer . . . Sa conversation est aisée, divertissante et naturelle; elle parle juste, elle parle bien, elle a même quelquefois certaines expressions naïves et spirituelles qui plaisent infiniment . . . Et ce qu'il y a d'avantageux pour elle-c'est qu'elle a tant de jugement qu'elle a trouvé le moyen, sans être ni sévère, ni sauvage, ni solitaire, de conserver la plus belle réputation du monde . . . Enfin elle agit avec une telle conduite que la médisance a toujours respecté sa vertu et ne l'a pas fait soupçonner de la moindre galanterie, quoiqu'elle soit la plus galante personne du monde . . . Quand il le faut, elle se passe du monde et de la cour, et se divertit dans la campagne, avec autant de tranquillité que si elle était née dans les bois . . . Je n'ai jamais vu ensemble tant d'attraits, tant d' enjouement, tant de galanterie, tant de lumières, tant d'innocence et tant de vertu; et jamais nulle autre personne n'a su mieux l'art d'avoir de la grâce sans affectation, de l'enjouement sans folie, de la propreté sans contrainte, de la gloire sans orgueil, et de la vertu sans sévérité. »

Portrait de Mme de Sévigné par Mme de La Fayette, écrit en 1659 par cette dernière, sous un nom supposé et un nom d'homme: — « Votre âme est grande, noble, propre à dispenser des trésors et incapable de s'abaisser aux soins d'en amasser. Vous êtes sensible à la gloire et à l'ambition et vous ne l'êtes pas moins au plaisir; vous paraissez née pour eux et il semble qu'ils sont faits pour vous. Votre présence augmente les divertissements et les divertissements augmentent votre beauté lorsqu'ils vous environnent. Aussi la joie est l'état véritable de votre âme et le chagrin vous est plus contraire qu'à qui que ce soit. Vous êtes naturellement tendre et passionnée, mais à la honte de notre sexe, cette tendresse vous a été inutile (M. de Sévigné n'avait pas rendu Mme de Sévigné heureuse) et vous l'avez renfermée dans le vôtre en la donnant à Mme de La Fayette. »]

1. Cruelle mésaventure d'un courtisan

(Lettre à M. de Pomponne,[1] 1 décembre 1664)

... Il faut que je vous conte une petite historiette, qui est très vraie, et qui vous divertira. Le Roi se mêle depuis peu de faire des vers; MM. de Saint-Aignan[2] et Dangeau[3] lui apprennent comment il faut s'y prendre. Il fit l'autre jour un petit madrigal, que lui-même ne trouva pas trop joli. Un matin il dit au maréchal de Gramont:[4] M. le maréchal, je vous prie, lisez ce petit madrigal, et voyez si vous en avez jamais vu un si impertinent. Parce qu'on sait que depuis peu j'aime les vers, on m'en apporte de toutes les façons. Le maréchal, après avoir lu, dit au Roi: Sire, votre Majesté juge divinement bien de toutes choses: il est vrai que voilà le plus sot et le

[1] Marquis de Pomponne (1618–1699), ministre des affaires étrangères sous Louis XIV.

[2] Saint-Aignan, le duc de Beauvilliers (1607–1687), fameux pour sa protection des gens de lettres.

[3] Philippe de Courcillon, marquis de Dangeau (1638–1720), courtisan de Louis XIV, auteur d'un *Journal spirituel*.

[4] Maréchal de Gramont (1604–1678), connu aussi sous le nom de comte de Guiche, personnage considérable de l'époque. Il prit part aux victoires de Condé en Allemagne (1644–1648); et fut l'ambassadeur chargé d'aller demander (1659), au nom du roi, la main de l'Infante d'Espagne, Marie-Thérèse. Il a laissé des *Mémoires* intéressants. Voir lettre 6, ci-dessous.

plus ridicule madrigal que j'aie jamais lu. Le Roi se mit à rire, et lui dit: N'est-il pas vrai que celui qui l'a fait est bien fat? — Sire, il n'y a pas moyen de lui donner un autre nom — Oh bien! dit le Roi, je suis ravi que vous
5 m'en ayez parlé si bonnement; c'est moi qui l'ai fait. — Ah! Sire, quelle trahison! que Votre Majesté me le rende; je l'ai lu brusquement. — Non, M. le maréchal: les premiers sentiments sont toujours les plus naturels. Le Roi a fort ri de cette folie, et tout le monde trouve que
10 voilà la plus cruelle petite chose que l'on puisse faire à un vieux courtisan . . .

2. Le mariage de la Grande Mademoiselle

(Lettre à M. de Coulanges, Paris, le 15 décembre 1670)

[La Grande Mademoiselle, Anne Marie Louise d'Orléans, duchesse de Montpensier (1627–1693), fille de Gaston d'Orléans, le fils de Henri IV, et le frère de Louis XIII; elle était donc cousine germaine de Louis XIV, et douze ans plus âgée que lui. Elle aurait voulu l'épouser, mais Richelieu et Mazarin s'y opposèrent. Lors des guerres de la Fronde elle se rangea dans le parti opposé à la cour, intriguant et espérant faire de son mariage avec le roi la condition de la paix; Condé l'entretenait dans cette idée; mais le rôle qu'elle joua mit fin à toutes ses espérances de ce côté. Elle se retira alors de la cour de 1652–1657; puis à trente ans elle s'éprit follement d'un petit cadet de Gascogne, capitaine aux armes, le marquis de Puyguilhem et qui devint le brillant Lauzun. Douze ans plus tard elle songea à l'épouser et en demanda elle-même au roi la permission qui fut accordée le 15 décembre 1670. Cet extraordinaire mariage n'eut cependant pas lieu. Le petit cadet jouant de sa grande fortune, remit le mariage de quelques jours et le roi reprit sa parole. Pour quelque raison d'Etat Lauzun passa presque dix ans en prison. Ce fut sur les instantes prières de Mlle de Montpensier qu'il fut libéré, et, dit l'histoire, ils furent liés dès lors par un mariage secret. Mais les dernières années de leur vie furent loin d'être heureuses. Voir, Duc de la Force, *Vie Amoureuse de la Grande Mademoiselle*, Paris, 1929 (deux petits volumes).

Le marquis de Coulanges, à qui est adressée la lettre, est cousin germain de Mme de Sévigné, fils de l'abbé qui l'avait élevée, et en ce moment en séjour à Lyon.]

Je m'en vais vous mander la chose la plus étonnante, la plus surprenante, la plus merveilleuse, la plus miraculeuse, la plus triomphante, la plus étourdissante, la plus inouïe, la plus singulière, la plus extraordinaire, la plus incroyable, la plus imprévue, la plus grande, la plus petite, la plus rare, la plus commune, la plus éclatante, la plus secrète jusqu'à aujourd'hui, la plus brillante, la plus digne d'envie; enfin une chose dont on ne trouve qu'un [1] exemple dans les siècles passés, encore cet exemple n'est-il pas juste; une chose que nous ne saurions croire à Paris, comment la pourrait-on croire à Lyon ? une chose qui fait crier miséricorde à tout le monde; une chose qui comble de joie Mme de Rohan et Mme d'Hauterive; une chose enfin qui se fera dimanche, où ceux qui la verront croiront avoir la *berlue;* une chose qui se fera dimanche, et qui ne sera peut-être pas faite lundi. Je ne puis me résoudre à vous la dire, devinez-la, je vous le donne en trois; *jetez-vous votre langue aux chiens?* Hé bien ! il faut donc vous le dire. M. de Lauzun épouse dimanche au Louvre, devinez qui ? Je vous le donne en quatre, je vous le donne en six, je vous le donne en cent. Mme de Coulanges dit: Voilà qui est bien difficile à deviner; c'est Mme de la Vallière.[2] Point du tout, madame. C'est donc Mlle de Retz [3] ? Point du tout; vous êtes bien provinciale ! Ah ! vraiment, nous sommes bien bêtes !

[1] Allusion probable au cas de Marie d'Angleterre, sœur d'Henri VIII, qui après avoir épousé Louis XII se remaria trois mois après la mort de ce roi avec le duc de Suffolk, de naissance naturellement bien inférieure à la sienne et qu'elle avait aimé avant d'être reine.

[2] Favorite de Louis XIV de 1661–1671.

[3] Probablement nièce du fameux Cardinal.

dites-vous, c'est Mlle Colbert.[1] Encore moins. C'est assurément Mlle de Créqui.[2] Vous n'y êtes pas. Il faut donc à la fin vous le dire: il épouse dimanche au Louvre, avec la permission du roi, mademoiselle, mademoiselle
5 de . . . mademoiselle, devinez le nom; il épouse Mademoiselle, la grande Mademoiselle, Mademoiselle, fille de feu Monsieur, Mademoiselle, petite-fille de Henri IV, Mlle d'Eu, Mlle de Dombes, Mlle de Montpensier, Mlle d'Orléans, Mademoiselle, cousine germaine du roi, Mademoi-
10 selle, destinée au trône, Mademoiselle, le seul parti de France qui fût digne de Monsieur.[3] Voilà un beau sujet de discourir. Si vous criez, si vous êtes hors de vous-même, si vous dites que nous avons menti, que cela est faux, qu'on se moque de vous, que voilà une belle raillerie,
15 que cela est bien fade à imaginer; si enfin vous nous dites des injures, nous trouvons que vous avez raison; nous en avons fait autant que vous. Adieu: les lettres qui seront portées par cet ordinaire vous feront voir si nous disons vrai ou non.

3. Effusions maternelles

(Lettre à Mme de Grignan, 9 février 1761)

[Le mariage de la fille de Mme de Sévigné avec le Comte de Grignan (dont la première femme avait été Henriette d'Angennes, fille de Mme de Rambouillet) avait eu lieu le 29 janv. 1669. Un an après le mariage le comte fut nommé gouverneur de Provence; il partit pour son poste au mois d'avril et sa femme était en voyage pour le rejoindre quand cette lettre fut écrite.]

20 Je reçois vos lettres comme vous avez reçu ma bague; je fonds en larmes en les lisant; il me semble que mon

[1] Deuxième fille du ministre des finances de Louis XIV.
[2] Nièce du célèbre maréchal.
[3] Philippe de France, duc d'Orléans, frère de Louis XIV.

cœur veuille se fendre par la moitié; on croirait que vous m'écrivez des injures, ou que vous êtes malade, ou qu'il vous est arrivé quelque accident, et c'est tout le contraire; vous m'aimez, ma chère enfant, et vous me le dites d'une manière que je ne puis soutenir sans des 5 pleurs en abondance. Vous continuerez votre voyage sans aucune aventure fâcheuse; lorsque j'apprends tout cela, qui est justement tout ce qui me peut être le plus agréable, voilà l'état où je suis. Vous vous amusez donc à penser à moi, vous en parlez, et vous aimez mieux 10 m'écrire vos sentiments que vous n'aimez à me les dire; de quelque façon qu'ils me viennent, ils sont reçus avec une sensibilité qui n'est comprise que de ceux qui savent aimer comme je fais. Vous me faites sentir pour vous tout ce qu'il est possible de sentir de tendresse; mais si 15 vous songez à moi, soyez assurée aussi que je pense continuellement à vous: c'est ce que les dévots appellent une pensée habituelle; c'est ce qu'il faudrait avoir pour Dieu, si l'on faisait son devoir; rien ne me donne de distraction; je vois ce carrosse qui avance toujours, et qui n'approchera 20 jamais de moi: je suis toujours dans les grands chemins, il me semble que j'ai quelquefois peur que ce carrosse ne verse; les pluies qu'il fait depuis trois jours me mettent au désespoir; le Rhône me fait une peur étrange. J'ai une carte devant mes yeux, je sais tous les lieux où 25 vous couchez: vous êtes ce soir à Nevers, vous serez dimanche à Lyon, où vous recevrez cette lettre . . . Je n'ai reçu que deux de vos lettres, peut-être que la troisième viendra, c'est la seule consolation que je souhaite; pour d'autres, je n'en cherche pas. Je suis entièrement incapa- 30 ble de voir beaucoup de monde ensemble; cela viendra peut-être, mais il n'en est pas question encore. Les duchesses de Verneuil d'Arpajon veulent me réjouir; je les en ai remerciées; je n'ai jamais vu de si belles âmes qu'il y en a dans ce pays-ci. Je fus samedi tout le jour chez Mme de Villars, à parler de vous et à pleurer; elle 5 entre bien dans mes sentiments... Aujourd'hui je m'en vais souper au faubourg tête-à-tête.[1] Voilà les fêtes de mon carnaval. Je fais tous les jours dire une messe pour vous; c'est une dévotion qui n'est pas chimérique. Je n'ai vu Adhémar [2] qu'un moment; je m'en vais lui écrire 10 pour le remercier de son lit: je lui en suis plus obligée que vous. Si vous voulez me faire un véritable plaisir, ayez soin de votre santé, dormez dans ce joli petit lit, mangez du potage, et servez-vous de tout le courage qui me manque. Continuez à m'écrire. Tout ce que vous avez 15 laissé d'amitiés ici est augmenté: je ne finirais point à vous faire des compliments et à vous dire l'inquiétude où l'on est de votre santé...

4. A propos d'une nouvelle mode

(Lettre à Mme de Grignan, 4 avril 1671)

Je vous mandai l'autre jour la coiffure de Mme de Nevers, et dans quel excès la Martin [3] avait poussé cette 20 mode; mais il y a une certaine médiocrité qui m'a charmée, et qu'il faut vous apprendre, afin que vous ne vous amusiez plus à faire cent petites boucles sur vos oreilles, qui sont défrisées en un moment, qui siéent mal, et qui ne sont non plus à la mode présentement que la coiffure 25 de la bien-heureuse reine Catherine de Médicis.[4] Je vis

[1] Avec Mme de La Fayette.

[2] Joseph Adhémar de Grignan, frère du comte de Grignan.

[3] Fameuse coiffeuse de ce temps-là. (Voir lettre de Mme de Sévigné du 18 mars 1671.) [4] Morte 1598.

hier la duchesse de Sully et la comtesse de Guiche, leurs têtes sont charmantes; je suis rendue, cette coiffure est faite justement pour votre visage; vous serez comme un ange, et cela est fait en un moment. Tout ce qui me fait de la peine, c'est que cette mode, qui laisse la tête découverte, me fait craindre pour les dents. Voici ce que *Trochanire*,[1] qui vient de Saint-Germain, et moi, nous allons vous faire entendre, si nous pouvons. Imaginez-vous une tête partagée à la paysanne jusqu'à deux doigts du bourrelet; on coupe les cheveux de chaque côté, d'étage en étage, dont on fait de grosses boucles rondes et négligées, qui ne viennent pas plus bas qu'un doigt au-dessus de l'oreille; cela fait quelque chose de fort jeune et de fort joli, et comme deux gros bouquets de cheveux de chaque côté. Il ne faut pas couper les cheveux trop courts: car, comme il faut les friser *naturellement*, les boucles, qui en emportent beaucoup, ont attrapé plusieurs dames, dont l'exemple doit faire trembler les autres. On met les rubans comme à l'ordinaire, et une grosse boucle nouée entre le bourrelet et la coiffure; quelquefois on la laisse traîner jusque sur la gorge. Je ne sais si nous avons bien représenté cette mode; je ferai coiffer une poupée pour vous l'envoyer; et puis, au bout de tout cela, je meurs de peur que vous ne vouliez point prendre toute cette peine. Ce qui est vrai, c'est que la coiffure que fait Montgobert n'est plus supportable. Du reste, consultez votre paresse et vos dents; mais

MME. DE SÉVIGNÉ
coiffée à la mode de 1671

[1] Nom d'amitié de Mme de la Troche, amie de Mme de Sévigné.

ne m'empêchez pas de souhaiter que je puisse vous voir coiffée ici comme les autres. Je vous vois, vous m'apparaissez, et cette coiffure est faite pour vous: mais qu'elle est ridicule à certaines dames, dont l'âge ou la beauté ne
5 conviennent pas !

[Passage ajouté par Mme de la Troche:

Mme de Sévigné a voulu avoir l'avantage de vous décrire cette coiffure; mais, ma belle, c'est moi qui lui dictais. Madame, vous serez ravissante; tout ce que je crains, c'est que vous n'ayez regret à vos cheveux. Pour vous fortifier, je vous apprends que la reine, et tout ce qu'il y a de filles et de femmes qui se coiffent à Saint-Germain, achevèrent hier de les faire couper par La Vienne[1]; car c'est lui et Mlle de La Borde qui ont fait toutes les exécutions. Mme de Crussol[2] vint lundi à Saint-Germain, coiffée à la mode; elle alla au coucher de la reine, et lui dit: Ah ! madame, votre majesté a donc pris notre coiffure ? Votre coiffure ? lui répondit la reine; je vous assure que je n'ai point voulu prendre votre coiffure; je me suis fait couper les cheveux, parce que le roi les trouve mieux ainsi: mais ce n'est point pour prendre votre coiffure. On fut un peu surpris du ton avec lequel la reine lui parla. Mais voyez un peu aussi où Mme de Crussol allait prendre que c'était sa coiffure, parce que c'est celle de Mme de Montespan, de Mme de Nevers, de la petite Thianges,[4] et de deux ou trois autres beautés charmantes qui l'ont hasardée les premières. Je vous ai vue vingt fois prête à l'inventer; cela me fait croire que vous n'aurez point de peine à comprendre ce que nous vous en écrivons. Mme de Soubise, qui craint pour ses dents, parce qu'elle a déjà été une fois attrapée aux coiffures à la paysanne, ne s'est point fait couper les cheveux; et Mlle de La Borde lui a fait une coiffure qui est tout aussi bien que les autres par les côtés: mais le dessus de sa tête n'a garde d'être galant, comme celles dont on voit la racine des cheveux. Enfin, madame, il n'est question d'autre chose à Saint-Germain; et moi, qui ne veux point me faire couper les cheveux, je suis ennuyée à la mort d'en entendre parler.]

Cette lettre est écrite hors d'œuvre chez *Trochanire.* La comtesse (*de Fiesque*) vous embrasse mille fois; le

[1] Baigneur à la mode, devenu plus tard celui du roi.
[2] Fille unique du duc de Montausier et de Julie d'Angennes.
[3] Nièces de Mme de Montespan.

comte, que j'ai vu tantôt, voudrait bien en faire autant: je lui ai dit votre souvenir, et le dirai à tous ceux que je trouverai en chemin.

Après tout, nous ne vous conseillons point de faire couper vos beaux cheveux; et pour qui? bon Dieu! cette mode durera peu, et est mortelle pour les dents: taponnez-vous seulement par grosses boucles comme vous faisiez quelquefois: car les petites boucles rangées de Montgobert sont justement du temps du roi Guillemot.[1]

5. La mort tragique de Vatel, maître-d'hôtel du grand Condé

(Lettre à Mme de Grignan, 26 avril 1671)

[L'événement relaté dans cette lettre se passa lors des grandes fêtes que le vainqueur de Rocroy offrit, dans sa somptueuse résidence de Chantilly, à Louis XIV.]

Il est dimanche 26 avril, cette lettre ne partira que mercredi; mais ce n'est pas une lettre, c'est une relation que Moreuil[2] vient de me faire de ce qui s'est passé à Chantilly touchant Vatel. Je vous écrivis vendredi qu'il s'était poignardé: voici l'affaire en détail. Le roi arriva le jeudi au soir; la promenade, la collation dans un lieu tapissé de jonquilles, tout cela fut à souhait. On soupa, il y eut quelques tables où le rôti manqua, à cause de plusieurs dîners, à quoi l'on ne s'était point attendu: cela saisit Vatel, il dit plusieurs fois: Je suis perdu d'honneur, voici un affront que je ne supporterai pas. Il dit à Gourville:[3] La tête me tourne; il y a douze nuits que je n'ai

[1] Probablement le *roi Guillot*, de la *Comédie des Proverbes*. On ne sait qui Mme de Sévigné veut désigner sous ce nom.

[2] Personnage inconnu aux éditeurs.

[3] Agent politique et financier sous Louis XIV; ami intime de Condé (1625–1703).

dormi; aidez-moi à donner des ordres. Gourville le soulagea en ce qu'il put. Le rôti, qui avait manqué, non pas à la table du roi, mais aux vingt-cinquièmes, lui revenait toujours à l'esprit. Gourville le dit à M. le prince.[1] M. 5 le prince alla jusque dans la chambre de Vatel, et lui dit: Vatel, tout va bien, rien n'était si beau que le souper du roi. Il répondit: Monseigneur, votre bonté m'achève; je sais que le rôti a manqué à deux tables. Point du tout, dit M. le prince, ne vous fâchez point, tout va bien. 10 Minuit vint, le feu d'artifice ne réussit pas, il fut couvert d'un nuage; il coûtait seize mille francs. A quatre heures du matin, Vatel s'en va partout, il trouve tout endormi, il rencontre un petit pourvoyeur qui lui apportait seulement deux charges de marée; il lui demande: Est-ce là 15 tout ? Oui, monsieur. Il ne savait pas que Vatel avait envoyé à tous les ports de mer. Vatel attend quelque temps; les autres pourvoyeurs ne vinrent point; sa tête s'échauffait, il crut qu'il n'aurait point d'autre marée; il trouva Gourville, il lui dit: Monsieur, je ne survivrai 20 point à cet affront-ci; Gourville se moqua de lui. Vatel monte à sa chambre, met son épée contre la porte, et se la passe au travers du cœur; mais ce ne fut qu'au troisième coup; car il s'en donna deux qui n'étaient point mortels; il tombe mort. La marée cependant arrive de 25 tous côtés; on cherche Vatel pour la distribuer, on va à sa chambre, on heurte, on enfonce la porte, on le trouve noyé dans son sang; on court à M. le prince, qui fut au désespoir. M. le duc [2] pleura, c'était sur Vatel que tournait tout son voyage de Bourgogne. M. le prince le dit 30 au roi fort tristement: on dit que c'était à force d'avoir

[1] Le prince de Condé.
[2] Le duc d'Enghien, fils de Condé.

de l'honneur à sa manière, on le loua fort, on loua et blâma son courage. Le roi dit qu'il y avait cinq ans qu'il retardait de venir à Chantilly, parce qu'il comprenait l'excès de cet embarras. Il dit à M. le prince qu'il ne devait avoir que deux tables, et ne se point charger de tout; 5 il jura qu'il ne souffrirait plus que M. le prince en usât ainsi; mais c'était trop tard pour le pauvre Vatel. Cependant Gourville tâcha de réparer la perte de Vatel; elle fut réparée, on dîna très-bien, on fit collation, on soupa, on se promena, on joua, on fut à la chasse; tout était 10 parfumé de jonquilles, tout était enchanté.[1] Hier, qui était samedi, on fit encore de même; et le soir le roi alla à Liancourt,[2] où il avait commandé un *media noche;*[3] il y doit demeurer aujourd'hui. Voilà ce que Moreuil m'a dit, espérant que je vous le manderais. Je jette mon bonnet 15 par-dessus les moulins, et je ne sais rien du reste. M. d'Hacqueville, qui était à tout cela, vous fera des relations sans doute; mais, comme son écriture n'est pas si lisible que la mienne, j'écris toujours; et si je vous mande cette infinité de détails, c'est que je les aimerais en pareille 20 occasion.

[1] Gourville dit dans ses *Mémoires* que cette fête coûta à M. le Prince plus de 180,000 livres.

[2] Liancourt, à quelques lieues de Chantilly; une belle terre laissée au prince de Marsillac, favori du roi, par le duc et la duchesse de Liancourt, 1674. Cf. note 4, page 390.

[3] « Terme qui a passé de l'espagnol dans le français pour signifier un repas en viande qui se fait immédiatement après minuit sonné, lorsqu'un jour maigre est suivi d'un jour gras. » (*Dict. de l'Académie*, 1694).

6. Le comte de Guiche au passage du Rhin

(Lettre à Mme de Grignan, 3 juillet 1672)

[Voir plus haut l'*Epître* de Boileau sur ce sujet.]

... Vous devez avoir reçu des relations très-exactes; elles vous auront fait voir que le Rhin était mal défendu;[1] le grand miracle, c'est de l'avoir passé à la nage. M. le prince[2] et ses Argonautes furent dans un bateau: les premières troupes qu'ils rencontrèrent au delà demandaient quartier, quand le malheur voulut que M. de Longueville,[3] qui sans doute ne l'entendit pas, s'approche de leurs retranchements, et, poussé d'une bouillante ardeur, arrive à la barrière, où il tue le premier qui se trouve sous sa main: en même temps on le perce de cinq ou six coups. M. le duc[4] le suit, M. le prince suit son fils, et tous les autres suivent M. le prince: voilà où se fit la tuerie, qu'on aurait, comme vous voyez, très bien évitée, si l'on avait su l'envie que ces gens-là avaient de se rendre: mais tout est marqué dans l'ordre de la Providence.

Le comte de Guiche[5] a fait une action dont le succès le couvre de gloire; car, si elle eût tourné autrement, il était criminel. Il se charge de reconnaître si la rivière est guéable: il dit qu'oui; elle ne l'est pas: des escadrons entiers passent à la nage sans se déranger; il est vrai qu'il passe le premier: cela ne s'est jamais hasardé; cela réussit, il enveloppe des escadrons, et les force à se rendre. Vous

[1] Montbas, gentilhomme français, au service des États Généraux des Pays-Bas, avait fait mauvaise garde et les Hollandais avaient pu à bon droit l'accuser de négligence, sinon de trahison.

[2] Le Grand Condé.

[3] Beau-frère du prince de Condé.

[4] Le duc d'Enghien, fils du prince de Condé.

[5] Maréchal de Gramont. Voir Lettre 1, ci-dessus.

voyez bien que son honneur et sa valeur ne se sont point séparés; mais vous devez avoir de grandes relations de tout cela.

Un chevalier de Nantouillet[1] était tombé de cheval; il va au fond de l'eau, il revient, il y rentre, il revient en- 5 core; enfin il trouve la queue d'un cheval, il s'y attache, ce cheval le mène à bord, il monte sur le cheval, se trouve à la mêlée, reçoit deux coups dans son chapeau, et revient gaillard: voilà qui est d'un sang-froid qui me fait souvenir d'Oronte, prince des Messagètes.[2] . . . Depuis ce 10 premier combat, il n'a été question que de villes rendues, de députés qui viennent demander la grâce d'être reçus au nombre des sujets nouvellement conquis par sa Majesté.

N'oubliez pas d'écrire un petit mot à la Troche,[3] sur ce 15 que son fils s'est distingué dans ce passage de rivière; on l'a loué devant le roi, comme un des plus hardis. Il n'y a nulle apparence qu'on se défende contre une armée si victorieuse. Les Français sont jolis assurément; il faut que tout leur cède pour les actions d'éclat et de témérité: 20 enfin il n'y a plus de rivière présentement qui serve de défense contre leur excessive valeur . . .

7. Cancans de la cour du grand roi

(Lettre à Mme de Grignan, 5 février 1674)

Il y a aujourd'hui[4] bien des années, ma fille, qu'il vint au monde une créature destinée à vous aimer préférable-

[1] Voir p. 118, note 2.

[2] Prince des Messagètes — tribu nomade de l'est de la mer Caspienne — qui vainquit et tua le Grand Cyrus du roman de Mlle du Scudéry.

[3] Mme de la Troche. Voir lettre du 4 avril 1671.

[4] Le 5 février 1626, jour de naissance de Mme de Sévigné.

ment à toutes choses; je prie votre imagination de n'aller ni à droite ni à gauche;

Cet homme-là, Sire, c'était moi-même.[1]

Il y eut hier trois ans que j'eus une des plus sensibles douleurs de ma vie. Vous partîtes pour la Provence, où
5 vous êtes encore; ma lettre serait longue, si je voulais vous expliquer toutes les amertumes que je sentis, et que j'ai senties depuis en conséquence de cette première. Mais revenons: je n'ai point reçu de vos lettres aujourd'hui, je ne sais s'il m'en viendra; je ne le crois pas, il est trop tard:
10 j'en attendais cependant avec impatience; je voulais apprendre votre départ d'Aix, afin de pouvoir supputer un peu juste votre retour; tout le monde m'en assassine, et je ne sais que répondre. Je ne pense qu'à vous et à votre voyage: si je reçois de vos lettres, après avoir envoyé
15 celle-ci, soyez en repos: je ferai assurément tout ce que vous me manderez. Je vous écris aujourd'hui un peu plus tôt qu'à l'ordinaire . . .

Le père Bourdaloue[2] fit un sermon le jour de Notre-Dame, qui transporta tout le monde; il était d'une force
20 à faire trembler les courtisans; jamais prédicateur évangélique n'a prêché si hautement, ni si généreusement les vérités chrétiennes: il était question de faire voir que toute puissance doit être soumise à la loi, à l'exemple de Notre-Seigneur, qui fut présenté au temple; enfin, ma
25 fille, cela fut porté au point de la plus haute perfection, et certains endroits furent poussés comme les aurait poussés l'apôtre Saint-Paul.

[1] Vers de Marot dans une célèbre *Épître* à François I°.

[2] Grand prédicateur de la cour, considéré de son temps comme plus éloquent que Bossuet même (1632–1704).

L'archevêque de Reims[1] revenait hier fort vite de Saint-Germain, c'était comme un tourbillon: il croit bien être grand seigneur; mais ses gens le croient encore plus que lui. Ils passaient au travers de Nanterre, *tra*, *tra*, *tra;* ils rencontrent un homme à cheval, *gare*, *gare:* ce pauvre homme veut se ranger; son cheval ne veut pas; et enfin le carrosse et les six chevaux renversent cul par-dessus tête le pauvre homme et le cheval, et passent par-dessus, et si bien par-dessus que le carrosse en fut versé et renversé: en même temps l'homme et le cheval, au lieu de s'amuser à être roués et estropiés, se relèvent miraculeusement, remontent l'un sur l'autre, et s'enfuient, et courent encore, pendant que les laquais de l'archevêque et le cocher, et l'archevêque même se mettent à crier: « Arrête, arrête ce coquin, qu'on lui donne cent coups. » L'archevêque, en racontant ceci, disait: « Si j'avais tenu ce maraud-là, je lui aurais rompu les bras et coupé les oreilles. »

Je dînai, hier encore, chez Gourville[2] avec Mme de Langeron, Mme de La Fayette, Mme de Coulanges, Corbinelli, l'abbé Têtu, Briole et mon fils; votre santé y fut célébrée, et un jour pris pour vous y donner à dîner. Adieu, ma très-chère et très-aimable; je ne puis vous dire à quel point je vous souhaite. Je vous adresse encore cette lettre à Lyon, c'est la troisième: il me semble que vous devez y être ou jamais.[3]

[1] Frère de Louvois.

[2] Nanterre — petite localité pas tout á fait á mi-chemin entre St.-Germain et Paris. Patrie de Sainte Geneviève.

[3] Voir p. 387, note 3.

[4] Mme de Grignan, en route pour Paris, y arriva quelques jours après.

8. Mort de La Rochefoucauld

(Lettre à Mme de Grignan, 17 et 20 mars 1680)

Quoique cette lettre ne parte que mercredi je ne puis m'empêcher de la commencer aujourd'hui, pour vous dire que M. de La Rochefoucauld est mort cette nuit. J'ai la tête si pleine de ce malheur, et de l'extrême affliction de 5 notre pauvre amie,[1] qu'il faut que je vous en parle. Hier samedi, le remède de l'Anglais [2] avait fait des merveilles; toutes les espérances de vendredi, que je vous écrivais, étaient augmentées; on chantait victoire, la poitrine était dégagée, la tête libre, la fièvre moindre, des évacuations 10 salutaires; dans cet état, hier à six heures il tourne à la mort: tout d'un coup les redoublements de fièvre, l'oppression, des rêveries; en un mot, la goutte l'étrangle traîtreusement; et, quoiqu'il eût beaucoup de force et qu'il ne fût point abattu de saignées, il n'a fallu que 15 quatre ou cinq heures pour l'emporter; et à minuit il a rendu l'âme entre les mains de M. de Condom.[3] M. de Marsillac [4] ne l'a point quitté d'un moment; il est dans une affliction qui ne peut se représenter: cependant il retrouvera le roi et la Cour; toute sa famille se retrouvera 20 à sa place; mais où Mme de La Fayette retrouvera-t-elle un tel ami, une telle société, une pareille douceur, un agrément, une confiance, une considération pour elle et pour son fils ? Elle est infirme, elle est toujours dans sa chambre, elle ne court point les rues. M. de La Rochefoucauld 25 était sédentaire aussi; cet état les rendait nécessaires l'un

[1] Mme de La Fayette. Voir note d'introduction, p. 366.

[2] Talbot, médecin anglais, avait introduit en France l'usage du quinquina.

[3] Bossuet, alors évêque de Condom.

[4] Fils de La Rochefoucauld.

à l'autre, et rien ne pouvait être comparé à la confiance et aux charmes de leur amitié. Songez-y, ma fille; vous trouverez qu'il est impossible de faire une perte plus considérable et dont le temps puisse moins consoler. Je n'ai pas quitté cette pauvre amie tous ces jours-ci; elle n'allait point faire la presse parmi cette famille; en sorte qu'elle avait besoin qu'on eût pitié d'elle. Mme de Coulanges a très bien fait aussi, et nous continuerons quelque temps encore aux dépens de notre rate, qui est toute pleine de tristesse. Voilà en quels temps sont arrivées vos jolies petites lettres, qui n'ont été admirées jusqu'ici que de Mme de Coulanges et de moi: quand le chevalier[1] sera de retour, il trouvera peut-être un temps propre pour les donner; en attendant, il faut en écrire une de douleur à M. de Marsillac; il met en honneur toute la tendresse des enfants, et fait voir que vous n'êtes pas seule; mais, en vérité, vous ne serez guère imitée. Toute cette tristesse m'a réveillée, elle me représente l'horreur des séparations, et j'en ai le cœur serré...

Mercredi 20 mars.

Il est enfin mercredi. M. de La Rochefoucauld est toujours mort, et M. de Marsillac toujours affligé, et si bien enfermé, qu'on ne croirait pas qu'il songe à sortir de cette maison. La petite santé de Mme de La Fayette soutient mal une pareille douleur; elle a eu la fièvre, et il ne sera pas au pouvoir du temps de lui ôter l'ennui de cette privation. Sa vie est tournée d'une manière qu'elle trouvera tous les jours un tel ami à dire.[2] N'oubliez pas de m'écrire quelque chose pour elle...

[1] Chevalier de Grignan.
[2] à dire = à regretter.

9. Représentation d'Esther à Saint-Cyr

(Lettre à Mme de Grignan, 21 février 1689)

[La représentation de l'*Esther* de Racine devant le roi et sa cour, par les demoiselles de Saint-Cyr à l'usage desquelles elle avait été spécialement écrite sur la demande de Mme de Maintenon, fut un évènement mondain de première importance. Sur les suites de cette représentation pour l'École de Saint-Cyr, voir p. 400.]

... Je fis ma cour l'autre jour à Saint-Cyr, plus agréablement que je n'eusse jamais pensé. Nous y allâmes samedi, Mme de Coulanges, Mme de Bagnols, l'abbé Têtu et moi. Nous trouvâmes nos places gardées: un officier 5 dit à Mme de Coulanges que Mme de Maintenon lui faisait garder un siège auprès d'elle; vous voyez quel honneur. Pour vous, madame, me dit-il, vous pouvez choisir; je me mis avec Mme de Bagnols au second banc derrière les duchesses. Le maréchal de Bellefonds vint se mettre, 10 par choix, à mon côté droit, et devant c'étaient Mmes d'Auvergne, de Coislin et de Sully; nous écoutâmes, le maréchal et moi, cette tragédie avec une attention qui fut remarquée, et de certaines louanges sourdes et bien placées, qui n'étaient peut-être pas sous les *fontanges* [1] de 15 toutes les dames. Je ne puis vous dire l'excès de l'agrément de cette pièce; c'est une chose qui n'est pas aisée à représenter, et qui ne sera jamais imitée: c'est un rapport de la musique, des vers, des chants, des personnes, si parfait et si complet, qu'on n'y souhaite rien; les filles qui 20 font des rois et des personnages sont faites exprès; on est attentif, et on n'a point d'autre peine que celle de voir finir une si aimable pièce; tout y est simple, tout y est

[1] Une sorte de coiffure lancée par Mlle de Fontanges, « un nœud de ruban que les femmes portent sur le devant de leur coiffure et un peu au-dessus du front. » (*Dictionnaire de Trévoux.*)

innocent, tout y est sublime et touchant; cette fidélité de l'histoire sainte donne du respect; tous les chants convenables aux paroles, qui sont tirées des Psaumes et de la *Sagesse*, et mis dans le sujet, sont d'une beauté qu'on ne soutient pas sans larmes; la mesure de l'approbation 5 qu'on donne à cette pièce, c'est celle du goût et de l'attention. J'en fus charmée, et le maréchal aussi, qui sortit de sa place pour aller dire au roi combien il était content, et qu'il était auprès d'une dame qui était bien digne d'avoir vu *Esther*. Le roi vint vers nos places; et, 10 après avoir tourné, il s'adressa à moi et me dit: « Madame, je suis assuré que vous avez été contente. » Moi, sans m'étonner, je répondis: « Sire, je suis charmée, ce que je sens est au-dessus de mes paroles. » Le roi me dit: « Racine a bien de l'esprit. » Je lui dis: « Sire, il en a beaucoup; 15 mais, en vérité, ces jeunes personnes en ont beaucoup aussi; elles entrent dans le sujet comme si elles n'avaient jamais fait autre chose. — Ah ! pour cela, reprit-il, il est vrai. » Et puis Sa Majesté s'en alla et me laissa l'objet de l'envie; comme il n'y avait quasi que moi de nouvelle 20 venue, le roi eut quelque plaisir de voir mes sincères admirations sans bruit et sans éclat. M. le prince et Mme la princesse vinrent me dire un mot; Mme de Maintenon, un éclair, elle s'en allait avec le roi; je répondis à tout, car j'étais en fortune. 25

Nous revînmes le soir aux flambeaux; je soupai chez Mme de Coulanges . . .

III. MADAME DE MAINTENON

(1635–1719)

Madame de Maintenon est plus connue encore par le rôle politique qu'elle a joué que par ses *Lettres*.

Elle est la petite-fille d'Agrippa d'Aubigné, le célèbre écrivain protestant du siècle précédent. Françoise d'Aubigné est née à Niort dans le Poitou. A 3 ans elle est emmenée par ses parents huguenots en Amérique, d'où elle revient à 12 ans. En 1648 elle abjure le protestantisme. Ayant eu à souffrir (par la tante qui s'occupait de son éducation) à cause de sa pauvreté et de sa religion, elle accepta pour recouvrer sa liberté, d'épouser le poète invalide Scarron, (1652).[1] Scarron mourut en 1660 lui laissant une pension de deux mille livres. En 1669, Madame de Montespan, qui avait remarqué son intelligence, la fit nommer « gouvernante des enfants du roi ». En 1675 elle reçut la terre de Maintenon, avec le titre de marquise. Le roi l'avait en extrême estime, et à la mort de la reine il l'épousa (seulement, n'étant pas de naissance royale, elle ne porta point le titre de reine). Elle joua, dit-on, un grand rôle dans les affaires politiques du royaume; on lui reproche surtout, à elle, la petite fille d'Agrippa d'Aubigné, d'avoir poussé à la Révocation de l'Édit de Nantes. Son importance en histoire de la littérature vient de ses rapports avec

---

[1] Sur Scarron (1610–1660) Voir J. Jéramec, *Vie de Scarron*. Paris, Gallimard, 1929. Il est le principal représentant, au XVII° siècle, de ce qu'on nomme « le genre burlesque » — c'est à dire le genre de la parodie. Son œuvre la plus célèbre est *Virgile travesti* dont voici quelques uns des premiers vers:

> ... Je chante cet homme pieux
> Qui vint, chargé de tous ses dieux,
> Et de monsieur son père Anchise,
> Beau vieillard à la barbe grise,
> Depuis la ville où les Grégeois [les Grecs]
> Occirent tant de bons bourgeois
> Jusqu'à celle où le pauvre Rème [Remus]
> Fut tué par son frère même,
> Pour avoir, en sautant, passé
> De l'autre côté d'un fossé.
> Junon, déesse acariâtre,
> Autant ou plus qu'une marâtre,
> Lui fit passer de mauvais jours,
> Et lui fit force vilains tours ...
> Mais enfin, conduit par le destin,
> Il eut dans le pays latin
> Quinze mille livres de rente,
> Tant plus que moins, que je ne mente,
> Et, sans regretter Ilium,
> Fut seigneur du Lavinium ...

l'École de Saint-Cyr, qu'elle fonda (voir plus bas). Elle alla y mourir en 1719, à l'âge de 83 ans.

Consulter: O. Gréard, *Mme de Maintenon, Extraits de ses lettres, avis, entretiens, conversations et proverbes sur l'éducation* avec une *Introduction*, (Hachette, 1886). Voir aussi les excellentes pages sur Mme de Maintenon, dans Doumic, *Saint-Simon et la France de Louis XIV* (Hachette, 1919) chap. V. (selon Doumic, elle n'aurait eu aucune part à la Révocation de l'Édit de Nantes.)

[Portrait de Mme de Maintenon, à vingt-trois ans, par Mlle de Scudéry, dans *Clélie:* — « Lyrianne — c'est le nom qu'on lui prête — était grande et de belle taille mais de cette grandeur qui n'épouvante point et qui sert seulement à la bonne mine. Elle avait le teint uni et fort beau, les cheveux d'un châtain clair et très agréables, le nez très bien fait, la bouche bien taillée, l'air noble, doux, enjoué et modeste, et pour rendre sa beauté plus parfaite et plus éclatante, — elle avait les plus beaux yeux du monde. Ils étaient noirs, brillants, doux, passionnés, et pleins d'esprit; leur éclat avait je ne sais quoi qu'on ne saurait exprimer; la mélancolie douce y paraissait quelquefois avec tous les charmes qui la suivent presque toujours; l'enjouement s'y faisait voir à son tour avec tous les attraits que la joie peut inspirer, et l'on peut assurer après sans mensonge que Lyrianne avait mille appas inévitables. Au reste son esprit était fait exprès pour sa beauté, c'est à dire, il était grand, agréable et bien tourné; elle parlait juste et naturellement, de bonne grâce et sans affectation; elle savait le monde et mille choses dont elle ne se souciait pas de faire vanité. Elle ne faisait pas la belle quoiqu'elle le fût infiniment, de sorte que, joignant les charmes de sa vertu à ceux de sa beauté et de son esprit, on pouvait dire qu'elle méritait sa fortune. »

Portrait de Mme de Maintenon, à cinquante ans, d'après les *Mémoires* des Dames de Saint-Cyr: « Elle avait le son de voix le plus agréable, un ton affectueux, un front ouvert et riant, le geste naturel de la plus belle main, des yeux de feu, les mouvements d'une taille libre et si régulière qu'elle effaçait les plus belles de la cour. Le premier coup d'œil était imposant et comme voilé de sévérité; le sourire et la voix ouvraient le nuage. »]

1. Sur la réforme de Saint-Cyr

(Lettre à Mme de Fontaines, maîtresse générale des classes, 20 septembre 1691)

[La Maison royale de Saint-Louis, ou École de Saint-Cyr, fondée en 1685 par Mme de Maintenon, était destinée à recevoir comme « pensionnaires du roi » des jeunes filles nobles mais indigentes. Il y avait 80 personnes préposées à l'éducation des 250 « demoiselles »; celles-ci étaient séparées suivant les âges (de 7 à 20 ans), en quatre classes, et les classes distinguées par la couleur d'un ruban attaché sur la robe d'uniforme, qui était noire. La *classe rouge* comprenait 56 élèves au-dessous de 10 ans; la *classe verte*, 56, de 11 à 13 ans; la *classe jaune*, 65, 14 à 16 ans; la *classe bleue*, 73, 17 à 20 ans. Chaque classe était partagée en 5 ou 6 bandes, ou familles de 8 ou 10 élèves groupées d'après le degré de leur instruction. En sortant elles recevaient une dot de 1000 écus sur la cassette royale.

Il y a deux périodes dans l'histoire de l'école; celle précédant les représentations de Racine (*Esther*, 1689, *Athalie* 1691); et celle d'après. (Voir lettre de Mme de Sévigné sur la représentation d'*Esther* p. 396.) Dans la première période, on n'hésite pas à développer les talents mondains des demoiselles de Saint Louis; c'était une sorte d'Hôtel de Rambouillet pour les jeunes filles. Le vrai Saint-Cyr, celui dont le souvenir est resté, date d'après. La vanité que les applaudissements de la cour aux représentations de Racine avaient laissé voir chez les jeunes élèves, alarma Mme de Maintenon. Elle conçut aussitôt le plan d'une réforme énergique, choisit un nouveau directeur, remplaça des maîtresses, écarta les lectures mondaines, imposa même un uniforme plus simple. La nouvelle discipline finit par prévaloir après quelque opposition; elle proscrivait le luxe, mais n'imposait aucune privation. Mme de Maintenon chercha avant tout à être « raisonnable. » Elle écrivait: « Vous savez que ma folie est de faire entendre raison à tout le monde. » Et Louis XIV disait, en s'adressant à elle: « Consultons la *Raison*. Qu'en pense *Votre Solidité ?* »]

La peine que j'ai sur les filles de Saint-Cyr ne se peut réparer que par le temps et par un changement entier de l'éducation que nous leur avons donnée jusqu'à cette heure; il est bien juste que j'en souffre, puisque j'y ai contribué plus que personne, et je serai bien heureuse si

Dieu ne m'en punit pas plus sévèrement. Mon orgueil s'est répandu par toute la maison, et le fond en est si grand qu'il l'emporte même par-dessus mes bonnes intentions. Dieu sait que j'ai voulu établir la vertu à Saint-Cyr; mais j'ai bâti sur le sable. N'ayant point ce qui seul peut faire un fondement solide, j'ai voulu que les filles eussent de l'esprit, qu'on élevât leur cœur, qu'on formât leur raison; j'ai réussi à ce dessein: elles ont de l'esprit, et s'en servent contre nous; elles ont le cœur élevé, et sont plus fières et plus hautaines qu'il ne conviendrait de l'être aux plus grandes princesses; à parler même selon le monde, nous avons formé leur raison, et fait des discoureuses présomptueuses, curieuses, hardies. C'est ainsi que l'on réussit quand le désir d'exceller nous fait agir. Une éducation simple et chrétienne aurait fait de bonnes filles dont nous aurions fait de bonnes femmes et de bonnes religieuses, et nous avons fait de beaux esprits, que nous-mêmes, qui les avons formés, ne pouvons souffrir; voilà tout notre mal, et auquel j'ai plus de part que personne. Venons au remède, car il ne faut pas se décourager; j'en ai déjà proposé à Balbien,[1] qui vous paraîtront peut-être bien petits; mais j'espère, avec la grâce de Dieu, qu'ils ne seront pas sans effets. Comme plusieurs petites choses fomentent l'orgueil, plusieurs petites le détruiront.

Nos filles ont été trop considérées, trop caressées, trop ménagées; il faut les oublier dans leurs classes, leur faire garder le règlement de la journée, et leur peu parler d'autre

[1] Mlle Balbien était une femme de confiance particulièrement entendue dans les questions d'administration domestique. Mme de Maintenon l'avait chargée de modifier l'uniforme des demoiselles de Saint-Cyr.

chose. Il ne faut point qu'elles se croient mal avec moi; ce n'est point leur affliction que je demande; j'ai plus de tort qu'elles; je désire seulement réparer par une conduite contraire le mal que j'ai fait. Les bonnes filles m'ont plus
5 fait voir l'excès de fierté qu'il faut corriger que n'ont fait les mauvaises, et j'ai été plus alarmée de voir la gloire et la hardiesse de Mlles de * * * et de * * * que de tout ce que l'on m'a dit des libertines de la classe. Ce sont des filles de bonne volonté qui veulent être religieuses, et qui, avec
10 ces intentions, ont un langage et des manières si fières et si hautaines, qu'on ne les souffrirait pas à Versailles aux filles de la première qualité.

Vous voyez par là que le mal est passé en nature, et qu'elles ne s'en aperçoivent pas. Priez Dieu et faites
15 prier pour qu'il change leurs cœurs, et qu'il donne à toutes l'humilité; mais, madame, il ne faut pas beaucoup en discourir avec elles. Tout, à Saint-Cyr, se tourne en discours; on y parle souvent de la simplicité, on cherche à la bien définir, à la bien comprendre, à discerner ce qui
20 est simple et ce qui ne l'est pas; puis, dans la pratique, on se divertit à dire: « Par simplicité, je prends la meilleure place; par simplicité je vais me louer; par simplicité, je veux ce qu'il y a de plus loin de moi sur la table. » En vérité, c'est se jouer de tout, et tourner en raillerie ce
25 qu'il y a de plus sérieux. Il faut encore défaire nos filles de ce tour d'esprit railleur que je leur ai donné, et que je connais présentement très opposé à la simplicité; c'est un raffinement de l'orgueil, qui dit par ce tour de raillerie ce qu'il n'oserait dire sérieusement. Mais, encore une
30 fois, ne leur parlez ni sur l'orgueil, ni sur la raillerie; il faut la détruire sans la combattre, et par ne s'en plus servir; leurs confesseurs leur parleront de l'humilité, et

beaucoup mieux que nous; ne les prêchons plus, et essayez de ce silence qu'il y a si longtemps que je vous demande; il aura de meilleurs effets que toutes nos paroles.

Je suis bien aise que Mlle de * * * se soit enfin humiliée; louons-en Dieu, et ne la louons point; c'est encore une de nos fautes de les trop louer. N'irritez point leur orgueil par de trop fréquentes corrections; mais, quand vous aurez été obligée d'en faire quelqu'une, ne les admirez pas de les avoir bien prises.

Quant à vous, ma chère fille, je connais vos intentions; vous n'avez, ce me semble, nul tort particulier en tout ceci; il n'est que trop vrai que le plus grand mal vient de moi; mais prenez garde, comme les autres, de n'avoir pas votre part dans cet orgueil si bien établi partout qu'on ne le sent presque plus. Nous avons voulu éviter les petitesses de certains couvents, et Dieu nous punit de cette hauteur; il n'y a point de maison au monde qui ait plus besoin d'humilité extérieure et intérieure que la nôtre: sa situation près de la cour, sa grandeur, sa richesse, sa noblesse, l'air de faveur qu'on y respire, les caresses d'un grand roi, les soins d'une personne en crédit,[1] l'exemple de la vanité et de toutes les manières du monde qu'elle vous donne malgré elle, par la force de l'habitude, tous ces pièges si dangereux nous doivent faire prendre des mesures toutes contraires à celles que nous avons prises.

Bénissons Dieu de nous avoir ouvert les yeux; il vous inspire la piété, elle augmente tous les jours chez vous; établissons-la solidement. Ne soyons point honteuses de nous rétracter, changeons nos manières d'agir et de parler, et demandons instamment à Dieu qu'il change

[1] Mme de Maintenon elle-même.

le fond de nos cœurs, qu'il ôte de notre maison cet esprit d'élévation, de raillerie, de subtilité, de curiosité, de liberté de juger et de dire son avis sur tout, de se mêler des charges les unes des autres, au hasard de blesser 5 la charité; qu'il ôte cette délicatesse, cette impatience des moindres incommodités; le silence et l'humilité en seront les meilleurs moyens. Faites part de ma lettre à notre mère supérieure; il faut que tout soit commun entre nous...

2. Sur la journée d'une enfant raisonnable et l'habitude de la règle

(*Instruction à la classe rouge*, 1701)

10 Mme de Maintenon demanda à Mlle de Provieuse[1] si elle savait ce que c'était qu'une fille raisonnable. La demoiselle ne sachant pas trop que répondre à cette question, Mme de Maintenon lui dit: « Une personne raisonnable, c'est une personne qui fait toujours et à chaque 15 heure du jour ce qu'elle doit faire, qui commence la journée par adorer Dieu de tout son cœur, non pas seulement parce qu'on lui a dit de le faire, ou parce que les autres le font, mais qui pense tout de bon à s'offrir à Dieu et tout ce qu'elle fera pendant le jour. Elle se lève 20 promptement, s'habille avec diligence, modestie, et le plus proprement qu'elle peut; fait bien son lit, arrange bien ses hardes, aide aux plus petites, si elle a du temps de reste. Elle descend à la classe, y prie Dieu avec respect et avec dévotion, sans badiner, sans rire, car rien 25 n'est plus sérieux que de prier Dieu. Après cela elle déjeûne aussi de tout son cœur; s'il est permis de parler.

[1] Une des élèves; des fillettes de 7 à 10 ans.

elle le fait; sinon elle garde le silence et s'entretient avec Dieu. Elle va au chœur pour entendre la messe; elle pense à se bien placer, elle regarde si ses compagnes ont de la place; elle se met vis-à-vis d'elles; elle ne regarde point de tous côtés pour voir ceux qui entrent ou qui sor- 5 tent; elle s'applique aux parties de la messe avec tout le respect et la dévotion dont elle est capable, parce que de toutes les choses de la religion, c'est la plus sainte. Elle retourne à la classe, où elle s'occupe à ce qui est marqué; elle s'applique à bien apprendre à lire, à écrire; si elle est 10 capable de montrer aux autres, elle s'y donne tout entière, comme si sa vie en dépendait; elle écoute avec attention et respect, tâche de comprendre ce que l'on dit et d'en tirer quelque profit pour sa conduite intérieure ou extérieure, selon la matière dont on parle. Avant d'aller 15 dîner, elle fait son examen particulier, pour voir en quoi elle peut avoir déplu à Dieu dans la matinée, pour lui en demander pardon, et prendre résolution de mieux faire le reste du jour; elle regarde surtout si elle n'est tombée en rien dans le principal défaut dont elle a entrepris de 20 se défaire. Voilà notre personne raisonnable au réfectoire; qu'y fait-elle ? Elle y mange de bon appétit; point en gourmande, la tête sur son assiette, mais de bonne grâce et proprement; et puisque Dieu a bien voulu qu'on trouvât du plaisir dans le manger, elle le prend sans scru- 25 pule et avec simplicité. Elle écoute la lecture avec encore plus de plaisir, et c'est sa principale attention; elle fait la récréation d'aussi bon cœur que le reste, y apporte la joie, saute, danse, et joue volontiers à tout ce que les autres désirent; elle pense à les réjouir, car cette personne 30 raisonnable fait bien tout ce qu'elle fait, et il ne serait pas raisonnable d'être sérieuse à la récréation, et de n'y vouloir jamais parler que de choses graves ou de dévotion. Elle écoute ensuite la lecture ou l'instruction, tâche de la retenir, et demande ce qu'elle n'entend pas; elle apporte la même application aux exercices de l'après-midi qu'elle 5 a fait à ceux du matin; elle travaille de son mieux, elle ne perd pas un moment de temps, elle chante avec les autres, et est ravie de chanter les louanges de Dieu; elle écoute le catéchisme sans ennui, tâchant de s'en bien instruire. Elle va souper comme elle a dîné, et ensuite à la récréa- 10 tion, où il faut encore bien sauter, se promener, jouer et rire, car cette personne est fort gaie.

Elle fait la prière et l'examen, et s'ira coucher parfaitement contente de sa journée. »

3. Sur la mauvaise gloire

(*Instruction à la classe jaune*, 1701)

[Les frivolités et les bizarreries de la classe jaune — 14–16 ans — inquiétèrent particulièrement Mme de Maintenon.]

Il y a longtemps que je vous parle de cet orgueil mal 15 placé que je tâche de détruire à Saint-Cyr, et cependant je l'y trouve encore. Je ne saurais comprendre ce qu'a fait une de vous. On l'envoie balayer, et, parce qu'on lui marque ce qu'elle doit faire, elle s'en choque et dit: « Une servante ne doit pas me commander; c'est à nous 20 de faire ce que nous voulons. » Peut-on voir une telle insolence? Quoi! parce qu'on vous dit: « Vous balayerez là, » ou: « Vous ferez cela, » vous êtes choquée! Mais moi, si on m'envoyait aider une servante, la première chose que je ferais serait de demander ce qu'elle veut que je 25 fasse, car certainement je ne saurais par où commencer. Il faut qu'il y ait bien du travers dans votre tête. Et où en serions-nous, si c'était un affront de s'instruire de gens au-dessous de soi ? On le fait tous les jours, et personne ne s'avise de s'en croire déshonoré.

On dit à une autre de porter du bois et de balayer; elle répond qu'elle n'est pas une servante. Non certainement, 5 vous ne l'êtes pas; mais je souhaite qu'au sortir d'ici vous trouviez une chambre à balayer; vous serez trop heureuse, et vous saurez alors que d'autres que des servantes balayent. Je me souviens qu'allant un jour chez Mme de Montchevreuil qui attendait compagnie, elle avait bien 10 envie que sa chambre fût propre, et ne pouvait pas la nettoyer elle-même parce qu'elle était malade, ni la faire faire par ses gens, qu'elle n'avait pas alors; je me mis à frotter de toutes mes forces pour la rendre nette, et je ne trouvais point cela au-dessous de moi. J'aurais beau 15 frotter votre plancher, aller quérir du bois ou laver la vaisselle, je ne me croirais point rabaissée pour cela. Que tout le monde vienne à Saint-Cyr, et qu'on vous trouve toutes le balai à la main, on ne le trouvera pas étrange et cela ne vous déshonorera pas. Nous sommes toutes nées 20 demoiselles mais pauvres demoiselles, et comme dit Jeannette, j'aurais beau m'élever au-dessus du rang où Dieu m'a fait naître, je ne serai jamais qu'une simple demoiselle. On ne peut se donner la naissance ni se l'ôter; ainsi toutes ces choses ne sauraient vous faire mépriser. 25 Il n'y a que les gueux revêtus qui ont cette sotte gloire et qui croiraient se rabaisser en les faisant . . .

VOCABULARY

This vocabulary does not contain common words with which all students are familiar, nor less common words the meaning of which is made obvious by their spelling or by the context.

Abbreviations:
- arch. — archaïc.
- f. — feminine.
- m. — masculine.

A

abaisser to lower
abattre to lay down; **s'—** to tumble down
abattu broken down
abbaye *f.* abbey
abbé *m.* priest, father; abbot
abbesse *f.* abbess
abeille *f.* bee
abîme *m.* abyss
abîmer (**s'— dans**) to lose oneself in
abjurer to renounce
abois (**aux**) *m.* at bay
abolir to abolish
abonder to abound in
abord *m.* access; arrival; **d'—** at first
aborder to approach
aboutir à to end in; to succeed in
aboyer to bark
abrégé *m.* summary
abreuver to steep, to drench, to water
abri *m.* shelter
absoudre to absolve
abstenir(s') to abstain
abstinence *f.* abstinence; fasting
abstraire to abstract
abstrait abstract; absent-minded
abuser to abuse
acariâtre shrewish
accabler to overwhelm; to depress
accommodement *m.* accommodation, fitness
accommoder to reconcile; **s'— avec** to agree with; **s'— de** to be satisfied with
accompagnement *m.* retinue; accessory
accompli perfect
accord *m.* agreement; **d'—** in accord
accorder to grant, to reconcile; **s'—à** to be in accord with, to be consistent with
accourir to run to

accoutumer to accustom
accrocher (**s'—à**) to cling to
accroître to increase, to multiply
accueil *m.* welcome
accueillir to greet, to welcome
acheter to buy
achever to achieve, to perfect
acquérir to acquire
acquis acquired, secured
acquitter (**s'— de**) to fulfill
acte *m.* act; action, deed
action *f.* action, deed; acting; **— de grâces** thanksgiving
adieu *m.* farewell
admirateur *m.* admirer
adonner (**s'—à**) to be addicted to
adorer to worship
adoucir to soften
adoucissement *m.* palliation, consolation
adresse *f.* skill, ingenuity
adresser (**s'—à**) to apply to
adroit skillful, cunning
adulé fawned upon, feted
advenir to happen
adverse opposite
affaiblir to weaken
affaiblissement *m.* weakening
affaire *f.* affair, business; battle
affamé hungry
affété (*arch.*) affected
affèterie (*arch.*) affectation
affiquet *m.* bauble
affliger to afflict, to grieve
affirmer to assert
affranchir to free
affreux awful
affront *m.* insult, outrage
affronter to brave
afin que in order that
âge *m.* age; epoch; life
agencer (**s'**) to bedeck oneself
agir to act; **s'— de** to be a question of
agiter to agitate, to stir
aggraver to make worse
agonisant dying
agneau *m.* lamb
agrandir to enlarge
agréer to accept, to approve
agrément charm; embellishment
aguerrir to inure, to train
aïeul *m.* grandfather
aïeux *m.* ancestors
aigle *m.* eagle
aigre sour, bitter
aigreur *f.* bitterness
aigrir to embitter
aigu acute, sharp
aiguillon *m.* goad; spur; stimulus
aiguiser to sharpen
aile *f.* wing
ailleurs elsewhere; **d'—** besides
aimant *m.* magnet
aimer to love, to like
aîné the oldest
ainsi thus, so
air *m.* air, look; **en l'—** imaginary
airain *m.* brass
aise *f.* ease
aisé easy
aisément easily
ajouter to add
ajustement *m.* attire
alarmer to alarm
allécher to allure
alléger to alleviate, to relieve

Allemagne *f.* Germany
allemand German
aller to go; **s'en —,** to go away; **il y va de** there is at stake
allouer to allow, to grant
allumer to light, to kindle
alors then; **— que** when
altérer to change, to distort
Altesse *f.* Highness
amant *m.* lover
amas *m.* heap
amasser to gather, to pile up
âme *f.* soul
amener to bring
amer bitter
amertume *f.* bitterness
ami *m.* friend
amitié *f.* friendship
amollir to soften; to enervate
amorce *f.* bait
amour *m.* love; **—-propre** self love, conceit
amoureux enamored
ampoulé bombastic
an *m.* year
ancêtre *m.* ancestor
ancien *m.* ancient
ancrer to anchor
âne *m.* ass
anéantir to annihilate, to destroy
ange *m.* angel
Angleterre *f.* England
angoisse *f.* anguish
année *f.* year
annoblir to exalt, to extol
antérieur anterior
août *m.* August; harvest
apaiser to appease, to soothe
apercevoir to perceive; **s'— de** to notice
aplanir to flatten, to level
apôtre *m.* apostle
appareil *m.* apparatus, ceremony, pomp
apparemment apparently
apparence *f.* appearance
apparenté related
apparier to pair, to match
appartenir to belong
appas, appât *m.* allurement, charm, bait
appel *m.* call
appeler to call; **— à** to appeal to
applaudir to applaud
applaudissement *m.* applause
appliqué applied, diligent
appliquer to apply
apporter to bring
apprécier to value
appréhender to fear
apprendre to learn; to teach, to apprise of
apprêter to prepare
apprivoiser to tame
approche *f.* approach, coming
approcher to approach
approfondir to fathom
appui *m.* support
appuyer to support; to lean; to insist
après after, afterwards; **d'—** from, according to
après-midi *m. f.* afternoon
aquilon *m.* Northwind
arbitre *m.* arbiter; master
arbre *m.* tree
arbuste *m.* bush
arc *m.* bow; arch
archevêché *m.* archbishop's residence (or) diocese
archevêque *m.* archbishop

arène *f.* arena; sand (*arch.*)
argile *m.* clay
armer to arm; to dub
armes *f.* seal, coat of arms
arracher to pull out; to snatch, to wrest
arrêt *m.* stop; decree; sentence
arrêter to stop; to arrest; to decide; **s'— à** to endeavor
arrière-grand-père great-grandfather
arriver to arrive; to happen
arroger (s'—) to claim, to assume
arrondissement *m.* rounding
arroser to water, to irrigate
ascendant *m.* ancestor; ruling passion; influence
asile *m.* shelter
assaillir to assail
assaisonner to season, to blend
assaut *m.* attack, storm
assemblage *m.* collection, set
assembler to assemble; **s'—** to gather, to meet together
asseoir (s'—) to sit down
asservir to enslave
assez enough
assiégeant *m.* besieger
assiette *f.* plate
assis seated
assistants *m.* audience, spectators
assister to be present, to stay with, to accompany
assortir to sort, to match, to assemble
assouvir to satiate, to satisfy
assujettir to subdue; **s'—à** to subject oneself to
astre *m.* star
athée *m.* atheist
attachement *m.* affection
attacher to attach, to tie; **s'—à** to interest oneself in
atteindre to attain, to reach; to strike
attelage *m.* team
attendant (en —) meanwhile; **en — que** until
attendre to wait, to expect; **s'—à** to expect
attendrir to touch, to affect
attentat *m.* attempt, attack, crime
attente *f.* expectation, suspense
attenter à to attempt upon
atténuer to mitigate
attifer to bedizen
attirail *m.* apparatus, attire, equipage
attirer to draw, to attract
attrait *m.* attraction, charm
attraper to catch
attribuer to ascribe
au-deçà this side
au-dedans inside
au-delà beyond
au-dessous below
au-dessus above
auditeur hearer
augmenter to increase
aujourd'hui to-day
aumône *f.* alms
auparavant before
auprès de near
aurore *f.* dawn
aussi also, so, as much
aussitôt immediately; **— que** as soon as
autant as much, as many
autel *m.* altar
auteur *m.* author
autour around

autre other, different
autrefois formerly
autrement otherwise
Autriche *f.* Austria
autrui others
avancer to advance
avant before
avantage *m.* advantage
avant-garde *f.* vanguard
avant-propos *m.* preamble
avare *m.* miser
avec, avecque (*arch.*) with
avenir *m.* future
aventure (**à l'—**) at random
avertir to warn; to advise
avertissement *m.* warning; notice
avette (*arch.*) bee
aveu *m.* confession; consent
aveugle blind
aveuglément blindly
aveugler to blind
avilissement *m.* degradation
aviron *m.* oar
avis *m.* advice; notice; opinion
avisé cautious
aviser (**s'— de**) to bethink oneself of
avocat *m.* attorney, lawyer
avoine *f.* oats
avoisiner to border upon
avouer to confess

B

badin jocular, playful
badinage *m.* jocularity, foolishness
badiner to dally, to joke, to trifle
badinerie *f.* jest, foolery
bagatelle *f.* trifle; trinket
bague *f.* ring
baigneur *m.* bather
baiser *m.* kiss
baisser to lower, to cast down
bal *m.* ball, dance
balai *m.* broom
balance *f.* scale
balancer to hesitate; to dispute
balayer to sweep
balotte (*arch.*) ball
banc *m.* bench; row
bandeau *m.* blindfolding band
bannir to banish
baptême *m.* baptism
barbe *f.* beard
barbier *m.* barber
barbon *m.* greybeard
barque *f.* bark, boat
barreau *m.* bar
barrière barrier, fence; **jeu de —** popular game
bas low, base
bas *m.* bottom; **en —** down below
basse-cour *f.* poultry yard
bassement meanly
bassesse *f.* baseness, villany
bataille *f.* battle
bateau *m.* boat
bâtiment *m.* building
bâtir to build
battre to beat; **— des mains** to clap, to applaud; **— la campagne** to rave
baudet *m.* donkey
Bavière *f.* Bavaria
beau beautiful; **avoir —** to try in vain
beaucoup much, lots of
beau-frère *m.* brother-in-law
beau-père *m.* father-in-law

beauté *f.* beauty
bec *m.* beak, bill
bêcher to dig (with a spade)
bedeau *m.* beadle
bégayer to stammer
bel-esprit *m.* wit
bélier *m.* ram
belles-lettres *f.* humanities, literature
belle-sœur *f.* sister-in-law
bénéficier *m.* incumbent
bénir to bless
berceau *m.* cradle
berger *m.* shepherd
berlue *f.* dimness (of sight or mind)
berner to deceive; to haze, to toss in a blanket
besogne *f.* business, work
besoin *m.* need
bête *f.* beast, animal
biais *m.* bias, slant; evasion, way
biaiser to shuffle, to use evasions
bibliothèque *f.* library
bien well; — **des** many; — **que** although
bien *m.* good; property; estate
bienfait *m.* benefit, favor
bienfaitrice *f.* benefactor
bienheureux blissful
bienséance *f.* decorum
bientôt soon
bigarré party-colored
billet *m.* note
bisaïeul *m.* great-grandfather
bise *f.* Northwind
bizarre odd
bizarrerie *f.* oddity, caprice, whim
blâmer to blame
blanc white
blanc *m.* whiteness; white meat; — **d'Espagne** whiting
blancheur *f.* whiteness
blé *m.* wheat; — **noir** buckwheat
blesser to wound
blessure *f.* wound
bleu blue
bloc *m.* block, bulk
bœuf *m.* ox
boire to drink
bois *m.* wood
boisson *f.* beverage, drink
boiteux lame
bon good; **tout de** — in earnest
bond *m.* bound, leap
bondir to bounce, to leap
bonheur *m.* happiness; luck
bonhomme *m.* good fellow; old codger
bonjour *m.* good day
bonnement goodly, simply
bonnet *m.* bonnet, cap
bonté *f.* goodness, kindness
bord *m.* border, bank, edge
border to border
borgne blind in one eye
borne *f.* boundary, bounds; milestone
borner to bound, to limit; to restrain
bossu hunchback
bouc *m.* he-goat; — **émissaire** scapegoat
bouche *f.* mouth
boucher to plug, to stop
boucle *f.* curl
bouclier *m.* shield
boue *f.* mud

bouger to budge, to move
bougie *f.* candle
bouillant burning, fiery
bouillir to boil
bouillonner to bubble
bouleverser to upset
bourdonnement *m.* buzzing
bourgade *f.* village
bourgeois *m.* commoner
bourgeoisie *f.* middle class
Bourgogne *f.* Burgundy
bourreau *m.* executioner
bourrelet *m.* pad, cushion
bourriquet *m.* little donkey
bout *m.* end, limit; bit
boutique *f.* shop
boutiquier *m.* shopkeeper
bouvier *m.* cowherd
branchage *m.* foliage, boughs
branler to shake
bras *m.* arm
braver to brave, to affront
bravoure *f.* bravery
brebis *f.* sheep
brêche *f.* breach
bredouiller to gibber, to stammer
bref brief, briefly
breuvage *m.* beverage
bréviaire *m.* breviary
bride *f.* bridle; **lâcher la — à** to give rein to
brièvement briefly
brièveté *f.* brevity
brillants (**faux-—**) false diamonds, tinsel
briller to shine
brimade *f.* hazing
brique *f.* brick
briser to break
broche *f.* spit
brodequin *m.* buskin
broderie *f.* embroidery
broncher to stumble
brouet *m.* broth
brouiller to embroil, to confuse
bruit *m.* noise, sound; rumor, fame
brûler to burn; **— de** to long to
brun brown
brusquement quickly, roughly
bruyant noisy, sounding; clamorous
bûcheron *m.* woodcutter
bulle *f.* Pope's bull
but *m.* aim, goal, end
butin *m.* booty
butte *f.* ridge; **en — à** exposed to

C

çà here, now
cabane *f.* cabin, hut
cabinet *m.* study, office
cacher to hide
cachet *m.* seal
cachot *m.* dungeon
c. à d. = **c'est à dire** that is to say, namely
cajoler to caress, to court, to flatter
calculer to calculate, to estimate
calice *m.* cup, chalice
calmer to soothe, to quiet
calomnie *f.* slander
campagne *f.* country, fields; campaign
campement *m.* encampment
camus flat
canaille *f.* rabble
canal *m.* channel

cancan *m.* gossip
cancre *m.* miser; dunce
canon *m.* cannon
capitaine *m.* captain, chief
capital *m.* principal, the principal thing
car for, because
caractère *m.* temper, spirit; type; — **gras** heavy type
carême *m.* Lent
caresse *f.* caress; favor
carnage *m.* slaughter
carré *m.* square; flower bed
carreau *m.* square; flower bed
carrière *f.* career
carrosse *m.* carriage
carte *f.* chart, card, map
cartésien *m.* disciple of Descartes
cas *m.* case; — **pendable** case for hanging; **faire — de** to value
caserne *f.* barracks
casque *m.* helmet
casser to break
cassette *f.* cask; privy-purse
cause *f.* cause; **à — que** because
causer to cause, to produce
cave *f.* cave; wine cellar
caverneux hollow
céans in here, within
céder to yield
ceinture *f.* belt
célèbre famous
céler to conceal
céleste heavenly
celui, celle, ceux, celles, this, that, these, those
cendre *f.* ash
censeur *m.* censor, critic
censure *f.* censure, criticism
censurer to censure, to condemn
cependant however; meanwhile
cercle *m.* circle; society, coterie
cercueil *m.* coffin
cerise *f.* cherry
certes indeed
céruse *f.* white lead
cerveau *m.* brain; mind
cervelle *f.* brains
cesse *f.* cease
cesser to cease
chacun each one
chagrin sorry, sorrowful
chagrin *m.* sorrow
chair *f.* flesh, meat
chaire *f.* pulpit
chaise *f.* chair; Sedan chair
chaleur *f.* heat; warmth, ardor
chalumeau *m.* reed, pipe, flute
chamailler to squabble
chambellan *m.* chamberlain
chameau *m.* camel
champ *m.* field; **en — clos** in the lists; **sur-le-—** at once
champêtre rustic
champignon *m.* mushroom
chancelant wavering
chandelle *f.* candle
changeant changing, variegated
changer to change, to exchange
chanson *f.* song
chanter to sing
chantre *m.* singer, poet
chanvre *m.* hemp
chapeau *m.* hat
chapiteau *m.* capital
chapitre *m.* chapter
char *m.* chariot

charbon *m.* coal
charbonnier *m.* charcoal-burner
charge *f.* load, burden; care, trust, office; accusation, onset
charger to load; **— de** to trust with; **se — de** to assume care of
charmant charming, pretty
charrier to cart
charrue *f.* plow
chasser to hunt, to drive away
chat *m.* cat; **—-huant** owl
châtain auburn
château *m.* castle
châtier to punish
chatouiller to tickle
chaud warm, hot
chaume *m.* thatch, thatched roof
chaumine *f.* hut
chausser le brodequin to put on the sock; to become an actor
chaussure *f.* footwear
chef d'œuvre *m.* masterpiece
chemin *m.* road
cheminée *f.* chimney, mantel
cheminer to walk on, to proceed
chemise *f.* shirt
chêne *m.* oak
chenu white
cher dear
chercher to look for
chère *f.* cheer, fare
chèrement dearly
chérir to cherish
cheval *m.* horse
chevalier *m.* knight
chevelure *f.* hair, head of hair
cheveu *m.* hair
chèvre *f.* goat
chevrier *m.* goatherd
chez at, with
chichement niggardly
chien *m.* dog
chiffre *m.* figure, number
chimérique vain, imaginary
chimie *f.* chemistry
Chine *f.* China
Chinois *m.* Chinese, Chinaman
chœur *m.* chorus, choir; chancel
choisir to choose
choix *m.* choice
chômer to cease from work
choquer to shock; **se — de** to take offense at
chose *f.* thing
chrétien *m.* Christian
chrétienté *f.* Christendom
chute *f.* fall; downfall
cicatrisé scarred
ci-dessus above
ci-devant before
ciel *m.* sky, heavens; God
cigale *f.* grasshopper
cigogne *f.* stork
cire *f.* wax
ciré waxed, polished
ciron *m.* worm
ciseaux *m.* scissors
citadelle *f.* fortress
citadin *m.* city-dweller
citer to quote, to summon
citoyen *m.* citizen
citrouille *f.* pumpkin
civil courteous
clair clear; light
clairement clearly
clarté *f.* light, clearness; life; **clartés** notions

classe *f.* class; classroom
clef *f.* key
clerc *m.* clerk; scholar; **cleric**
clergé *m.* clergy
climatérique (**année** —) 63d year
clinquant *m.* tinsel
cloaque *m.* sink, cesspool
clocher to hobble
clopin-clopant hobbling
clore to close
clôture *f.* enclosure, cloister
coche *m.* stage coach
cocher *m.* coachman
cochon *m.* pig
cœur *m.* heart
coiffer to dress the hair
coiffeuse *f.* hairdresser
coiffure *f.* headdress
coin *m.* corner
col, cou *m.* neck
colère *f.* anger
colère irascible
collier *m.* collar
colonne *f.* column
combattre to fight
combien how much, how many
comble *m.* top, climax
combler to heap, to overwhelm
commander to command, to order
comme as, like; how
commenter to comment, to discuss
commère *f.* friend, pal
commettre to commit
commission *f.* errand
commode easy, convenient
commodément easily, comfortably
commodité *f.* convenience
compagne *f.* companion; wife
compagnie *f.* company, society
comparaison *f.* comparison
compassé arranged, proportioned
compenser to make up for
compère *m.* friend, pal
complaire to please, to comply with
complaisance *f.* complacency
complaisant obliging
complet complete, perfect
complies *f.* compline
complot *m.* plot, conspiracy
comporter to imply
composé compound, composed
comprendre to understand; to comprehend
compromettre to compromise
compte *m.* account; **tenir — de** to give credit for; **trouver son —** to find what one expects
compter to count
comte *m.* count
comtesse *f.* countess
concert (**de** —) in accord
concerté planned, prearranged
concevoir to conceive
concile *m.* council
concitoyen *m.* compatriot
conclure to conclude
concourir to concur
concours *m.* concourse; competition
condamner to condemn, to censure
condisciple *m.* schoolmate
conduire to lead
conduit *m.* duct
conduite *f.* behavior, conduct; guidance
conférer to bestow

confiance *f.* confidence, trust
confier to confide, to trust
conflit *m.* conflict
conforme conformable
conformément in accord with
confondre to confound, to confuse; to abash
confrère *m.* fellow-member
confusément confusedly
congé *m.* leave
conjuré *m.* confederate
conjurer to implore; to ward off
connaissance *f.* knowledge; acquaintance
connaître to know
connétable *m.* high constable
connu known
conquérant *m.* conqueror
conquérir to conquer
conquête *f.* conquest
consacrer to devote; to hallow
conscient conscious
conseil *m.* advice, plan; counsel; council
conseiller *m.* counselor
conseiller to advise
consentir to consent
conséqence *f.* consequence; **tirer à —,** to be of importance
conserver to preserve
consommé perfect
consommer to consume; to achieve
conspiration *f.* conspiracy
constatation *f.* ascertaining; statement
consumer (se —) to wear oneself out
conte *m.* tale
contempler to gaze on
contemporain contemporary
contenance *f.* bearing; capacity
contenir to contain, to restrain
contenu *m.* contents
conter to narrate, to relate
contraindre to constrain, to force
contraint compelled
contrainte *f.* constraint, restraint; coercion
contraire contrary, opposite
contrariété *f.* contradiction (*arch.*)
contrat *m.* contract
contre against, counter to
contre-coup *m.* rebound
contredire to contradict
contrefaire to counterfeit, to ape
contrepoison *m.* antidote
contresceau *m.* counterseal
contrôleur *m.* controller
convaincant convincing
convaincre to convince
convenable convenient, suitable; proper
convenir to agree; to suit, to please
convertir to convert
convié *m.* guest
convoiter to covet
coq *m.* cock; — **d'Inde** turkey
coquin *m.* rascal
corbeau *m.* raven, crow
cordeau *m.* cord, rope
Cordelier *m.* Franciscan friar
corne *f.* horn
corneille *f.* rook
corps *m.* body
corriger to correct
corrompre to corrupt

cortège *m.* train, retinue
corvée *f.* toil; toil tax
côte *f.* coast
côté *m.* side, direction
cotillon *m.* petticoat
coton *m.* cotton
cou *m.* neck
couchant *m.* West
coucher *m.* setting (of the sun); bedtime court ceremony
coucher à to spend the night at
couler to flow; **se —** to slip in
couleuvre *f.* adder
coup *m.* blow, stroke, thrust; deal, deed; time; **— d'essai** first attempt; **— de grâce** finishing stroke; **— d'œil** glance; **tout à —** suddenly; **tout d'un —** all at once
coupable guilty, sinful
coupe *f.* cup
couper to cut, to chop
cour *f.* court, yard
courant *m.* stream
courbé curved, winding, crooked
courber to bend, to curve
courir to run
couronne *f.* crown
couronnement *m.* coronation
couronner to crown
courrier *m.* courier
courroux *m.* wrath
cours *m.* course; stream
course *f.* run; errand; course (*arch.*)
coursier *m.* steed
court short
courtisan *m.* courtier
courtoisie *f.* courteousness; courtesy
cousin germain *m.* first cousin
coussinet *m.* pad, cushion
cousu d'or rolling in gold
coûter to cost
coûteux costly
coutume *f.* custom
couvée *f.* brood
couvent *m.* convent
couver to brood
couvert covered; palliated; **à —** sheltered
couverture *f.* cover; blanket
couvrir to cover, to protect
cracher to spit
craindre to fear
crainte *f.* fear
créance *f.* belief (*arch.*)
créancier *m.* creditor
crédit *m.* favor
credo *m.* creed
créer to create, to originate
creuser to dig
creuset *m.* crucible; test
creux hollow
crever to burst; to die
cri *m.* cry, clamor
crier to cry, to yell
critique *m.* critic, censurer
critique *f.* criticism
critiquer to criticize
croasser to caw
crocheteur *m.* porter
croire to believe
croiser to cross
croissant growing
croissant *m.* crescent
croître to grow
croix *f.* cross; **— ou pile** head or tail
croquer to devour
croupe *f.* rump; **en —** behind rider
croyable credible

croyance *f.* belief
cruauté *f.* cruelty
crucifié crucified
crue *f.* growth, swelling
crûment bluntly
cueillir to pick, to gather
cuir *m.* leather, skin
cuire to cook
cuisinier *m.* cook
cul *m.* posterior; — **par-dessus tête** head over heels
culotte *f.* breeches
culte *m.* worship
cultivé cultured
cultiver to cultivate; to farm
culture *f.* cultivation, farming
cure *f.* care; healing; rectory
curé *m.* parson
cygne *m.* swan

D

daigner to deign
dais *m.* canopy
danser to dance
Dauphin *m.* eldest son of the King of France
davantage more
débat *m.* debate, discussion
débattre to debate, to discuss
débit *m.* sale at retail; delivery
débiter to retail; to deliver, to recite
déborder to overflow
débris *m.* fragment, wreckage
débrouiller to clear up, to unravel
deçà (en —) this side of
décadence *f.* decline, downfall
décédé deceased
déchaîné unchained
déchaîner to turn loose
décharge *f.* discharge; volley
décharger to unload; to discharge, to release
déchirer to tear
déchoir to fall off, to decline
déchu fallen
décider to decide, to settle
déclin *m.* decline
découdre to rip up
décourager to discourage
découvert (à —) uncovered, in the open
découverte *f.* discovery
découvrir to uncover; to discover
décréter to decree
décri (*arch.*) *m.* discredit
décrier to discredit
décrire to describe
déçu disappointed
dédaigneux disdainful
dédale *m.* labyrinth
dedans inside
dédier to dedicate
dédire (se —) to recant, to retract
déduire to deduce, to explain
déesse *f.* goddess
défaire to undo, to unmake; to defeat; — **de** to rid of
défaite *f.* defeat
défavorable unfavorable
défavorisé (*arch.*) unfavored
défectueux defective
défendre to defend; to forbid; **se — de** to keep from
défense *f.* defense; prohibition
déférer to defer, to comply
déferré nonplussed
défi *m.* challenge
défier to challenge; **se — de** to mistrust

définir to define
défriser to uncurl
dégager to free, to clear; to redeem
dégasconner to cure of the Gascon accent
dégoût *m.* disgust, dislike
dégoûter to disgust; **se —** to take a dislike
degré *m.* degree; step
dehors *m.* exterior, appearance, polish
dehors (**au —**, **en —**) outside
déjà already
déjeuner *m.* breakfast
delà (**au —**, **en —**) beyond
délateur *m.* informer
délibérer to deliberate
délice *m. f.* delight
délié loose
délier to untie, to loosen
délivrance *f.* rescue, deliverance
délivrer to free, to rescue
demain to-morrow
démarche *f.* gait, bearing; step
démêler to clear up, to disentangle
démembrement *m.* dismemberment
démentir to belie, to contradict
demeure *f.* residence
demeurer to reside, to stay
demi half
dénaturé unnatural
dénicher to find out, to turn out
denier *m.* penny; **à deniers comptants** in cash
dénombrement *m.* enumeration
dénoncer to denounce
dent *f.* tooth
dénué destitute, deprived
départ *m.* departure
départir to bestow, to distribute
dépasser to pass, to surpass, to overstep
dépeindre to portray, to describe
dépens *m.* expense, cost
dépenser to spend
dépérir to die out, to decay
dépérit (**de —**) (*arch.*) perishable
dépit *m.* spite; **en — de** despite
déplaire to displease
déplorer to lament, to mourn
déployer to unfold, to display
déposer to lay down, to deposit; to testify
dépossédé dispossessed, ousted
dépouille *f.* spoil; remains
dépouiller to strip, to cast off; to deprive; to unravel
dépourvu unprovided
depuis since; **— peu** lately
déraciner to uproot
déranger to disturb
dérèglement *m.* disorder
dernier last, latter; supreme
dérober to rob, to steal; to hide
déroute *f.* route
derrière behind
dès from; **— lors** since then; **— que** as soon as
désabuser to undeceive
désagrément *m.* inconvenience
désaltérer to quench thirst
désapprouver to blame
désarmé disarmed
désaveu *m.* disavowal

désavouer to disclaim, to disown
désennuyer to cheer, to divert
désespéré hopeless; in despair
désespoir *m.* despair
déshériter to disinherit
déshonneur *m.* disgrace, dishonor
déshonorer to disgrace
désintéressé unselfish
désintéressement *m.* unselfishness
désintéresser (se — de) to grow indifferent to
désobliger to disoblige, to displease
désordre *m.* disorder
désormais hereafter, henceforth
dessein *m.* design, plan, intention
dessin *m.* drawing, design
dessiner to draw
dessous underneath
dessus above, on
destinée *f.* fate
destitué de deprived of, shorn of
détacher to untie
détaler to scamper away
détendre to unbend, to loosen
déterrer to unearth
détour *m.* turn, shift; evasion, subterfuge
détourner to deter, to divert
détroit *m.* strait
détromper to undeceive
détrôner to dethrone
détruire to destroy
dette *f.* debt
deuil *m.* mourning
devenir to become
dévider to wind into skeins
deviner to guess
devise *f.* motto
devoir *m.* duty; homage
devoir to owe, to be bound, must
dévolu escheated
dévot devout, Godly
dévoué devoted
dévouement *m.* devotion, self-sacrifice
dévouer to devote, to sacrifice
diable *m.* devil
diamant *m.* diamond
dicter to dictate
Dieu *m.* God
diffamer to defame, to slander
différend *m.* quarrel
difficile difficult
digérer to digest; to stomach
digne worthy
dignement worthily
digue *f.* dike, bank
dimanche *m.* Sunday
diminuer to diminish, to decrease
dindon *m.* turkey
dire *m.* saying, word; **au — de** according to
dire to say, to tell
diriger to direct
discerner to discern
discoureur *m.* talker, discourser
discourir to discourse
discours *m.* speech, talk
diseur *m.* teller
disgrâcié disgraced; deformed, uncouth
disparaître to disappear
dispense *f.* dispensation, exemption

dispenser to bestow; **— de** to excuse from
dissimulé artful
dissimuler to hide, to dissemble
dissiper to scatter, to disperse
distinguer to distinguish, to divide
distribuer to portion out
divers various
divertir to divert, to amuse
divertissement *m.* amusement
docte erudite, learned
dogue *m.* mastiff
doigt *m.* finger, digit
domaine *m.* estate; province, field
domestique *m. f.* servant
dommage *m.* damage; pity
don *m.* gift
donc therefore
donnée *f.* datum, notion
donner to give; **— sur** to open on, to look out on
dont of whom, of which; from whom, from which
dorénavant hereafter
dorer to gild
dormeur *m.* sleeper
dormir to sleep
dos *m.* back
dot *f.* dowry
doucement softly, sweetly
doucereux mealy-mouthed
douceur *f.* sweetness; harmony
doué gifted, endowed
douleur *f.* pain; grief
doute *m.* doubt
douter to doubt; **se — de** to suspect
douteux doubtful
doux soft; sweet, gentle
drap *m.* cloth
drapeau *m.* flag, standard
dresser to put up; to train, to drive; **se —**, to stand
droit *m.* right; law; **à bon —** rightly
droiture *f.* rectitude, honesty
drôle *m.* rascal
dru hard, thick, brisk
dû due
duc *m.* duke
duper to dupe, to gull
dur hard
durant during
durcir to harden
durée *f.* duration
durer to last
duvet *m.* down

E

eau *f.* water
ébauché rough-hewn
éblouir to dazzle
ébranler to shake, to move
écart (**à l'—**) aside, in a lonely spot
écarté remote
écarter to put aside; **s'—** to go astray, to deviate
échafaud *m.* scaffold
échanson *m.* cupbearer
échapper to escape
échauffé heated, ruddy
échauffer to warm up; to inflame
échec *m.* check; failure
échelonner (**s'—**) to come gradually, at regular intervals
échine *f.* spine
échouer to fail; to run aground
éclair *m.* flash

éclaircir to clear up, to elucidate
éclaircissement *m.* elucidation
éclairer to light; to enlighten
éclat *m.* burst, bit; luster, splendor; **faire de l'—** to make a scene, a sensation
éclatant shining, conspicuous
éclater to break out, to burst; to shine
éclipsé vanished
éclore to hatch, to open, to bloom
éclos open
école *f.* school
écorce *f.* bark
écorcher to skin alive, to scratch
écouler to flow, to elapse
écoutant *m.* listener
écouter to listen
écrasement *m.* crushing, destruction
écraser to crush
écrier (s'—) to exclaim
écrire to write
écrit *m.* writing, book
écriture *f.* handwriting
Écriture *f.* Scripture
écrivain *m.* writer
écu *m.* crown (coin)
écume *f.* foam
écumeux foamy
édifier to edify, to satisfy
édit *m.* edict
éditeur *m.* publisher
effacer to erase
effet *m.* effect; **en —** in fact
efficace efficient
efforcer (s'— de) to endeavor
effrayer to frighten
effroi *m.* fright
effronté bold, brazen
effroyable frightful
égal equal
également equally, likewise
égaler to equal, to match
égalité *f.* equality, evenness
égard *m.* regard, respect; **à l'— de** concerning; in comparison with
égaré lost, strayed
égarement *m.* straying, error
égarer (s'—) to go astray
égayer to cheer, to enliven
égide *f.* shield
église *f.* church
églogue *f.* eclogue
égorger to slaughter
élaborer to work out
élan *m.* transport, flight
élancer (s'—) to rush, to bound
élévation *f.* eminence; pride, haughtiness
élève *m. f.* pupil
élever to raise; to bring up, **s'— contre** to rise against
élider to elide
élire to elect
élite *f.* pick, choice
éloge *m.* praise, eulogy
éloigné distant; different
éloignement *m.* distance, remoteness
éloigner to remove, to dismiss; **s'— de** to digress
élu *m.* elect, chosen
émail *m.* enamel
embarrassé obstructed, crowded; perplexed
embarrasser (s'—) to be embarrassed, to trouble oneself
embellir to beautify

embellissement *m.* embellishment
embonpoint *m.* corpulence
embouchure *f.* mouth
embraser to set on fire
embrasser to embrace, to encircle; to seize
embrouillement *m.* confusion
émeute *f.* riot, tumult
émier (*arch.*) to crumble
éminence *f.* knoll
émissaire (**bouc** —) scapegoat
emmailloter to swaddle
emmener to take away
émouvoir to move, to affect; **s'**— to be roused, to be upset
emparer (**s'**— **de**) to take possession of
empêcher to prevent, to embarrass; **s'**— **de** to keep from
empesté infected, stinking
emploi *m.* occupation; use
empoisonnement *m.* poisoning
empoisonner to poison
emporté punched, cut out; hot headed
emporter to carry away; **l'**— **sur** to win over
empreinte *f.* impression, stamp
empressé officious, earnest
empressement *m.* eagerness, assiduous attention
empresser (**s'**—) to hasten, to be eager to
emprunter to borrow
emprunteur *m.* borrower
ému affected, troubled
émule *m.* rival
en in; as a
enceinte *f.* enclosure, precinct
encens *m.* incense; flattery
encensé flattered
enchaînement *m.* linking, connection
enchâsser to enshrine
enchérir to outbid; to go further
enclos *m.* enclosure
enclume *f.* anvil
encombre *f.* accident
encore again, still, yet; — **que** although
encorné horned
encourir to incur
endormi asleep
endormir to put to sleep
endroit *m.* place, stop
endurer to endure, to suffer
énergique energetic
enfance *f.* childhood
enfantement *m.* creation, invention
enfanter to give birth to, to create
enfer *m.* hell
enfermer to shut in
enfin at last, finally
enflammer to inflame
enflé bloated, swelled; bombastic
enfler to inflate, to swell
enflure *f.* swelling; grandiloquence
enfoncé sunken
enfoncer to sink, to break open, to drive in
enfouir to bury
enfuir (**s'**—) to run away
enfumé smoky
engagement *m.* pledge
engager (**s'**— **à**) to pledge oneself to

engloutir to ingulf
engraisser to fatten
enhardir (s'—) to grow bold
énigme *f.* puzzle
enivrer to intoxicate
enjambement *m.* overlapping
enjamber to overlap
enjoliver to adorn
enjoué playful, sprightly
enjouement *m.* amusement, merriment
enlever to remove, to take off
ennoblir to dignify, to exalt
ennui *m.* tedium; grief, worry
ennuyer to annoy, to bore
ennuyeux tiresome
énoncer to enunciate, to express
enorgueillir (s'—) to pride oneself
enraciner to root
enregistrer to register
enrhumé having a cold
enrichir to enrich
enseignement *m.* instruction, precept
enseigner to teach
ensemble together
enserrer to lock up, to enclose, to hide
ensuite afterwards
ensuivre (s'—) to ensue, to follow
entaché tainted
entasser to pile up
entendement *m.* mind, intelligence, understanding
entendre to hear; to understand
entendu agreed; conversant, expert
enterrer to bury
entêter (s'— de) to be infatuated with
enthousiaste enthusiastic
entièrement entirely
entonner to intone, to sing
entour (à l'—) around
entourer to surround
entrainer to draw, to drag; to bring about
entre between, among
entrée *f.* entrance; access
entremêler (s'—) to mix in, to meddle
entremise *f.* intervention
entrepercer (s'—) to pierce each other
entreprendre to undertake
entreprise *f.* undertaking
entresuivre (s'—) to follow each other
entretenir to entertain, to keep; to talk with; **s'—** to converse
entretien *m.* maintenance, support; conversation
entrevoir to catch a glimpse of
entrevue *f.* interview
envahir to invade
envahisseur *m.* invader
envelopper to envelop, to wrap: **s'—** to involve oneself
envenimer to poison, to exasperate
envers towards
envi (à l'—) in emulation
envie *f.* envy; desire
environ about
environner to surround, to encircle
envisager to view, to face
envoler (s'—) to fly away
envoyer to send

épais thick
épancher to pour, to spread
épandre to spread
épanouir to open; to brighten
épargner to spare, to save
épars scattered
épaule *f.* shoulder
épée *f.* sword
épier to spy, to watch
épigone *m.* continuator
épineux thorny
épître *f.* epistle
épopée *f.* epic poem
épouse *f.* wife
épouser to marry
épouvantable frightful
épouvante *f.* fright
épouvanter to frighten
époux *m.* husband
éprendre (s'— de) to fall in love with
épreuve *f.* test, proof; experience, trial
épris rapt
éprouver to feel, to experience; to test
épuiser to exhaust
épurer to purify, to refine
équité *f.* justice, equity
équivoque *f.* ambiguity, evasion
ère *f.* era
ériger to erect, to set up
ermite *m.* hermit
errement *m.* wandering (*arch.*); error
errer to wander; to err
erreur *f.* error
erroné erroneous, false
escadron *m.* squadron
escalier *m.* stairway
escarmouche *f.* skirmish
escarpé steep
esclavage *m.* slavery
esclave *m. f.* slave
espace *m.* space
Espagne *f.* Spain
espagnol Spanish
espèce *f.* species, brood
espérance *f.* hope
espérer to hope
espoir *m.* hope
esprit *m.* mind, spirit, sense; wit; **bel-—** wit
esquisser to sketch
essai *m.* essay; attempt, trial
essayer to try
essor *m.* flight, soaring
essuyer to wipe
estropier to cripple
étable *f.* stable
établir to establish
étage *m.* story; layer
étaler to display
étape *f.* stage, stop
état *m.* state, condition; **faire — de** to value
été *m.* Summer
éteindre to extinguish, to put out; **s'—** to die out
étendre to extend, to stretch; **s'— sur** to dwell upon
étendu lying; stretched
étendue *f.* extent, area; grasp
éternuer to sneeze
étincelant sparkling; brilliant
étinceler to sparkle
étoffe *f.* fabric, material
étoile *f.* star
étonnant astonishing, stunning
étonner to astonish; **s'—** to wonder
étouffer to stifle

étourdi careless; **à l'—** carelessly
étourdissant stunning
étrange strange
étranger stranger, foreigner
étrangler to choke, to strangle
étrécir to shrink
étreindre to grasp
étroit narrow; strict
étroitement strictly
étude *f.* study
étudier to study; **s'— à** to school oneself to
Évangile *m.* Gospel
évanouir (s'—) to vanish; to faint
éveiller to wake up
événement *m.* event
évertuer (s'—) to strive
évêque *m.* bishop
éviter to avoid
évoquer to evoke, to call up
examen *m.* examination, self-examination
examinateur *m.* examiner, critic
exaucer to hear, to grant
exclure to exclude; to debar
exécuter (s'—) to comply
exercer to exercise, to practice; to produce
exhausser to raise
expédier to dispatch; to draw up
expérience *f.* experience; experiment
expérimenté experienced
expier to atone for
explication *f.* explanation
expliquer to explain
exposer to expose, to exhibit
exprès purposely
exprimer to express
expulser to expel
exquis exquisite
extase *f.* ecstasy, rapture
extraire to extract
extravagance *f.* folly
extravaguer to rave

F

fabrique *f.* making, manufacture
fabuleux born of fiction, wonderful
façade *f.* façade, front
face *f.* face; **en —** face to face, **en — de** facing, opposite
facile easy
fâché sorry; angry
fâcheux sad, vexatious, regrettable
facilement easily
façon *f.* fashion, manner; making; **de — que** so that
façonner to be ceremonious (*arch.*)
fade insipid
faible *m.* weakness
faible weak
faiblesse *f.* weakness
failli (*arch.*) deficient
faillir to fail; to come near
faim *f.* hunger
faire to do, to make; **ne — que de** to have just
faisan *m.* pheasant
faisceaux *m. pl.* fasces, bundle
faiseur *m.* maker
fait *m.* fact, deed; **avoir son —** to be told something disagreeable

fait (homme —) grown up; **bien —** well formed
faîte *m.* summit, roof
falloir to be necessary
fange *f.* mire
fangeux miry
fantaisie *f.* fancy, imagination
fantôme *m.* ghost, phantom
fard *m.* rouge, face paint
fardé painted
fardeau *m.* burden
farine *f.* flour
farouche ferocious, wild
faste *m.* pomp
fastueux gorgeous
fat vain, fop
faubourg *m.* suburb, outskirt, slums
faucille *f.* sickle
faucon *f.* falcon
faute *f.* fault, mistake; **— de** for want of
fauteuil *m.* armchair
fautif faulty
fauve tawny
faux *f.* scythe
faux false, untrue; **—-brillants** false diamonds, tinsel
faux *m.* error; forgery
favoriser to favor, to endow
fécond prolific; abundant
félicité *f.* happiness, bliss
feindre to feign, to sham
femme *f.* woman; wife
fendre to split, to break, to plow
fenêtre *f.* window
féodal feudal
fer *m.* iron; sword; stanchion
ferme firm
fermer to close, to shut
fermier-général *m.* farmer-general
festin *m.* feast, banquet
fêté feted
feu *m.* fire; bonfire; fireplace; **— d'artifice** fireworks
feu late, deceased
feuillage *m.* foliage
feuille *f.* leaf
feuillée *f.* foliage
feuillet *m.* leaf, leaflet
fi fie!
ficelle *f.* string
fidèle faithful
fidèle *m.* believer, worshiper
fier proud
fier (se — à) to trust
fierté *f.* pride
fièvre *f.* fever
figue *f.* fig
figurer (se —) to fancy
fil *m.* thread
filer to spin
filet *m.* net
fille *f.* girl, maid, maiden; daughter
fils *m.* son
fin *f.* end, goal; death; **venir à ses fins** to succeed
finesse *f.* fineness; artifice, craft
fixer (se —) to settle
flambeau *m.* torch
flame (*arch.*) *f.* flame
flamme *f.* flame
flanc *m.* side, flank; bosom
Flandre *f.* Flanders
flatterie *f.* flattery
flatteur *m.* flatterer
fléau *m.* flail; plague
flèche *f.* arrow
fléchir to bend

flétrir to wither; to blemish, to brand
fleur *f.* flower
fleurir to bloom; to flourish
fleurissant flourishing
fleuriste *m.* florist
fleuve *m.* river
floraison *f.* bloom
flot *m.* wave, flood
flottant waving
flotter to float, to waver
foi *f.* faith; fidelity; proof; **sur ma** — upon my word
foin *m.* hay
foire *f.* fair, market
fois *f.* time, occasion
foison (**à** —) plentifully
foisonner to abound, to swarm
folie *f.* madness, folly
follement madly, foolishly
fomenter to foment, to stir up
fond *m.* bottom, base; subject matter; **à** — entirely; **bon** — good heart
fondateur *m.* founder
fondement *m.* base, foundation
fonder to base; to found
fondre to melt; to pounce
fonds *m.* fund, stock; subject matter
fontaine *f.* fountain, spring
forçat *m.* convict
force lots of, many
force *f.* strength, force; **à** — **de** by dint of
forcer to compel
forfait *m.* crime
forger (**se** —) to imagine
forgeron *m.* blacksmith
fort strong
fort very much
fort *m.* fort, stronghold
fortement strongly
fortifier to fortify, to strengthen
fortune *f.* chance, fate
fou *m.* fool, lunatic
foudre *m. f.* thunderbolt; — **d'airain** cannon
fougère *f.* fern
fougue *f.* fire, heat, fury
fougueux fiery
fouiller to excavate, to search
foule *f.* crowd
fouler to tread, to trample
fourmi *f.* ant
fourmiller to swarm
fourneau *m.* furnace, stove
fournir to supply
fourré furred
fourrier *m.* quarter-master
fourrure *f.* fur
fourvoyer (**se** —) to go astray
foyer *m.* hearth; home
fracas *m.* noise, tumult, crash
fraîcheur *f.* coolness
frais cool, fresh; rested
frais *m.* coolness
frais *m. pl.* expense
fraise *f.* strawberry
franc frank, free
franchement frankly
franchir to get over, to overstep
franchise *f.* frankness; freedom
frapper to strike, to hit; to coin
fraternel brotherly
frayeur *f.* fright
frein *m.* brake; restraint
frémir to tremble, to shiver
frère *m.* brother
friand appetizing; fond
fripon *m.* rascal

frisé curly, curled
frissonner to shiver
froid cold
froidement coldly
fromage *m.* cheese
froncer to contract, to knit
fronde *f.* sling; **Fronde** civil war of 1648–1653
front *m.* forehead, head; front; audacity
frotter to rub, to scrub, to polish
fruiterie *f.* fruit store, fruit trade
frustrer to frustrate
fuir to flee; to shun
fuite *f.* flight
fumée *f.* smoke, fume; incense; praise
fumer to smoke
funèbre funereal
funeste fatal
fureur *f.* wrath, fury, frenzy; passion, inspiration
furie *f.* fury
furieux angry, mad, fierce
furtivement furtively
fuseau *m.* spindle
fusil *m.* gun, rifle

G

gage *m.* pledge; token; wager
gager to bet, to lay a wager
gagner to gain, to win; to bribe; to reach
gaillard jolly
gain *m.* gain, profit
galant gallant, pretty
galanterie *f.* gallantry, love affair
galeux mangy
garant *m.* warrantor
garantir to guarantee, to protect, to shield
garçon *m.* boy; son; fellow
garde *m.* guard, keeper
garde *f.* guard; hilt; care; notice; **en** — on guard; **prendre** — to take notice; **prendre** — **à** to beware of; **être sur ses** —**s** to be on one's guard
garde-manger *m.* larder, pantry
garder to guard; to keep; **se** — **de** to keep from
gare beware! look out
gâter to spoil
gauche *f.* left, left hand; **à** — to the left
gaucher *m.* left handed
Gaule *f.* Gaul
gaulois Gallic, Celtic
gazon *m.* grass, lawn
gazouiller to chirp
geai *m.* jay
géant *m.* giant
gelinotte *f.* young fat fowl
gémir to moan, to lament
gêner to inconvenience, to hinder
genou *m.* knee
genre *m.* gender, kind; — **humain** mankind
gens *m.* people
gent *f.* race, tribe
gentilhomme *m.* nobleman, gentleman
gentillesse *f.* nicety
géomètre *m.* surveyor
germain (**cousin** —) first cousin
gésir to lie; **ci-gît** here lies

geste *m.* gesture
gibet *m.* gallows
gîte *m.* shelter, den, lair, home
glacé frozen, icy
glacer to freeze
glaive *m.* small sword
gland *m.* acorn
glaner to glean
glayeux (*arch.*) *m.* gladiole iris
glissant slippery
glisser to slip, to slide
gloire *f.* glory
glorifier (**se — de**) to glory in
gloser to comment; to criticize
glouton glutton
gond *m.* hinge
gorge *f.* throat, breast
goujat *m.* hodman; vulgar fellow
gourde *f.* gourd, calabash
gourmand greedy, glutton
gourmander to chide
goût *m.* taste
goûter to taste, to enjoy
goutte *f.* drop; gout
gouvernante *f.* governess
gouverner to govern, to rule
grâce *f.* grace, charm; favor; mercy; thanks; **— à** thanks to, owing to
grain *m.* grain, seed
graisse *f.* fat
grand tall; great, grand
grand *m.* grandee, noble
grandeur *f.* greatness; rank
grandir to grow
gras fat; **caractère —** heavy type; **jour —** shrove day
gratter to scratch, to scrape
graver to engrave
gravier *m.* gravel
gravir to climb
gré *m.* liking; **au — de** at the mercy of, at the will of; **savoir —** to be grateful
Grec, Grecque *m. f.* Greek
Grèce *f.* Greece
greffier *m.* clerk, recorder
grègues (*arch.*) *f.* breeches
grenadier *m.* pomegranate tree
grenier *m.* garret
grièvement grievously
griffe *f.* claw, fang
grimaud *m.* dunce, pedant
grimper to climb
gris grey
gronder to grumble; to scold
gros big; pregnant
gros *m.* bulk, mass; **en —** grossly, in the main
grosjean *m.* a mere nobody
grosseur *f.* bigness, size
grossier coarse, vulgar
grossièreté *f.* coarseness, rudeness
grossir to inflate, to enlarge
grouper to group, to gather
grue *f.* crane
guéable fordable
guère but little
guérir to cure, to heal
guérison *f.* cure, recovery
guerre *f.* war
guerrier *m.* warrior
guet *m.* watch
gueule *f.* mouth (of an animal)
gueux *m.* beggar; **— revêtu** beggar on horseback
guinder (**se —**) to hoist oneself; to be strained
guirlande *f.* garland

H

habile able, skillful, clever
habileté *f.* ability, skill, cleverness
habiller to dress
habit *m.* clothes, coat, garment
habitué *m.* frequenter
haine *f.* hate
haïr to hate
haire *f.* hair shirt
haleine *f.* breath; **de longue** — extensive
halle *f.* hall; market
hameçon *m.* hook, bait
happer to nab, to catch
harangue *f.* address, speech
hardes *f.* clothes
hardi bold
hardiesse *f.* boldness, courage
hardiment boldly
haro out upon!
hasard *m.* hazard, chance; **au — de** at the risk of
hasarder to venture
hâter to hasten
haut high; loud
hautain haughty
hautement highly; loudly
hauteur *f.* height; haughtiness
hébété dulled, stupefied
hélas alas!
herbe *f.* herb, grass
hère *f.* wretch
hériter to inherit
héritier *m.* heir
hermine *f.* ermin
hêtre *m.* beech tree
heure *f.* hour; **à l'—** on time; **de bonne —** early; **sur l'—** on the spot
heurter to jar, to jostle; to knock
hibou *m.* owl
hier yesterday
historiette *f.* anecdote
hiver *m.* Winter
holà hollo! stop!
homme *m.* man
honnête honest, fair; cultured
honnêteté *f.* honesty
honneur *m.* honor
honte *f.* shame
honteux shameful; ashamed
honteusement shamefully
hoquet *m.* hiccough; obstacle, obstruction
horloge *f.* big clock, hourglass
hormis except
hors out; except; **— de** besides; **— d'œuvre** from out to out (*arch.*)
hôte *m.* host; guest
hôtel *m.* private residence
hôtesse *f.* hostess
houspiller to maul, to tug
housse *f.* cover
huilé oiled, shiny
huissier *m.* usher, sheriff's officer
humblement humbly
humeur *f.* humor, temper
humilier to humble
huppé crested
hurler to howl, to yell
hymen *m.* marriage
hypocras *m.* hippocras

I

ici here
idée *f.* idea, thought
idolâtre *m.* heathen

idole *f.* idol
île *f.* island
illustrer to illustrate
imaginer (*arch.*) *m.* invention, creation
imiter to imitate
immodéré excessive
immoler to sacrifice
immonde unclean
impair odd
impiteux (*arch.*) pitiless
importer to matter, to be of importance
importuner to pester
impôt *m.* tax
impression *f.* imprint; printing
imprévu unforeseen
imprimer to impress; to print
improviste (à l'—) suddenly, extempore
impuissance *f.* impotence
impuissant powerless
impunément with impunity
imputer to ascribe
incarnat flesh colored
incarner to personify
incertitude *f.* uncertainty, doubt
incliner (s'—) to bow
inclure to include
incommoder to inconvenience
incommodité *f.* inconvenience
inconnu unknown
inconsidéré incautious, thoughtless
inconsidérément incautiously
inconstamment unsteadily
inconstance *f.* inconstancy
incontinent at once
inconvénient *m.* inconvenience; harm; objection
incriminé incriminated, objected to
incroyable incredible
inculquer to inculcate, to impress
indécence *f.* impropriety, obscenity
indigent *m.* poor, needy
indigne unworthy
indigné indignant
indomptable indomitable
indompté unconquered
inébranlable unshakable
inébranlablement immovably
ineffaçable indelible
inégal uneven, unequal; ill-matched
inégalité *f.* unevenness, irregularity
inévitable unavoidable
infaillible infallible
infamie *f.* baseness, shame; infamous action
infidèle unfaithful
infirme invalid
infortune *f.* misfortune
infus in-born
ingénieur *m.* engineer
ingénument candidly, frankly
ingrat ungrateful
inimitié *f.* enmity
initier to initiate
injure *f.* insult, offense, injury
injurieux offensive
inné in-born
innover to innovate
inopinément suddenly
inouï unheard of
inquiet anxious, restless
inquiéter to worry
inquiétude *f.* anxiety, worry
insensé insane, unwise

insensible unfeeling; imperceptible
insensiblement imperceptibly
insérer to insert
insinuer to hint; **s'— dans** to steal into
instruire to educate, to train, to direct
insu (**à l'— de**) unknown to
insupportable unbearable
insurgé insurgent, rebel
intelligence *f.* understanding
interdit suspended; forbidden
intéressé selfish
intérêt *m.* selfishness
interrompre to interrupt
intervenir to intervene
intraitable untractable, refractory
intrigue *f.* intrigue, plot
introduire to introduce; **s'— dans** to meddle with
inutilement uselessly
inutilité *f.* uselessness
invention *f.* creation
invinciblement invincibly
invoquer to implore, to appeal to; to quote
irrésolu undetermined
irriter to anger; to stir
isolé isolated, lonely
issu born, sprung from
ivoire *m.* ivory

J

jalousie *f.* jealousy
jaloux jealous
jamais never; ever
jambe *f.* leg
jambon *m.* ham
jardin *m.* garden
jardinage *m.* gardening
jaune yellow
jaunisse *f.* jaundice
jeter to throw, to cast
jeu *m.* game, play
jeun *m.* fast; **à —** fasting
jeune young
jeûne *m.* fast, abstinence
jeûner to fast
jeunesse *f.* youth
joindre to add, to join, to unite
jointure *f.* joint
joli pretty
jonc *m.* rush
joue *f.* cheek
jouer to play, to gamble; to act; **— d'adresse** to be more clever; **se — de** to make sport of
jouet *m.* toy, plaything
joug *m.* yoke; bondage
jouir de to enjoy
jour *m.* day, daylight
journalier daily; changeable
journée *f.* day; day work
juge *m.* judge
jugement *m.* judgment; common sense
juger to judge
jurer to swear
jusque, jusques (*arch.*) until, as far as, including; **il n'est pas jusqu'à — qui** even, the very; **jusqu'ici** until now
justifier to justify; to redeem, to sanctify

L

labourage *m.* plowing; plowland
labourer to plow

laboureur *m.* plowman, farmer
lac *m.* lake
lâche lax; cowardly
lâcher to let go, to set loose
lâcheté *f.* cowardice; laxity
lacs *m.* bowstring, slipknot
là-dessus thereupon
lai (**frère** —) lay brother (in monastery)
laid ugly
laine *f.* wool, fleece
laisser to leave, to let; — **de** to fail, to miss
lait *m.* milk
laitage *m.* milk, milk food
laitière *f.* milk woman
lambeau *m.* fragment, shred
lambris *m.* paneling; palace
lance *f.* spear
lancer to cast, to launch
langage *m.* language
langue *f.* tongue; **jeter sa — au chien** to give up guessing
languir to languish
langoureux languishing
lanterne *f.* lantern
laper to lap, to lick up
laquais *m.* lackey
larcin *m.* larceny, robbery
large wide; **au** — at ease (*arch.*)
largesse *f.* gift, munificence
largeur *f.* width
larme *f.* tear
larronnesse *f.* thief
lasser to tire
laurier *m.* laurel, laurel tree
laver to wash, to clean
lécher to lick
leçon *f.* lesson
lecteur *m.* reader
lecture *f.* reading
léger light; **à la légère** thoughtlessly
légèrement lightly, thoughtlessly
légèreté *f.* lightness; levity, fickleness
légitime lawful
légume *m.* vegetable
lendemain *m.* morrow
lent slow
lenteur *f.* slowness
lequel who, whom, which
lettre *f.* letter; **lettres** literature
levée *f.* raising (of a siege)
lever *m.* rising; ceremony incident to the dressing of royalty
lever to lift, to raise; **se** — to get up
lèvre *f.* lip
lévrier *m.* greyhound
lézard *m.* lizzard
liaison *f.* connection, union; intimacy
libéralité *f.* generosity, lavishness
libérer to free
libertin *m.* libertine; free thinker (*arch.*); idler
libraire *m.* bookseller
libre free; **—-penseur** free thinker
librement freely
lier to tie, to bind, to connect
lierre *m.* ivy
lieu *m.* place, spot; occasion, cause; **au — de** instead of; **au — que** while; **avoir** — to take place; **donner** — to give cause; **trouver** — to find occasion

lieue *f.* league
liguer (**se** —) to league, to conspire
limer to file, to polish
limoneux slimy
lionceau *m.* lion's cub
lippée (**franche** —) *f.* hearty meal
lire to read
lisible legible
lisse smooth
livre *m.* book
livre *f.* pound, livre
livrer to deliver; — **bataille** to give battle; **se** — **à** to indulge in, to confide in
lit *m.* bed
logement *m.* lodging
loger to lodge, to dwell
logis *m.* house, home
loi *f.* law; principle
lointain distant
loisir *m.* leisure
long long; **à la longue** in the long run; **le** — **de** along
longtemps a long while
longueur *f.* length; delay, duration
lors then; — **de** at the time of
lorsque when
louable praiseworthy
louange *f.* praise
louer to praise; to hire
loup *m.* wolf
lourd heavy
loyauté *f.* loyalty
luire to shine, to glow
luisant shining, glowing
lumière *f.* light; **lumières** knowledge, science
lune *f.* moon
lunettes *f.* spectacles
lustre *m.* luster; chandelier
lustre *m.* five year period
lutter to fight, to struggle
luxe *m.* luxury

M

maçon *m.* mason
magasin *m.* store, magazine
maigre thin; **faire** — to abstain from meat; **jour** — fish day
maille *f.* mesh
maillot *m.* swaddling clothes
main *f.* hand
maint many a
maintenant now
maintenir to maintain, to support
mais but
maison *f.* house
maître *m.* master, teacher; — **d'hôtel** majordomo
maîtresse *f.* mistress
mal *m.* evil, misfortune; disease
mal badly; — **à propos** ill-timed, not to the purpose; **faire** — **à** to hurt
malade ill
maladie *f.* illness
maladresse *f.* awkwardness; blunder
malaisé difficult; rough, uneven
malaisément with difficulty
malentendu *m.* misunderstanding
malgré in spite of
malhabile awkward
malheur *m.* misfortune
malheureux unfortunate

malice *f.* mischief; artifice, trick
malin malignant; wicked; cunning
malintentionné ill-disposed
malotru *m.* boor, ill-bred
maltraiter to abuse
mandement *m.* bishop's pastoral letter
mander to write, to let know
manger to eat
manier to handle
manière *f.* manner
manifesto *m.* platform
manoir *m.* manor
manque *m.* lack
manquer to miss, to fail; — **de** to lack
manteau *m.* cloak
manuel *m.* handbook
marais *m.* marsh
marâtre *f.* harsh mother; stepmother
maraud *m.* scoundrel
marbre *m.* marble
marchand *m.* merchant
marche *f.* march; walking
marché *m.* market, bargain; **bon** — cheap; **à si bon** — so easily
marcher to walk, to march
marécage *m.* marsh, swamp
maréchal *m.* marshal
marée *f.* tide; sea food
mari *m.* husband
marier to marry off; **se** — to marry
marjolaine *f.* sweet marjoram
marmite *f.* kettle
marque *f.* mark, sign; token; trademark
marquer to mark, to point out
marquise *f.* marchioness
marri grieved
marteau *m.* hammer
martyre *m.* martyrdom
mascarade *f.* masquerade
masse *f.* mass, pile, weight
masure *f.* tumbledown house
matamore *m.* bully
matelot *m.* sailor
matière *f.* matter, material; subject matter
matin *m.* morning
mâtin *m.* mastiff
matinée *f.* morning
maudire to curse
mauvais bad
méchanceté *f.* wickedness; wicked action
méchant bad, wicked, ill-natured
méconnaître to ignore, to disown
médaille *f.* medal
médecin *f.* physician
médiocre mean, ordinary, average
médiocrement tolerably, poorly
médiocrité *f.* mediocrity, moderation, poorness
médire de to speak ill of
médisance *f.* slander, unkind gossip
médisant *m.* slanderer
mégarde *f.* inadvertence
meilleur better, best
mélange *m.* mixture
mêlé à mixed up with
mêlée *f.* fray, mix-up, battle
mêler to mix, to blend, to mingle; **se** — **de** to meddle with, to dabble in

membre *m.* limb; member
même same, self, very; even; de — likewise
mémoire *m.* memorandum, report
mémoire *f.* memory
ménage *m.* household; married couple
ménager to manage; to spare, to humor
mendiant *m.* beggar
mener to lead
mensonge *m.* falsehood
menteur *m.* liar
mentir to lie
menton *m.* chin
menu tiny
méprendre (**se**—) to be mistaken
mépris *m.* contempt; **au — de** in defiance of
méprisant contemptuous
mépriser to scorn
mer *f.* sea
mère *f.* mother
mériter to deserve
merveille *f.* marvel
merveilleux marvellous
mésaventure *f.* mishap
mésintelligence *f.* misunderstanding, disagreement
messager *m.* messenger
messe *f.* holy mass
mesure *f.* measure, moderation; meter, rhythm; **à —** que in proportion as
mesurer to measure
métier *m.* trade, craft; loom
mettre to put, to place; **se —** à to begin
mets *m.* meal, dish
meuble *m.* piece of furniture
meunier *m.* miller
meurtre *m.* murder
meurtrir to bruise
midi *m.* noon; acme, zenith; South
miel *m.* honey
miette *f.* crumb; bit
mieux better, best
milieu *m.* middle
mille *m.* thousand; mile
mine *f.* appearance, mien
miné undermined, wasted
ministère *m.* ministry, ministration; function, office
minuit *m.* midnight
minutie *f.* trifle
mirer (se —) to look at one's reflection
miroir *m.* looking glass
misère *f.* misery
miséricorde *f.* mercy, pity
mode *f.* fashion
moelleux soft
mœurs *f.* manners
moindre less, least
moine *m.* monk
moins less, least
mois *m.* month
moisir to grow moldy, to rot
moisson *f.* harvest
moitié *f.* half
mol soft
mollement softly, effeminately
mollesse *f.* softness; indolence, effeminacy
monceau *m.* heap
mondain wordly, sociable
monde *m.* world, people; **tout** le — everybody
monnaie *f.* money, coin
mont *m.* mount
montagne *f.* mountain

montant steep
monter to go up, to mount; to ride
montre *f.* show, display; watch
montrer to show, to point out, to teach
moquer (se — **de**) to mock
morceau *m.* fragment, piece
mordant biting
mordre to bite
morfondu chilled, downcast
mort dead
mort *f.* death
mot *m.* word, saying; **bon —** witticism
motif *m.* motive
mou soft, effeminate
mouche *f.* fly
moucher (se —) to blow one's nose
mouchoir *m.* handkerchief
mouiller to moisten, to wet
moulin *m.* mill; **jeter son bonnet par-dessus le —** to throw off all restraint
mourir to die
mousquet *m.* musket
mouton *m.* sheep
mouvante (**terre** —) quicksand
mouvement *m.* movement; emotion
mouvoir to move
moyen *m.* means, way, medium
moyen-âge *m.* Middle Ages
moyennant by means of, in return for
moyenne *f.* average
mue *f.* molting, coop
muer to molt
muet mute; **sourd-—** deaf and dumb
mule *f.* mule
mule *f.* slipper
mulet *m.* mule
mur *m.* wall
mûr ripe
muraille *f.* wall, rampart
mûrir to ripen
murmurer to murmur, to whisper
museau *m.* snout, mug
mutiné mutinous, rebel

N

nage *f.* swimming
nager to swim
nain *m.* dwarf
naissance *f.* birth
naissant newly born, new
naître to be born, to come to life
naïveté *f.* artlessness
narcisse *m.* narcissus
narine *f.* nostril
naturel *m.* nature, constitution, temper
naufrage *m.* shipwreck
navire *m.* ship
né born
néanmoins nevertheless
nécessiteux needy
nef *f.* ship
négligé careless, plain, slovenly
négliger to neglect, to overlook
nerf *m.* nerve
net neat, clear
nettement neatly, clearly
netteté *f.* clearness, precision
nettoyer to clean
neuf new
neveu *m.* nephew; descendant
nez *m.* nose

ni . . . ni neither . . . nor
nièce *f.* niece
nier to deny, to disown
nigaud *m.* simpleton
niveau *m.* level; height
noblesse *f.* nobleness; nobility
nœud *m.* knot, tie, bow
noir black
nom *m.* name, renown
nombre *m.* number, harmony
nommer to name; to appoint
non no; — **plus** no more, nor . . . neither
nonce *m.* nuncio
nonchalance *f.* heedlessness, indolence; simplicity
nonobstant notwithstanding
nord *m.* North
nouer to knot, to tie; to form
nourrice *f.* nurse
nourrir to nourish, to feed, to foster
nourriture *f.* food
nouveau new; **de** — again
nouveauté *f.* novelty
nouvelle *f.* news
nouvellement newly, recently
novice inexperienced, green
noyau *m.* core; nucleus
noyer to drown
nu nude, bare
nuage *m.* cloud
nuance *f.* shade
nuancé shaded
nue *f.* cloud; skies
nuée *f.* cloud; host, swarm
nuire to harm
nuisible harmful
nuit *f.* night, darkness
nul no one
nullement not at all

O

obéir to obey
obéissance *f.* obedience
obligé obliged; indebted to
obliger to oblige; to compel
obole *f.* mite
obscurcir to darken
obscurément in obscurity
obscurité *f.* darkness
obtenir to obtain
occident *m.* West
occire (*arch.*) to kill
odieux hateful
odorat *m.* sense of smell
œil *m.* eye
œillet *m.* carnation flower
œuf *m.* egg
œuvre *f.* work; **hors d'—** from out to out (*arch.*); **mettre en** — to put to use
offensé *m.* offended party
offenser to offend, to insult, to abuse
officieux obliging
offre *f.* offer
offrir to offer
offusquer to obscure, to darken
oignon *m.* onion, bulb
oira (*arch.*) will hear
ois (*arch.*) listen, hear
oiseau *m.* bird
oisiveté *f.* idleness
ombrage *m.* shade
ombrager to shade
ombre *f.* shadow, shade; ghost
once *f.* ounce
oncle *m.* uncle
onde *f.* wave, water
ongle *m.* nail, claw, talon
opiner to give one's opinion

opiniâtre obstinate
opiniâtreté *f.* obstinacy
opposé opposed, opposite
opposition *f.* objection, contradiction
opprimer to oppress
opter to choose
or *m.* gold
or now, well
orage *m.* storm
orageux stormy
oraison *f.* oration; prayer
oralement orally, verbally
oranger *m.* orange tree
ordinaire usual
ordinaire *m.* ordinary messenger
ordonnance *f.* prescription
ordonner to order, to arrange; to ordain
ordre *m.* order; holy order
ordure *f.* filth, dirt
oreille *f.* ear
orge *m. f.* barley
orgueil *m.* pride
orgueilleux proud, haughty
orient *m.* East
orienter (s'—) to take one's bearings, to set towards
originaire native
orner to adorn
orphelin *m.* orphan
orthographe *f.* correct spelling
os *m.* bone
oser to dare
ôter to remove, to take off
ou or; — **bien** or else
où where, in which
oubli *m.* oblivion
oublier to forget
ouïr to hear
ours *m.* bear
outrager to insult
outre besides
ouvert open
ouverture *f.* opening; overture
ouvrage *m.* work
ouvrier *m.* workman, craftsman
ouvrir to open
oyez (*arch.*) hear ye

P

païen heathen
paille *f.* straw
pain *m.* bread
pair even
paisible peaceful
paisiblement peacefully
paix *f.* peace
palais *m.* palace
pâleur *f.* pallor
pâlir to grow pale
pallier to palliate, to excuse
pâmer to faint
panier *m.* basket
paon *m.* peacock
pape *m.* Pope
papier *m.* paper
papillon *m.* butterfly
paquet *m.* parcel, package
paraître to appear
parbleu of course, zounds!
parcelle *f.* particle, fragment
parce que because
parcourir to go over
par-dessus above
pardonner to forgive
pareil like, equal
parent *m.* parent, relative
parer to adorn
paresse *f.* laziness
paresseux lazy

parfait perfect
parfaitement perfectly
parfois at times
parfum *m.* perfume
pari *m.* bet, wager
parjure *m.* perjury
parler to speak, to talk; to gossip
parleur *m.* talker
parmi amidst, among
paroisse *f.* parish
parole *f.* speech, word; promise; surrender
part *f.* part, share; **à —** aside; **nulle —** nowhere; **quelque —** somewhere
partage *m.* division, lot, share
partager to divide; to partake
partant hence, consequently
partement (*arch.*) *m.* departure
partenaire *m.* partner
parterre *m.* pit (of a theater)
parti *m.* party; decision; match; **prendre — pour** to take the side of; **tirer — de** to make the best of
partie *f.* part
partir (*arch.*) *m.* departure; **au — de** on leaving
partir to depart
partout everywhere
parvenir to arrive, to succeed
pas *m.* step, pace; footstep
pas not
passage *m.* crossing
passager temporary, short-lived
passé *m.* past
passer to pass, to ferry across; to spend; to overlook; **— en nature** to become natural; **— par-dessus** to overlook; **se — de** to do without
pasteur *m.* shepherd; pastor
pâtir to suffer
pâtre *m.* shepherd
patrice *m.* patrician
patrie *f.* fatherland
patte *f.* paw
pâturage *m.* pasture
pauvre poor
pauvreté *f.* poverty; poorness, mediocrity
pays *m.* country, land, village
paysan *m.* peasant
Pays-bas *m.* Netherlands
péage *m.* toll
peau *f.* skin
peautre (*arch.*) *m.* face paint
peccadille *f.* slight offense
péché *m.* sin
pécher to sin
pêcher to fish
pécheresse *f.* sinner
pécheur *m.* sinner
pêcheur *m.* fisherman
peindre to paint, to portray
peine *f.* pain; punishment; trouble, difficulty; **à —** scarcely
peinture *f.* painting
pelé hairless
pèlerinage *m.* pilgrimage
penchant *m.* slope; inclination
pencher to lean, to bend
pendable worth hanging
pendant hanging
pendant during; **— que** while
pendre to hang
pénétrer to fathom; to affect, to move
pénible painful, hard
pénitence *f.* penance

pensée *f.* thought
penser to think
perçant piercing, keen
percer to pierce, to open up
percher to perch
perclus stricken, crippled
perdre to lose
perdrix *f.* partridge
perdu lost; bewildered; — **d'honneur** ruined in reputation
perdu *m.* lost man, madman
perfectionner to improve
période *f.* epoch; phrase, period
périr to perish
périssable perishable
permettre to permit, to allow
permis allowed
pernicieux hurtful
perron *m.* front steps
perroquet *m.* parrot
Perse *f.* Persia
personnage *m.* personage; character, rôle
personne nobody; anybody
perte *f.* loss; death, ruin
pesant heavy
pesanteur *f.* gravity
peser to weigh
peste *f.* plague
pestiféré plague stricken
pétiller to sparkle
petit little, small
petite-fille *f.* granddaughter
petitesse *f.* smallness, meanness
petit-fils *m.* grandson
petits-enfants *m.* grandchildren
peu a little, few
peupler to populate
peur *f.* fear
peut-être perhaps
pie *f.* magpie
pièce *f.* piece; bolt (of cloth); play; room
pied *m.* foot
piège *m.* trap, snare
pierre *f.* stone
piété *f.* piety
pieux pious
pile *f.* pile; — **ou croix** — **ou face** head or tail
pilier *m.* pillar
pin *m.* pine tree
pincer to pinch
piolé (*arch.*) varicolored
piper to cheat
piperie *f.* cheating, deceit
piquer to prick, to sting; to urge; — **d'honneur** to make it a point of honor; **se — de** to boast of
pire worse, worst
pis worse, worst; **—-aller** worst
pitié *f.* pity
pitoyable pitiful, very bad
place *f.* place, spot, square; stronghold; seat, room; **faire — à** to make room for
plafond *m.* ceiling
plaider to plead
plaie *f.* wound; plague
plaindre to pity; **se —** to complain
plaine *f.* plain
plainte *f.* complaint
plaisamment agreeably; jokingly
plaisant pleasant, pleasing
plaisant *m.* jester; **mauvais —** sorry jester
plaisanterie *f.* jest, joke

plaisir *m.* pleasure
planche *f.* board, plank
plancher *m.* floor; ceiling (*arch.*)
planté set
planter to plant, to establish
plat flat, smooth; dull
plat *m.* dish
plein full; **à —** in full (*arch.*)
pleur *m.* tear
pleurer to weep, to mourn
pleuvoir to rain, to pour
pli *m.* fold, plait, bend, wrinkle
plier to fold, to bend; to give way
plomb *m.* lead; shot, cannon ball
ployer to bend; to yield
pluie *f.* rain
plumage *m.* feathers
plume *f.* feather; pen
plupart (**la —**) most
plus more; **de — en —** more and more; **non — nor . . .** neither; **— . . . , —** the more . . . , the more; **de —** moreover
plutôt rather
poêle *m.* stove, room with a stove (*arch.*)
poids *m.* weight
poignard *m.* dagger
poignarder to stab
poil *m.* hair
point *m.* point, dot; **à —** just right; **au — que** to this extent that; **—-coupé** lace
point not, not at all
pointe *f.* point; witticism
pointu pointed, sharp
poire *f.* pear
poirier *m.* pear tree
poitrine *f.* breast, chest, lungs
poli polished, glossy; polite
policer to administer, to rule
polir to polish
politesse *f.* politeness
politique *f.* policy
poltron *m.* coward
pompeux pompous
pont *m.* bridge
porcher *m.* swine herd
port *m.* port, shore
porte *f.* door, gate
portée *f.* range
porter to carry, to bear, to wear; **— à** to incite to
poser to place, to lay down
portique *m.* portico; palace
possédé possessed of
poste *m.* post, station, position
poste *f.* post, postoffice
postérieur posterior, subsequent
potage *m.* light soup
poudre *f.* powder; dust (*arch.*)
poudreux dusty
poule *f.* hen
poulet *m.* chicken; **— d'Inde** turkey (*arch.*)
poumon *m.* lung
poupée *f.* doll
pour for, because of, as for; **— ce que** because (*arch.*); **— peu que** if ever so little
pourpoint *m.* doublet
pourpre *f.* purple
pourquoi why
pourrir to rot
poursuite *f.* suit, pursuit
poursuivre to pursue, to sue; to continue
pourvoir to provide, to supply

pourvoyeur *m.* provider; purveyor, caterer
pourvu que provided that
pourtant however
pousser to push, to drive; to urge; to utter; — **à bout** to drive to extremities, to provoke beyond endurance
poussière *f.* dust
pouvoir *m.* power
pouvoir to be able to; **n'en — plus** to be worn out; **se —** to be possible
prairie *f.* meadow
pratique practical
pratique *f.* practice
pratiquer to practise
pré *m.* meadow
précepteur *m.* tutor, master
prêcher to preach
prêcheur preacher
Précieuse *f.* affected literary woman
précipité sudden, hasty
précipiter (se —) to dash, to rush
préconiser to extol
prédicateur *m.* preacher
prédire to foretell
préjudice *m.* detriment
préjugé *m.* prejudice, presumption
prélasser (se —) to strut
prématurément prematurely
prendre to take, to catch, to assume; **s'y —** to go about it
préparatif *m.* preparation
préposé à intrusted with
près near, nearly
présage *m.* omen, foreboding
prescrire to prescribe
préserver to preserve; to keep (from)
presque almost
pressant urgent
presse *f.* eagerness; crowd; **faire la —** to be in the way
presser to hurry; to urge; to press; **se —** to hurry; to crowd
prêt ready
prétendant *m.* suitor
prétendre to claim; to pretend, to make a pretense
prétendu so-called, would-be
prêter to lend; to attribute, to ascribe
préteur *m.* pretor
prêteur *m.* lender
prêtre *m.* priest
preuve *f.* proof; test
prévaloir to prevail
prévenir to prevent, to ward off, to forestall; to warn
prévention *f.* prejudice
prévenu forewarned; informed of; well disposed
prévoir to foresee
prévoyance *f.* foresight
prier to pray, to beg; **— à** to invite to
prière *f.* prayer
principe *m.* principle; source
printemps *m.* Spring
prise *f.* capture, hold; **lâcher —** to let go
priser to prize, to value
privé private; deprived
priver to deprive
prix *m.* price; prize; **au — de** at the cost of, in comparison with
probité *f.* honesty

procédé *m.* way of acting, of dealing
procéder to proceed; **— de** to ensue from
procès *m.* lawsuit, trial; **faire son — à quelqu'un** to take somebody to account
prochain approaching
prochain *m.* neighbor, fellow man
proche near
procurer to obtain, to supply
procureur *m.* attorney
prodige *m.* prodigy
prodiguer to lavish
produire to produce
produit *m.* product
profaner to desecrate
proférer to utter
profondément deeply
profondeur *f.* depth
proie *f.* prey booty
promener to take out, to take over; **se —** to take a walk
promettre to promise
prône *m.* sermon
propos *m.* talk, conversation; **à — de** concerning; **de — délibéré** with set purpose
propre clean; own; proper, apt, fit
proprement cleanly, properly, aptly
propreté *f.* cleanliness, neatness
propriété *f.* property; propriety; quality
proscrire to forbid; to exile
proser (*arch.*) to set unpoetically
prospérer to prosper
prosterner (se —) to prostrate oneself
protéger to protect
protester to protest
prouver to prove
provenir de to accrue, to issue from
provision (par —) provisionally
provisoire provisional, temporary
prune *f.* plum
prunelle *f.* pupil of the eye
prunier *m.* plum tree
psalmodier to chant (in a sing song)
psaume *m.* psalm
publier to publish
pudeur *f.* modesty; shame
puéril childish
puis then, afterwards
puiser to draw
puisque since
puissance *f.* power
puissant powerful
puits *m.* well
punir to punish
purger to clear, to rid

Q

qualité *f.* quality; nobility, title
quand when; even though
quant à as for
quart *m.* quarter, one fourth
quartier *m.* quarter; **demander —** to beg for quarter; **prendre —** to ask for mercy
quasi almost
que whom, which
que that
quel what
quelconque whatever

quelque some
quelque . . . que however
quelquefois sometimes
quelque peu somewhat; — **— que** however little
quenouille *f.* distaff
querelle *f.* quarrel, dispute
querelleur *m.* quarrelsome person
quérir to seek, to fetch
queue *f.* tail
quiconque whoever
quidam *m.* fellow
quinquina *m.* Peruvian bark
quiproquo *m.* **quid pro quo;** blunder
qui que ce soit whoever it may be
quitte quit; **tenir —** to release
quitter to quit, to leave; **— de** to release from
quoi what
quoique although
quoi que whatever
quolibet *m.* quib, quibble

R

rabaisser to lower, to humble
raccommoder to mend, to reconcile
raccourci *m.* epitome, miniature; **en —** in short
race *f.* race, family, brood
racine *f.* root
raconter to narrate
raffinement *m.* refinement; affectation
raffiner to refine; to pick to pieces
rafraîchir to refresh
rai (*arch.*) ray
railler to mock, to banter
raillerie *f.* mockery, banter
railleur *m.* banterer
raisin *m.* grape
raison *f.* reason; motive; **rendre —** to give account
raisonnable reasonable, sensible
raisonnement *m.* reasoning, argument
raisonner to reason, to argue
rallier to rally
ramage *m.* warbling
ramée *f.* branches with leaves on
ramener to bring back
ramper to crawl, to crouch
rang *m.* rank, condition; line, row; **de —** each (voting) in turn from his seat
rangé arranged; steady
ranger to arrange; **se —** to make room; **se — à** to come over to
rapine *f.* plunder
rappeler to recall
rapport *m.* report; harmony, correspondence; **par — à** in relation to
rapporter to bring back; to report to, record; to refer; **se — à** to relate to, to refer to
rapprocher to bring together; to compare
rare scarce
rarement seldom
raser to raze, to demolish
rassasier to satiate
rate *f.* spleen
rattacher (**se — à**) to be connected with
ravager to lay waste

ravaler to debase
ravir to ravish
ravissement *m.* rapture, delight
ravisseur *m.* ravisher
rebâtir to rebuild
rebours (au —) on the contrary
rebut *m.* rebuff; trash, scum
rebutant forbidding, tedious
rebuté rebuffed, disheartened
rebuter to repulse; to lose heart
récalcitrant refractory
recette *f.* recipe
recevoir to receive
recharger to reload
recherche *f.* search, research; courtship; affectation
rechercher to seek, to strive to
reciper (*arch.*) to take
récit *m.* tale, narration; delivery (*arch.*)
réclamer to claim
récolte *f.* crop
réconfort *m.* consolation, cheer
reconnaissance *f.* recognition, gratitude
reconnaître to recognize; to admit; to reconnoiter
recourir à to have recourse to, to resort to
recours *m.* recourse
recouvrer to recover
récréation *f.* recess
récrier (se —) to exclaim, to clamor
reçu received; customary; greeted
recueil *m.* collection
recueillir to gather, to harvest; se — to collect oneself
recul *m.* recoil, retreat; remoteness
reculer to retreat, to fall back
récuser to reject
Rédempteur *m.* Redeemer
rédiger to write out, to draw up
redonner to give back
redoublement *m.* recurrence
redoutable formidable, dreadful
redouter to fear
redresser to straighten, to correct
réduire to reduce; to compel
refaire to do again, to remake
réfectoire *m.* dining room (in school)
refermer to shut again
réfléchi reflected
réformer to reform
refroidir to chill, to get cold
refus *m.* refusal, denial
refuser to refuse, to deny
régal *m.* feast, repast
regard *m.* look, glance; **au — de** concerning
regarder to look at; to consider; to concern
régence *f.* regency
régent *m.* regent; College master
règle *f.* rule, by-law
règlement *m.* regulations
régler to rule, to regulate; to settle
règne *m.* reign
régner to reign, to rule
regratter to scratch again, to blot out
regretter to regret
régulier regular, faithful
reine *f.* queen

rejaillissement *m.* rebounding
rejeter to reject
rejeton *m.* offspring, scion
rejoindre to join
réjouir to rejoice; to cheer
relâché relax
relâchement *m.* laxity
relâcher to release; to relax
relation *f.* report, account
relevé lofty, heightened; set off
relever to raise; to extol; to notice; to tuck up
reliefs *m.* leavings, scraps from the table
religieux *m.* monk
religieuse *f.* nun
religion *f.* religion, convent life
relimer to file, to polish again and again
relique *f.* relic, remnant
reluire to glitter
remarque *f.* observation, notice
remarquer to observe, to notice
remède *m.* remedy
remédier to remedy
remerciement *m.* thanks
remercier to thank
remettre to put back, to hand over; to postpone
remonter to remount; — **à** to date from
remontrance *f.* remonstrance
remords *m.* remorse
rempart *m.* rampart
remplacer to replace
remplir to fill
remporter to carry away; to win
remuer to stir
rémunérateur remunerative
renard *m.* fox
rencontre *f.* encounter, intercourse; occasion
rencontrer to meet
rendez-vous *m.* appointment, meeting place
rendre to render; to make; — **l'esprit** to die; **se** — to surrender
rendu exhausted; surrendered
rêne *f.* rein
renfermer to enclose, to confine
renflammer to re-kindle
renfler to swell, to fill
rengager to re-enlist
rengorger (**se** —) to carry one's head high
renier to deny, to condemn
renommée *f.* fame
renouveler to renew
rénovateur *m.* renewer
rente *f.* income
renté pensioned, endowed
rentrer to return
renversement *m.* upsetting, overthrow
renverser to upset, to overturn
renvoyer to send back; to refer
répandre to spread, to shed
réparer to repair, to mend; to make up again
repartir to reply, to retort
repas *m.* repast, meal
répéter to repeat
repentir *m.* repentance
replier to fold again; **se** — to fall back
réplique *f.* reply, retort
répliquer to reply, to retort
reploir to polish again

répondre to answer; to respond
repos *m.* rest, pause
reposer (se —) to rest
repousser to repel
reprendre to take back; to resume, to reprove
représentant *m.* representative
représentation *f.* performance
représenter to perform
réprimande *f.* reproof, scolding
réprimer to repress
repris blamed, corrected
reprise *f.* repetition
reproche *m.* reproach
reprocher to reproach, to upbraid
reproduire to reproduce, to print
répugnance *f.* dislike, reluctance
requis required
réseau *m.* net, network
réserver to set apart
résolu resolute, determined
résoudre to solve; to resolve, to decide
respectueux respectful
respiration *f.* breath, breathing
respirer to breathe
ressembler to resemble
ressentiment *m.* resentment
ressentir to feel, to resent; **se — de** to feel the effects of
resserrer to tighten
ressort *m.* spring; effort, force
ressortir de to result from
ressouvenir (**se — de**) to remember
restaurer to restore
reste *m.* remnant, leavings, remains; **au —, du —** however, besides, moreover
rester to remain, to stay
restituer to return, to refund
restreindre to restrict, to confine
résumé *m.* summary
résumer to sum up
retard *m.* delay
retarder to delay, to postpone
retenir to detain, to hold back, to remember
retentir to resound
retenu cautious, circumspect
retenue *f.* reserve
rétif shy, restive
retiré retired, remote
retirer to withdraw; **se —** to retire, to settle
retomber to fall again, to fall back
rétorquer to retort
retors twisted, curved
retour *m.* return
rétracter (se —) to recant
retraite *f.* retreat, refuge
retranchement *m.* retrenchment, curtailment
retrancher to cut off, to curtail; **se —** to intrench
rets *m.* net, snare
réunir to gather, to bring together; **se —** to meet
réussir to succeed
réussite *f.* success
revanche *f.* revenge; **en —** on the other hand
revancher (*arch.*) to revenge
réveil *m.* awakening
réveiller to wake up
révéler to reveal, to disclose
revendre to sell again

revenir to come back, to return
revenu *m.* income
rêver to dream
révérer to venerate
rêverie *f.* dream, imagination, folly
revêtir to clothe
revêtu clad; **gueux —** beggar on horseback
rêveur *m.* dreamer
revivre to live again, to revive
révocation *f.* repeal
révolté *m.* rebel
révoquer to recall, to dismiss, to repeal
revue *f.* review
riant agreeable
richesse *f.* wealth
ride *f.* wrinkle
rider to wrinkle
rien nothing; anything
rieur *m.* laugher, mocker
rigoureux stern
rigueur *f.* rigor; severity
rimeur *m.* rhymer, poet
riposte *f.* rejoinder, retort
riposter to retort
rire *m.* laughter
rire to laugh; **— du bout des dents** to force a laugh
ris (*arch.*) *m.* laughter
risée *f.* laughing stock
risque *m.* risk, chance
risquer to risk, to venture
rissolé *m.* brown meat
rivage *m.* shore
rivaliser to vie, to rival
rive *f.* bank, border
rivière *f.* river
robe *f.* dress, gown, robe; **— de chambre** dressing gown
roc *m.* rock, stone
roche *f.* rock, boulder
rocher *m.* rock
roi *m.* King
roitelet *m.* wren
rôle *m.* part, rôle, impersonation
roman *m.* novel, romance
rompre to break
rond round
rond *m.* round, circle
ronfler to snore
ronger to gnaw, to consume
roseau *m.* reed
rossignol *m.* nightingale
rôti *m.* roast
roturier *m.* commoner, plebeian
roue *f.* wheel
rouer to beat
rouge red
rougir to redden; to blush
rouille *f.* rust
rouler to roll; to wander
rouvrir to reopen
roux, rousse reddish, tawny, rusty
royaume *m.* kingdom
ruban *m.* ribbon
rude rough, coarse
rudesse *f.* harshness
rue *f.* street
ruelle *f.* alley; literary coterie
rugissement *m.* roar
ruisseau *m.* stream, brook
rustique *m.* peasant
rustre *m.* boor

S

sable *m.* sand
sablonneux sandy
sac *m.* bag, sack, satchel

saccager to sack, to pillage
sacré sacred, holy
sade (*arch.*) graceful
sage wise
sagement wisely
sagesse *f.* wisdom
saignée *f.* blood-letting
saigner to bleed
saillie *f.* projection; start, sally
sain healthy; sane
sainteté sanctity, holiness
Saint-Siège *m.* Holy-See
saisir to seize; to startle; **se — de** to take hold of
saisissement *m.* start, shock, pang
saison *f.* season
salle *f.* hall, room
salpêtre *m.* saltpeter, powder
saluer to salute, to hail
salut *m.* safety, salvation
salutaire beneficial
sang *m.* blood
sang-froid *m.* coolness, composure
sanglant bloody
sanglot *m.* sob
sangloter to sob
sans without, except for
santé *f.* health
satisfaire to satisfy
sauf que except that
saut *m.* jump, leap
sauter to jump, to skip
sauvage wild; unsociable
sauver to save
Sauveur *m.* Savior
savant scholarly, learned
savetier *m.* cobbler
savoir *m.* knowledge, science; skill
savoir to know; to be able
sayon *m.* coat
scandaliser to scandalize, to shock
sceau *m.* seal
scélérat villainous
sceller to seal
scène *f.* scene, scenery, stage
scrupule *m.* scruple, qualm
scrutin *m.* ballot, vote
sec, sèche dry
sécher to dry
secouer to shake
secourir to assist, to help
secours *m.* assistance, help
secousse *f.* shock
secret secret; discrete
séculaire centenary, century-old
séculier secular, wordly
séduire to seduce, to win over
seigneur *m.* lord
sein *m.* bosom
séjour *m.* stay, residence
séjourner to sojourn
sel *m.* salt
selon according to
semblable similar, like
semblant *m.* seeming, pretense
sembler to seem
semer to sow
sémillant bright, sprightly
sens *m.* sense; meaning; direction
sensé sensible, sane
sensible sensitive; perceptible; painful
sentiment *m.* sentiment; opinion, judgment
sentinelle *f.* sentry
sentir to smell; to savor; to taste; to feel; **se — de** to feel the effects of

seoir to suit, to fit, to become
séparer to separate; **se — de** to part from
serein serene
serin *m.* canary bird
serment *m.* oath
serre *f.* talon, claw
serré tight, compact; oppressed
serrer to tighten, to squeeze; to lock up; **serrant la queue** tail between legs
servante *f.* female servant, maid
servir to serve; **— de** to serve as; **se — de** to use
serviteur *m.* male servant
seuil *m.* threshold
seul alone
seulement only, solely
sève *f.* sap
sevrer to wean
si if, whether; so, so much; however
siècle *m.* century; epoch
siège *m.* seat; siege
siffler to whistle, to hiss
signalé conspicuous
signaler to point out
signer to sign
sillon *m.* furrow
singe *m.* monkey
sinon except, otherwise, if not
sitôt que so soon as
sobre sober
soc *m.* plowshare
sœur *f.* sister
soi self, oneself, itself
soie *f.* silk
soif *f.* thirst
soigneux careful, mindful
soigneusement carefully
soin *m.* care, attention
soir *m.* evening
soit que . . . , soit que whether . . . , or
soldat *m.* soldier
solde *f.* pay
soleil *m.* sun
sombre dark, gloomy
somme *m.* nap
sommeil *m.* sleep
sommeiller to doze, to slumber
sommer to call upon
sommet *m.* summit, top
son *m.* bran; sound
sonder to sound, to fathom
songe *m.* dream, imagination; thought
songer to dream; to think
sonner to ring, to toll
sort *m.* fate, fortune
sorte *f.* sort, kind; **en — de** so as to; **de — que** so that
sortir (au — de) (*arch.*) *m.* on leaving
sortir to go out
sot *m.* fool, silly
sottement foolishly
sottise *f.* silliness, nonsense
sou *m.* penny
souci *m.* care, worry; marigold
soucier (se — de) to care to (*or*) for, to worry about
soudain sudden
soudain, soudainement, suddenly
souffler to blow, to pant
souffrance *f.* suffering, pain, grief
souffrir to suffer, to endure
souhait *m.* wish; **à —** to heart's content
souhaiter to wish

souiller to soil, to stain; to blemish
souillure *f.* stain; sin
soulagement *m.* relief
soulager to relieve, to help
soulever to raise, to stir up
soulier *m.* shoe
souloir (*arch.*) to be wont to, to be accustomed to
soumettre to submit, to subdue; **se —** to abide, to surrender
soumis docile, tractable
soumission *f.* submission, compliance
soupçon *m.* suspicion
soupçonner to suspect
soupir *m.* sigh
soupirant *m.* suitor
soupirer to sigh, to breathe
souple pliant; docile, tractable
source *f.* source, spring
sourcil *m.* eyebrow
sourd deaf; muffled; underhand; **—-muet** deaf and dumb
sourdement secretly
souriceau *m.* little mouse
sourire to smile
souris (*arch.*) *m.* smile
souris *f.* mouse
sous under
souscrire to subscribe, to consent
sous-titre *m.* subtitle
soustraire (se — à) to avoid, to escape
soutane *f.* robe, cassock
soutenir to support, to maintain
souterrain underground
soutien *m.* support, maintenance
souvenance *f.* remembrance
souvenir (se — de) to remember
souvent often
souverain *m.* sovereign
souverainement supremely
spécieux specious, plausible
spirituel spiritual; witty
stance *f.* stanza
stérile barren
stupide idiotic
suave sweet, pleasant
subjuguer to subdue
subsister to live, to last
suc *m.* juice, sap
succession *f.* inheritance
succinctement briefly
sucer to suck
suçoir *m.* sucker, proboscis
sud *m.* South
Suède *f.* Sweden
suer to sweat, to perspire
suffire to suffice
suffisant sufficient
suffrage *m.* vote, approval
suggérer to suggest
Suisse *f.* Switzerland
suite *f.* continuation, series, line; retinue; consequence; **dans la —** afterwards; **de —** consecutively, coherently; **tout de —** at once
suivant next, following; according to
suivre to follow
sujet à subject to, liable to
sujet *m.* subject; cause; topic
sujétion *f.* subjection, obedience
supercherie *f.* deceit, fraud

superficie *f.* surface, area
superflu *m.* superfluity
supérieur superior
supplice *m.* torment, corporal punishment
supplier to beseech, to implore
supportable bearable
supporter to support; to bear, to endure
supprimer to suppress
supputer to calculate
sur on, upon; by
sûr sure; safe, secure
surajouté superadded
sûreté *f.* safety, security
surmonter to overcome
surnom *m.* surname
surnommer to surname, to give a nickname
surprenant surprising
surprendre to surprise
surtout above all
survenir to survene, to happen
susciter to start, to raise, to arouse
suspect suspected, suspicious
suspendre to hang; to suspend

T

tableau *m.* picture; table, roster
tache *f.* spot, stain, blemish
tâche *f.* task
tâcher to try, to endeavor
taille *f.* cut; height, size; figure (woman)
taillé cut out
tailler to cut; to carve; to prune
taire to keep silent
tambour drum
tandis que while
tanière *f.* den, lair
tant so much, so many; — **que** so long as; — **s'en faut** far from it; — **s'en faut que** so far from; — **soit peu** ever so little
tantôt a while ago; — **. . .**, — now . . ., now
tapis *m.* carpet, rug; cover
tapisser to hang with, to upholster
tapisserie *f.* tapestry, hangings
taponner (*arch.*) to deck, to puff out (the hair)
tard late
tarder to delay, to loiter
tas *m.* heap, pile, number
teint *m.* complexion
teinte *f.* tint, hue, touch
tel *m.* such
tellement so, so much
téméraire bold, rash
témérité *f.* boldness, rashness
témoignage *m.* testimony; mark, proof, token
témoigner to testify, to state, to show
témoin *m.* witness
tempéré temperate
temps *m.* time; weather; **à** — on time; **troisième** — (*arch.*) claro obscuro
tendance *f.* tendency
tendre tender
tendre to extend, to hold out; to set; — **à** to aim to
tendresse *f.* affection
tendu strained, bent, held out
ténèbres *f.* darkness
ténébreux dark, gloomy; underhand

tenir to hold, to keep; **— à** to care for, to depend upon; **il ne tient qu'à vous** it only depends on you
tentation *f.* temptation
tentative *f.* attempt
tente *f.* tent
tenter to attempt; to tempt
tenture *f.* hangings, tapestry
terme *m.* term, end; word
terminaison *f.* ending
terminer to end, to finish
terrain *m.* soil, ground
terrasse *f.* terrace
terrasser to fell
terre *f.* earth, soil, clay; ground, land; estate
tête *f.* head; chief; **en faire à sa —** to have one's own way
téter to suck (milk)
thème *m.* topic
thèse *f.* thesis
tiède lukewarm
tiédeur *f.* tepidness, coolness, indifference
tige *f.* stem
timon *m.* shaft, pole
tirer to draw; to extract; **se — d'affaire, s'en tirer** to get along; **— parti de** to turn to account; **— sur** to shoot at, to fire at
titre *m.* title; claim; right, reason
titulaire *m.* incumbent
toison *f.* fleece, wool
toit *m.* roof; home
tombeau *m.* tomb, grave, monument
tomber to fall
tome *m.* volume
ton *m.* tone
tondre to cut, to clip
tonner to thunder
tonnerre *m.* thunder
tort *m.* wrong
tortu twisted
tôt soon
touchant touching, concerning
toucher to touch, to concern
touffu tufty, bushy
toujours always; **pour —** for ever
tour *m.* turn; shape; circle, outline; construction; trick
tour *f.* tower
tourbillon *m.* whirlwind
tourmenter to torment, to worry
tourné set, rounded
tourner to turn; to direct; to depend; **la tête me tourne** I feel giddy
tournesol *m.* turnsol, sunflower
tournoyer to turn round and round
tourte *f.* tart
tourterelle *f.* turtle dove
tousser to cough
tout all, whole; **— à fait** entirely; **— à l'heure** a while ago, in a while
toutefois however
tracer to draw, to lay out, to describe
traducteur *m.* translator
traduire to translate
trahir to betray
trahison *f.* treason, betrayal
train (en —) in a fair way; **mettre en —** to set going
traîner to drag, to draw
traire to draw, to milk
trait *m.* dart, arrow; feature,

trait; — **d'esprit** flash of wit; **avoir — à** to be related to
traite *f.* journey, stage
traité *m.* treaty; essay, treatise
traiter to treat; to discuss
traître *m.* traitor
traîtreusement treacherously
trajet *m.* journey
tranchant sharp, cutting
trancher to cut; to clinch, to settle
transi chilled, benumbed
transmettre to transmit
transporté rapt
travail *m.* work, labor
travailler to work; to torment
travers *m.* oddity, whim
travers (**à** —) across; **de** — wrongly
traverser to cross, to pass through; to thwart
travesti disguised; burlesque
trébucher to stumble
treille *f.* vine arbor
trépas *m.* death
trépassé dead
trépasser to die
trépigner to stamp one's foot
très very, very much, most; **Très-Haut** Most High
trésor *m.* treasure
trésorier *m.* treasurer
trêve *f.* truce
triste sad
tristement sadly
tristesse *f.* sadness, gloom
tromper to deceive; **se** — to be mistaken
tromperie *f.* deceit, trick
trompeur deceitful
tronc *m.* trunk, stump
trône *m.* throne
tronquer to mutilate
trop too, too much, too many; **être de** — to be one too many
troubler to disturb; **se** — to get ruffled
troupeau *m.* flock
troussé tucked up
trouver to find; **se** — to happen to be; **se — bien de** to derive benefit from; — **jour à** to find a way of
tuer to kill; **se — de** to work oneself out
tuerie *f.* slaughter

U

uni smooth, flat
unir to unite
usage *m.* usage, custom
usé worn out
user to wear out; — **de** to use; **en — de la sorte** to act thus
usurpateur *m.* usurper
utile useful
utilement usefully

V

vacarme *m.* uproar
vache *f.* cow
vagabond wandering, vagrant
vague *f.* wave
vaillant courageous
vaincre to vanquish, to win
vainqueur *m.* conqueror, winner
vaisseau *m.* vessel
vaisselle *f.* crockery, dishes
valétudinaire sickly, infirm

valeur *f.* valor; value, worth; merit
valeureux valiant
vallée *f.* valley
vallon *m.* dale
valoir to be worth
vanité *f.* vanity; **faire — de** to take pride in
vantard *m.* boaster
vanter to praise, to extol; **se —** to boast
vapeur *f.* vapor
vaquer à to attend to
varier to vary, to change
vautour *m.* vulture
veau *m.* calf; **faire le —** to sprawl
veille *f.* eve, watch; night work
veiller to be awake, to be on the watch; to take care
veine *f.* vein; luck; humor; fecundity
vélin *m.* vellum
velours *m.* velvet
velu hairy
vendange *f.* grape-gathering, vintage
vendre to sell
vengeance *f.* revenge
venger to avenge
vengeur *m.* avenger
venin *m.* poison, venom
venir to come
vent *m.* wind, breath, fume, smoke
vêpres *f.* vespers
ver *m.* worm
verdure *f.* green
vérité *f.* truth
vermeil ruby, golden
vermisseau *m.* little worm, grub
verre *m.* glass
vers *m.* verse
vers towards, about
verser to pour, to shed, to overturn
vert green
vert *m.* green, grass
vertu *f.* virtue, force
vertueux virtuous
verve *f.* spirit, passion, humor; inspiration
vêtu clad
veuf *m.* widower
veuve *f.* widow
viande *f.* meat
viatique *m.* Viaticum
vicomte *m.* viscount
victoire *f.* victory
vide empty, void
vide *m.* emptiness, empty space, vacuum
vider to empty
vie *f.* life
vieillard *m.* old man
vieille *f.* old woman
vieillir to grow old
vieux old
vif lively, vivid
vigueur *f.* vigor, spirit
vilain ugly
villageois *m.* peasant
ville *f.* town, city
violer to violate
violette *f.* violet
vin *m.* wine
virilement manly, strongly
vis-à-vis opposite; **— de** concerning
visage *m.* face
viser to aim
visite *f.* call, visit
vite quickly

vitesse *f.* speed
vivant living
vivre *m.* food, victuals
vivre to live
vœu *m.* vow
vogue *f.* vogue, repute, fashion
voici here is, here are, behold here
voie *f.* way, road
voilà there is, there are, behold there
voile *m.* veil
voile *f.* sail; **faire —** to sail
voilé veiled
voir to see
voire (*arch.*) truly, verily; even
voisin *m.* neighbor
voisinage *m.* vicinity
voiture *f.* vehicle, carriage
voix *f.* voice, sound; opinion, vote
volage flighty, fickle
volatile *m.* bird
voler to fly; to steal, to rob
voleur *m.* thief, robber; plagiarist
volière *f.* aviary
volontaire voluntary; headstrong
volonté *f.* will, will power
volontiers willingly; easily, frequently
vouloir to will, to want; **— bien** to be willing, to concede
voûte *f.* vault, arch, canopy
voyager to travel
voyageur *m.* traveler
vrai true
vrai *m.* truth
vraisemblable likely
vraisemblablement likely, probably
vraisemblance *f.* likelihood
vu seen; considering; **— que** seeing that, whereas
vue *f.* sight, view; **de —** by sight
vulgaire *m.* common people, crowd

Z

zèle *m.* zeal
zélé zealous